新工科·普通高等教育机电类系列教材

互换性与测量技术

第 2 版

张卫 方峻 编

机械工业出版社

本书面向智能制造的需求和发展趋势，遵循内容精选、加强应用、注意更新、便于教学与自学的原则，结合产学研成果，着眼于对学生科研创新及国际视野的培养。在编写过程中，及时跟踪国家标准，并参考2017年发布的 ISO GPS 和 2018 发布的 ASME GD&T 国际标准系列，以互换性原理为主线，以产品几何技术规范（GPS）相关标准为基础，主要介绍了面向二维和三维数字化测量的 GPS 系列标准和技术、计算机辅助公差设计分析方法、公差分配及优化方法等。

本书符合党的二十大报告中关于"深入实施科教兴国战略、人才强国战略、创新驱动发展战略"的要求，在详细讲授基础理论知识的同时融入探索性实践内容，以增强学生的自信心和创造力，即用学科理论知识促进学生活跃思维、敢于创新，尽可能地将新思路在实践中进行创造性的转化，推动科学技术实现创新性发展。

本书可作为高等学校机械类各专业的教材，也可作为工程类相关专业学生和从业人员的参考用书。

本书配套中国大学 MOOC 网（https://www.icourse163.org/）本课程组建设的"南京理工大学《互换性与测量技术》MOOC 课程"所有数字化资源。

图书在版编目（CIP）数据

互换性与测量技术/张卫，方峻编. —2 版. —北京：机械工业出版社，2023.12

新工科·普通高等教育机电类系列教材

ISBN 978-7-111-74744-4

Ⅰ.①互⋯ Ⅱ.①张⋯ ②方⋯ Ⅲ.①零部件-互换性-高等学校-教材②零部件-测量技术-高等学校-教材 Ⅳ.①TG801

中国国家版本馆 CIP 数据核字（2024）第 002740 号

机械工业出版社（北京市百万庄大街 22 号　邮政编码 100037）
策划编辑：余　皞　　责任编辑：余　皞
责任校对：梁　静　　封面设计：张　静
责任印制：李　昂
河北泓景印刷有限公司印刷
2024 年 3 月第 2 版第 1 次印刷
184mm×260mm・19.75 印张・487 千字
标准书号：ISBN 978-7-111-74744-4
定价：63.00 元

电话服务	网络服务
客服电话：010-88361066	机 工 官 网：www.cmpbook.com
010-88379833	机 工 官 博：weibo.com/cmp1952
010-68326294	金 　书 　网：www.golden-book.com
封底无防伪标均为盗版	机工教育服务网：www.cmpedu.com

前　言

　　从零件到整机，从民用到军用，从第一条流水线到智能工厂，互换性与测量技术的发展一直推动着制造业的发展。为满足《中国制造 2025》的要求，直面国际制造业的竞争，打造制造强国，实现我国制造业向智能制造模式转型升级，实现更精、更高、更快生产，需要从几何精度设计技术和测量基础技术做起。互换性与测量技术是机械工程专业承上启下的学科基础，是联系机械设计基础与机械制造基础的纽带，是从基础学习过渡到专业学习的桥梁。随着全球协同、数字化、信息化和智能化技术在产品全生命周期中的应用，互换性与测量技术已经成为智能制造体系中不可或缺的核心技术。

　　当前，新一轮科技革命和产业变革正与我国加快转变经济发展方式形成历史性交汇，国际产业分工格局正在重塑，《中国制造 2025》明确指出传统制造业将向基于工业 4.0 的智能制造转型，制造业面临着前所未有的挑战和机遇。而提高国家制造业创新能力的关键基础问题之一，就是要大力推动并提升制造业标准化进程，加强计量科技基础及前沿技术的应用和研究，协同推进产品研发与标准制定，加快我国标准国际化进程。在强化工业基础能力中，要"强化基础领域标准和计量体系建设"，而这正是互换性与测量技术关注的两大核心内容，即属于标准化范畴的互换性技术和属于计量学范畴的测量技术。

　　智能制造的核心就是制造的工艺，而制造工艺的核心就是基于几何精度设计的互换性技术，互换性技术顺利实施的保证则是测量技术。本书的目标正是普及面向智能制造业的基础技术，旨在传授利用国家制定的 GPS 规范中关于尺寸公差、极限与配合、几何公差、公差要求、表面结构、轴承、螺纹等多项标准系列进行几何精度设计和图样标注的方法，尤其是从二维图样向三维基于模型的定义（MBD）、由实物比对向数字模型比对转变的公差设计技术规范，遵循国家标准规定的几何参数检测与器具标准系列，运用正确的、合理的、先进的测量技术手段，尤其是数字化测量工具和软件，保证产品尺寸与国家几何技术规范标准的贯彻实施，实现互换性目标，解决设备能力需求、制造工艺和生产成本之间的矛盾。

　　通过本书的学习，读者可以正确理解现行的产品几何技术规范的相关国家标准，正确理解产品几何技术规范的意义，并正确理解工程图样的表达意图和测量要求，合理检测及评估各种产品的几何参数，学会采用产品几何技术规范通过计算、类比和实验相结合的方法，合理表达设计意图，从而具备合格的机械工程师的基础知识和技能。

　　南京理工大学互换性与测量技术课程已开设 30 多年，面向机械工程、材料工程、车辆工程、工业工程、知识产权的普通班、培优班、卓越工程师班、中法班和国际留学生班等多个专业班级的中外学生开展中文和全英语教学，曾在省级优秀课程和江苏高校微课比赛中获奖，并于 2019 年在中国大学 MOOC 网上线，已在线开课 6 轮，参与学习的学生已超过万人，取得了很好的效果。

  本书前言、第 1 章至第 4 章、附录由张卫编写，第 5 章至第 8 章由方峻编写。2016 年以来，由于 ISO GPS 体系及其相关标准做了较大的调整和修订，因此 2018 年以来国家标准 GPS 的体系与相关标准也在陆续进行较大的修订，所以本课程组编写的这本书全部参照截至 2022 年发布的相关国家标准，以及即将发布的等同采用的 ISO 标准，并在本书各章列出了所涉及的国家标准、ISO 标准及其年份，便于读者参考查阅。

  本书提供了大量的实践案例、例题和习题，同时配套本课程组建设的中国大学 MOOC 网（https://www.icourse163.org）"南京理工大学《互换性与测量技术》MOOC 课程"的所有电子资源，方便读者自学。

编　者

目 录

前言
第1章 概述 … 1
1.1 互换性与测量技术简介 … 2
1.2 国内外相关标准体系 … 5
1.3 GPS矩阵模型及其基本原则 … 8
1.4 面向智能制造的几何精度设计与测量 … 11
习题 … 14

第2章 基本概念和术语 … 15
2.1 要素及其分类 … 16
2.2 线性尺寸 … 19
2.3 状态及其尺寸 … 20
2.4 偏差与公差 … 23
2.5 配合 … 25
2.6 基准制 … 27
2.7 综合练习 … 27
习题 … 29

第3章 孔与轴的公差与配合 … 30
3.1 标准公差系列 … 30
3.2 基本偏差系列 … 31
3.3 标注公差与配合的线性尺寸 … 34
3.4 公差带和配合的选择 … 36
3.5 一般（未注）尺寸公差 … 41
3.6 公差带与配合的图样标注 … 42
3.7 配合精度设计 … 44
习题 … 52

第4章 几何公差 … 54
4.1 几何公差分类及公差带 … 56
4.2 基准与基准体系 … 59
4.3 几何公差规范的可视化标注 … 65
4.4 几何误差及其评定 … 81
4.5 几何公差特征项目及公差等级 … 85
4.6 未注几何公差 … 89
4.7 几何公差的原则及要求 … 92
4.8 零件几何精度综合设计 … 103
4.9 三维数字产品定义中的几何精度综合标注 … 111
习题 … 119

第5章 表面结构 … 123
5.1 表面结构的基本概念 … 123
5.2 表面粗糙度的评定参数 … 126
5.3 表面粗糙度的标注规范 … 129
5.4 表面粗糙度的选用 … 136
习题 … 139

第6章 典型零件的公差与配合 … 141
6.1 滚动轴承的公差与配合 … 142
6.2 普通螺纹的公差与配合 … 151
6.3 键和花键的公差与配合 … 167
6.4 圆锥结合的公差与配合 … 172
6.5 渐开线圆柱齿轮公差 … 186
习题 … 202

第7章 几何量的测量 … 205
7.1 测量技术的基本条件 … 205
7.2 长度尺寸的测量 … 207
7.3 测量器具和测量方法 … 210
7.4 光滑极限量规设计 … 211
7.5 基准的建立和体现 … 220
7.6 几何误差的测量 … 223
7.7 表面粗糙度的检测 … 249
7.8 测量误差及数据处理 … 251
习题 … 259

第8章 装配精度设计分析方法 … 261
8.1 尺寸链的基本概念及计算方法 … 261
8.2 计算机辅助装配精度分析 … 275
8.3 公差分配及优化方法 … 281
习题 … 285

附录 … 286
参考文献 … 309

第1章 概　　述

制造业全球化的发展，使得社会生产专业化分工越来越细，供应链越来越复杂，对产品的质量要求也越来越高，因此，无论是批量生产还是客户化定制，出于技术优势、生产能力、成本控制、市场响应和质量保证等多种目的，都需要由多个组织利用自身的核心优势，进行分工协作才能完成生产，因此网络协同制造应运而生。当今汽车、家电、飞机、手机、航天器的制造，其供货商都有成百上千，遍布全球，如何确保来自不同国家不同组织的产品最终能顺利地装配为合格的成品，这就要求所有的组织在生产和贸易活动中必须遵循一定的生产规则，即互换性原则，而检验和保证产品是否符合该原则的手段则是测量技术。

随着全球协同、数字化、信息化和智能化技术在产品全生命周期中的应用，现在需要站在智能制造的高点，创新互换性技术的内涵、应用和发展。于是，基于三维模型几何精度设计的互换性技术、基于实物和数字模型的测量技术成为智能制造体系中不可或缺的新的核心技术。为此，国家专门成立的全国产品几何技术规范标准化技术委员会（TC240）针对几何量互换和测量技术，参照最新国际标准化组织（International Organization for Standardization，ISO）发布的产品几何技术规范（Geometrical Product Specifications，GPS）系列标准，不断地更新应用于基础领域的GPS系列国家标准和计量体系，为现代机械产品几何精度设计和测量提供了技术基础。

本章所引用和参考的相关国家标准和国外标准有：

GB/T 38368—2019《产品几何技术规范（GPS）　基于数字化模型的测量通用要求》

GB/T 20000.1—2014《标准化工作指南　第1部分：标准化和相关活动的通用术语》

GB/T 20308—2020（ISO 14638：2015，IDT）《产品几何技术规范（GPS）　矩阵模型》

GB/T 4249—2018（ISO 8015：2011，MOD）《产品几何技术规范（GPS）　基础　概念、原则和规则》

GB/T 321—2005（ISO 3：1973，IDT《优先数和优先数系》

GB/T 19763—2005（ISO 17：1973，IDT）《优先数和优先数系的应用指南》

GB/T 19764—2005（ISO 497：1973，IDT）《优先数和优先数化整值系列的选用指南》

GB/T 2822—2005《标准尺寸》

ASME Y14.5—2018《Dimensioning and Tolerancing》

本书所有涉及的国家标准均由国家标准化管理委员会主管的TC240（全国产品几何技术

规范标准化技术委员会）归口上报及执行。

1.1　互换性与测量技术简介

1.1.1　互换性与几何精度设计

广义上，根据国家标准（GB/T 20000.1—2014）定义，互换性（interchangeability）是指某一产品、过程或服务能用来代替另一产品、过程或服务并满足同样要求的能力。它包括功能互换性、性能互换性、尺寸互换性等很多种。例如，目前广泛使用的同规格充电头的 USB 接口中有 Micro 和 Type C 两大类，它们几何形状和尺寸不同。市场上买到的任意合格的 Micro 接口的充电头可和任意 Micro 接口的充电头互换，满足同样的充电功能和性能需求，即具备功能互换性、性能互换性、尺寸互换性；而相同电气规格 Micro 接口的充电头无法和 Type C 接口的充电头互换，因为虽然它们具备功能互换性、性能互换性，但它们的充电线接口因形状和尺寸不同而不具备尺寸互换性。

为了满足制造业中品种控制、适用性扩展、成本质量控制、安全环保、贸易互通、技术合作交流等各项目标，需要专门研究机械产品尺寸、形状、方向、位置、表面结构等几何量度的互换性，因此，本书中所讲述的是狭义的、专门针对机械生产的几何量的互换性，即在规格相同的一批零件中，不需任何挑选、辅助加工（如钳工修配）或调整就可装上机器（或部件），并满足技术标准规定的质量指标和使用性能的能力。例如，任意市场上任意购买的一批同规格的合格车胎都是可以满足同样的载荷能力和速度要求，客户买来即可安装使用，即具有互换性。

当然，满足互换性的产品并不需要完全相同，只要足够相似即可。这是由于一直存在的且无法完全消除的制造误差和测量误差，我们也只能得到一定程度上不影响功能或性能的相似产品，其相似程度可以用几何量误差都在一定的范围内来表达，这个范围称为公差。公差相同即几何精度相同。有统计显示，有近 41% 的汽车质量问题来自于超出公差的几何误差，几何精度直接决定了产品质量。因此，为满足互换性，几何精度设计是机械设计中必不可少的一部分。

目前制造业逐渐向大型化、微型化、型面复杂化、结构轻量化和精密化发展，尤其是高强耐热合金等新型轻质材料的推广应用，它们的几何精度控制要求也日渐增高，需要高精度加工和测量设备来保证，此时，机床丝杆精度、导轨平行度和对称度、伺服电动机的转动精度、测量系统的定位精度和系统补偿精度都制约着产品的几何精度，即互换性。

为了满足互换性，设计者的任务就是要根据当前的制造、测量、使用、维修等技术条件，在满足功能和控制要求的前提下，进行几何精度设计，正确合理地选用公差，利用标准的图形、文字、数字和符号准确描述零件几何特征（形状、大小、几何关系等），关键的功能关系，正常运行所允许的公差、材料、工艺等信息，并在图样上规范明确地表示出来，以便指导生产，获得最佳的经济效益。

1.1.2 互换性分类

互换性可根据实际生产的情况和满足需求的方式分为不同种类,但是无论选用何种互换性,其宗旨都是通过合理控制实际生产精度要求来降低制造和装配难度、降低总体生产成本,保证满足功能和控制需求,达到控制和满足总体装配精度和质量要求。

1. 按照互换范围分类

(1) 完全互换性　不限定互换范围的互换。广泛地应用于市场上的一般机械产品,尤其是标准件。一般厂际协作的大批量产品都采用完全互换。

(2) 不完全互换性　由于某种特殊原因只允许零件在一定范围内互换,即在零部件装配时允许有附加条件的选择或调整的互换。通常用于高精度或批量较小的企业内部制造装配的零部件。一般采用以下方法:

1) 分组互换:对于很多小批量产品,如专用小型气缸等,高精度生产会导致成本过高、工艺复杂,难以实现。因此,加工时可以适量放大公差,加工后根据成品实测尺寸,按公差要求分成若干组,使每组内的尺寸变化在较小公差范围内,最后按组装配,保证最终高精度的装配。通过计算机系统可以实现快速地进行零件的选配和分组互换,详见3.7.2节。

2) 调整互换:更换调节环零件,改变零件位置,保证装配特性,常用的调节元件有垫圈、垫片、轴套等,例如,通过调整螺钉使楔块上、下移动来调整丝杠和螺母的轴向间隙,通过调整垫片厚度保证装配精度等。

3) 修理互换:去除调节环零件多余材料来保证装配精度,如为保证车床主轴和尾架的轴线同轴,设计时单独增加一小块重量很轻的尾架底座作为调节环,装配时通过对它的辅助加工(如铲、刮等)切除少量材料直到主轴和尾架同轴。

2. 按部位范围分类(用于标准独立部件或机构)

(1) 内互换　标准部件或机构内部组成零件间的互换性。例如,滚动轴承内、外圈滚道表面与滚珠(柱)表面为内互换,由于精度要求高而采用分组互换。

(2) 外互换　标准部件或机构与其相配合件的互换性。例如,滚动轴承内圈内径与轴的配合,外圈外径与轴承座孔的配合为外互换,也为完全互换。

1.1.3 互换性的意义和作用

自工业革命以来,互换性一直被广泛地应用于产品设计、制造控制、质量评定、采购验收等制造业的各个环节,成为被制造业普遍遵循的原则,是制造业可持续发展的重要技术基础。无论在传统制造中还是智能制造中,对于有效提高制造质量、效益、可靠性以及寿命等方面,互换性都具有显著的作用。

1. 在创新和设计方面

最大限度地使用标准件,可以简化CAD绘图和计算工作量,缩短设计周期,有利于机械产品更新换代,通过大数据分析,有利于实现智能创新设计。尤其基于三维CAD建模可以实现无纸化设计、加工和检验,根据需求定义可利用知识库自动整合已有设计和反馈问题,显著提高设计效率和成功率。

2. 在制造和装配方面

有利于组织专业化生产，高效自动化地提高生产效率，提高合格品率，提高产品质量，降低生产成本，通过工业4.0，有利于实现智能制造。由于具有互换性的产品生产工艺相同，方便使用成组技术和自动生产线批量自动生产，工艺可不断优化，制造难度还可以降低，显著提高装配效率和合格品率。

3. 在使用和维修方面

便于及时更换零（部）件，提供备用件，保证及时维修，缩短停机时间，减少维修成本，提高机器的使用价值。通过物联网技术，有利于实现远程智能维护。当零配件损坏或丢失后，可立即在网上采购同型号备件更换，节约维修时间和费用，保证其正常使用，显著提高维修效率和便捷性。

总之，互换性原则无论对于传统制造还是智能制造，在降低制造系统及其供应链复杂度和成本上、在提升质量和效率上起着至关重要的作用。

1.1.4 测量技术

为了判断和保证产品互换性必须具备相应的测量技术，通过按照设计意图和控制要求测量比对误差是否在公差控制范围内来判断产品是否合格，是否具备互换性。

机械产品几何测量的手段可以用传统的量规量具测量，也可以用先进的机器视觉测量、CT扫描；可以人工实地操作，也可借助机器人、无人机等自动操作，但无论通过什么方法，测量数据都要符合设计意图，具有可靠的比对对象，如实物或数字模型，必须具有可信度，即可重复、可再现、可对偶，这样才能保证互换性判断的有效性，后续基于测量数据的应用才会有意义和价值。

当然测量技术的选择还需根据产品的批量、复杂度和成本来选择，大批量生产需要高效简单的测量手段，如大批量的圆柱类产品通常采用专用光滑极限量规（图1-1a）与实物模型比对，而无需测量尺寸即可高效率的判断互换性，小批量的航空专用发动机则可采用三坐标测量仪（图1-1b）或CT机进行测量，复杂的汽车覆盖件则需高精度、全方位的机器视觉（图1-1c）或五轴测量头进行数字测量，通过测量数据反求与三维数字模型比对来判断互换性。

a) 量规量块

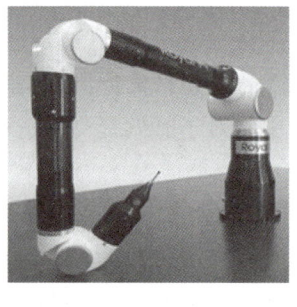
b) 便携式三坐标(关节臂)测量仪

c) 机器视觉

图1-1 几何测量手段

无论采用何种测量技术,只有当设计人员和测量人员都能正确地按照功能和控制意图去测量,数据才能用于判断互换性。另外,测量技术的选择还要从实际出发,满足低成本、高效率、高质量的生产需要。因此,在进行互换性设计时就需要考虑测量环节,必须遵守几何精度设计规范和测量规范,即国家标准,保证测量的可行性、便捷性和先进性。

1.2 国内外相关标准体系

互换性与测量技术都必须在产品几何技术规范(GPS)标准的指导下进行。互换性属于标准化(Standardization)范畴,研究如何通过合理采用国家标准规定的产品几何技术规范(极限与配合、几何公差、表面结构和几何参数检测与器具标准系列)解决机器使用要求、制造工艺和生产成本之间的矛盾。测量技术属于计量学(Metrology)范畴,涵盖有关测量的理论与实践的各个方面,研究如何运用合理的测量技术手段和国家标准 GPS 规定的几何参数检测与器具标准系列,保证国家产品尺寸与几何技术规范标准的贯彻实施,实现互换性目标。

据国外相关统计,实施 GPS 标准可以减少产品设计中的几何公差修改和规范成本 10%,减少产品制造中的材料浪费 20%,节省检测过程中的仪器、测量、评估成本 20%,缩短产品开发周期 30%,完全杜绝产品验收纠纷,实现产品几何质量设计、控制、验收过程的全数字化,实现产品几何质量设计、控制、验收过程的风险控制和全面管理,为实现基于模型的设计(Model Based Design)和信息化、智能化过程提供坚实基础。

1.2.1 标准与采标

标准是指通过标准化活动,按照规定的程序经协商一致制定,为各种活动或其结果提供规则、指南或特性,供共同使用和重复使用的文件。标准需不断修订保持与最新技术水平同步,标准就是评定一切产品是否合格的技术依据,也反映了社会技术发展的水平。

按标准化对象的特征,标准大致可分为以下几类:基础标准、产品标准、服务标准等。其中 GPS 就是关于机械产品几何精度设计和测量的基础标准,即具有广泛的适用范围或包含一个特定机械领域的通用条款的标准,广泛用于机械设计、制造、检验、贸易等的术语、符号、优先数系、尺寸公差、公差与配合、几何公差、表面结构等的通用条款的标准。同时 GPS 也是规范标准,规定机械产品几何量需要满足的机械要求以及用于判定其要求是否得到满足的几何量证实方法的标准。

标准按影响认可区域分可分为国际标准、区域标准、国家标准、行业标准、地方标准和企业标准等。几何精度设计和测量最为广泛应用的国际标准就是 ISO 的产品几何技术规范和验证(Geometrical Product Specifications and Verifications,GPS&V)标准、国家标准就是美国机械工程师协会(American Society of Mechanical Engineers,ASME)的尺寸和公差(Geometric Dimensioning Tolerance,GD&T)标准,及我国全国产品几何技术规范标准化技术委员会的 GPS 标准。

为了发展市场经济,减少技术性贸易壁垒和适应国际标准贸易,也为了提高中国产品质量和技术水平，我国会适当采用国际标准和国外先进标准，经过分析研究，不同程度地转化为中国国家标准并贯彻实施，简称采标。等同、修改采标的国家标准封面上必须明确注明与国际/国外标准的不同采用程度，具体表达见表 1-1。非等效采用的中国国家标准，不算采标，封面不标注，在前言中应说明。国家标准与国际/国外标准虽然有着相同对应领域，但存在重大技术差异。我国目前的 GPS 标准系列大部分就是修订或等同采用 ISO 的 GPS&V 标准。

表 1-1 我国国家标准与国际标准、国外标准的采用程度表达

采用程度	英文缩写	内容差异	举例
等同采用 Identical	idt（IDT）/ eqv（EQV）	几乎无	GB/T 13319—2003（ISO 5458：1998，IDT）《产品几何量技术规范（GPS）几何公差 位置度公差注法》
修改/等效采用 Modified	mod（MOD）	极小	GB/T 1182—2018（ISO/1101—2017，MOD）《产品几何技术规范（GPS）几何公差 形状、方向、位置和跳动公差标注》
非等效采用 Non-equivalent	neq（NEQ）	重大	GB/T 6577—1986（ISO 6547：1981，NEQ）《液压缸活塞用带支承环密封沟槽型式、尺寸和公差》

因此，在使用标准前首先要阅读标准的前言和规范性引用文件，搞清楚不同年代以及不同国家标准之间的关系。

1.2.2 GPS、GPS&V 和 GD&T

几何精度设计和测量相关的标准从古代的长度计量标准、线性尺寸公差标准发展到当今的 GD&T 和 GPS，范围从线性长度拓展到曲面曲线的形状、方向、位置和表面结构，越来越全面准确的表达功能和控制设计需求，并另外提供了 4 项公差要求以提高合格品率和产品性能，降低制造难度。因此，GPS 作为设计、制造、验收、使用等阶段通用的技术语言，已被广泛应用于机械、电子、汽车、船舶和航空航天等领域。

目前，机械行业最为广泛使用的标准是美国 ASME Y14 系列的 GD&T 标准（包括 4 个标准），ISO 的 GPS&V 系列标准（包括 150 余种标准）和与 ISO 较为类似的我国国家标准 GPS 系列标准（包括 100 余种标准）。其中美国标准和 ISO 标准及不同年代的我国国家标准有一定的差异，ISO 标准和 ASME Y14.5M 标准大概有 80% 相同，最新版 ISO 标准和我国国家标准与之前的版本差异较大，它们的工程图纸不完全通用，所以随着当今国际协作和贸易的日渐广泛，选择正确版本的标准解读工程图纸非常必要。表 1-2 所示为目前国内外经常会使用的工程图样图例。其中 ASME Y14.5 M—2018（M 公制）是 ASME Y14.5 M—2009 及 ASME Y14.5 M—1994 标准的更新升级版。ISO 1101：2017 是 ISO 1101：2012 及 ISO 1101：2004 的更新升级版。GB/T 1182—2018 是目前仍广泛在国内使用的 GB/T 1182—2008 及 GB/T 1182—1996 的更新升级版，GB/T 1182—2018 等同采用了 ISO 1101：2017，有着很大的改变，增加了三维模型下的几何精度标注和适用于数字测量的参数定义等更多详细的规范。

第1章 概述

表1-2 不同标准下的工程图样

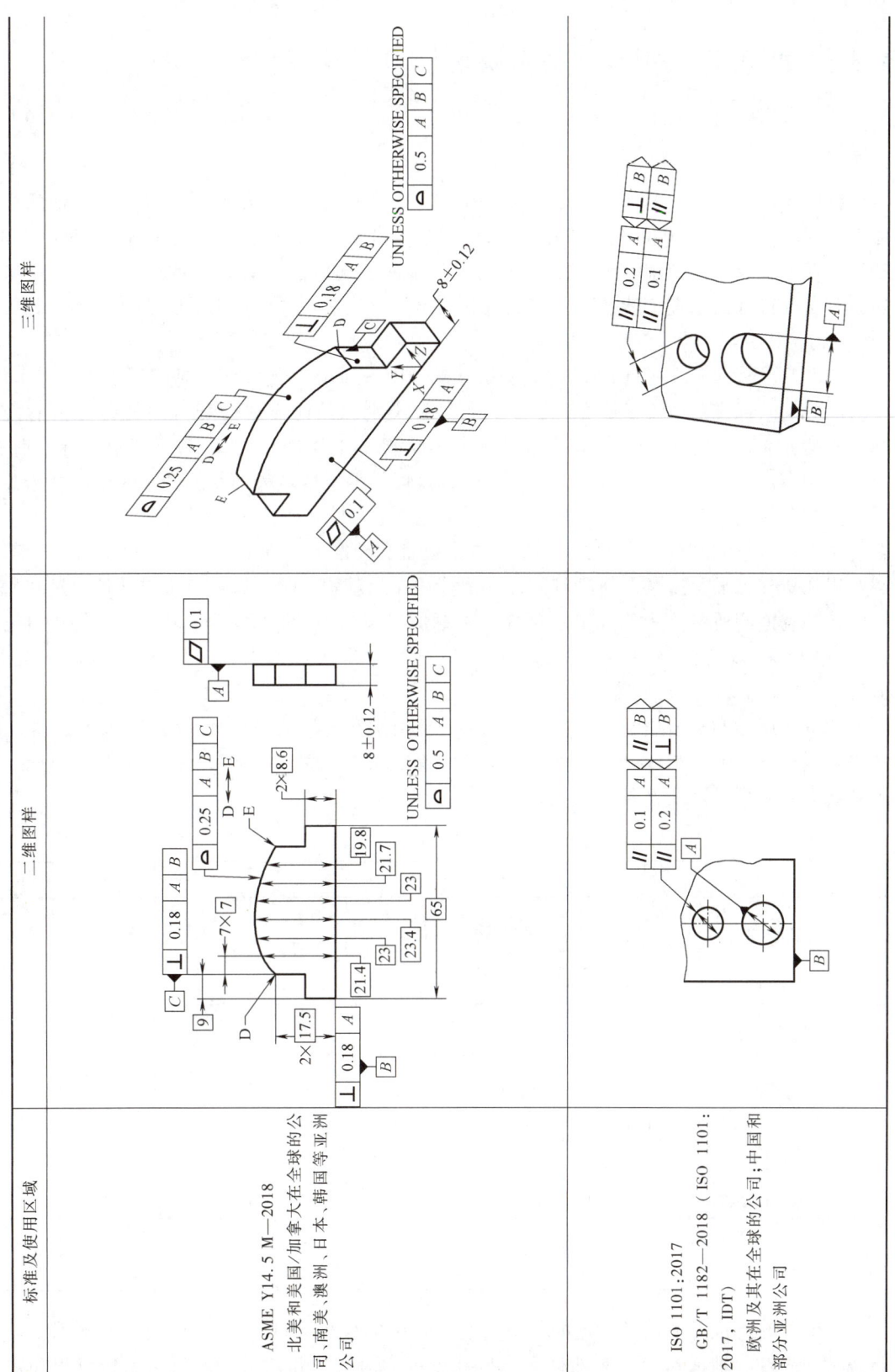

标准及使用区域	二维图样	三维图样
ASME Y14.5 M—2018 北美和美国/加拿大在全球的公司，南美、澳洲、日本、韩国等亚洲公司		
ISO 1101:2017 GB/T 1182—2018（ISO 1101:2017, IDT） 欧洲及其在全球的公司；中国和部分亚洲公司		

1.3 GPS 矩阵模型及其基本原则

1.3.1 GPS 矩阵模型

GPS 体系［(ISO) GPS system］为 ISO/TC 213 制定的产品几何技术规范与验证的标准体系。GB/T 20308—2020《产品几何技术规范（GPS） 矩阵模型》等同采用 ISO 14638：2015，规定 GPS 是一个用于通过其生命周期的某些不同阶段（设计、制造、检验等）来描述某些工件特征的系统，涉及从宏观到微观与尺寸、位置、方向、形状、表面结构等相关的 9 种几何特征。

GPS 标准分为三类标准，即 GPS 基础标准、GPS 通用标准和 GPS 补充标准。

GPS 基础标准是适用于所有类别（几何特征类别和其他类别）和 GPS 矩阵中所有规则和原则的标准，它定义 GPS 矩阵模型是一个 9 行×7 列的矩阵，见表 1-3。其中九行分别为：尺寸、距离、形状、方向、位置、跳动、轮廓表面结构、区域表面结构和表面缺陷九个几何特征类别，它们均可以进一步细分为 A～G 七列，即符号和标注、要素要求、要素特征、符合与不符合（一致性与差异性）、测量、测量设备和校准七个标准链。每个 GPS 标准的范围都可以在矩阵上显示出来，当所有的标准都标注在此矩阵上时，就可以很方便地通过几何特征的链环查询到所要使用的标准。例如，本章所描述的 GB/T 20308—2020《产品几何技术规范（GPS） 矩阵模型》、GB/T 4249—2018《产品几何技术规范（GPS） 基础 概念、原则和规则》都是 GPS 基础标准。

GPS 通用标准是适用于一个或多个几何特征类别和一个或多个链环的 GPS 标准。如第 4 章将重点描述的 GB/T 1182—2018《产品几何技术规范（GPS）几何公差 形状、方向、位置和跳动公差标注》所涉及的相应几何特征的链环见表 1-3。

表 1-3 GPS 矩阵模型

	链环	A	B	C	D	E	F	G
	几何特征	符号和标注	要素要求	要素特征	符合与不符合	测量	测量设备	校准
1	尺寸							
2	距离							
3	形状	GB/T 1182	GB/T 1182					
4	方向	GB/T 1182	GB/T 1182					
5	位置	GB/T 1182	GB/T 1182					
6	跳动	GB/T 1182	GB/T 1182					
7	轮廓表面结构							
8	区域表面结构							
9	表面缺陷							

GPS 补充标准是适用于特定的制造工艺或特定的机械元件的 GPS 标准。如本书第 6 章将描述的螺纹、轴承等特定元件标准，另外还包括两个非几何特征类别，制造过程和加工

单元。

GPS矩阵模型完整地描述了一百多种GPS标准的体系结构，反映了从功能要求、规范设计、检测判定到测量校验的几何精度设计及测量的完整过程。

1.3.2 GPS基本原则

为了协调GPS矩阵模型中标准的关系，GB/T 4249—2018规定了对创建、解释和应用所有与产品尺寸、几何技术规范（GPS）和检验相关的标准、技术规范、技术文件均有效的十三大原则。它适用于所有类型图样（包含表达工件规范的所有文件）上GPS标注的解释。基于图样上读取规范的基本假设为，假设功能限的解释已经做过充分的实践或理论研究，因此认为不存在功能限不确定度。图样上公差限的解释与功能限完全一致。且最终的工件在公差限内100%满足功能，在公差限外不满足功能。只要GPS体系被采用，即使在图样中没有明确的引用GPS体系，以下原则仍适用于所有产品规范。

1. 采用原则

一旦在机械工程产品文件中采用了GPS体系的一部分，就相当于采用了整个GPS体系，除非文件中另有注明"引用其他相关文件"，如区域、其他国家或企业标准。

2. 层级原则

GPS体系的标准种类按层级从高到低依次为GPS基础标准、GPS综合标准（2020版中取消）、GPS通用标准和GPS补充标准。层级较高的标准所给出的规则适用于所有情况，除非在层级较低的标准中明确地给出了其他规则。

3. 明确图样原则

图样标注应明确。图样上所有规范都应使用GPS符号（不论有无规范修饰符）明确标注出来，这些GPS符号涉及相应的缺省规则或特殊规则，以及相关文件的引用部分（如区域标准、国家标准或企业标准）。因此，图样上没有规定的要求不能强制执行。一份图样所含的规范可能与产品完工所需的多个阶段有关。除最终阶段外，应注明各标注所对应的阶段。

4. 要素原则

一个工件可以被认为是由多个用自然边界限定的要素组成。缺省情况下，一个要素的每个GPS规范适用于整个要素，如需改变该缺省规定，需在图样上进行明确标注。如有些标注仅适用于部分区域要素，需用粗点画线或ACS（任意横截面）标注。

表达多个要素间关系的每个GPS规范适用于多个要素。每个GPS规范仅适用于一个要素或要素间的一种关系。有些标注适用于多个要素需标注CZ（组合公差带）。

要素间的自然边界通常是指在表面法向产生突变的边缘，但也有例外，如一个工件由两个具有相同直径的半球面要素和中间的圆柱面要素组成，这种情况下，要素间自然边界的表面法向并没有突变。

除非另有规定，GPS一般规范被认为是一系列GPS规范，每个GPS规范只适用于要素或要素间关系的一个特性。

5. 独立原则

缺省情况下，每个要素的GPS规范或要素间关系的GPS规范与其他规范之间均相互独立，应分别满足，除非产品的实际规范中规定有其他标准或特殊标注（如Ⓜ、Ⓔ、CZ等）。

6. 小数点原则

图样和 GPS 标准中公称尺寸和公差值小数点后未注明的数值均为零。

7. 缺省原则

一个完整的规范操作集可采用基本 GPS 规范来标明。基本 GPS 规范标明的规范要求是基于缺省的规范操作集。

1) ISO GPS 标准为每个基本 GPS 规范都定义了缺省 GPS 规范操作集，但在图样中不是直接可见的。例如，尺寸规范"$\phi 20H7$"缺省规范操作集是局部尺寸。

2) GPS 特殊规范可在图样上采用修饰符和/或简化符号标注。

3) 当不应用缺省规范操作集时，使用改变规范操作集的修饰符。

4) 使用图样特定缺省 GPS 规范或企业特定缺省规范可改变缺省 GPS 规范，这些特定规范可直接标注在图样上，也可引用其他文件，如区域标准、国家标准或企业标准。

8. 参考条件原则

缺省情况下，所有 GPS 规范在参考条件下应用，这些条件包括 GB/T 19765—2005 中规定的标准参考温度为 20℃、工件应清洁。如有任何额外的适用条件（例如，湿度条件），应在图样中明确注明。

9. 刚性工件原则

缺省情况下，工件的刚性被视为无限大，所有 GPS 规范适用于在自由状态下，未受任何外力（包括重力在内）产生形变的工件。若工件应用任何额外的或其他条件，例如，非刚体标注可使用 GB/T 16892—1997 中的规定，应在图样上明确注明。

10. 对偶性原则

对偶性原则描述了测量结果与设计规范的对应关系和可接受性。

GPS 标准中，工件要素的规范有序组合成规范操作集，定义了被测量的各种重要细节，可以用来模拟特定的功能需求，从而减少或消除规范中对功能描述的任何歧义。检验操作集是规范操作集的实际应用，当方法不确定度为零时，图样中不标注的检验操作集和规范操作集的顺序一一对应。当方法不确定度不为零时，也可保持一定的不确定度在允许范围内。

GPS 规范操作集与任何测量程序或测量器具无关；GPS 检验操作集与 GPS 规范操作集呈镜像对应关系。GPS 规范不规定什么样的检验操作集是可接受的，检验操作集的可接受性通过测量不确定度和规范不确定性来进行评价。

11. 功能控制原则

每个工件的功能由功能操作集来表述，且能够由一系列规范操作集进行模拟，再次定义了一系列被测量和相关公差。完整的 GPS 规范能清楚表述工件的所有功能要求并有所控制。规范不完整会导致功能表述或控制的不确定性。

12. 一般规范原则

一般 GPS 规范将分别适用于具有相同类型且没有明确注明 GPS 规范的每个要素和要素间关系的各个特征。可在标题栏附近或产品技术文件中单独明确注明。如果多个一般 GPS 规范相互矛盾，应增加补充说明，避免在规范中产生歧义，如未说明则仅要求符合最宽松的那个规范。例如，第 3 章讲述的当图样选择中等精度的未注尺寸公差时需要在标题栏附近技术要求中写明"未注尺寸公差按 GB/T 1804-m"。

13. 归责原则

功能描述的不确定性和规范的不确定性共同描述了规范操作集与功能操作集的一致性程度。这些不确定性由设计人员负责。测量不确定度量化了检验操作集和规范操作集的符合度,除另有特殊规定,提交合格证明的一方,同时负责提供测量不确定度,具体按 GB/T 18779.1—2002 执行。

以上这十三项原则将始终在本书中得到贯彻,也是使用 GPS 进行设计、制造、测量的必须遵循的原则。

1.4 面向智能制造的几何精度设计与测量

GPS 提供了用于全面实现产品全生命周期数字化管理的统一标准,与质量管理标准 ISO9000 系列、产品模型数据交换(STEP)等跨领域国际标准体系建立了紧密的联系,是基于大数据的智能制造的基础标准。它避免了因设计、加工、测量与认证的标准不统一或不完整而导致产品设计工程师、制造工程师与测量检验工程师之间的纠纷或质疑。基于计量学,把设计与检验过程联系起来,并用不确定度的传递关系将产品的功能、规范、加工、控制、测量和认证集成于一体,从而解决了测量方法不统一导致测量评估失控引起纠纷等问题。

为了满足互换性,数字化机械产品几何精度设计必须基于 GPS 开展,并通过营销、设计、制造和质检等多部门协同完成,不断循环反馈改进,具体流程如图 1-2 所示。

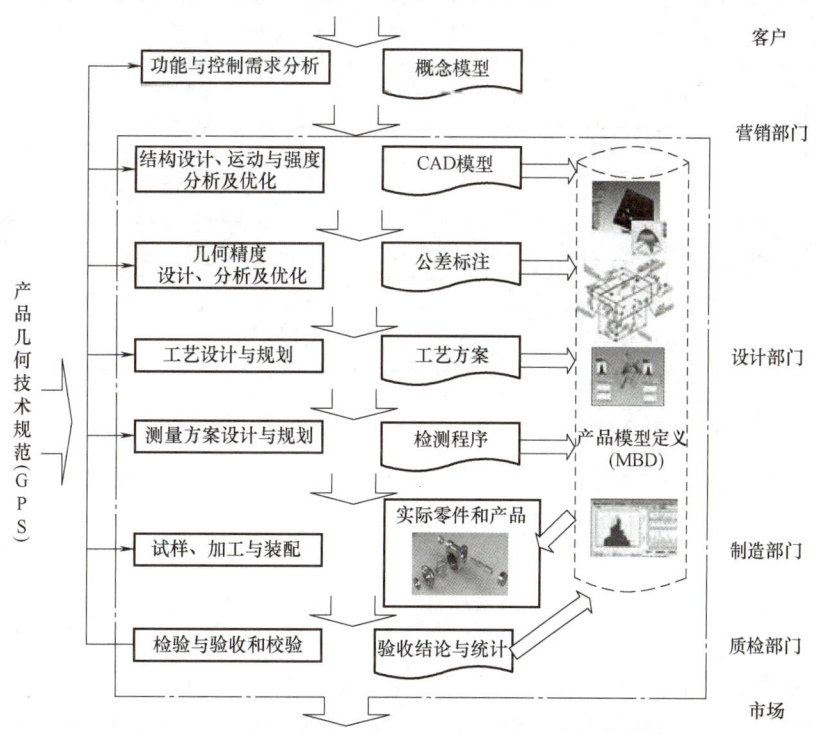

图 1-2 面向智能制造的几何精度设计与测量流程

1)根据市场调研、客户需求,基于企业制造和测量能力,对产品功能和控制需求分析和描述，进行产品概念设计。

2）根据性能要求，基于 CAD/CAE 进行产品基本结构、运动和强度设计与优化，决定各个零件的合理公称尺寸和材料，使其在工作时能承受规定的载荷。并建立相应的三维 CAD 模型及其相关信息。

在确定产品的参数或参数指标时，该数值会按一定的规律，向一切相关制品传播，形成不同规格系列的加工工具、配件、量具，直接影响生产品种、配套协作、使用维修的效率和成本。为了使生产部门以较少的品种规格，经济合理的满足用户需求，应尽量减少零件及其相关制品的规格种类，使所有产品的参数选择能标准化，遵守统一的规定。

GB/T 321—2005《优先数和优先数系》就是一个国际统一的数值分级标准，它适用于各种量值分级，且经济合理、使用方便、简单易行、适用广泛。

优先数系（Series of Preferred Numbers）是公比为 $q=(\sqrt[r]{10})^p$ 的十进制等比数列，且项值中含有 10 的整数幂的几何级数的常用圆整值，即优先数（Preferred Numbers）。记作 Rr/p 系列优先数系。

① 基本系列优先数系包括公比为 $\sqrt[5]{10}$、$\sqrt[10]{10}$、$\sqrt[20]{10}$、$\sqrt[40]{10}$ 和 $\sqrt[80]{10}$ 的 R5、R10、R20、R40 系列优先数系。1~10 范围内基本系列优先数见表 1-4，优先数系可向两个方向无限延伸，表中值乘以 10 的正整数幂或负整数幂后即可得其他十进制项值。

表 1-4　基本优先数系 1~10 的常用值

优先数系列	公比 q	1~10 的常用值
R5 系列	$q_5=\sqrt[5]{10}\approx1.60$	1.00　1.60　2.50　4.00　6.30　10.00
R10 系列	$q_{10}=\sqrt[10]{10}\approx1.25$	1.00　1.25　1.60　2.00　2.50　3.15　4.00　5.00　6.30　8.00　10.00
R20 系列	$q_{20}=\sqrt[20]{10}\approx1.12$	1.00　1.12　1.25　1.40　1.60　1.80　2.00　2.24　2.50　2.80　3.15　3.55　4.00　4.50　5.00　5.60　6.30　7.10　8.00　9.00　10.00
R40 系列	$q_{40}=\sqrt[40]{10}\approx1.06$	1.00　1.06　1.12　1.18　1.25　1.32　1.40　1.50　1.60　1.70　1.80　1.90　2.00　2.12　2.24　2.36　2.50　2.65　2.80　3.00　3.15　3.35　3.55　3.75　4.00　4.25　4.50　4.75　5.00　5.30　5.60　6.00　6.30　6.70　7.10　7.50　8.00　8.50　9.00　9.50　10.00

② 补充系列优先数系是公比为 $\sqrt[80]{10}$ 的 R80 系列优先数系。

③ 派生系列为各系列每隔 p 项选一项，形成的 Rr/p 系列优先数系。例如 R10/3：1.00，2.00，4.00，8.00，12.50，25.00，…。

④ 复合系列优先数系为混合使用以上各种系列形成优先数系。

优先数系的各系列的应用优先顺序是：优先采用基本系列，然后选用补充系列，最后使用派生系列；或者先大公比，后小公比。

一般机械主参数选择 R5 和 R10 系列，专业工具主要尺寸选择 R10 系列，通用型材、零件和工具的尺寸、铸件的壁厚选择 R20 系列。R80 系列仅用于分级很细的特殊场合。GB/T 2822—2005《标准尺寸》就根据优先数系规定了 0.01~20000mm 范围内机械制造业中常用的标准尺寸（直径、长度、高度等）系列，见附录 A。适用于有互换性或系列化要求的主要尺寸，如安装连接尺寸、有公差要求的配合尺寸、决定产品系列的公称尺寸等，以及其他结构尺寸，但不适用于由主要尺寸导出的因变量尺寸，工艺上工序间的尺寸和已有相应标准规定的尺寸。

实际应用一般计算值取 5 位有效数字，优先数系里提供的常用值 R 取 3 位有效数字，附录 A 中黑体化整值 R′取 2 位有效数字。例如，经计算某大批量生产的轴的直径应在 $\phi 35\sim\phi 42$mm 之间，此时直径应取 R5 系列的 $\phi 40$mm。小批量的专用定制轴则可取 R′20 系列的 $\phi 36$mm。

3）根据产品功能和控制需求，结合加工、装配、测量能力，按照互换性、经济性、匹配性和最优化原则，方便经济合理加工、装配及检测，进行几何精度的分析与计算。

① 根据功能和运动要求，确定各部分精度要求和配合部位的配合性质，确定各个零件上各处的尺寸及配合面结构要求。

② 确定方便稳定的设计、装夹、加工、测量的参考基准体系，根据功能要求以及测量方法，确定形状、方向和位置等几何公差项目和表面结构等。

③ 根据制造过程控制要求，建立合理的几何尺寸和公差关系，用公差关系提高强度特性、可装配性和合格率。

④ 按照功能要求、成本要求和制造工艺，公差链和统计公差计算选择公差，基于公差设计软件和 GPS 标准对三维 CAD 模型进行几何精度设计、计算、验证和优化。

⑤ 按 GPS 系列标准标注二维或三维 CAD 图样，提供几何尺寸公差、技术要求、注释、基准等，准确描述设计意图，并将表达需求的相应公差信息按 GPS 标准标注到 MBD 中，图样见第 4 章 4.9.5 节，供各部门之间的技术交流，为制造部门提供明确的指导，为质检部门测量的对偶性提供保证。

4）基于计算机辅助工艺规划技术（CAPP）将公差信息转换为具体的工艺信息增添到 MBD 中，如选择合适的批量、加工方式、加工装置、刀具夹具、加工速度等。例如，机床精度要求、夹具可提供的定位精度和刀具可提供的加工精度等与工序技术要求相互适应，生产率要求与生产类型相互适应，主轴转速范围、走刀量及动力等应符合切削用量要求。

5）根据图纸所表达的设计意图，基于 GPS 测量相关标准，进行测量方法的确定，根据批量、精度、效率、重复精度和成本效益选择合适的测量手段和方法，量具可选择通用量具、专用量规或数字化测量装置，建立测量程序和判定标准增添到 MBD 中。

6）基于计算机辅助制造（CAM）将来自 CAPP 的加工信息转为真正的加工并通过仿真发现问题反馈到前面的所有设计阶段，最后生产出成品，进行实际生产精度分布统计和分析，制造工艺设计人员根据产品质量、成本、效率，控制不同批量下的加工稳态过程能力指数、设备过程能力指数和初期过程能力指数，保证稳定的制造精度。

7）按照测量程序使用量具对产品进行测量、误差评定，并将最终数据和传统实际模型或数字模型相比较，进行检验认证，以保证设计功能的实现和计量检定、校准及测量结果量值的可溯源性。对于产品合格性进行判断统计，并将上游所有过程回馈信息增添到 MBD 中。

由于整个过程信息的表达都遵循 GPS 标准，因此以上所有几何精度设计信息均可通过 MBD 在产品生命周期里共享，并通过工业大数据和人工智能在智能制造过程中不断优化提升。

习　题

1. 举例说明互换性与测量技术在智能制造中的意义和作用。
2. 假设某大批量生产的孔的直径计算结果应在 $\phi21 \sim \phi26$mm 之间，此时直径应按哪个优先数系，取值多少合适？如果是小批量定制孔，采用哪个优先数系可得到最小可取值，最小取值为多少？
3. 试分别给出一个完全互换和一个不完全互换的案例，说明完全互换和不完全互换在实际生产中的应用特点。
4. 收集一份产品尺寸规格数据表，并说明采用的是哪种优先数系？

功勋科学家：
最长的一天

功勋科学家：
王淦昌

第2章 基本概念和术语

在机械工程领域中,技术人员对于功能需求的解决方案需用标准规定的语言,通过标准规定的图样等方式正确、清楚地表达出来,这直接影响产品的质量。随着全球协同制造的推进,通用的数字模型需要在统一标准下对对象和数据进行描述和转化,为了避免交流或信息转换中的歧义,GPS 统一明确规定了关于产品生命周期中设计、工艺、制造、检验等各阶段不同领域描述几何精度所使用的术语,包括各阶段要素、线性尺寸、线性尺寸公差、偏差、配合以及几何公差的基本概念、术语及定义。

本章所引用和参考的相关国家标准有:

GB/T 38762.1—2020(ISO 14405—1:2016,MOD)《产品几何技术规范(GPS) 尺寸公差 第1部分:线性尺寸》。

GB/T 38762.2—2020(ISO 14405—2:2018,MOD)《产品几何技术规范(GPS) 尺寸公差 第2部分:除线性、角度尺寸外的尺寸》。

GB/T 38762.3—2020(ISO 14405 3:2016,MOD)《产品几何技术规范(GPS) 尺寸公差 第3部分:角度尺寸》。

GB/T 1800.1—2020(ISO 286—1:2010,MOD)《产品几何技术规范(GPS) 线性尺寸公差 ISO 代号体系 第1部分:公差、偏差和配合的基础》。

GB/T 1800.2—2020(ISO 286—2:2010,MOD)《产品几何技术规范(GPS) 线性尺寸公差 ISO 代号体系 第2部分:标准公差带代号和孔、轴的极限偏差表》。

GB/T 1804—2000(ISO 2768—1:1989,EQV)《一般公差 未注公差的线性和角度尺寸的公差》。

GB/T 16671—2018《产品几何技术规范(GPS) 几何公差 最大实体要求(MMR)、最小实体要求(LMR)和可逆要求(RPR)》。

GB/T 1182—2018(ISO 1101—2017,MOD)《产品几何技术规范(GPS) 几何公差 形状、方向、位置和跳动公差标注》。

GB/T 18780.1—2002(ISO 14660—1:1999,IDT)《产品几何量技术规范(GPS) 几何要素 第1部分:基本术语和定义》。

GB/T 18780.2—2003(ISO 14660—2:1999,IDT)《产品几何量技术规范(GPS) 几何要素 第2部分:圆柱面和圆锥面的提取中心线、平行平面的提取中心面、提取要素的局部尺寸》。

2.1 要素及其分类

几何要素（Geometrical Feature）指构成工件几何特征的点要素、线要素和面要素，如中心点、球心、圆心、顶点、素线、中心线、轴线、曲线、球面、端面、平面、中心平面、曲面、圆柱面及圆锥面等。

尺寸要素（Feature of Size）由一定大小的线性尺寸或角度尺寸确定的几何形状。尺寸要素可以是圆柱形、球形、两平行对应面、圆锥形或楔形等，它们的尺寸可用一个或多个变量参数表达。

本书主要讲述的是线性尺寸要素（Feature of Linear Size），即拥有一个或多个本质特征的几何要素，但其本质特性中只有一个可作为变量参数，其余的则是"单一参数族"的一部分，且遵守此参数的单一约束属性。例如，可用单一变量如直径这一线性尺寸来表示的某单一圆柱孔或轴，或间距这一线性尺寸来表示的某两个相对平行的平面，它们就是线性尺寸要素，而它们的长度等其他参数此时均不属于变量。

2.1.1 按状态分类

所有工件要素都可以分为两大类，即组成要素和导出要素。

组成要素（Integral Feature）：指属于工件表面上的几何要素。例如，工件轮廓外形特征的点、线、面。

导出要素（Derived Feature）：指实际不存在于工件实际表面上的几何要素。例如，圆柱的中心线是从圆柱表面这一组成要素中获取的导出要素。两个相对平行的平面的中心面是从这两个平行平表面中获取的导出要素。

同一工件所有的要素由于它们在不同阶段获取的方式不同，在要素的获取过程中需要采用分离、提取、滤波、拟合、组合和构建等操作，它们的名称、含义和数值也完全不相同，如图2-1所示，它们之间是不能随意相互取代的。

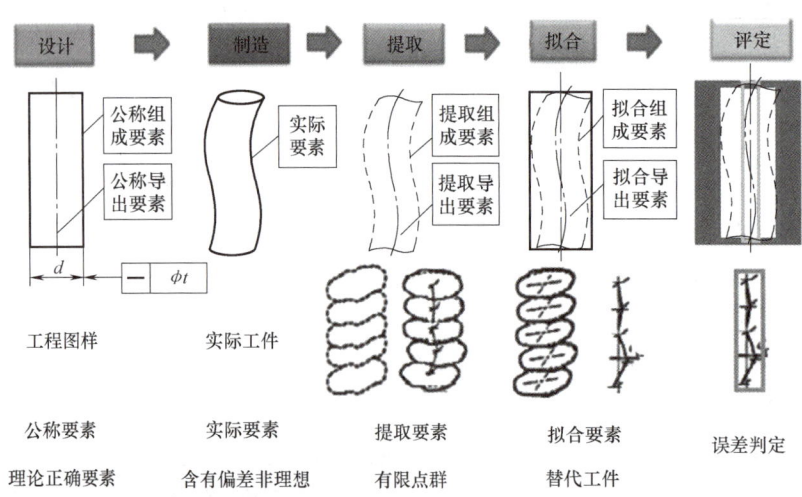

图2-1 不同阶段的几何要素状态

第2章 基本概念和术语

1. 公称组成要素和公称导出要素

公称组成要素（Nominal Integral Feature）：由技术制图或其他方法确定的理论正确组成要素。例如，在 CAD 图样上、数字模型上给出的由具体尺寸、角度表示的标准形状、方向及位置的表面上的点、线、面，如直径为 d 的公称圆柱、互相垂直的平面等。

公称导出要素（Nominal Derived Feature）：由一个或几个公称组成要素导出的中心点、轴线或中心平面。如公称圆柱和孔的轴线、两个相距理论正确尺寸的平行平面的中心面等。

2. 实际（组成）要素 [Real（Integral）Feature]

由接近实际要素所限定的工件实际表面的组成要素部分。即属于实际工件表面上的几何要素。没有实际导出要素。

3. 提取组成要素和提取导出要素

实际要素的尺寸必须通过提取才能获取。提取操作包括传统的测量、数字化图像处理、红外、超声和 CT 等各种手段。提取操作方案要规定提取的点数、位置、分布方式，如图 2-2 所示，并对可能产生的不确定度予以考虑。

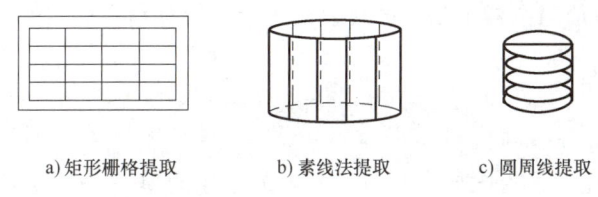

a) 矩形栅格提取　　b) 素线法提取　　c) 圆周线提取

图 2-2　常用要素提取方案

如果图样未规定提取操作方案，则由检验方根据被测工件的功能要求、结构特点和提取操作设备的情况来合理选择。当被测要素是平面（或曲面）上的线或圆柱面和圆锥面上的素线时，通过提取截面的构建及其与被测要素的相交来得到。

提取组成要素（Extracted Integral Feature）：按规定提取方法，由实际（组成）要素提取有限的点群，所形成的实际（组成）要素的近似替代。替代取决于要素的功能。

提取导出要素（Extracted Derived Feature）：由一个或几个提取组成要素得到的中心点、中心线或中心面。提取圆柱面的导出中心线称为提取中心线；两相对提取平面的导出中心面称为提取中心面。提取导出要素需要通过拟合组成要素才能得到。

4. 拟合组成要素和拟合导出要素

提取的要素是不具备形状的，这些提取点需要通过参照拟合要素得到误差值，用于与设计对比评估。

拟合组成要素（Associated Integral Feature）：按规定的方法由提取组成要素即由非理想表面模型或实际表面建立的具有理想形状的组成要素。拟合方法一般缺省为最小二乘法。例如，一般拟合圆球面是最小二乘圆球面。

拟合导出要素（Associated Derived Feature）：由一个或几个拟合组成要素导出的中心点、轴线或中心平面。例如，拟合中心平面是由两对应提取表面得到的两拟合平行平面的中心平面（两拟合平行平面之间的距离可能与公称距离不同）。

对于拟合方法国家标准规定，圆柱面的提取中心线即圆柱面的各横截面中心的轨迹，其中，横截面的中心是拟合圆的圆心；横截面垂直于由提取表面得到的拟合圆柱面（其半径可能与公称半径不同）的轴线。提取中心面，是两对应提取表面的所有对应点之间中点的轨迹，其中，所有对应点的连线均垂直于拟合中心平面。

例 2-1：检测某圆柱零件的中心线形状的弯曲变化是否超过所允许范围（公差值）时，具体步骤如下，如图 2-1 所示。

1) 确定被测圆柱零件的组成要素及其需要测量的长度范围（即会影响其功能的范围，有时并非全长）。

2) 采用布点提取策略沿被测圆柱面横截面圆周进行等距测量，在轴线方向等间距测量多个横截面，得到多个提取截面圆（如图 2-2c）。

3) 采用最小二乘法进行拟合，得到各提取截面圆的圆心。

4) 连接组合这些圆心，得到被测圆柱面的提取导出要素——中心线。

5) 对提取导出要素采用最小区域法进行拟合，得到拟合导出要素，即形状为公称直线的轴线。

6) 实际零件中心线的误差值为提取导出要素（中心线）上的点到拟合导出要素（轴线）的最大距离值的 2 倍。

7) 将得到的误差值与图样上给出的公差值进行比较，判定被测轴线的形状是否合格。

2.1.2 按测量分类

1. 被测要素（Toleranced Feature）

除非另有专门标注时，指图样中几何公差规范适用的单一完整要素。如果是局部要素、公称复杂要素、联合要素、延伸要素等需另外标注，详见第 4 章。被测要素可以是导出要素也可以是组成要素。

2. 方位要素（Situation Feature）

能确定要素方向和/或位置的点、直线、平面或螺旋线类要素。

基准（Datum）：用来定义被测要素允许变化范围或定义实体状态的位置和/或方向的一个或一组方位要素。基准可以是导出要素也可是组成要素。详见第 4 章。

基准要素（Datum Feature）：工件上用来建立基准并实际起基准作用的实际（组成）要素（如边、表面或孔）。

模拟基准要素（Simulated Datum Feature）：在加工和检测过程中用来建立基准并与实际基准要素相接触，且具有足够精度的实际表面（如平板、支撑、心轴或基准目标等）。

3. 方向要素（Direction Feature）

由工件的提取要素建立的理想要素，用于标识公差带宽度（局部偏差）的方向。方向要素可以是平面、圆柱面或圆锥面。

4. 理论正确要素（Theoretically Exact Feature，TEF）

具有理想形状以及理想尺寸、方向与位置的公称要素。其尺寸和位置由明确标注的或缺省的理论正确尺寸（TED）定义，与所标注的基准体系保持理论正确位置与方向。

若 TEF 在图样上显示为直线、平面、圆、圆柱、球或圆锥且并无其他标注时，根据缺省 TED 定义，可将其分别视为是相应的公称形状。

5. 联合要素（United Feature，UF）

由连续的或不连续的组成要素组合而成的要素，并将其视为一个单一要素。主要用于一组圆弧要素定义的圆柱要素。如花键的外径轮廓为联合要素，并由此可获得其导出要素。在公差框格上用"UF"修饰符表示。

两个平行但不同轴的轴和两个同轴但大小不同的轴不可构建为一个联合要素。

6. **组合连续要素**（Compound Continuous Feature）

由多个单一要素无缝组合在一起的单一要素。

可以是封闭的或非封闭的。非封闭的组合连续要素可用区间"↔"符号与"UF"（如适用）定义。封闭的组合连续要素当在指引线上用全周"○"符号结合"UF"定义时，指的是一组与平行于组合平面的任何平面相交所形成的单一线要素、点要素或面要素，如图2-3a中a-b-c-d封闭线或图2-3b中a-b-c-d封闭面；当在指引线上用全表面"◎"符号与"UF"修饰符定义时，指的是所有封闭的全表面要素，如图2-3b中a-b-c-d-e-f封闭面。

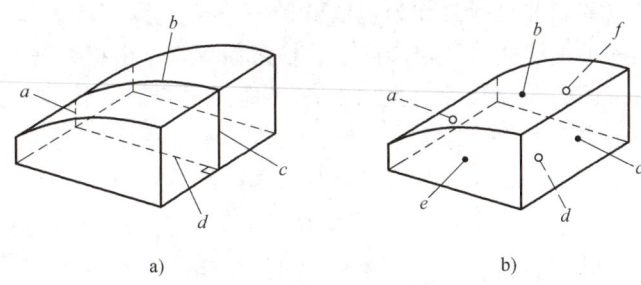

图2-3 组合连续要素

2.2 线性尺寸

互换性的首要目标就是要控制要素的线性尺寸。与孔和轴线性尺寸相关的参数如图2-4所示。

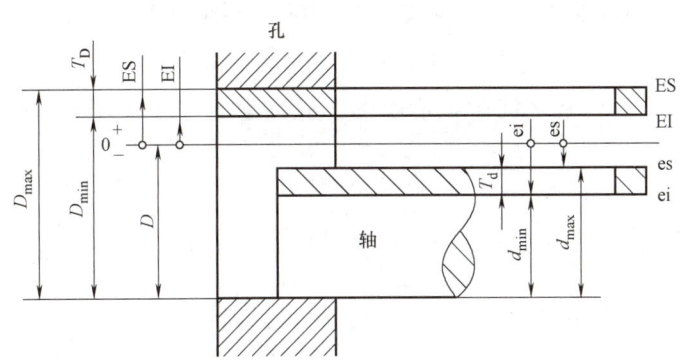

图2-4 与孔和轴线性尺寸相关的参数

1. **尺寸**（Size）

尺寸指以特定单位表示线性尺寸的数值。

2. **公称尺寸**（Nominal Size）

公称尺寸指公称组成要素和导出要素的尺寸，即由图样规范确定的理想形状要素的尺寸。公称尺寸应尽量按优先数系列选取尺寸，以减少刀具、量具的规格。它是理论值，是计算极限尺寸和极限偏差的起始尺寸。

孔的公称直径记作 D，轴的公称直径记作 d。

3. 极限尺寸（Limits of Size）

极限尺寸指尺寸要素允许的尺寸的两个极端。提取组成要素的局部尺寸应位于其中，也可达到极限尺寸。

上极限尺寸（Upper Limit of Size）：尺寸要素允许的最大尺寸。孔的直径的上极限尺寸记作 D_{max}，轴的直径的上极限尺寸记作 d_{max}。

下极限尺寸（Lower Limit of Size）：尺寸要素允许的最小尺寸。孔的直径的下极限尺寸记作 D_{min}，轴的直径的下极限尺寸记作 d_{min}。

4. 提取组成要素的局部尺寸（Local Size of An Extracted Integral Feature）

提取组成要素的局部尺寸指一切提取组成要素上两对应点之间距离的统称。为方便起见，可将提取组成要素的局部尺寸简称为提取要素的局部尺寸。如，提取圆柱面的局部尺寸时，要求两对应点之间的连线通过拟合圆圆心，横截面垂直于由提取表面得到的拟合圆柱面的轴线。提取两平行表面的局部尺寸（距离）时，需两平行对应提取表面上所有对应点之间的连线均垂直于拟合中心平面，拟合中心平面是由两平行提取表面得到的两拟合平行平面的中心平面，两拟合平行平面之间的距离可能与公称距离不同。

孔的提取要素的局部尺寸记作 D_a，轴的提取要素的局部尺寸记作 d_a。由于实际工件处处不同，所以该尺寸不唯一。在线性尺寸误差评定时，通常采用它们代替实际工件的尺寸，其实它们包含了实际工件的尺寸真值和测量误差。

合格的零件具备互换性。对于完工零件线性尺寸合格的条件就是任一局部实际尺寸要在极限尺寸之间，因此，在合格性实际评定中，对于实际孔要满足：$D_{max} \geq D_a \geq D_{min}$；对于实际轴要满足：$d_{max} \geq d_a \geq d_{min}$。

5. 理论正确尺寸（Theoretically Exact Dimension，TED）

在 GPS 操作中用于定义要素理论正确几何形状、范围、位置与方向的线性或角度尺寸。

理论正确尺寸不附带公差。明确标注的 TED 可使用矩形框内数值及相关符号如 ϕ、R、°来表示，如 $\boxed{100}$、$\boxed{\phi 2}$、$\boxed{60°}$。缺省的 TED 可不标注，如 0mm、0°、90°、180°、270°，在完整的圆上均匀分布的要素之间的角度距离；通过型号可以查到的齿轮的国家标准的参数等。

2.3 状态及其尺寸

工件的实际状态中，不仅包括实际局部尺寸，还包括几何形状、方向、位置和跳动等多种特征项目，它们综合形成的状态尺寸可用于不同精度和生产要求下的合格性评估。

2.3.1 最大实体状态和最大实体尺寸

1. 最大实体状态（Maximum Material Condition，MMC）

最大实体状态指假定提取组成要素的局部尺寸处处位于极限尺寸，且使其具有材料最多（实体最大）时的状态。即理想或公称要素的极限状态，如圆孔为最小直径和轴为最大直径时的状态。

2. 最大实体尺寸（Maximum Material Size，MMS）

最大实体尺寸指确定要素最大实体状态的尺寸，即理想公称要素的极限状态尺寸。可采用缺省的方式或几个提取要素尺寸来专门定义处于最大实体状态（MMC）的提取要素的尺寸。

外（轴）尺寸要素 MMS = $d_{\max}$。

内（孔）尺寸要素 MMS = $D_{\min}$。

2.3.2 最小实体状态和最小实体尺寸

1. 最小实体状态（Least Material Condition，LMC）

最小实体状态指假定提取组成要素的局部尺寸处处位于极限尺寸，且使其具有材料最少（实体最小）时的状态。即理想公称要素的极限状态，如圆孔为最大直径和轴为最小直径时的状态。

2. 最小实体尺寸（Least Material Size，LMS）

最小实体尺寸指确定要素最小实体状态的尺寸，即理想公称要素的极限状态尺寸。可采用缺省的方式或几个提取要素尺寸来专门定义处于最小实体状态（LMC）的提取要素的尺寸。

外（轴）尺寸要素 LMS = $d_{\min}$。

内（孔）尺寸要素 LMS = $D_{\max}$。

2.3.3 最大实体实效状态和最大实体实效尺寸

1. 最大实体实效尺寸（Maximum Material Virtual Size，MMVS）

最大实体实效尺寸指尺寸要素的最大实体尺寸（MMS）与其导出要素的几何公差（形状、方向或位置）共同作用产生的尺寸。外尺寸要素 MMVS 是 MMS 和几何公差之和，内尺寸要素 MMVS 是 MMS 和几何公差之差。具体详见表 2-1。

外（轴）尺寸要素 MMVS = MMS + δ = $d_{\max}$ + δ。

内（孔）尺寸要素 MMVS = MMS − δ = $D_{\min}$ − δ。

式中，δ 为几何公差。

表 2-1 圆柱要素具有尺寸要求和对其轴线具有形状（直线度）要求的表示示例

（单位：mm）

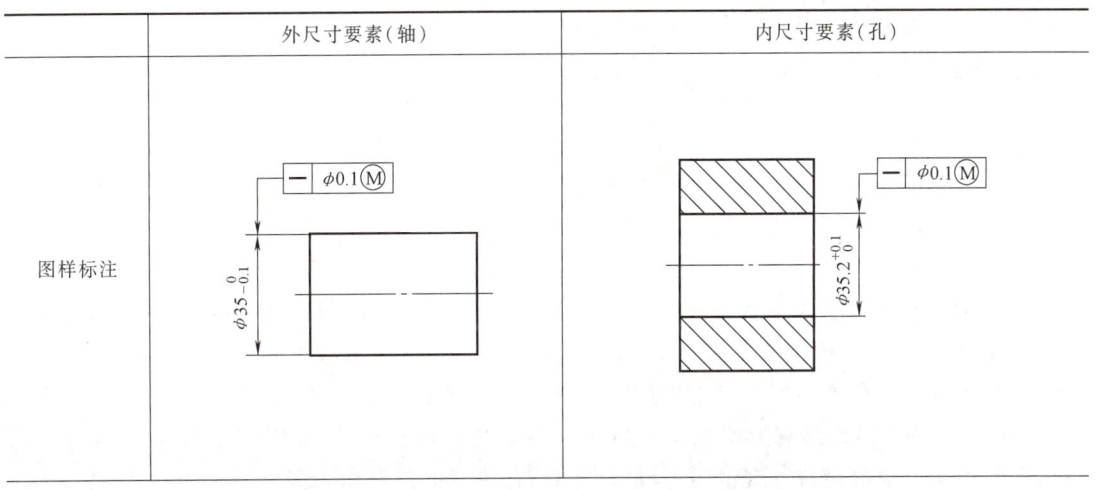

(续)

	外尺寸要素(轴)	内尺寸要素(孔)
说明	(图：轴，标注 φ35.1 MMVS、35.0 MMS、34.9 LMS，MMVC)	(图：孔，标注 35.2 MMS、35.3 LMS、φ35.1 MMVS，MMVC)
预期功能	和一个等长的被测孔形成间隙配合	和一个等长的被测轴形成间隙配合
实际尺寸	$d_a = \phi 35.0, \phi 34.9$	$D_a = \phi 35.2, \phi 35.3$
上极限尺寸	$d_{max} = \phi 35.0$	$D_{max} = \phi 35.3$
下极限尺寸	$d_{min} = \phi 34.9$	$D_{min} = \phi 35.2$
LMS	$d_{min} = \phi 34.9$	$D_{max} = \phi 35.3$
MMS	$d_{max} = \phi 35.0$	$D_{min} = \phi 35.2$
MMVS	MMS$+\delta = d_{max}+\delta = \phi 35.1$	MMS$-\delta = D_{min}-\delta = \phi 35.1$
解释	1) LMS$\leq d_a \leq$ MMS，即 $d_{min}\leq d_a \leq d_{max}$ 2) 轴的提取要素不得违反其直径为 MMVS 的 MMVC 3) MMVC 的方向和位置无约束	1) MMS$\leq D_a \leq$ LMS，即 $D_{min}\leq D_a \leq D_{max}$ 2) 孔的提取要素不得违反其直径为 MMVS 的 MMVC 3) MMVC 的方向和位置无约束

2. 最大实体实效状态（Maximum Material Virtual Condition，MMVC）

最大实体实效状态指拟合要素的尺寸为其最大实体实效尺寸（MMVS）时的状态。

MMVC 具备要素的理想形状状态。当几何公差是方向公差时，MMVC 受拟合要素的方向所约束。当几何规范是位置规范时，MMVC 受拟合要素的位置所约束。

3. 最大实体实效边界（Maximum Material Virtual Boundary，MMVB）

同 MMVC 一样，MMVB 是和被测尺寸要素具有相同类型和理想形状的几何要素的极限状态的包容面，该极限状态的尺寸是 MMVS。

2.3.4 最小实体实效状态和最小实体实效尺寸

1. 最小实体实效尺寸（Least Material Virtual Size，LMVS）

最小实体实效尺寸指尺寸要素的最小实体尺寸（LMS）与其导出要素的几何公差（形状、方向或位置）共同作用产生的尺寸。外尺寸要素 LMVS 是 LMS 和几何公差之差，内尺寸要素 LMVS 是 LMS 和几何公差之和。具体详见表 2-2。

外（轴）尺寸要素 LMVS = LMS$-\delta = d_{min}-\delta$，内（孔）尺寸要素 LMVS = LMS$+\delta = D_{max}+\delta$。

2. 最小实体实效状态（Least Material Virtual Condition，LMVC）

最小实体实效状态指拟合要素的尺寸为其最小实体实效尺寸（LMVS）时的状态。

LMVC 具备要素的理想形状状态。当几何公差是方向公差时，LMVC 受拟合要素的方向所约束。当几何规范是位置规范时，LMVC 受拟合要素的位置所约束。

3. 最小实体实效边界（Least Material Virtual Boundary，LMVB）

同 LMVC 一样，LMVB 是和被测尺寸要素具有相同类型和理想形状的几何要素的极限状态的包容面，该极限状态的尺寸是 LMVS。

表 2-2 一个尺寸要素和一个作为基准的同心尺寸要素具有位置要求的表示示例

	轴	孔
图样标注	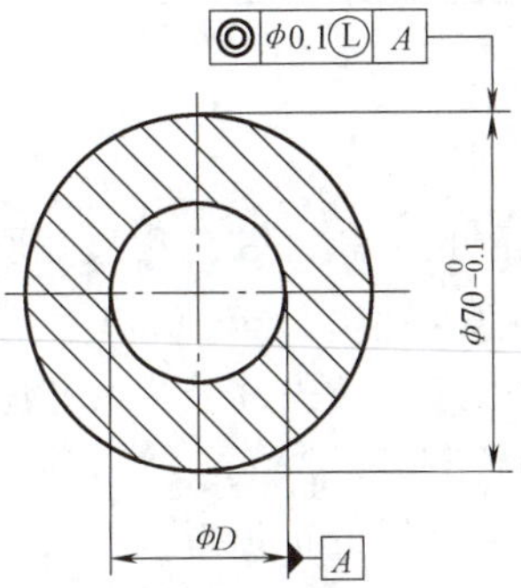 ⊚ φ0.1 Ⓛ A, φ70$_{-0.1}^{0}$, φD, A	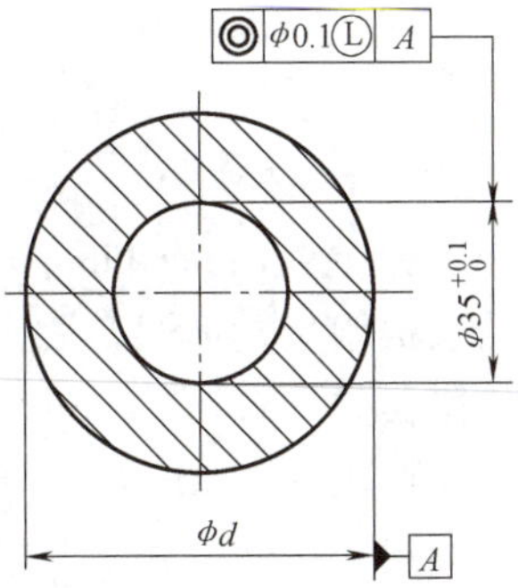 ⊚ φ0.1 Ⓛ A, φ35$_{0}^{+0.1}$, φd, A
LMS	$d_{min}=\phi 69.9\text{mm}$	$D_{max}=\phi 35.1\text{mm}$
MMS	$d_{max}=\phi 70.0\text{mm}$	$D_{min}=\phi 35.0\text{mm}$
LMVS	LMS$-\delta=d_{min}-\delta=\phi 69.8\text{mm}$	LMS$+\delta=D_{max}+\delta=\phi 35.2\text{mm}$
预期功能	单个使用不能控制最小壁厚，防止爆裂（位置度、同轴度或同心度相同）	
解释	1）轴的 LMS$\leq d_a \leq$MMS，即 $d_{min}\leq d_a \leq d_{max}$ 2）轴的提取要素不得违反其直径为 LMVS 的 LMVC 3）LMVC 的方向和基准 A 平行，且其位置在和基准 A 同轴的理论正确位置上	1）孔的 MMS$\leq D_a \leq$LMS，即 $D_{min}\leq D_a \leq D_{max}$ 2）孔的提取要素不得违反其直径为 LMVS 的 LMVC 3）LMVC 的方向和基准 A 平行，且其位置在和基准 A 同轴的理论正确位置上

2.4 偏差与公差

由于针对互换性的研究常是针对同一规格公称尺寸的零件，因此，为了更好地关注其尺寸相对于公称尺寸的变化，引入偏差和公差的概念，并采用公差图解（图 2-5）进行直观表达。图中零线（Zero Line）沿水平方向绘制，表示偏差为 0 的公称尺寸处，以其为基准向上为正偏差，向下为负偏差。

1. 偏差（Deviation）

某一尺寸减去其公称尺寸所得的代数差。偏差除取 0 外一定有符号。

2. 实际偏差（Actual Deviation）

提取要素尺寸减去其公称尺寸所得的代数差。

孔的实际偏差 $E_a=D_a-D$，轴的实际偏差 $e_a=d_a-d$。

3. 极限偏差（Limit Deviations）

上极限偏差和下极限偏差统称。

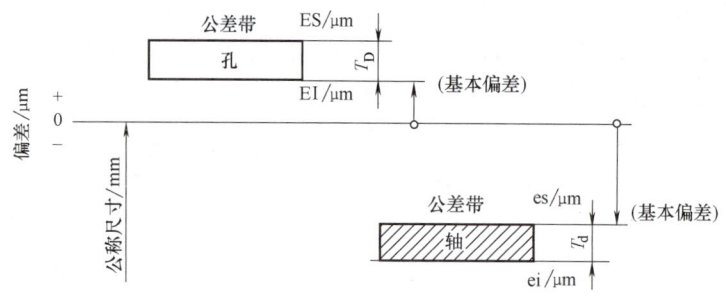

图 2-5 公差图解

上极限偏差（Upper Limit Deviation）是上极限尺寸减去其公称尺寸所得的代数差。
孔的上极限偏差 $ES = D_{max} - D$，轴的上极限偏差 $es = d_{max} - d$。
下极限偏差（Lower Limit Deviation）是下极限尺寸减去其公称尺寸所得的代数差。
孔的下极限偏差 $EI = D_{min} - D$，轴的下极限偏差 $ei = d_{min} - d$。
综上所述，线性尺寸的合格性实际评定条件可以等价转化为：
对于实际孔要满足：$ES \geq E_a \geq EI$；对于实际轴要满足：$es \geq e_a \geq ei$。

4. 基本偏差（Fundamental Deviation）

在极限与配合制中，确定公差带相对零线位置的那个极限偏差称为基本偏差，它可以是上极限偏差也可以是下极限偏差，如图 2-5 所示，孔的基本偏差为 EI，轴的基本偏差为 es。

线性尺寸基本偏差代号是在极限与配合制国家标准中所规定的关于基本偏差的标准代号，孔用大写 A⋯ZC 字母，对轴用小写字母 a⋯zc 表示，各 28 个。具体见第 3 章。

5. 公差（Tolerance）

公差即为允许的各种几何相关的变动量。规定公差限内工件 100% 满足功能要求，图样上的公差限就是功能限。

线性尺寸公差（简称公差）（Linear Size Tolerance）是允许线性尺寸的变动量，是上极限尺寸减下极限尺寸之差，或为上极限偏差减下极限偏差之差，尺寸公差是一个没有符号的绝对值。

孔的尺寸公差 $T_D = |D_{max} - D_{min}| = |ES - EI|$，轴的尺寸公差 $T_d = |d_{max} - d_{min}| = |es - ei|$。

线性尺寸标准公差（Standard Tolerance）是在极限与配合制国家标准中所规定的任一公差对应的公差数值，记作 IT（International Tolerance）。标准公差等级代号用符号 IT 和精度等级数字组成，例如，IT6 表示标准公差 6 级。或与基本偏差的字母一起，如 h6，表示基本偏差代号为 h 的轴的标准公差为 6 级。具体见第 3 章。

几何公差（Geometry Tolerance）是允许的诸如形状、方向、位置和跳动的变动量。它同样规定有标准公差等级代号，不同特征项目的标准公称等级规定不同，具体见第 4 章。

6. 公差带（Tolerance Zone）

线性尺寸公差带是指在公差图解中，由代表上极限偏差和下极限偏差或上极限尺寸和下极限尺寸的两条直线所限定的一个区域。它是由公差大小和基本偏差来确定的。在极限与配合制国家标准中，线性尺寸公差带用基本偏差的字母和公差等级数字表示，例如，H6 为基本偏差代号为 H、标准公差 6 级的孔公差带；h6 为基本偏差代号为 h、标准公差 6 级的轴公差带。

几何公差带是指由一个或两个理想的几何线要素或面要素所限定的,由一个或多个线性尺寸表示公差值的区域。

线性尺寸和几何公差带默认是相互独立的,但是也可以采用一些特殊标注说明它们可以具有互相补充的关系,即公差要求。

7. 极限制(Limit System)

极限制是指经标准化的公差与偏差制度。我国是采用线性尺寸公差 ISO 代码系统表示。具体规定见第 3 章。

2.5 配合

机械零件装配中大多为公称尺寸相同的孔与轴的结合,即包容面和被包容面的结合。它们的结合形式及其结合松紧程度与松紧均匀程度直接影响机器的功能、性能、质量、寿命、可靠性、振动、噪声和摩擦磨损等。

孔(Hole):通常指工件的圆柱形内线性尺寸要素,也包括非圆柱形的内尺寸要素(由两平行平面或切面形成的包容面)。如圆孔、键槽、方孔等。

轴(Shaft):通常指工件的圆柱形外线性尺寸要素,也包括非圆柱形的外尺寸要素(由两平行平面或切面形成的被包容面)。如圆轴、键、方轴等。

配合(Fit):指公称尺寸相同且相互结合的孔和轴公差带之间的关系。

2.5.1 配合特征参数

当相互配合的孔的尺寸大于等于轴的尺寸即产生间隙,记作 X,X 为正数时要加 + 号;当相互配合的孔的尺寸小于等于轴的尺寸即产生过盈,记作 Y,Y 为负数时要加 - 号。孔与轴的配合性质取决于 X 和/或 Y 在极限尺寸下的大小。关于 X、Y 相关特征参数定义见表 2-3。其中的最大和最小是从绝对值的角度定义的,如虽然 $|Y_{max}|>|Y_{min}|$,由于 $Y \leqslant 0$,所以 $Y_{max}<Y_{min}$。

表 2-3 间隙和过盈的定义与计算

参数定义	间隙 $X=$孔尺寸$-$轴尺寸$\geqslant 0$	过盈 $Y=$孔尺寸$-$轴尺寸$\leqslant 0$
孔与轴公差带位置关系		
实际值	实际间隙 $X_a=D_a-d_a$	实际过盈 $Y_a=D_a-d_a$
最大值	最大间隙 $X_{max}=D_{max}-d_{min}=$ES$-$ei	最大过盈 $Y_{max}=D_{min}-d_{max}=$EI$-$es
最小值	最小间隙 $X_{min}=D_{min}-d_{max}=$EI$-$es	最小过盈 $Y_{min}=D_{max}-d_{min}=$ES$-$ei
作用	允许发生相对运动的基本条件	零件间传递载荷或固定位置
配合特性	松	紧

配合精度用配合公差(Variation of Fit)来表达,它是组成配合的孔与轴的公差之和,

记作 T_f。它也是允许间隙 X 或过盈 Y 的变动量。

$$T_f = T_D + T_d$$

配合公差在设计时既要体现机器配合部位使用功能的要求，也要考虑装配难度问题。配合公差越大，配合的精度越低，配合时形成的间隙或过盈可能差别也越大，配合后产生的松紧差别程度越大，孔和轴在公差制造时允许尺寸变动的范围越大，加工越容易，制造成本较低。相反，配合公差越小，配合的精度越高，加工装配越难，成本也较高。

2.5.2 配合分类

根据孔和轴公差带之间的相互位置关系不同，配合可分为间隙配合、过渡配合和过盈配合三类，满足不同的功能要求，它们的定义及特征参数计算见表2-4。

表 2-4 三种配合定义及特征参数

类型	间隙配合(Clearance Fit)	过渡配合(Transition Fit)	过盈配合(Interference Fit)
定义	具有间隙（包括最小间隙等于零）的配合	可能具有间隙或过盈的配合	具有过盈（包括最小过盈等于零）的配合
公差带位置关系	孔在轴之上	孔与轴相互交叠	孔在轴之下
参数	$X_{max} = D_{max} - d_{min} = ES - ei$ $X_{min} = D_{min} - d_{max} = EI - es$	$X_{max} = D_{max} - d_{min} = ES - ei$ $Y_{max} = D_{min} - d_{max} = EI - es$	$Y_{max} = D_{min} - d_{max} = EI - es$ $Y_{min} = D_{max} - d_{min} = ES - ei$
T_f	$\lvert X_{max} - X_{min} \rvert$	$\lvert X_{max} - Y_{max} \rvert$	$\lvert Y_{max} - Y_{min} \rvert$
应用	孔与轴间允许发生相对运动	要求对中性和同轴度且易拆卸的连接	工件间传递载荷或固定位置

三类配合特性可以在配合公差带图（图 2-6）中直观表示，零线表示间隙或过盈等于零。零线以上的纵坐标为正值，代表间隙；零线以下的纵坐标为负值，代表过盈。图中当配合公差带完全处于零线上方时，是间隙配合，完全在零线下方时，是过盈配合；跨在零线上时，是过渡配合。配合公差带的大小取决于配合公差 T_f 的大小，表示配合的精度；配合公差带相对零线的位置取决于极限间隙或极限过盈的大小，表示配合的松紧。注意由于 $Y \leqslant 0$，所以 Y_{max} 在 Y_{min} 的下方。

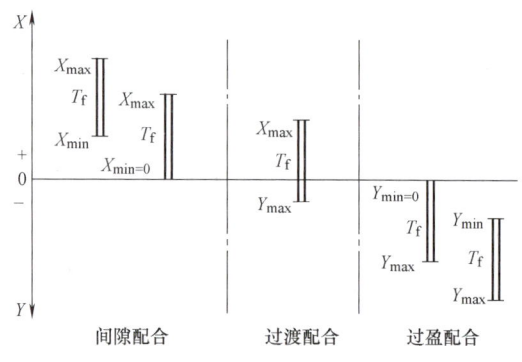

图 2-6 配合公差带图

2.5.3 配合的合格与合用

根据 GPS 功能控制原则，对于无几何形状、方向、位置等要求的线性尺寸合格的相互配合的孔与轴就符合互换性，它们的配合一定也是合格的。

而有时不合格的一对具体孔、轴所形成的结合也能满足使用要求，因为它们实际结合形成的实际间隙 X_a 或实际过盈 Y_a 在所设计规定的极限间隙或极限过盈范围之内，即合用。合用条件如下：

对于间隙配合　　　　$X_{max} \geq X_a \geq X_{min}$
对于过盈配合　　　　$Y_{min} \geq Y_a \geq Y_{max}$
对于过渡配合　　　　$X_a \leq X_{max}$ 或 $Y_a \geq Y_{max}$

如图 2-6 所示，合格的孔、轴所形成的结合一定在极限间隙或极限过盈范围之内，所以一定合用。但形成合用结合的孔、轴则不一定都合格。

2.6　基准制

为便于经济批量生产，尽可能地减少配合的种类，需要从成本出发，同时兼顾功能、结构、工艺条件和其他方面的要求，确定是否要以孔或轴为基准，进行配合设计。具体可以分为非基准制配合、基轴制配合和基孔制配合。

1. 配合制（Fit System）

同一极限制的孔和轴组成的一种配合制度。

2. 基轴制配合（Shaft-Basis System of Fits）

基本偏差为一定的轴的公差带，与不同基本偏差的孔的公差带形成各种配合的一种制度。基轴制配合是轴的上极限尺寸与公称尺寸相等、轴的上极限偏差为零的一种配合制。

基准轴（Basic Shaft）是在基轴制配合中选作基准的轴。即上极限偏差为零的轴，记作 h。

3. 基孔制配合（Hole-Basis System of Fits）

基本偏差为一定的孔的公差带，与不同基本偏差的轴的公差带形成各种配合的一种制度。基孔制配合是孔的下极限尺寸与公称尺寸相等、孔的下极限偏差为零的一种配合制。

基准孔（Basic Hole）是在基孔制配合中选作基准的孔。即下极限偏差为零的孔，记作 H。

2.7　综合练习

本章所有的孔和轴的尺寸、偏差、公差以及它们的配合特性参数的计算总结见表 2-5。

例 2-2： 公称尺寸为 $\phi 50mm$ 的相互结合的孔和轴的极限尺寸分别为：$D_{max}=\phi 50.025mm$，$D_{min}=\phi 50mm$，$d_{max}=\phi 49.950mm$，$d_{min}=\phi 49.934mm$。它们加工后测得其中一孔和一轴的实际尺寸分别为 $D_a=\phi 50.010mm$，$d_a=\phi 49.955mm$。借助公差带图和配合公差图，解决以下问题：

（1）计算孔和轴的极限偏差、公差和实际偏差。
（2）判断孔和轴的合格性。
（3）给出孔和轴的配合类型，并计算极限配合特征参数和配合公差。
（4）判断孔和轴配合的合用性。

解：(1) 计算孔和轴的极限偏差：

$ES = D_{max} - D = 50.025\text{mm} - 50\text{mm} = +0.025\text{mm}$；$EI = D_{min} - D = 50\text{mm} - 50\text{mm} = 0\text{mm}$

$es = d_{max} - d = 49.950\text{mm} - 50\text{mm} = -0.050\text{mm}$；$ei = d_{min} - d = 49.934\text{mm} - 50\text{mm} = -0.066\text{mm}$

计算孔和轴的公差：

$T_D = D_{max} - D_{min} = 50.025\text{mm} - 50\text{mm} = 0.025\text{mm}$

$T_d = d_{max} - d_{min} = 49.950\text{mm} - 49.934\text{mm} = 0.016\text{mm}$

计算孔和轴的实际偏差：

$E_a = D_a - D = 50.010\text{mm} - 50\text{mm} = +0.010\text{mm}$

$e_a = d_a - d = 49.955\text{mm} - 50\text{mm} = -0.045\text{mm}$

绘制孔、轴公差带图，如图 2-7a 所示。

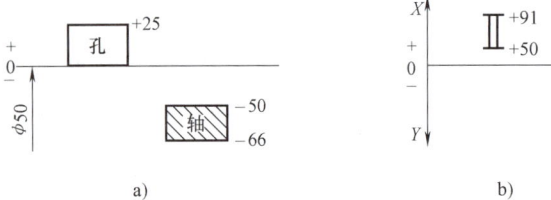

图 2-7 公差带图和配合公差图

(2) 判断孔和轴的合格性

因为对于孔 $50.025 \geq 50.010 \geq 50$，即满足：$D_{max} \geq D_a \geq D_{min}$，所以孔合格。

因为对于轴：$49.950 < 49.955$ 即 $d_{max} < d_a$，不满足 $d_{max} \geq d_a \geq d_{min}$，所以轴不合格。

也可用 $ES \geq E_a \geq EI$，但 $es < e_a$，不满足 $es \geq e_a \geq ei$ 来判断。

(3) 因为孔的公差带在轴的公差带上方，所以孔和轴的配合类型是间隙配合。

$X_{max} = D_{max} - d_{min} = 50.025\text{mm} - 49.934\text{mm} = +0.091\text{mm}$；$X_{min} = D_{min} - d_{max} = 50\text{mm} - 49.950\text{mm} = +0.050\text{mm}$；

$T_f = T_d + T_D = 0.025\text{mm} + 0.016\text{mm} = 0.041\text{mm}$（也可 $T_f = |X_{max} - X_{min}| = |(+0.091) - (+0.050)|\text{mm} = 0.041\text{mm}$）。

(4) 判断孔和轴配合的合用性

实际间隙 $X_a = D_a - d_a = 50.010\text{mm} - 49.955\text{mm} = +0.055\text{mm}$；因为 $X_{max} \geq X_a \geq X_{min}$，所以孔和轴的配合合用。

表 2-5 孔与轴参数计算表

被测尺寸要素	外(轴)尺寸要素	内(孔)尺寸要素
提取局部尺寸	d_a	D_a
公称尺寸	d	D
公差	$T_d = \|d_{max} - d_{min}\| = \|es - ei\|$	$T_D = \|D_{max} - D_{min}\| = \|ES - EI\|$
实际偏差	$e_a = d_a - d$	$E_a = D_a - D$
上极限偏差	$es = d_{max} - d$	$ES = D_{max} - D$

(续)

被测尺寸要素	外(轴)尺寸要素	内(孔)尺寸要素
下极限偏差	$ei = d_{min} - d$	$EI = D_{min} - D$
最大极限尺寸	$d_{max} = d + es$	$D_{max} = D + ES$
最小极限尺寸	$d_{min} = d - ei$	$D_{min} = D - EI$
最大实体尺寸(MMS)	d_{max}	D_{min}
最大实体实效尺寸(MMVS)	$MMS + \delta = d_{max} + \delta$	$MMS - \delta = D_{min} - \delta$
最小实体尺寸(LMS)	d_{min}	D_{max}
最小实体实效尺寸(LMVS)	$LMS - \delta = d_{min} - \delta$	$LMS + \delta = D_{max} + \delta$
配合公差	$T = T_d + T_D = |X_{max} - X_{min}|$ 或 $|Y_{max} - Y_{min}|$ 或 $|X_{max} - Y_{max}|$	
实际间隙 X_a 或实际过盈 Y_a	$X_a = D_a - d_a \geq 0$ 或 $Y_a = D_a - d_a \leq 0$	
视具体配合选择其中2个	最大间隙(≥0): $X_{max} = D_{max} - d_{min} = ES - ei$	
	最小间隙(≥0): $X_{min} = D_{min} - d_{max} = EI - es$	
	最大过盈(≤0): $Y_{max} = D_{min} - d_{max} = EI - es$	
	最小过盈(≤0): $Y_{min} = D_{max} - d_{min} = ES - ei$	

习　题

1. 查资料给出具有3种不同配合特性的实例各一个，并阐述它们各自实现了哪些功能。

2. 已知某配合孔为 $\phi 40^{+0.039}_{0}$，轴为 $\phi 40^{-0.025}_{-0.050}$，它们轴线的直线度公差要求为 $\phi 0.01$mm，画尺寸公差带和配合公差带图，并按表2-6格式填写它们的公称尺寸、上极限尺寸、下极限尺寸、最大实体尺寸、最小实体尺寸、最大实体实效尺寸、最小实体尺寸、最小实体实效尺寸、上极限偏差、下极限偏差、基本偏差、实际偏差、公差，以及它们间的最大间隙、最小间隙、实际间隙和配合公差。

功勋科学家：
王大珩

表2-6 习题2表

名　称	孔		轴	
	表达符号	数值	表达符号	数值
公称尺寸				

3. 按题2要求实际加工得到某孔的尺寸为 $\phi 39.996$mm，某轴的尺寸为 39.946mm，问孔、轴各自是否合格？它们形成的配合是否合用？为什么？

4. 完成表2-7，单位为mm。

表2-7 习题4表

公称尺寸	孔			轴			X_{max} 或 Y_{min}	X_{min} 或 Y_{max}	T_f	配合类型
	ES	EI	T_D	es	ei	T_d				
$\phi 25$			0.033	0				+0.020	0.066	
		0		+0.023		0.021	+0.031			
	-0.067		0.021		-0.033			-0.088		

第3章 孔与轴的公差与配合

孔与轴以及它们的配合是机械产品中结构最简单、应用最广泛、生产批量最大的配合。GPS 中关于线性尺寸公差的 ISO 代号体系标准规定了孔与轴（具有圆柱型和两平行平面型的）的线性尺寸要素的公差与配合标准，是实现机械零件（或部件）互换性的基础标准。该标准系列主要建立了线性尺寸公差带两个基本要素即大小与位置的标准，规定了标准公差系列和基本偏差系列的 ISO 代码系统，并给出了针对功能和控制需求常用的选择和设计参考规则和精度，有利于实现产品互换，简化设计和生产中产品、刀具、夹具和量具的品种与规格，是实现批量化、高质量、低成本生产的基础。

本章所引用和参考的相关国标有：

GB/T 20308—2020（ISO 14638：2015，IDT）《产品几何技术规范（GPS） 矩阵模型》。

GB/T 1800.1—2020（ISO 286—1：2010，MOD）《产品几何技术规范（GPS） 线性尺寸公差 ISO 代号体系 第 1 部分：公差、偏差和配合的基础》。

GB/T 1800.2—2020（ISO 286—2：2010，MOD）《产品几何技术规范（GPS） 线性尺寸公差 ISO 代号体系 第 2 部分：标准公差带代号和孔、轴的极限偏差表》。

GB/T 1804—2000《一般公差 未注公差的线性和角度尺寸的公差》。

3.1 标准公差系列

为了简化和统一对公差的要求，使规定的公差等级既能满足不同的使用要求，又能大致代表各种加工方法的精度，有利于设计和制造。在标准极限与配合制国家标准中，将公差带的大小标准化，分为 20 个标准公差等级，记作 ITn，n 越大，代表线性尺寸精度越低。标准在公称尺寸 0~500mm 内规定了 IT01、IT0、IT1、…、IT18 共 20 个标准公差等级，其中 IT01、IT0 为不常用的高精度等级；在公称尺寸 500~3150mm 内规定了 IT1~IT18 共 18 个标准公差等级。

国家标准中 IT1~IT18 的标准公差计算公式见表 3-1，其中用以确定标准公差数值的基本单位是标准公差因子 i 或 I，它是公称尺寸段的几何平均值 D 的函数，为使公差值大小符合加工误差的规律性（抛物线关系）与测量误差的规律性（线性关系）而经济合理，其中

$$D = \sqrt{D_1 \times D_2}$$

$$i = 0.45\sqrt[3]{D} + 0.001D \quad （公称尺寸 \leq 500\text{mm}）$$

$$I = 0.004D + 2.1 \quad （500\text{mm} < 公称尺寸 \leq 3150\text{mm}）$$

式中，D_1，D_2 为公称尺寸段首、尾尺寸，单位为 mm；D 为公称尺寸段的几何平均值，单

位为 mm；i 为主要考虑加工误差的公称尺寸 0～500mm 的标准公差因子，单位为 μm；I 为主要考虑温度影响下测量误差的公称尺寸在 500～3150mm 的标准公差因子，单位为 μm。

表 3-1　IT1～IT18 的标准公差计算公式

公称尺寸/mm		标准公差等级																	
		IT1	IT2	IT3	IT4	IT5	IT6	IT7	IT8	IT9	IT10	IT11	IT12	IT13	IT14	IT15	IT16	IT17	IT18
大于	至	标准公差计算公式/μm																	
—	500	—	—	—	—	$7i$	$10i$	$16i$	$25i$	$40i$	$64i$	$100i$	$160i$	$250i$	$400i$	$640i$	$1000i$	$1600i$	$2500i$
500	3150	$2I$	$2.7I$	$3.7I$	$5I$	$7I$	$10I$	$16I$	$25I$	$40I$	$64I$	$100I$	$160I$	$250I$	$400I$	$640I$	$1000I$	$1600I$	$2500I$

注：1. 公称尺寸至 500mm 的 IT1～IT4 的标准公差计算见附录 B。
　　2. 从 IT6 起，其规律为：每增加 5 个等级，标准公差增加至 10 倍，也可用于延伸超过 IT18 的 IT 等级。

例 3-1：已知一公称尺寸为 $\phi25$mm 的孔，分别用计算法和查表法求 IT6 的公差值。

解：

1）计算法。

因为 $\phi25$mm 属于 18～30mm 尺寸段，所以 $D = \sqrt{18 \times 30}$ mm $= 23.24$mm

因为 $\phi25$mm 属于 0～500mm 范围，所以采用标准公差因子 i

$$i = 0.45\sqrt[3]{D} + 0.001D = (0.45\sqrt[3]{23.24} + 0.001 \times 23.24)\mu m = 1.31\mu m$$

标准公差 IT6 $= 10i = 10 \times 1.31\mu m = 13.1\mu m \approx 13\mu m$。

2）查表法。

直接查附录 B，先找到 $\phi25$mm 所属的尺寸段 18～30mm，再找该尺寸段公差 IT6 对应的数值 13μm 即可。

计算法与查表法得到的数值一致，通常设计时采用查表法。

附录 B 是由表 3-1 计算圆整后的标准公差值，给出了常用的公称尺寸至 3150mm 的标准公差等级 IT1～IT18 对应于 21 个不同公称尺寸段的公差数值规定，它具有以下特点：

1）孔与轴的标准公差计算方法一样，所以孔与轴的标准公差表一致。

2）标准公差 ITn 的数值与基本偏差无关。

3）标准公差 ITn 的数值与公称尺寸分段和标准公差等级 n 都有关。

4）同一标准公差等级 n，对所有公称尺寸分段的公差被认为具有同等精确程度，但它们的公差数值随着公称尺寸分段增加，大多数情况下会有所变大，偶然尺寸变化不大时，会不变。

5）同一公称尺寸分段下，随着标准公差等级 n 变大，公差精度降低，它的公差数值也会变大（注意：IT12 之前较高精度公差的数值单位为 μm，而之后较低精度公差的数值单位是 mm）。

3.2　基本偏差系列

为了标准化公差带位置，国家标准规定孔和轴的基本偏差代号各 28 个，孔用大写字母表示，轴用小写字母表示，见表 3-2。基本偏差系列示意图如图 3-1 所示。

表 3-2 孔和轴基本偏差的代号

孔	A	B	C		D	E		F		G	H	J	K	M	N	P	R	S	T	U	V	X	Y	Z			
				CD			EF		FG			JS													ZA	ZB	ZC
轴	a	b	c		d	e		f		g	h	j	k	m	n	p	r	s	t	u	v	x	y	z			
				cd			ef		fg			js													za	zb	zc

基本偏差代号是从 26 个大小写拉丁字母中，去掉易混淆的 I、L、O、Q、W（i、l、o、q、w）5 个字母，再加上 7 个双字母组合而成的。双字母表示含义是其基本偏差位置介于两个字母代表的各自基本偏差之间，如 CD 的基本偏差介于 C 和 D 的基本偏差之间。CD（cd）、EF（ef）和 FG（fg）主要用于减小相邻两基本偏差数值之间的差距，以满足 10mm 以下尺寸的精密机械和钟表行业的需要。ZA（za）、ZB（zb）及 ZC（zc）主要用于满足大过盈配合的需要，而 JS（js）基本偏差的公差带完全对称地跨在零线上，其上、下极限偏差值为 ±IT/2。基本偏差的大小均是按照国家标准给出的计算公式得到的。

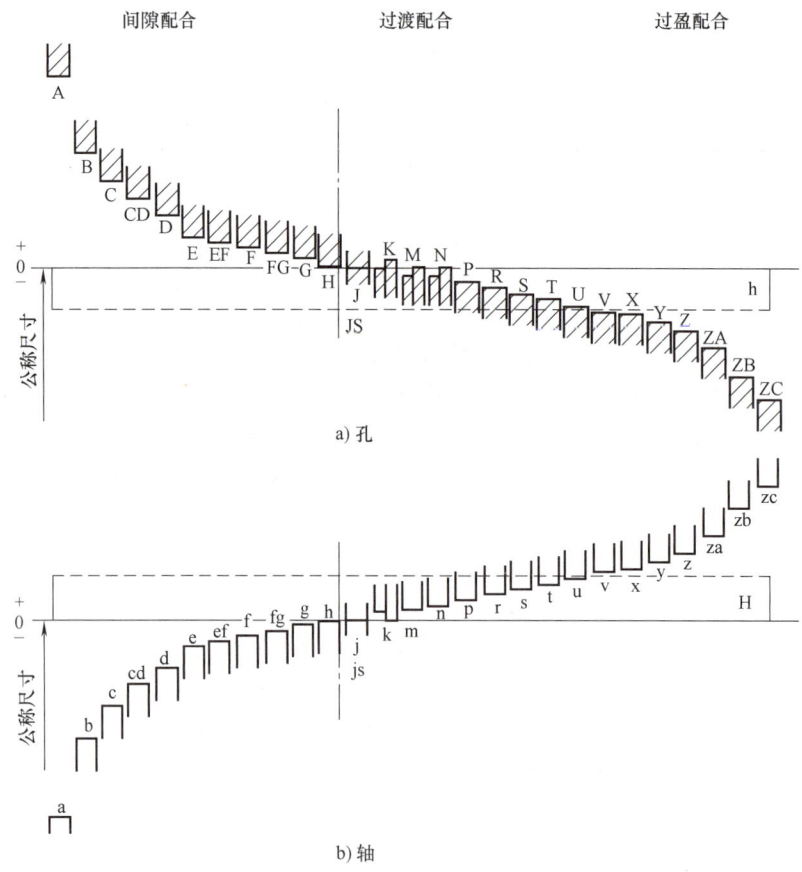

图 3-1 基本偏差系列示意图

孔与轴的基本偏差系列具有以下特点：

1) 同一尺寸段孔和轴的基本偏差计算公式是不同的，同一基本偏差不同尺寸段的计算公式也可能不同。因此孔和轴分别对应于不同的偏差数值表，轴的基本偏差见附录 C，孔的基本偏差见附录 D。

2) 不是所有尺寸段都规定了相应的基本偏差，所以偏差表中有很多空格。但是，随着尺寸段增加，相应的基本偏差的绝对值也增加。

3) 对于同一尺寸段，孔的基本偏差按字母 A~ZC 升序从正数到负数一直在减小，轴的基本偏差按字母 a~zc 升序从负数到正数一直在增大。

4) 基准孔以 H 为代号；基准轴以 h 为代号。分别偏置在零线的上、下侧。

基孔制（基轴制）配合中：

基本偏差 a~h（A~H）用于间隙配合；

基本偏差 j~zc（J~ZC）用于过渡配合和过盈配合。

5) 大部分基本偏差不是存在所有公差等级的，例如，对于孔仅有 J6、J7、J8 三个基本偏差，对于轴仅有 j5、j6、j7、j8 四个基本偏差。

6) 基本偏差 J（j）的公差带不完全对称于零线，也无计算公式，只在附录 C 的偏差数值表中给出其值。

7) JS（js）无基本偏差，公差带完全对称地跨在零线上，极限偏差为 $\pm ITn/2$，但是当 IT7~IT11 中标准公差数值为奇数时，极限偏差为 $\pm IT(n-1)/2$。

8) 除孔 J 和 JS（严格地说两者无基本偏差）以及特殊规则下的孔的偏差外，孔和轴的基本偏差的数值与选用的标准公差等级 ITn 无关。

9) 基本偏差对应的另一偏差与标准公差等级 ITn 有关，因此，图 3-1 中公差带有一端为"开口"，即另一偏差取决于基本偏差的位置和标准公差等级 ITn，见表 3-3。

当基本偏差位于零线及以上时，即为下极限偏差（EI, ei）时，对于孔从 A 到 H 为下极限偏差 EI，对于轴从 j 至 zc 为下极限偏差 ei，它们的另一偏差等于基本偏差加上 ITn。

当基本偏差位于零线及以下时，即是上极限偏差（ES, es）时，对于孔从 J 至 ZC 为上极限偏差 ES，对于轴从 a 到 h 的基本偏差为上极限偏差 es，它们的另一偏差等于基本偏差减去 ITn。

表 3-3 公差带另一偏差计算

孔	基本偏差		另一偏差	轴	基本偏差		另一偏差
	A~H	EI	ES = EI+ITn		a~h	es	ei = es-ITn
	J~ZC	ES	EI = ES-ITn		j~zc	ei	es = ei+ITn

10) 表 3-4 所列为孔和轴的基本偏差折算，孔与轴同字母的基本偏差变化规律大部分遵循通用规则，即以零线为对称轴完全对称。

但对于一些高精度的孔需要降低加工难度，因此比同级的轴低一级处理，基本偏差绝对值有所调整，遵循特殊规则。公称尺寸在 3~500mm 的基孔制或基轴制配合中，给定某一公差等级的孔要与更高一级的轴相配（例如，H7/p6 和 P7/h6），并要求具有同等的间隙或过盈。此时，计算的孔的基本偏差应附加一个 Δ 值，公称尺寸段内给定的某一标准公差等级 ITn 与更高一级的标准公差等级 IT(n-1) 的差值。

出于经济生产的原则，相互配合的孔的标准公差等级精度只能等于或低于轴的标准公差等级精度。孔和轴同级配合指孔和轴的标准公差等级相同的配合。孔和轴异级配合指孔比轴的标准公差等级低的配合。

表 3-4 孔和轴的基本偏差折算

规则	基本偏差	ITn	孔和轴的基本偏差折算	孔和轴的配合
通用规则	A~H	所有	EI = -es	可采用同级配合或异级配合 同名同级配合或同名异级配合的配合性质相同
	J~N	>IT8 3~500mm,N 除外	ES = -ei 3~500mm,N 的 ES = 0	
	P~ZC	>IT7		
特殊规则	J~N	≤IT8	$\Delta = \text{IT}n - \text{IT}(n-1)$ ES = -ei+Δ	只可用异级配合 同名异级配合的配合性质相同
	P~ZC	≤IT7		

同名配合指在基轴制下孔的偏差代号和基孔制下轴的偏差代号采用同一字母的大小写的配合，如 ϕ50G8/h8 和 ϕ50H8/g8 是同名同级配合，属于通用规则，它们的极限配合性质即极限间隙相同。如 ϕ25F7/h6 和 ϕ25H7/f6 是同名异级配合，属于通用规则，它们的极限配合性质即极限间隙相同，具体见例 3-4。而 ϕ25H7/p6 和 ϕ25P7/h6 是同名异级配合，属于特殊规则，它们的极限配合性质即极限过盈也相同，具体见例 3-4。

3.3 标注公差与配合的线性尺寸

3.3.1 标注公差的线性尺寸

标注公差的线性尺寸用公称尺寸后跟所要求的公差带或（和）对应的偏差值表示，单位都是 mm。例如 ϕ25H7、$\phi25^{+0.021}_{0}$、ϕ25H7$\left(^{+0.021}_{0}\right)$ 都代表相同尺寸和公差带的孔，ϕ25h7、$\phi25^{0}_{-0.021}$、ϕ25h7$\left(^{0}_{-0.021}\right)$ 都代表相同尺寸和公差带的轴。ϕ50js6、ϕ50 ± 0.008、ϕ50js6（±0.008）也代表相同尺寸和公差带的轴。

由于公差带中大部分基本偏差并非能取所有的公差等级，而且在公称尺寸 0~500mm 的范围以及 500~3150mm 范围内，常用基本偏差能对应的公差等级也不相同，如图 3-4 和图 3-5 所示。因此，公差带的表达需依据标准公差等级和孔、轴极限偏差表来确定。

3.3.2 标注配合公差的线性尺寸

公称尺寸相同的孔、轴的配合用公称尺寸后跟孔、轴公差带分数形式表示，分子为孔公差带，分母为轴公差带。例如，ϕ25H8/h7、$\phi25\dfrac{\text{H8}}{\text{h7}}$ 均表示相同的配合。

3.3.3 公差与配合的查表计算

例 3-2：查表确定孔 $\phi15^{+0.006}_{-0.012}$ 和轴 $\phi15^{0}_{-0.018}$ 的公差带代号。

解：

（1）计算标准公差，确定标准公差表中的尺寸段，确定公差等级：

孔 IT = |(+0.006)-(-0.012)| mm = 0.018mm = 18μm，轴 IT = |0-(-0.018)| mm = 0.018mm = 18μm

ϕ15mm 孔和轴都对应标准公差表（附录 B）中尺寸段 10~18mm。

查得 IT7 = 18μm，它们的标准公差等级都是 7 级。

（2）确定基本偏差，确定基本偏差表中的尺寸段，查表确定偏差代号，对于高精度孔特别要判断是否属于特殊规则的孔，查表时其基本偏差要采用表 3-4 所列规则。

孔：因为 |+0.006| < |-0.012| 所以该孔的基本偏差为 ES = +0.006mm，由图 3-1 可知，代号应为 J 之后。

ϕ15mm 对应孔的基本偏差表（附录 D）中尺寸段 14~18mm。

由表 3-4 可知，当 J~N 的标准公差≤IT8 时，采用特殊规则，ES = -ei+Δ，Δ = IT7-IT6 = 18μm-11μm = 7μm，K 的 ES = -1μm+ΔIT7 = -1μm+7μm = +6μm = +0.006mm，基本偏差代号是 K。

在该尺寸段查孔的基本偏差表（附录 D）会发现 G7 的 EI = +6μm（不是 ES）、J6 的 ES = +6μm（不是 IT7），J7 的 ES = +10μm（数值不是+6μm），均不符合要求。

轴：因为 ei = 0 所以基本偏差代号一定是 h。

（3）采用公称尺寸、基本偏差代号和标准公差等级表达公差带代号，缺一不可。

孔为 ϕ15K7，轴为 ϕ15h7。

例 3-3：写出与 ϕ25H7/f6 的配合性质相同的另一个同名配合，已知 IT6 = 13μm，IT7 = 21μm，基本偏差 f 为-20μm，画出公差带图和配合公差图，计算极限配合特性参数和配合公差。

解：

（1）由表 3-4 可知，该配合符合通用规则，间隙配合，与其配合性质相同的同名异级配合为 ϕ25F7/h6。

（2）确定孔、轴极限偏差

孔 ϕ25H7 基本偏差 EI = 0，ES = IT7 + EI = + 21μm；

由图 3-1 可知，轴 ϕ25f6 的基本偏差为 es = -20μm，ei = es-IT6 = -20μm-13μm = -33μm；

孔 ϕ25F7 基本偏差按通用规则 EI = - es = -(-20) = +20μm，ES = IT7 + EI = 21μm + 20μm = +41μm；

轴 ϕ25h6 的基本偏差 es = 0，ei = es-IT6 = 0μm-13μm = -13μm。

（3）ϕ25H7/f6 和 ϕ25F7/h6 都是间隙配合，计算极限间隙及其配合公差

ϕ25H7/f6

X_{max} = ES-ei = (+21)μm-(-33)μm = +54μm；X_{min} = EI-es = 0μm-(-20)μm = +20μm；

T_f = $|X_{max}-X_{min}|$ = |(+54)-(+20)| μm = 34μm；

ϕ25F7/h6

X_{max} = ES-ei = (+41)μm-(-13)μm = +54μm；X_{min} = EI-es = +20μm-0μm = +20mm；

T_f = $|X_{max}-X_{min}|$ = |(+54)-(+20)| μm = 34μm；

ϕ25H7/f6 和 ϕ25F7/h6 极限间隙相同，配合性质相同，配合公差相同。

显然 $T_f = T_D + T_d = 13μm + 21μm = 34μm$

（4）绘制尺寸公差带图和配合公差带图，如图 3-2 所示。

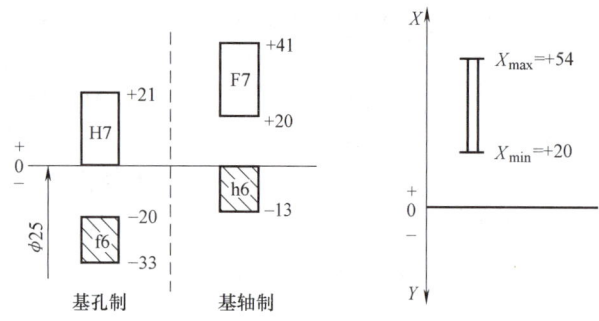

图 3-2 尺寸公差带图和配合公差带图

例 3-4：写出与 $\phi25H7/p6$ 的配合性质相同的另一个同名配合，已知 $IT6=13\mu m$，$IT7=21\mu m$，画出公差带图和配合公差图，计算极限配合特性参数和配合公差。

解：

（1）由表 3-4 可知，该配合符合特殊规则，同时是过盈配合，与其配合性质相同的同名异级配合为 $\phi25P7/h6$。

（2）确定孔、轴极限偏差

孔 $\phi25H7$ 基本偏差 $EI=0$，$ES=IT7+EI=+21\mu m$；

由表 C-1 可知，轴 $\phi25p6$ 的基本偏差为 $ei=+22\mu m$，$es=ei+IT6=+22\mu m+13\mu m=+35\mu m$

孔 $\phi25P7$ 基本偏差是 ES，需按特殊规则计算：

$\Delta=ITn-IT(n-1)=IT7-IT6=21\mu m-13\mu m=8\mu m$，$ES=-ei+\Delta=-22\mu m+8\mu m=-14\mu m$

$EI=ES-IT7=-14\mu m-21\mu m=-35\mu m$

轴 $\phi25h6$ 的基本偏差 $es=0$，$ei=es-IT6=0\mu m-13\mu m=-13\mu m$。

（3）计算极限过盈和配合公差

$\phi25H7/p6$

$Y_{min}=ES-ei=(+21)\mu m-(+22)\mu m=-1\mu m$；$Y_{max}=EI-es=0\mu m-35\mu m=-35\mu m$

$T_f=|Y_{max}-Y_{min}|=|(-35)-(-1)|\mu m=34\mu m$

$\phi25P7/h6$

$Y_{min}=ES-ei=(-14)-(-13)=-1\mu m$；

$Y_{max}=EI-es=(-35)\mu m-0\mu m=-35\mu m$

$T_f=|Y_{max}-Y_{min}|=|(-35)-(-1)|\mu m=34\mu m$

$\phi25H7/p6$ 和 $\phi25P7/h6$ 极限过盈相同、配合性质相同、配合公差相同。

显然 $T_f=T_D+T_d=13\mu m+21\mu m=34\mu m$

（4）绘制尺寸公差带和配合公差带图，如图 3-3 所示。

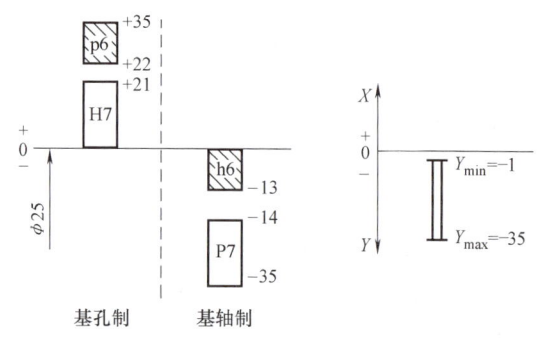

图 3-3 尺寸公差带和配合公差带图

3.4 公差带和配合的选择

由于任一标准公差等级与任一基本偏差组合成的公差带种类太多，造成产品及其配件规格繁多，不利于经济生产，不方便采购和维修。因此，国家标准规定了供选择的公差带和配合，在进行孔和轴常规设计时应该遵循此国家标准进行选择。

3.4.1 公差带的选择

国家标准分两个尺寸范围规定了可以选择的公差带。

1) 在公称尺寸 0～500mm 范围内应优先选用圆圈中的优先公差带，其次选用方框中的常用公差带，最后选用图中其他的可选择的一般公差带，如图 3-4a 和图 3-5a 所示。

2) 公称尺寸在 500～3150mm 范围内可选用的公差带如图 3-4b 和图 3-5b 所示。

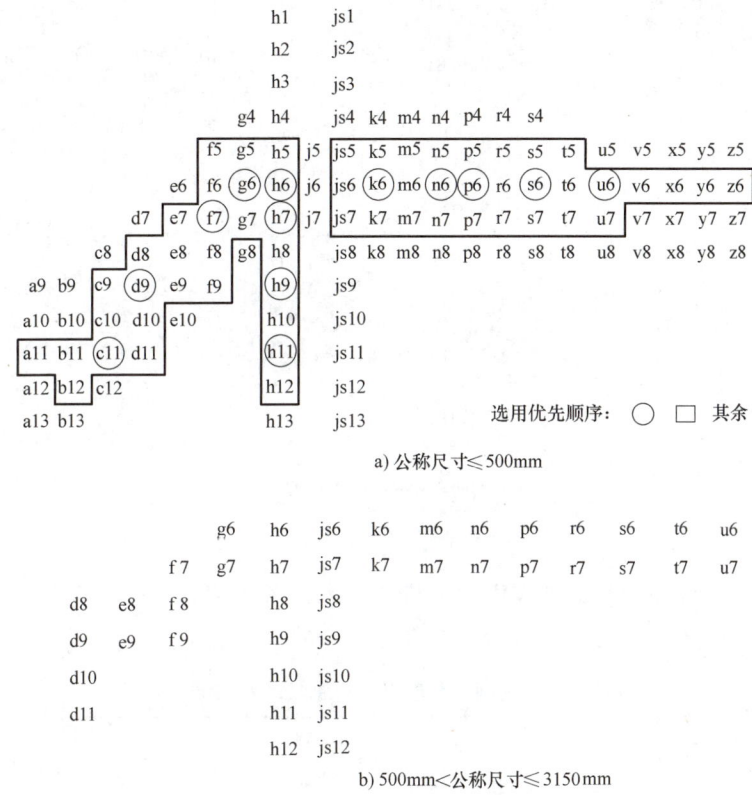

图 3-4 轴的公差带的选择

图 3-4 和图 3-5 中孔和轴的公差带选择并非完全对应，由于轴易加工和测量，故规格比孔多一些，而且精度也比孔高一些。公称尺寸 0～500mm 的可选择的轴的公差带共 119 个，孔的公差带共 105 个，其中常用轴的公差带 59 个、孔的公差带 44 个，优先选用的孔和轴的公差带各 13 个。

3.4.2 配合的选择

基于以上孔、轴公差带的选择，国家标准分两个尺寸范围规定了配合的选择依据和方法。

1) 在公称尺寸 0～500mm 的范围内规定了可选择的孔、轴配合代号。对基孔制，规定有 59 种常用配合，见表 3-5；对基轴制，规定有 47 种常用配合，见表 3-6。在此基础上，又

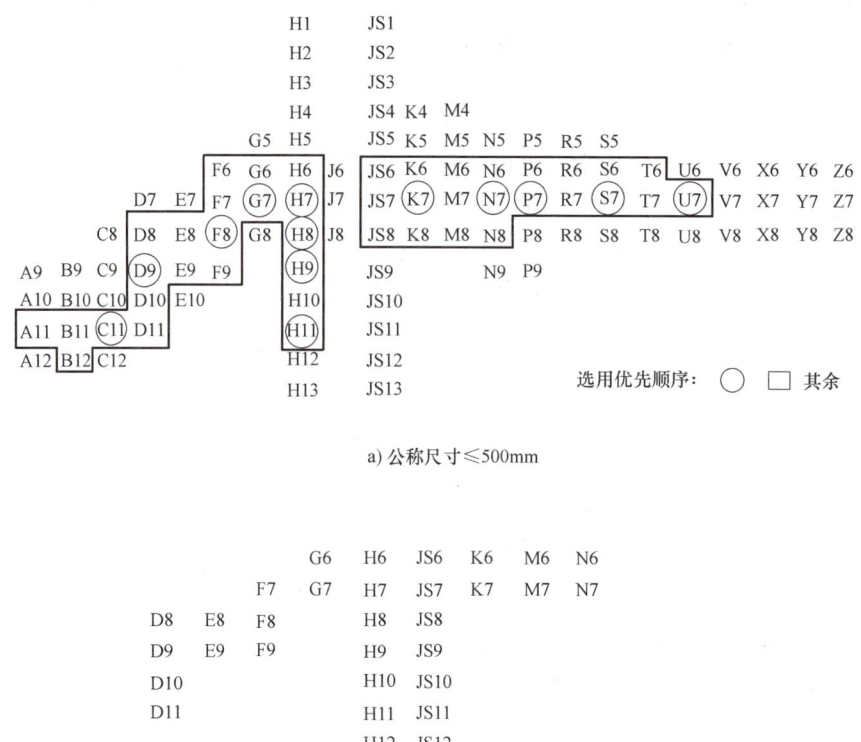

图 3-5 孔的公差带的选择

从中各选取了13种优先配合，即表中左上角打黑色三角的配合代号。选用时先从功能和控制要求出发，见表3-7，考虑优先配合，再考虑其余的常用配合。

表 3-5 基孔制配合选择（公称尺寸 0~500mm）

基准孔	轴																			
	a	b	c	d	e	f	g	h	js	k	m	n	p	r	s	t	u	v	x	y	z
	间隙配合								过渡配合				过盈配合								
H6						$\frac{H6}{f5}$	$\frac{H6}{g5}$	$\frac{H6}{h5}$	$\frac{H6}{js5}$	$\frac{H6}{k5}$	$\frac{H6}{m5}$	$\frac{H6}{n5}$	$\frac{H6}{p5}$	$\frac{H6}{r5}$	$\frac{H6}{s5}$	$\frac{H6}{t5}$					
H7						$\frac{H7}{f6}$	$\frac{H7}{g6}$	$\frac{H7}{h6}$	$\frac{H7}{js6}$	$\frac{H7}{k6}$	$\frac{H7}{m6}$	$\frac{H7}{n6}$	$\frac{H7}{p6}$	$\frac{H7}{r6}$	$\frac{H7}{s6}$	$\frac{H7}{t6}$	$\frac{H7}{u6}$	$\frac{H7}{v6}$	$\frac{H7}{x6}$	$\frac{H7}{y6}$	$\frac{H7}{z6}$
H8					$\frac{H8}{e7}$	$\frac{H8}{f7}$	$\frac{H8}{g7}$	$\frac{H8}{h7}$	$\frac{H8}{js7}$	$\frac{H8}{k7}$	$\frac{H8}{m7}$	$\frac{H8}{n7}$	$\frac{H8}{p7}$	$\frac{H8}{r7}$	$\frac{H8}{s7}$	$\frac{H8}{t7}$	$\frac{H8}{u7}$				
				$\frac{H8}{d8}$	$\frac{H8}{e8}$	$\frac{H8}{f8}$		$\frac{H8}{h8}$													
H9			$\frac{H9}{c9}$	$\frac{H9}{d9}$	$\frac{H9}{e9}$	$\frac{H9}{f9}$		$\frac{H9}{h9}$													

(续)

基准孔	轴																				
	a	b	c	d	e	f	g	h	js	k	m	n	p	r	s	t	u	v	x	y	z
	间隙配合								过渡配合				过盈配合								
H10			$\frac{H10}{c10}$	$\frac{H10}{d10}$				$\frac{H10}{h10}$													
H11	$\frac{H11}{a11}$	$\frac{H11}{b11}$	$\frac{H11}{c11}$▼	$\frac{H11}{d11}$				$\frac{H11}{h11}$													
H12		$\frac{H12}{b12}$						$\frac{H12}{h12}$													

注：1. $\frac{H6}{n5}$、$\frac{H7}{p6}$ 在公称尺寸≤3mm 和 $\frac{H8}{r7}$ 在公称尺寸≤100mm 时，为过渡配合。

2. 标注▼的配合为优先配合。

表 3-6 基轴制配合的选择（公称尺寸 0～500mm）

基准轴	孔																				
	A	B	C	D	E	F	G	H	JS	K	M	N	P	R	S	T	U	V	X	Y	Z
	间隙配合								过渡配合				过盈配合								
h5						$\frac{F6}{h5}$	$\frac{G6}{h5}$	$\frac{H6}{h5}$	$\frac{JS6}{h5}$	$\frac{K6}{h5}$	$\frac{M6}{h5}$	$\frac{N6}{h5}$	$\frac{P6}{h5}$	$\frac{R6}{h5}$	$\frac{S6}{h5}$	$\frac{T6}{h5}$					
h6						$\frac{F7}{h6}$	$\frac{G7}{h6}$▼	$\frac{H7}{h6}$▼	$\frac{JS7}{h6}$	$\frac{K7}{h6}$▼	$\frac{M7}{h6}$	$\frac{N7}{h6}$▼	$\frac{P7}{h6}$	$\frac{R7}{h6}$	$\frac{S7}{h6}$▼	$\frac{T7}{h6}$	$\frac{U7}{h6}$				
h7					$\frac{E8}{h7}$	$\frac{F8}{h7}$▼		$\frac{H8}{h7}$	$\frac{JS8}{h7}$	$\frac{K8}{h7}$	$\frac{M8}{h7}$	$\frac{N8}{h7}$									
h8				$\frac{D8}{h8}$	$\frac{E8}{h8}$	$\frac{F8}{h8}$		$\frac{H8}{h8}$													
h9				$\frac{D9}{h9}$▼	$\frac{E9}{h9}$	$\frac{F9}{h9}$		$\frac{H9}{h9}$▼													
h10				$\frac{D10}{h10}$				$\frac{H10}{h10}$													
h11	$\frac{A11}{h11}$	$\frac{B11}{h11}$	$\frac{C11}{h11}$▼	$\frac{D11}{h11}$				$\frac{H11}{h11}$▼													
h12		$\frac{B12}{h12}$						$\frac{H12}{h12}$													

注：标注▼的配合为优先配合。

表 3-7 优先配合选用表

优先配合		说　明
基孔制	基轴制	
$\frac{H11}{c11}$	$\frac{C11}{h11}$	间隙非常大，用于很松的、转动很慢的动配合，要求大公差与大间隙的外露组件；要求转配旁边的很松的配合
$\frac{H9}{d9}$	$\frac{D9}{h9}$	间隙很大的自由转动配合，用于精度非主要要求时，或有大的温度变化、高转速或大的轴颈压力时

（续）

优先配合		说　　明
基孔制	基轴制	
$\dfrac{H8}{f7}$	$\dfrac{F8}{h7}$	间隙不大的转动配合，用于中等转速与中等轴颈压力的精确转动；也用于装配较易的中等定位配合
$\dfrac{H7}{g6}$	$\dfrac{G7}{h6}$	间隙很小的滑动配合，用于不希望自由转动，但可自由移动和滑动并精密定位时，也可用于要求明确的定位配合
$\dfrac{H7}{h6}$	$\dfrac{H7}{h6}$	均为间隙定位配合，零件可自由装拆，而工作时一般相对静止不动，在最大实体条件下的间隙为零，在最小实体条件下的间隙由公差等级决定
$\dfrac{H8}{h7}$	$\dfrac{H8}{h7}$	
$\dfrac{H9}{h9}$	$\dfrac{H9}{h9}$	
$\dfrac{H11}{h11}$	$\dfrac{H11}{h11}$	
$\dfrac{H7}{k6}$	$\dfrac{K7}{h6}$	过渡配合，用于精密定位
$\dfrac{H7}{k6}$	$\dfrac{K7}{h6}$	过渡配合，允许有较大过盈的更精密定位
$\dfrac{H7}{p6}$	$\dfrac{P7}{h6}$	过盈定位配合，即小过盈配合，用于定位精度特别重要时，能以最好的定位精度达到部件的刚性及对中性要求，而对内孔承受压力无特殊要求，不依靠配合的紧固性传递摩擦载荷
$\dfrac{H7}{s6}$	$\dfrac{S7}{h6}$	中等压入配合，适用于一般钢件；或用于薄壁件的冷缩配合，用于铸铁件可得到最紧的配合
$\dfrac{H7}{u6}$	$\dfrac{U7}{h6}$	压入配合，适用于可以承受高压入力的零件，或不宜承受大压入力的冷缩配合

2) 公称尺寸在 500～3150mm 范围内的配合一般采用基孔制的同级配合。根据零件制造特点，由于大尺寸孔、轴的加工误差较大，采用配制配合。

配制配合（Matched Fit，MF）是以一个零件的实际尺寸为基数，来配制另一个零件的一种工艺措施。一般用于公差等级较高，单件小批生产的配合零件。当配合公差要求较高时，为了降低加工成本，可放弃互换性要求采用配制加工方法，保证原设计的配合要求，即先加工其中较难加工的部分，能得到较高测量精度的零件。

例 3-5： 公称尺寸为 $\phi3000\text{mm}$ 的孔和轴，要求配合的最大间隙为 $+0.45\text{mm}$，最小间隙为 $+0.14\text{mm}$，试采用配制配合选取配合零件。

解：

1) 按互换性生产选取配合。

按互换性生产可选用 $\phi3000\text{H6/f6}$ 或 $\phi3000\text{F6/h6}$，其最大间隙 $X_{\max}=+0.415\text{mm}$，最小间隙 $X_{\min}=+0.145\text{mm}$，满足配合要求。而配制后所选择的孔和轴的等级会和此选取配合代号不同，但最终配制的结果应依旧满足要求的配合公差，所以在装配图上标注为 $\phi3000\text{H6/f6 MF}$，如图 3-8a 所示。

2) 选择先加工件。

一般是用较难加工，但能得到较高测量精度的那个零件作为先加工件，大多数情况下是孔，采用基准孔的代号 H 表示。如果是轴，就采用基准轴代号 h 表示。给它一个比较容易达到的经济公差等级或按"线性尺寸的未注公差"加工。如此可以给孔降两个等级，采用 8 级加工精度，在零件图上标注 φ3000H8 MF，如图 3-8b 所示。

3）选取配制件。

按所选取的配合公差来选取配制件公差，大多数情况下是轴。配制件的公差比采用互换性生产时单个零件的公差要低，如 7 级。此时其最大间隙 X_{max} = +0.355mm，最小间隙 X_{min} = +0.145mm，在零件图上标注 φ3000f7 MF 或 $\phi3000_{-0.355}^{-0.145}$ MF，如图 3-8c 所示。但实际配制件的偏差和极限尺寸是以先加工件的实际尺寸为基数来确定的。

例如，准确测出的先加工件（孔）实际尺寸 D_a 为 φ3000.195mm，则得到此时配制件（轴）的极限尺寸为：

$d_{max} = D_a - X_{min}$ = 3000.195mm - 0.145mm = 3000.05mm；

$d_{min} = D_a - X_{max}$ = 3000.195mm - 0.355mm = 2999.84mm。

配制配合仅降低难加工的先加工件的公差要求，是关于尺寸极限方面的技术规定，不涉及其他技术要求，不降低零件的几何公差和表面结构。由于采用先加工件（孔）实际尺寸作基准，测量结果直接影响配合件极限尺寸，影响配合性质，所以对测量精度要求较高，要注意温度和几何误差对测量结果的影响。配制配合应在同样条件下测量，使用同一基准装置或校对量具，由同一组计量人员进行测量，以提高测量精度。

3.5　一般（未注）尺寸公差

由于零件线性和角度尺寸误差总是存在的，但并非所有的误差都会损害功能。因此，对于功能上无特殊要求的几何要素，如低精度尺寸、非配合尺寸等，在图样上表达可给出一般公差（General Tolerances），即不用单独在各要素上注出其公差，而是在图样上、技术要求或技术文件（如企业标准）中做出总的说明。这样，图样上标出公差的要素按公差要求执行，未标的一律按一般公差处理，既节省设计时间，简化图纸，简化产品的检验要求，又突出图样上注出公差要重点控制和检验精度的要素，便于高效交流、计划、生产和验收，有助于质量管理，便于供需双方达成加工和销售协议，避免不必要的争议。

一般公差的公差等级和公差数值符合通常的车间精度，是在车间普通工艺条件下，机床设备可保证的公差。在正常维护和操作情况下，它代表车间通常的加工精度，因此在正常生产中应该有所保证，一般可不检验。除另有规定外，即使检验出超差，但若未达到损害其功能时，通常不应拒收。当然车间也需测量、评估和抽样检查以保证车间的通常车间精度，只接受一般公差等于或大于通常车间精度的图样。

设计时要按零件使用要求和经济生产原则选取相应的公差等级，如：低精度非配合尺寸（不包含在尺寸链，且对配合性质无直接影响的尺寸），或如不影响经济性所要求的精度低于正常生产精度时。当所要求的精度低于正常生产精度时会更经济，就需要标出公差。由不同类型的工艺（例如切削和铸造）分别加工形成的两表面之间的未注公差的尺寸应按规定的两个一般公差数值中的较大值控制。以角度单位规定的一般公差仅控制表面的线或素线的总方向，不控制它们的形状误差。从实际表面得到的线的总方向是理想几何形状的接触线方向。接触线和实际线之间的最大距离是最小可能值（见 GB/T 4249）。

一般公差规定了 4 个公差等级：精密 f、中等 m、粗糙 c 和最粗 v，同样与尺寸分段相关，尺寸分段较粗，公差带呈零线对称分布，公差数值相当于 IT12、IT14、IT16 和 IT17，具体极限偏差见表 3-8。

一般公差可用于线性尺寸（表 3-8）、倒圆半径尺寸、倒角高度尺寸、角度尺寸，国家标准对它们的极限偏差的数值进行了规定，其中角度尺寸的极限偏差数值按角度短边长度确定，对圆锥角按圆锥素线长度确定。例如，当 φ20mm 的孔采用中等（m）一般公差时，它的极限偏差为 ±0.2mm。

一般公差不适用于已给出公差的尺寸，括号标明的辅助尺寸、方框标明的理论正确尺寸（TED）和零件组装后构成的尺寸。

表 3-8　线性尺寸一般公差的极限偏差数值　　　　　　　　　　（单位：mm）

公差等级	公称尺寸分段							
	0.5~3	>3~6	>6~30	>30~120	>120~400	>400~1000	>1000~2000	>2000~4000
精密 f	±0.05	±0.05	±0.1	±0.15	±0.2	±0.3	±0.5	—
中等 m	±0.1	±0.1	±0.2	±0.3	±0.5	±0.8	±1.2	±2
粗糙 c	±0.2	±0.3	±0.5	±0.8	±1.2	±2	±3	±4
最粗 v	—	±0.5	±1	±1.5	±2.5	±4	±6	±8

3.6　公差带与配合的图样标注

孔与轴的公差带与配合的图样要标注在不同的图纸中，单独的孔与轴的公差带应标注在零件图中，而配合代号则应标注在装配图上，相互不可代替，二者应视情况一致或对应。

3.6.1　孔与轴的公差带的图样标注

在产品零件图样上，孔与轴的公差带可根据实际生产状况用三种不同的格式进行标注。

1) 图 3-6a 所示适用于大批量生产的产品零件。只标注公差带代号非常简洁，易于交流。

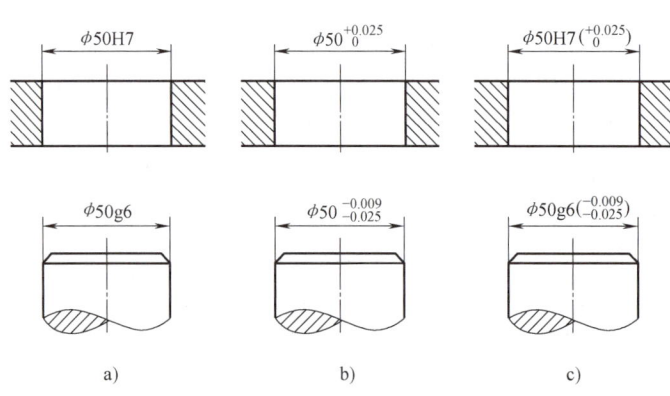

图 3-6　零件图上线性尺寸公差图样的标注

2) 图 3-6b 所示适用于单件或小批量生产的产品零件。直接标注极限偏差，方便制造检测。

3) 图 3-6c 所示适用于中、小批量生产的产品零件。全标注既方便交流，又方便制造检测人员，缺点是标注有些复杂。

3.6.2 孔与轴的配合的图样标注

在产品装配图上，公称尺寸 0~500mm 范围的配合可按图 3-7 标注在孔或轴上或其尺寸延长线上，图 3-7b 使用更广泛，两种标注含义相同，视方便在图样中选用统一形式即可。

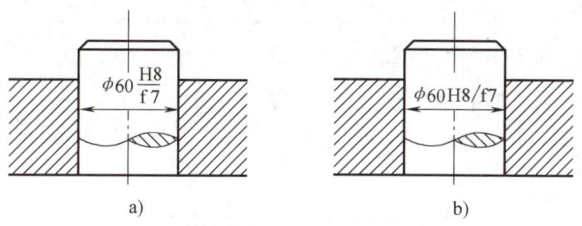

图 3-7 装配图上孔与轴配合图样的标注

3.6.3 孔与轴的配制配合的图样标注

对于公称尺寸在 500~3150mm 范围内的，公差等级较高，单件小批生产的配制配合，在装配图和零件图的相应部位均应标出先加工件，代号为 MF。

1) 在装配图上标明按互换性生产时的配合代号，借用基准孔 H 或基准轴 h 表示先加工件。如：$\phi 3000 H6/f6$ MF（先加工件为孔，配制件为轴）或 $\phi 3000 F6/h6$ MF（先加工件为轴，配制件为孔），如图 3-8a 所示。

2) 在零件图上若先加工件为孔，给一个较容易达到的公差，如在零件图上标注为：$\phi 3000 H8$ MF 或 $\phi 3000$ MF（按"线性尺寸的未注公差"加工时），如图 3-8b 所示。

3) 与之配合的配制件为轴，根据已确定的配合公差选取合适的公差带，在原极限配合范围之内即可，例如 f7，图上标注为：$\phi 3000 f7$ MF 或 $\phi 3000_{-0.355}^{-0.145}$ MF，如图 3-8c 所示。

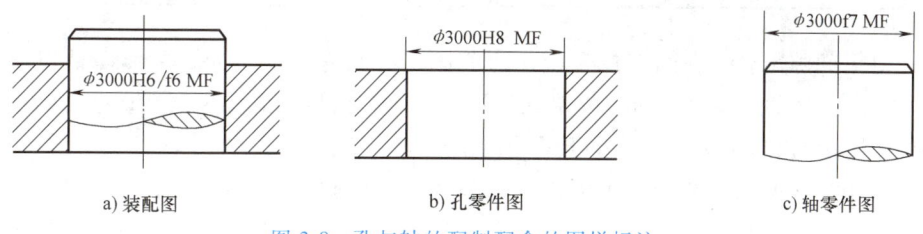

图 3-8 孔与轴的配制配合的图样标注

应该特别注意，配制零件图上标注的极限偏差（或极限尺寸）不是实际加工时的依据。应以先加工件的实际尺寸作为配制件的基本尺寸来确定配制件的极限尺寸。

3.6.4 一般尺寸公差标注

当采用一般尺寸公差时，在图样上只标注公称尺寸，不标注极限偏差，在图样标题栏附近或技术要求、技术文件（如企业标准）中注出本标准号及公差等级代号。例如，当选用中等 m 时则标注为：GB/T 1804-m，如图 4-34a 所示，其实际偏差控制如图 4-34b 中细双点画线圆内数据所示。

3.7 配合精度设计

尺寸精度设计就是公差与配合的选择，直接影响产品性能优劣和制造成本，是企业重要技术档案和技术机密。公差带与配合的设计目标不是盲目追求高精度，而是合理体现在保证功能和控制要求前提下，降低生产难度和成本，保障稳定的产品质量，提高生产效率。

尺寸精度设计的要求就是满足允许配合间隙或过盈的变动量，即满足配合公差 T_f，而 $T_f = T_D + T_d$，所以所有的配合的设计就是如何保证一批配合件（孔与轴）间配合的精确程度或一致性，最终由选择合适的孔和轴的公差等级来实现。

3.7.1 考虑因素

公差与配合设计时首先应该根据功能需求选择配合特性，并根据零件特点选择采用类比法选择可能的公差等级，然后根据经济生产的原则选择基准制，根据加工和装配方法来决定可行的公差等级和配合类型，最后还需根据实际工况进一步调整公差等级。

1. 功能需求

选取配合时首先要满足功能需求。如表 3-9 所示，如有相对运动，即移动或转动时，必须选间隙配合或过渡配合，定心精度要求较高时，不宜采用间隙配合。当无相对运动时，可以视情况从过盈配合、过渡配合或间隙配合中选择。然后优先从表 3-7 中选择。

表 3-9 功能需求与配合类型

功能需求	无对中和定心要求的相对运动	润滑性能好的中高速转动	保证同轴度,定心精度要求较高的相对运动	传递一定转矩,且要求拆卸,且有键、销或螺钉等附加紧固件	传递足够大的转矩,且不要求拆卸
配合类型	大间隙配合	中等间隙配合	小间隙或过渡配合	过渡或间隙配合	过盈配合
首要保证	$X_a \geq X_{min}$	$X_a \geq X_{min}$	$X_a \leq X_{max}$	$Y_a \geq Y_{max}$	$Y_a \leq Y_{min}$

（1）对于间隙配合 在间隙配合中由于间隙是有其作用的，如贮存润滑油以形成油膜保证润滑特性；补偿热胀冷缩引起的温度变形；还有补偿加工误差和安装误差等。所以在设计时需要首先保证实际间隙 X_a 不小于最小间隙 X_{min}。

（2）对于过渡配合 装配时可能产生间隙 X_{max}，也可能产生过盈 Y_{max}，但二者都比较小。当需要保证同轴度时，需要首先保证其实际间隙 X_a 不大于 X_{max}；当需要保证装拆方便时，需要首先保证其实际过盈 Y_a 不小于 Y_{max}。但如果同轴度要求高而又需要拆卸的连接，且要传递转矩时，就必需加紧固件。

（3）对于过盈配合 形成过盈配合的孔和轴都发生未超过弹性极限的弹性形变，孔被胀大，轴被压小。这种变形在结合面上产生一定的正压力，即紧固力，可用来传递载荷和固定零件，Y_{min} 正是保证承受或传递载荷的首要条件。

在不加紧固件选用过盈配合时，要求实际过盈 Y_a 不大于 Y_{min}，应能保证承受或传递所要求的载荷（包括转矩和轴向力），且实际过盈 Y_a 不小于 Y_{max}，不至于使配合孔或轴产生塑性变形或破坏。当这两项要求不能同时满足时，可采用附加紧固件或分组装配法解决。

2. 零件特点

一般应分析所设计的对象的特点和功能，根据机械工艺设计中对常见应用对象会使用的各公差等级的总结，见表 3-10 及表 3-11，可以利用类比法初步确定大致采用的公差等级。此外，孔与轴的公差等级还需与工艺及配合公差匹配。根据工艺等价性，对于尺寸不大于 500mm 的特殊规则下的高精度孔，当标准公差不低于 IT8 时，常需要孔比轴低一级，以解决孔比轴难加工的工艺问题。孔与轴的精度也要匹配，即高精度的孔需要更高精度的轴配合。滚动轴承与轴颈或外壳孔配合时，公差等级与滚动轴承的精度有关，当滚动轴承公差等级为 4 级时，与滚动轴承配合的轴按 IT4，孔按 IT5。配合公差精度高，孔与轴的公差等级就会高，当过渡配合或过盈配合要求其间隙或过盈变动小，以及间隙配合要求间隙小时，孔与轴应选较高的公差等级。当间隙配合要求间隙大时，对孔与轴的公差等级要求较低。

表 3-10 常见公差等级的应用

公差等级	适用范围	应用对象
IT01、IT0、IT1	特别精确的尺寸传递基准	量块、量规
IT2~IT4	特别精密零件、重要的配合尺寸公差	如精密量仪的主轴轴颈，与 4 级、2 级滚动轴承配合的轴颈、齿轮或带轮孔与轴的配合以及基准孔直径尺寸公差
IT5	要求能保证配合性质、稳定性特别重要的、加工要求较高的配合	用于仪表、发动机和机床中特别精密的滚动轴承相配合的机床主轴和外壳孔，高精度齿轮的基准孔和基准轴
IT6	能得到均匀的配合性质，使用可靠，精度要求较高的重要配合	与 6 级滚动轴承相配合的孔、轴颈，机床丝杠轴颈，矩形花键的定心直径，摇臂钻床的立柱
IT7、IT8	中等精度的配合，速度不高的孔与轴的配合	广泛应用在农机、重型机械、纺织机械和自行车中联轴器、带轮、凸轮等孔径、卡盘座孔、发动机的连杆孔、活塞孔
IT9	配合精度较低的尺寸公差	广泛应用在机床和发动机中次要部位的配合
IT10~IT12	对配合一致性要求低的场合	非配合尺寸及工序间尺寸，滑块与滑移齿轮，冲压加工的配合件，塑料成型尺寸公差
IT13	非常粗糙的配合部位	铆钉和铆钉孔的配合
IT14~IT18	未注公差尺寸	工序尺寸、冲压件及铸锻件的公差

表 3-11 配合部位公差等级的应用

公差等级	重要处		常用处		次要处	
	孔	轴	孔	轴	孔	轴
精密机械	IT4	IT4	IT5	IT5	IT7	IT6
一般机械	IT5	IT5	IT7	IT6	IT8	IT9
较粗机械	IT7	IT6	IT8	IT9	IT10~IT12	

3. 基准制

虽然基孔制和基轴制的同名同级或同名异级配合的配合性质相同，使用性能相同，但是选择不同的基准制会直接影响实际生产的技术经济性和可行性，在配合设计时需要根据结构、工艺及经济性三方面来综合考虑。

（1）优先采用基孔制　由于中、小直径尺寸孔的加工检验均需要采用定值尺寸刀具，如每种规格的孔都要用相应规格的钻头加工，而且需要用同规格的定尺寸量具（如塞规）检验，不同规格间不通用，成本较高，也比较麻烦。但轴的加工和检验就简单方便很多，可以采用通用的刀具和量具,如一把车刀或磨轮,能够完成多种轴的加工,一种通用的外尺寸量具,也能方便地对多种轴的公差带进行检验,有利于实现多品种少批量的经济生产。

因此,在实际设计中首选基孔制,可大大地减少孔用刀具和量具的储备量和简化管理工作,可以大大减小孔用刀具和量具的供应规格,对轴用的工具量具规格数量没有太大的影响。因此,标准也规定:在一般情况下,优先采用基孔制,经济合理。

基孔制配合代号可按表3-5选择。

(2) 以下几种特殊情况不得不采用基轴制

1) 特殊结构,如一轴多孔的配合。如图3-9所示,内燃机中活塞销与活塞孔及连杆套孔在配合时,采用基轴制更合理。

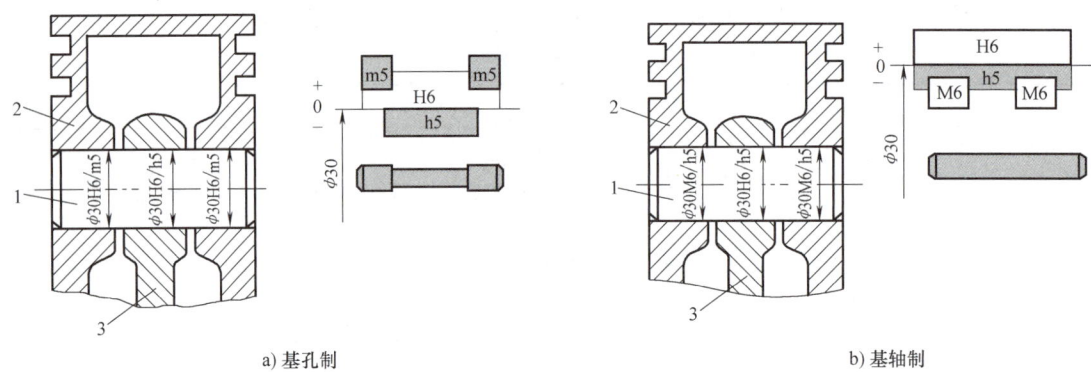

图 3-9 内燃机中活塞销与活塞孔及连杆套孔的配合
1—活塞销 2—活塞 3—连杆小头孔

活塞销与连杆衬套孔之间有相对运动,采用$\phi30H6/h5$的间隙配合;活塞销与活塞孔之间既需要固定位置,也需要拆卸,采用$\phi30H6/m5$的过渡配合。此时如果采用基孔制,活塞销就必须设计成两头大、中间小的阶梯轴,如图3-9a所示。这样不仅加工装配困难,且直径较大的活塞销头部要挤过连杆衬套孔壁时,易损伤衬套孔壁。但如果采用基轴制,活塞则为光轴,显然可以避免这些缺点,如图3-9b所示。

2) 采用冷拉棒料作为轴类零件。在纺织机械、农业机械和仪器制造中,当选用表面结构较好的IT8～IT12冷拉棒料时,如果再加工就不经济了,所以一般采用基轴制,直接使用,按照不同的配合要求来加工孔得到不同性质的配合。

3) 当轴为标准件时。如滚动轴承是高精度的标准件,不可以再加工,与滚动轴承外圈相配合的孔,应按基轴制加工。

基轴制配合代号可按表3-6选择。

(3) 非基准制 非基准制即无H或h的配合,如D9/k6。为了满足配合的特殊需要,允许采用非基准件的任一孔、轴公差带组成配合,如基准孔与轴承盖的配合。这是因为基准孔与滚动轴承外圈的配合选用了基轴制后,它与轴承盖部分的结合,按连接使用要求不同(要求配合间隙更大些),轴承盖的配合外径只得选用基孔制的轴公差,这就形成了非基准制配合。

4. 加工和装配方法

结构设计与所选材料影响到加工方法的选择,而不同的加工方法下可以达到的公差等级也是有限的,如表 3-12 所示,所以在选择公差等级时要考虑加工工艺的可行性,即是否具备相应的设备和加工能力,以及加工的效率和成本等。

表 3-12　各种加工方法可能达到的公差等级

加工方法	公差等级(IT)																	
	01	0	1	2	3	4	5	6	7	8	9	10	11	12	13	14	15	16
研磨	—	—	—	—	—	—	—											
珩磨						—	—	—										
圆磨							—	—	—	—								
平磨							—	—	—	—								
金刚石车							—	—	—									
金刚石镗							—	—	—									
拉削							—	—	—	—								
铰孔								—	—	—		—						
车									—	—	—	—	—	—	—			
镗									—	—	—	—	—	—	—			
铣										—	—	—	—	—	—			
刨、插												—	—	—	—			
钻孔												—	—	—	—			
滚压、挤压										—	—	—						
冲压												—	—	—	—	—		
压铸													—	—	—			
粉末冶金成形								—	—	—								
粉末冶金烧结									—	—	—							
砂型铸造、气割																		—
锻造																—		

例如,当某轴为 ϕ20h9 可用普通的车削加工达到要求。而当生产某轴为 ϕ20h5 时,制造工艺路线就要经历"车削——→热处理——→磨削——→研磨"才行,显然,制造成本和时间大大增加,生产率大大降低。

同样装配时更要考虑尽量降低难度,如原来某孔与轴的过渡配合为 H7/js6,理想实际加工获得的尺寸应按正态分布,其过盈的概率很小,间隙概率很大。但小生产批量生产采用"试切法"加工时,孔、轴实际尺寸分布中心都偏向最大实体尺寸,结果使配合过盈概率增大,由于装配时需反复试装,过盈概率增大不仅增加了装配困难,而且易将轴的表面拉伤。如果改为 H7/h6 配合,则配合变松了,基本上保证间隙,装拆方便,又保证了配合的定位精度,且装配工时也可节省,提高了工效。

5. 实际生产批量和工况

因为设计时所依据的国家标准中的数据是基于 20℃ 测得的,零件假设是在理想方位下装配的,批量生产中所有产品尺寸遵循理想正态分布。

但显然,实际制造和工作情况中,环境温度难以恒定在20℃,且零件运动中也会产生热量,当材料线胀系数和孔轴温差较大时,会造成配合件不均衡的热胀冷缩,如高速旋转的轴,当轴温远高于孔温,会造成实际间隙变小,最终影响润滑性及其转动灵活性。过盈配合在装配时采用木锤、压机时不能保证完全的垂直压入,此时对于尤其是薄壁的孔或轴件的变形量会加大,最终影响配合特性。在批量生产时,由于刀具量具的逐步磨损,工人技能的变化,批量的大小等都会造成产品尺寸分布偏离理想正态分布,导致实际的平均间隙和平均过盈发生变化,也就是配合偏松或偏紧。因此在实际生产和工作时,零件尺寸还会由于环境温度、装配变形和生产类型的影响造成变化,最终导致配合特性发生变化。

所以,设计时就应该考虑这些实际工况,依据表3-13所示适量的做些预调整,保证产品实际的配合特性。例如对于高速转动的轴孔的配合视温度变化较大的部分,要适当加大间隙或过盈;对于薄壁孔的过盈配合装配,需要适当减小过盈;对于小生产批量"试切法"加工时,要适当加大孔、轴的间隙。

表3-13 不同工作情况下对配合过盈或间隙的调整方法

具体情况	过盈应增大或减小	间隙应增大或减小
材料许用应力小	减小	—
经常拆卸	减小	—
工作时,孔温高于轴温	增大	减小
工作时,轴温高于孔温	减小	增大
有冲击载荷	增大	减小
配合长度较大	减小	增大
配合面几何误差较大	减小	增大
装配时可能歪斜	减小	增大
旋转速度高	增大	增大
有轴向运动	—	增大
润滑油黏度增大	—	增大
装配精度高	减小	减小
表面粗糙度大	增大	减小

3.7.2 设计方法及其实例

公差与配合的设计主要包括:确定配合种类、确定基准制、确定公差等级、确定配合代号并进行校核。一般应该通过实际分析,综合采用类比法初步选择配合代号、通过计算法来进一步计算、调整和初步的理想校核,最后都必须通过试验法来校核调整,最终获得实际可行的、经济合理的配合公差。

1. 类比法

在用类比法选择配合时,按表3-9中所要设计的功能选择配合类型。然后对照已有相似产品或产品族的配合,参考表3-7选择可能的配合代号。最后,对比分析他们实际工况下功能需求和控制的差异,以及材料加工等工艺的不同,参照表3-13进行适当调整,获得理想的配合。类比法一般用于非常熟悉已有产品及其工艺的基础上,是一种定性设计的方法,非常便捷，但对于要求较高的场合还是需要用计算法进行更精确的定量设计调整，并通过试验验证才可投入使用。

例 3-6： 如图 3-10 所示，选择车床尾座顶尖套筒和尾座体的配合。

解：

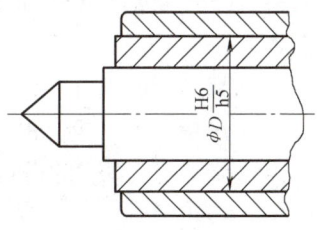

图3-10 车床尾座顶尖套筒和尾座体的配合

车床尾座顶尖套筒和尾座体的配合的功能要求主要是：工件装夹调整位置时，尾座体需在套筒中缓慢轴向移动。工作时，二者需相对静止，顶尖轴线应该支持工件、承受切削力，保证与车床主轴同轴不晃动。因此，按表 3-9 应选用定心性好、配合间隙小的间隙或过渡配合，要求孔和轴的公差等级较高。按表 3-7 类比，由于此处无特别精密要求，按经济性原则，可优先选用基孔制 H7/h6 配合。但是为保证切割振动下的稳定的同轴性，应适当减小间隙，因此，根据表 3-5，可选用 H6/h5 配合进一步减少间隙，满足实际加工工况。

2. 计算法

计算法是根据零件的功能需求，在类比法的基础上得到其极限配合参数范围，然后按照配合公差的计算公式，考虑工艺性、经济性和可行性，来确定基准制，并分配孔和轴的公差，最后校核确定所选配合。当然按计算法选取配合，还是需要通过试验法来进一步验证才可投入使用。

一般情况，对于间隙配合，可根据装配允许的偏心度、最高速度、润滑等因素确定 X_{max}，而根据最低速度、可装配性的要求确定 X_{min}。对于过盈配合可根据零件的连接强度或传递转矩所需要的最小过盈 Y_{min}，按不致使零件超过材料的比例极限（若要求保持弹性连接），计算其允许的最大过盈 Y_{max}。对于过渡配合，可按其需要的定心要求确定 X_{max}，最大需承受的冲击及振动来确定其 Y_{max}。

计算法基本步骤如下：

1）确定配合类型。

2）确定基准制，优先选用基孔制，孔的基本偏差代号为 H。

3）按给出的极限间隙（或过盈）计算 T_f。

4）根据配合公差查表选公差等级，确定基准件公差带代号。要让所选的 $T_D + T_d$ 满足在 $T_f(1 \pm 10\%)$ 之内，先按 $T_D = T_d = T_f/2$ 选取同级孔和轴的公差，如找不到或是可能是特殊规则，按工艺等价性调整，降低孔的公差等级。

5）按公式计算另一非基准件的基本偏差，查表确定基本偏差代号，确定非基准件公差带代号，保证所选最小间隙应 $\geq X_{min}$，所选最小过盈应 $\leq Y_{min}$。

6）按功能需求依据表 3-9，计算非基准件的基本偏差：

间隙配合：$X_a \geq X_{min}$；

过渡配合：$X_a \leq X_{max}$ 或 $Y_a \geq Y_{max}$；

过盈配合：$Y_a \leq Y_{min}$。

7）画公差带图及配合公差带图。

8）验算配合公差、极限间隙（或过盈）是否被满足。

例 3-7：已知某孔、轴的公称尺寸 $\phi 63$mm，已确定配合间隙要求在 +0.028 ~ +0.108mm 之间，试确定孔、轴的配合代号。

解：（1）配合类型　间隙配合，配合间隙要求在 +28 ~ +108μm，因为公差偏差表格中大多数以 μm 为单位，因此，此处提前进行单位换算。

（2）配合制的选择　优先选择基孔制，孔偏差代号为 H。

（3）选择公差等级　由 $T_f = |X_{max} - X_{min}| = |(+108) - (+28)| \mu m = 80 \mu m$

为满足要求，所选轴和孔的公差和 $T_D + T_d$ 应在 $T_f(1 \pm 10\%)$ 之内，即在 72 ~ 88μm 之间。

先按同级配合尝试，即 $T_D = T_d = T_f/2 = 40\mu m$。

因为查附录 B 只有：IT7 = 30μm，IT8 = 46μm，所以 T_D 和 T_d 介于 IT7 ~ IT8 级之间。

因为根据工艺等价性原则，孔的公差等级应比轴的公差等级低，所以选择孔 IT8 级，轴 IT7 级。

因为 $T_f = T_D + T_d = (30 + 46)\mu m = 76\mu m > 72\mu m$，符合要求。所以孔的公差带为 $\phi 63H8(^{+0.046}_{\ \ 0})$mm。

（4）选择配合代号　由表 3-9 可知对于间隙配合，首先要满足间隙不小于 X_{min} = +28μm。

因为 $X_{min} = EI - es$，$EI = 0$，所以 $es = EI - X_{min} = 0 - (+28)\mu m = -28\mu m$。

因为查附录 B 可得 $es = -28\mu m$ 介于 -30μm（f）和 -10μm（g）之间，但是为满足间隙不小于 $X_{min} = +28\mu m$ 的首要条件。所以取 f，$es = -30\mu m$，此时最小间隙 $X_{min} = EI - es = 0\mu m - (-30)\mu m = +30\mu m > +28\mu m$；$ei = es - IT7 = -30\mu m - 30\mu m = -60\mu m$，所以轴的公差带为 $\phi 63f7(^{-0.030}_{-0.060})$mm（图 3-11）。

（5）验算结果　所选配合为 $\phi 63H8/f7$，计算得：

$X_{max} = ES - ei = [+46 - (-60)]\mu m = +106\mu m$；$X_{min} = EI - es = [0 - (-30)]\mu m = +30\mu m$。

均在 +0.028 ~ +0.108mm 之间，所选配合既满足要求，也符合表 3-5 中国家标准推荐的优先配合公差。

（6）确定配合代号　所选配合为 $\phi 63H8/f7$。

3. 试验法

试验法对于所有新设计的配合都是必要的，虽然类比法和计算法都可以大大地减少试验的次数，但他们只适合用于初步的简单定性设计和理想状态下的定量设计，而由于实际工况下，工件尺寸会由于重力、冲击力、温度等多种因素发生变化，实际的配合特性必须通过试验来进行验证，常用的有仿真试验法、实际试验、试验选配法等，往往相互结合使用。

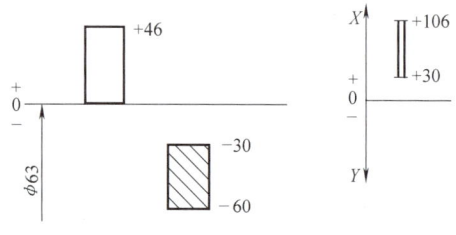

图 3-11　尺寸公差带和配合公差带图

（1）仿真试验法　目前基于有限元技术的数值仿真技术大大减少了试错的时间，可以通过运动学、动力学、温度场的仿真初步获得工件可能产生的变形量，再通过计算机辅助公差设计分析进行不同公差的进一步设计及其优化。最终，通过专门的试验装置来实际验证分析，确定所需的间隙或过盈。

如图 3-12a 所示为高速经编机与电动机主轴通过联轴器相连的曲轴连杆组件。曲轴连杆装配在连杆架上，其曲轴与轴瓦之间存在间隙，添加润滑油后曲轴与轴瓦形成滑动轴承，连杆的大头径与轴瓦相连，曲轴的高速旋转运动转换成连杆的摆动，连杆进一步与成圈机构连接带动纺线完成纺织工作。当工作时，若曲轴与轴瓦之间的间隙过大，会使连杆晃动，造成与之相联的成圈机构运行不稳定，影响织品质量，在高速运行时存在异响，若曲轴与轴瓦之间的间隙过小，会使曲轴和轴瓦的磨损严重，尤其在曲轴装配位置歪斜时，曲轴会承受较大载荷，限制主轴转速的提升，影响生产效率。

此连杆架的自身质量为 77.58kg，另外曲轴质量为 18.02kg，轴瓦质量 0.08kg，曲轴和轴瓦的重力作用在连杆架安装孔上。在上述重力的影响下，连杆架会产生变形，可以借助 ANSYS WorkBench 对其进行仿真，如图 3-12b 所示，模拟重力影响下各零件的变形，提取零件变形节点坐标值。基于 MATLAB 平台拟合零件变形要素，可更准确地计算零件变形后组成环的数值，如图 3-12c 所示。然后，通过蒙特卡罗随机抽样方法，得到变形后零件组成环的变形量，如图 3-12d 所示。最终，修改得到考虑零件重力变形的组成环的极限尺寸。

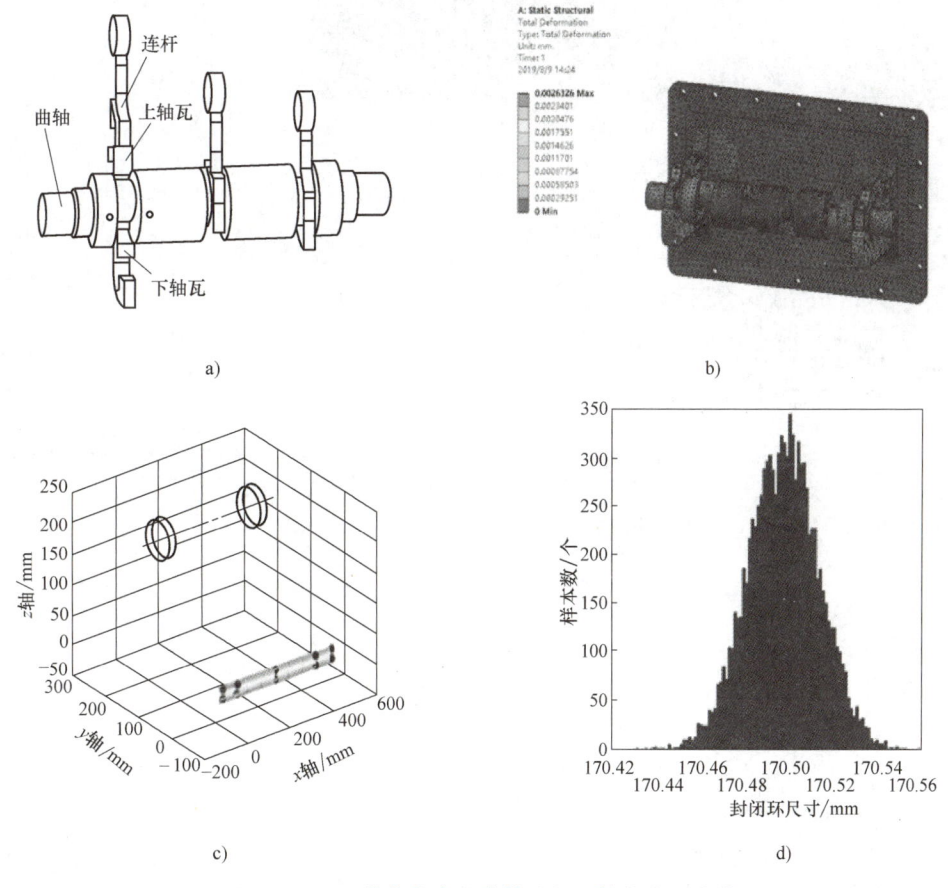

图 3-12 基于数值仿真的曲轴连杆组件的公差设计

（2）实际试验　主要通过专门的试验装置进行测量统计分析，或是样机进行跑合试验，然后逐步试错调整。

（3）试验选配法　为保证配合精度，往往需要提高零件精度，增加了工艺难度和成本，对于多品种少批量的生产显然不经济不合理。但是通过试验和选配法相结合，就可以使实际产品的配合在较宽公差带下具有高配合精度、提高零件的利用率、降低装配成本。

例如，对于多品种少批量的高速经编机，温度场对其曲轴连杆组件装配精度影响很大，而其装配精度要求很高，曲轴连杆组件的曲轴轴颈与轴瓦之间的间隙需控制在 +0.025 ~ +0.055mm 之间，间隙过小会卡死热膨胀的曲轴，间隙过大将导致连杆轴颈磨损、连杆弯曲。即便通过仿真得到了极限尺寸，但是配合精度设计过高，会致使加工成本过高。此时，就可先通过实际测试样机，获得温度和尺寸误差波动的关系，如图 3-13a、b 所示，综合考虑装配精度、装配成功率和装配精度波动三项指标，对测得的实际尺寸进行分组配合，如图 3-13c，最终以较宽的公差带获得较高的装配精度。

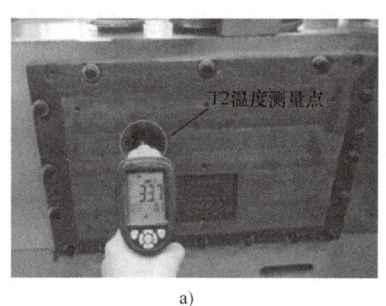

a)

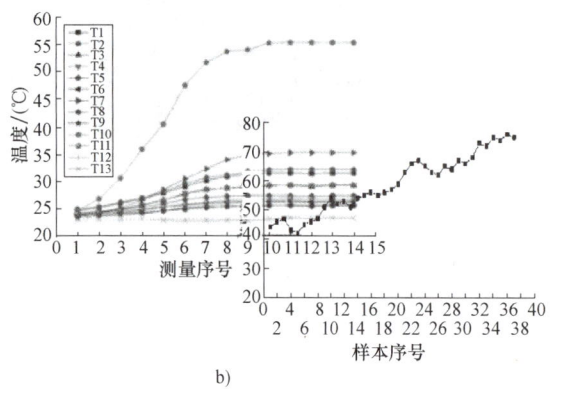

b)

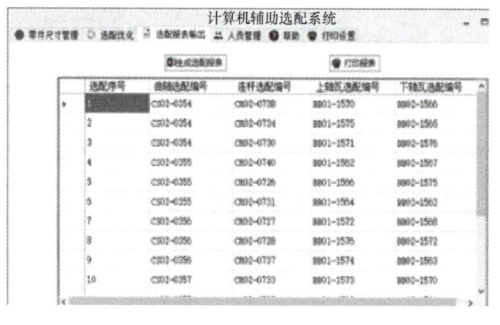

c)

图 3-13　考虑温度的选配法

习　　题

1. 已知两轴的公称尺寸和公差如下，问哪根轴的精度高？为什么？

   1）$d_1 = \phi 20\text{mm}$，$T_{d1} = 16\mu\text{m}$；

   2）$d_2 = \phi 200\text{mm}$，$T_{d2} = 20\mu\text{m}$。

2. 查表确定下列孔和轴的公差等级：

   1）轴：$\phi 30^{+0.036}_{+0.015}$、$\phi 40^{0}_{-0.016}$、$\phi 60 \pm 0.015$；

   2）孔：$\phi 30^{+0.033}_{0}$、$\phi 40^{+0.034}_{+0.009}$、$\phi 60 \pm 0.015$。

3. 已知孔与轴的尺寸如下，对照表格确定其配合代号：

   1）孔 $\phi 50^{+0.039}_{0}$ 与轴 $\phi 50^{-0.009}_{-0.034}$；

2) 孔 $\phi40^{+0.007}_{-0.018}$ 与轴 $\phi40^{\ 0}_{-0.039}$；

3) 孔 $\phi60^{+0.030}_{\ 0}$ 与轴 $\phi60^{+0.080}_{+0.041}$。

4. 说明下列代号的意义并通过查表使用上下极限偏差来表达它们。

1) $\phi70\dfrac{H6}{m5}$　　　　2) $\phi25\dfrac{H7}{f6}$　　　　3) $\phi40\dfrac{R7}{h6}$

4) $\phi100F6$　　　　5) $\phi60N7$　　　　6) $\phi90t8$

5. 已知某轴的公称尺寸为 $\phi30$mm，尺寸公差为 $21\mu m$，上极限偏差为 $-20\mu m$，在几个不同的位置上测得实际尺寸分别为：$\phi29.961$、$\phi29.955$、$\phi29.963$、$\phi29.971$、$\phi29.964$、$\phi29.956$，试判断其合格性并说明理由。

6. 已知轴承套与孔及轴的配合为 $\phi60\dfrac{H7}{k6}$，$\phi30\dfrac{H8}{f8}$，请在装配图（图 3-14）上标注尺寸及配合代号，在零件图上标注尺寸及公差带代号。

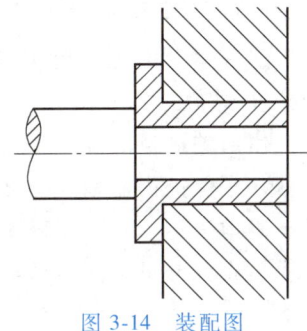

图 3-14　装配图

7. 请按给定条件，计算下列各种配合下的孔与轴的极限偏差、极限尺寸、极限配合特性参数和配合公差，确定孔、轴公差等级，写出它们的配合代号，画出尺寸公差带图和配合公差带图。

（1）公称尺寸为 $\phi60$mm 的孔与轴配合，$Y_{min}=-45\mu m$，孔与轴的公差都等于 $30\mu m$，采用基孔制。

（2）公称尺寸为 $\phi100$mm 的公差等级相同的孔与轴配合，要求 $X_{min}=+36\mu m$，$X_{max}=+106\mu m$，采用基轴制。

（3）公称尺寸为 $\phi30$mm 的孔与轴配合，根据设计要求，要求 $X_{max}=+13\mu m$，$Y_{max}=-21\mu m$。

（4）公称尺寸为 $\phi30$mm 的孔与轴配合，根据设计要求，配合的过盈控制在 $-48\sim-14\mu m$ 之间。

（5）公称尺寸为 $\phi30$mm 的孔与轴配合，根据设计要求，需要采用基轴制，且配合的间隙应控制在 $0\sim+66\mu m$ 之间。

功勋科学家：
王希季

第4章 几何公差

在现代机械产品批量生产的过程中,仅依靠零件的尺寸公差,由于定义不完整,且相互独立,不能准确描述装配和测量方法,所以远远无法保证部件与产品的装配合格性,无法实现经济生产。其次产品在加工和装配的过程中,由于各种因素影响会产生形状、方向和位置等误差,从而降低装配质量并提高制造成本,因此需要将其控制在一个合理、经济的大小、形状、方向和位置范围内,即几何公差规范。

在机械产品的设计中正确进行几何公差规范的设计、选择、标注、应用和检测是机械产品几何量精度设计和检测的重要内容,是保证产品精度与互换性的必要条件。作为制造业基础标准之一,几何公差标准有助于正确地表达(可能影响到)机械产品的装配性、连接性、运行性、密封性、寿命及振动等的相关设计信息,同时对提高产品质量、降低制造成本有重要的意义。

为规范产品的工艺过程及生产加工,并通过检验认证过程对实际精度进行评定,以保证产品功能和质量的达成,以及国际合作的开展,国家同样制定了几何公差标准 GB/T 1182、GB/T 1958、GB/T 16671 等,它与 ISO 1101、ISO 1660 和 ISO 2692 等标准是一致的,属于 GPS 通用标准,对几何公差的术语定义、图样标注、数值、几何特征及参数定义、误差测量方法及检测原则都做出了统一的规定,使产品的功能设计要求,通过规范的公差设计体现在工程图样和技术要求中,如图 4-1 所示。

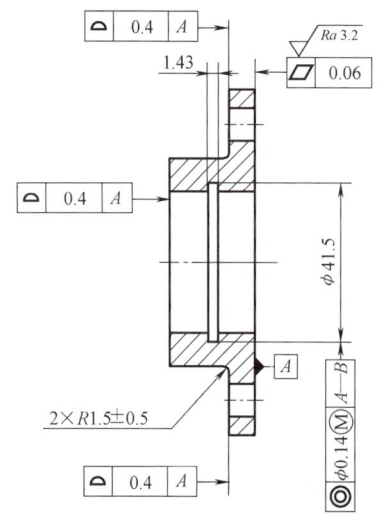
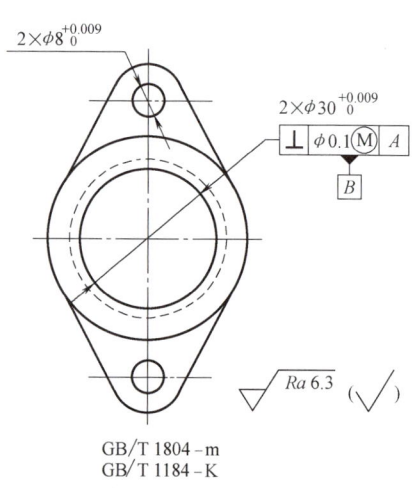

图 4-1 零件公差标注示例

本章所引用和参考的相关国家标准有：

GB/T 20308—2020（ISO 14638：2015，IDT）《产品几何技术规范（GPS）矩阵模型》。

GB/T 18780.1—2002（ISO 14660—1：1999，IDT）《产品几何量技术规范（GPS）几何要素 第1部分 基本术语和定义》。

GB/T 18780.2—2003（ISO 14660—2：1999，IDT）《产品几何量技术规范（GPS）几何要素 第2部分 圆柱面和圆锥面的提取中心线、平行平面的提取中心面、提取要素的局部尺寸》。

GB/T 1182—2018（ISO 1101：2017，MOD）《产品几何技术规范（GPS）几何公差 形状、方向、位置和跳动公差标注》。

GB/T 1184—1996（eqv ISO 2768—2：1989）《形状和位置公差 未注公差值》。

GB/T 4249—2018（ISO 8015：2011，MOD）《产品几何技术规范（GPS）基础 概念、原则和规则》。

GB/T 16671—2018（ISO 2692：2014，MOD）《产品几何技术规范（GPS）几何公差 最大实体要求（MMR）、最小实体要求（LMR）和可逆要求（RPR）》。

GB/T 13319—2003（ISO 5458：1998，IDT）《产品几何量技术规范（GPS）几何公差 位置度公差注法》。

GB/T 1958—2017《产品几何技术规范（GPS）几何公差 检测与验证》。

GB/T 17851—2010（ISO 5459：1981，MOD）《产品几何技术规范（GPS）几何公差 基准和基准体系》。

GB/T 17852—2018（ISO 1660：2017，MOD）《产品几何技术规范（GPS）几何公差 轮廓度公差标注》。

ISO 16792—2015《技术产品文件：数字产品定义数据通则引用关系》。

GB/T 18779.1—2002（ISO 14253—1：1998，IDT）《产品几何量技术规范（GPS）工件与测量设备的测量检验 第1部分：按规范检验合格或不合格的判定规则》。

GB/T 18779.2—2004（ISO 14253—2：1998，IDT）《产品几何量技术规范（GPS）工件与测量设备的测量检验 第2部分：测量设备校准和产品检验中GPS测量的不确定度评定指南》。

GB/T 18779.3—2009（ISO 14253—3：2002，IDT）《产品几何技术规范（GPS）工件与测量设备的测量检验 第3部分：关于对测量不确定度的表述达成共识的指南》。

GB/T 38762.1—2020（ISO 14405—1：2016，MOD）《产品几何技术规范（GPS）尺寸公差 第1部分：线性尺寸》。

随着数字化制造的推广，三维CAD软件和工业可视化终端的普及，传统的二维标注为了详细描述一个产品零件或者部件，强制要将三维设计转换制成大量的截面图、三视图、局部放大图，耗时费力，设计变更管理成本很高，容易产生差错，且与三维设计脱离了联系。因此国家标准推出了与数字化设计 ISO 16792—2015 直接接轨的三维标注 GB/T 1182—2018，更易于理解。该国家标准内容由54页扩充到132页，对应用功能要求和过程控制要求标注方法全面细化，明确了标注公差的相关性问题，并面向三维标注和基于模型的定义（MBD），增加了三维标注方法，及更加详细的适用于高精数字化测量的规范。基于此标准，GB/T 17852—2018 也全面细化更新了相应轮廓度标准，适应当前产品几何质量控制的需求。

GB/T 4249—2018 替代了 GB/T 4249—2009《产品几何技术规范（GPS）公差原则》，名称内容也进行了修改，它与 GB/T 18779（ISO 14253 IDT）系列标准共同形成了公差值和误差值从设计到验证的完整闭环。

4.1 几何公差分类及公差带

4.1.1 几何公差分类

遵循 GPS 基本原则中"要素原则"，几何公差要求适用于所规定的被测要素，不影响其引用基准要素本身的几何误差，基准也可另定义为被测要素规定其本身的几何公差。几何公差分为 4 大类：形状公差、方向公差、位置公差和跳动公差，他们标注的几何特征及其符号见表 4-1。

表 4-1 几何特征符号

公差类型	几何特征	符号	有无基准
形状公差	直线度	—	无
	平面度	⌓	无
	圆度	○	无
	圆柱度	⌭	无
	线轮廓度	⌒	无
	面轮廓度	⌓	无
方向公差	平行度	∥	有
	垂直度	⊥	有
	倾斜度	∠	有
	线轮廓度	⌒	有
	面轮廓度	⌓	有
位置公差	位置度	⊕	有或无
	同心度（用于中心点）	◎	有
	同轴度（用于轴线）	◎	有
	对称度	═	有
	线轮廓度	⌒	有
	面轮廓度	⌓	有
跳动公差	圆跳动	↗	有
	全跳动	⌮	有

4.1.2 公差带的概念

公差带（Tolerance Zone）是由一个或两个理想的几何线要素或面要素所限定的，由一个或多个线性尺寸表示公差值的区域，即限制工件上被测要素变动的区域。工件上被测要素为工件上的特定部分，例如点要素、线要素或面要素；这些要素可以是组成要素（如圆柱体的外表面），也可以是导出要素（如中心线或中心面）。公差带是相对于参照要素构建的。公差带包含了对变动区域的形状和大小要求，根据要求的不同还可能包含对变动区域的方向与位置要求。但是除非有进一步限定要求，被测要素在公差带中可具有任意形状、方向与位置。

1. 公差带的形状

根据所规定的特征项目及规范不同，几何公差主要有 13 种基本公差带形状，常用的几何公差带的主要形状和数值表达见表 4-2。当同一个被测要素有多项几何公差要求时，它们可以组合成更多形状的公差带，如矩形等。

表 4-2 常用几何公差带的主要形状和数值表达

序号	示意图	被测要素	序号	示意图	被测要素
1	圆内区域 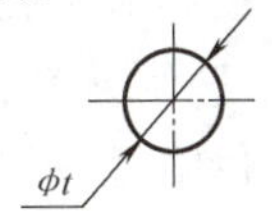 ϕt	点要素	6	圆锥面上两平行圆间区域 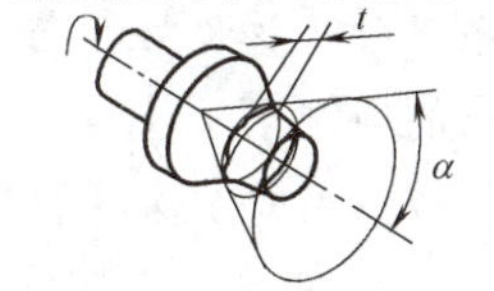	圆锥横截面轮廓
2	圆球面内区域 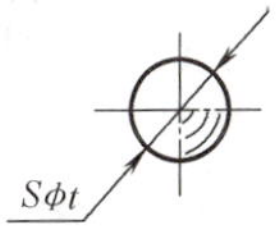 $S\phi t$	点要素	7	两个直径相同平行圆间区域 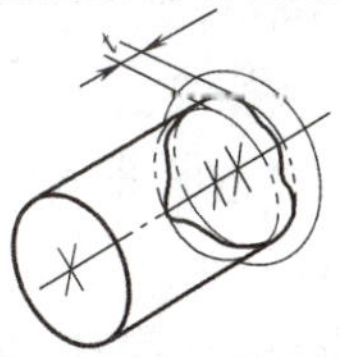	圆柱端面
3	圆柱面内区域 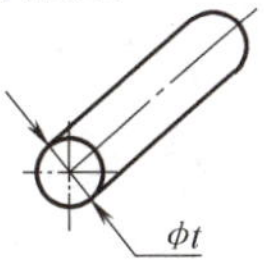 ϕt	导出线要素默认公差带形状	8	两等距曲线或两平行直线间的区域 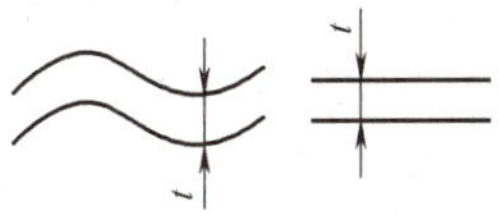	组成线要素默认公差带形状
4	两同心圆间区域 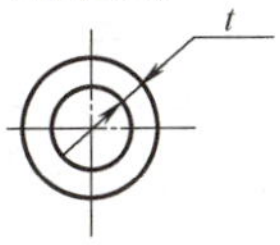 t	圆柱横截面轮廓	9	两等距曲面或两平行平面之间的区域 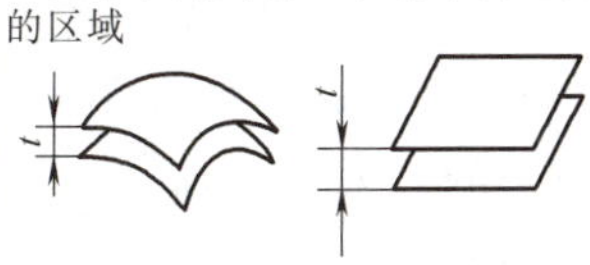	面要素默认公差带形状
5	两同轴圆柱面间区域 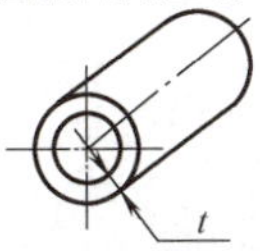	圆柱面	10	两条不等距曲线或两条不平行直线之间的区域 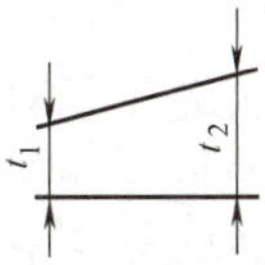 t_1 t_2	t 线性变化或不对称公差带

2. 公差带的大小

公差带的大小指公差带区域的间距、宽度 t 或直径 ϕt、$S\phi t$，单位为 mm，但无需标出。它由所给定的几何公差值确定。符号为"ϕ"时公差带形状为圆柱形或圆形，符号为"$S\phi$"时则公差带形状为球形。

公差带的大小可以是恒定不变的单个数值，如某圆柱上素线的直线度公差为 0.1，即直线度公差恒为 0.1mm；公差带的大小也可为一定区域内线性变化的数值，即变宽度公差带，如图 4-2 所示，$K\leftrightarrow N$ 区间内的直线度为 0.1~0.2，即从 K 点到 N 点处直线度公差由 0.1mm 线性增加到 0.2mm。

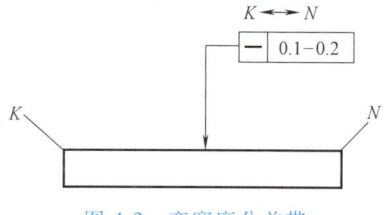

图 4-2 变宽度公差带

几何公差大小依 GB/T 1184—1996 中规定也是对应着一定的公差等级的，但与尺寸公差不同，在图样标注中并不用几何公差等级表示，而是仍需明确注出公差带的几何公差等级对应的公差数值，公差等级仅用于工艺交流时使用。标准遵循 GPS 基本原则中"参考条件原则"，提供了默认零件和量具在标准温度（20℃）下，除轮廓度公差之外的其他几何公差特征项目的公差带大小，其中直线度、平面度、平行度、垂直度、倾斜度、同心（轴）度、对称度、1~12 级圆跳动和全跳动、圆度、0~12 级圆柱度、位置公差数系 1~8，详见 4.5 节。同时，对于大部分工厂的一般制造精度能满足功能要求和生产效益要求的情况下，GB/T 1184—1996 规定了未注几何公差等级 H、K、L 对应的公差带大小，这些数值与等级在零件上无需标注，只需在图样标题栏附近或技术要求、技术文件（如企业标准）等处给出引用的该标准代号及选用的未注几何公差等级，详见 4.6 节。

当一个被测要素被定义了多个几何公差要求时，它们之间的大小需要有合理的关系，即"形状公差<方向公差<位置公差、跳动公差"。同时公差带大小与尺寸公差和表面粗糙度大小也存在合理关系的要求，即"表面粗糙度<几何公差<尺寸公差"。

3. 公差带的方向

通常几何公差带方向需要借助一个（组）定义为基准（Datum）的方位要素来表达，有时还需进一步借助辅助平面和要素框格来明确。

公差带的方向指公差带相对基准在方向上的要求。可以是 0°、90°、180° 或任意角度。二维中默认的公差带的宽度方向即为公差指引线指向的方向，通常与规定的几何形状垂直，也可以结合公差标注中平行、垂直或理论正确尺寸（TED）的角度方向以及辅助平面和要素中的平行、垂直、保持特定角度（TED 角度）、对称、跳动来表示。三维图中公差带方向则是与公差指引线所在平面共面或垂直，而非公差指引线指向的方向。

对于非圆柱形或球形的回转体表面的圆度，例如圆锥，应标注公差带宽度的方向。

如果导出要素的公差带由两个平行平面组成，且用于约束中心线时，或由一个圆柱组成，用于约束一个圆或球的中心点时，应使用定向平面框格（或方向修饰符）控制该平面或圆柱的方向。

4. 公差带的位置

公差带的位置指公差带相对基准在位置上的要求，它不仅有方向上的要求，如平行、垂直或理论正确尺寸的角度方向，而且使用 TED 来规定公差带的对称中心相对于基准或理想位置的距离要求，默认公差带的中心位于理论正确要素（TEF）上，且相对于 TEF 对称。

4.2 基准与基准体系

4.2.1 定义

基准（Datum）是用来定义公差带的位置和/或方向或用来定义实体状态的位置和/或方向（当有相关要求时，如最大实体要求）的一个（组）方位要素。

基准要素（Datum Feature）是零件上用来建立基准并实际起基准作用的实际（组成）要素（如：一条边、一个表面或一个孔）。由于基准要素的加工存在误差，因此在必要时应对其规定适当的形状公差。

基准目标（Datum Target）是零件上与加工或检验设备相接触的点、线或局部区域，用来体现满足功能要求的基准。其位置和大小由理论正确尺寸确定。

当基准要素大大偏离其理想形状时，如图4-3所示，如果用直线要素C作为基准要素，则会在加工或检测过程中带来较大的误差，或缺乏再现性。因此，在不损害零件的功能的前提下，考虑到可能发生的相对于理想形状和位置的误差所带来的影响，可以引入基准目标C_1和C_2点来体现线基准要素C，当然C_1、C_2的位置需要用理论正确尺寸设置好。如果C为一平面要素，则还需增加一点才能体现面基准要素C。

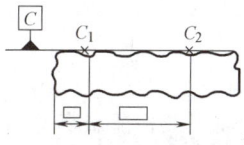

图4-3 基准目标

4.2.2 标注规范

1. 基准标注

明确的单一要素的形状公差是无需基准的，除非为防歧义借助辅助平面和要素框格说明时。其他相关要素的几何公差项目均需用基准来定向和/或定位。

基准的符号是用大写斜体字母标注在方格内表示，且与一个三角形用短指引线相连，并按规则放置在与基准相关的位置上。

1) 三角形涂黑或空白意义相同，但不建议混用。方框可与基准对象成任意角度，但字母永远垂直向上，如图4-4所示。

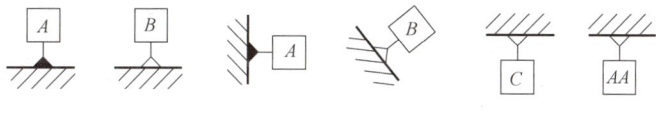

图4-4 基准的符号

2) 通常用一个大写斜体字母表示一个基准，如果对图的理解有益，也可连续重复用同样的字母，例如AA、CCC等。建议不要用字母I、O、Q和X。

3) 名义上一个基准符号指明一个表面或一个尺寸要素。

4) 二维和三维的基准标注的规则依照其要素类型遵循同类被测要素的标注规则，区别仅是用三角形代替箭头即可，如图4-5所示。

2. 基准目标标注

当基准要素缺乏再现性，在加工或检测过程中会带来较大的误差，这时可以使用零件上

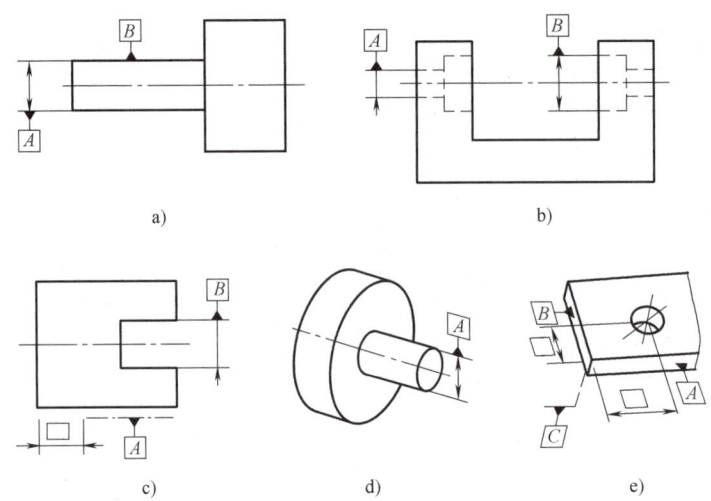

图 4-5 基准的标注

与加工或检验设备相接触的点、线或局部区域,即基准目标来体现基准的点、线、面。

基准目标符号用一个水平线分为两部分的圆圈表示,圆圈下部为一个指明基准目标的字母和数字(从 1 到 n),对应于同一个基准要素的各基准目标字母相同、数字不同;上部可空着,也可为一些附加的信息,如基准目标区域的尺寸。

当部分面隐藏时,导向线的隐藏部分或参考线应该变为虚线并且以空心圆点结束。

如图 4-6 所示,基准目标分为 3 类。

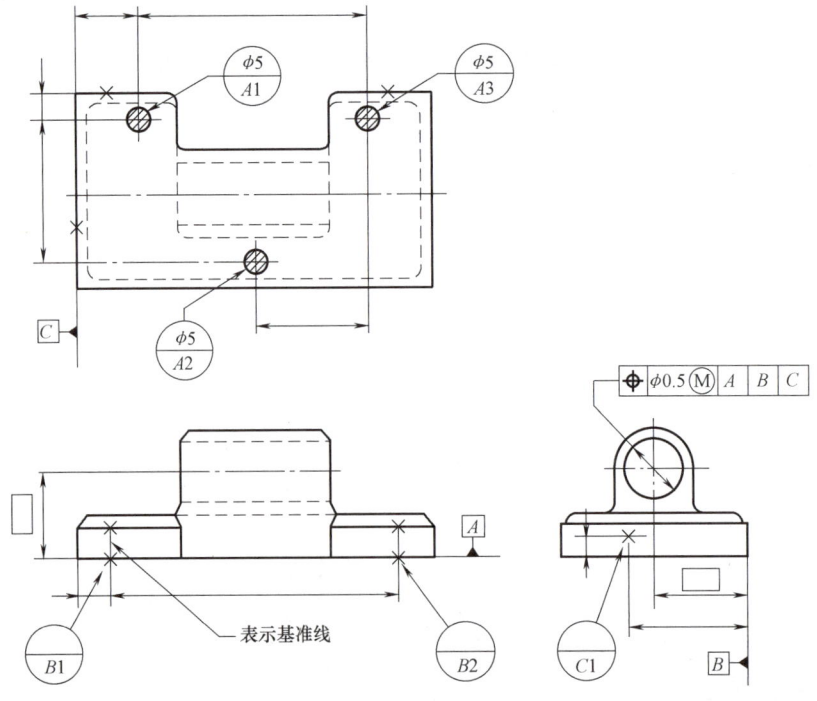

图 4-6 不同的基准目标标注

1）点。用"×"表示。基准目标符号通过带箭头的指引线连在"×"上,如体现基准 C 的基准目标 $C1$ 点。

2）线。用两个"×"和细实线相连来表示。基准目标符号通过带箭头的指引线连在该线上,可以是任何形状的线。封闭线不用画"×"。如体现基准 B 的基准目标 $B1$ 和 $B2$ 两点所连成的线。

3）局部区域。用双点画线绘出轮廓线,并画上与水平成 45° 的剖面线来表示。基准目标符号在二维图中通过带箭头的指引线与该区域相连,在三维图中应使用指引线以实心点终止。如体现基准 A 的基准目标 $A1$、$A2$ 和 $A3$ 三点所连成的面,且区域的大小为 $\phi 5$ 的小圆内要画上剖面线。

4.2.3 基准分类

根据设计要求,被测要素可参照不同数量的基准。基准分为以下三类,即单一基准、公共基准和基准体系。同一要素可依几何公差要求的不同同时成为这三类基准中任意几种。

1. 单一基准

由单一要素表示的基准。可以是组成要素,如平面、直线、顶点等,也可为导出要素,如回转体的中心轴线、中心平面等,见表 4-3。如图 4-1 所示平面 A 即为中心大孔轴线垂直度公差的单一基准。

表 4-3 单一基准

要素		图样标注	单一基准的建立
组成要素	线	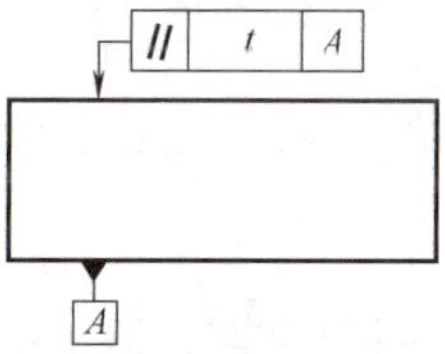	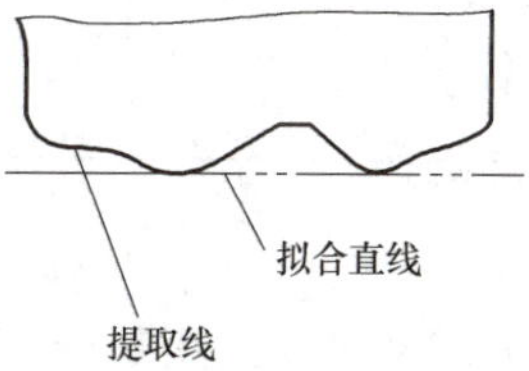
	面	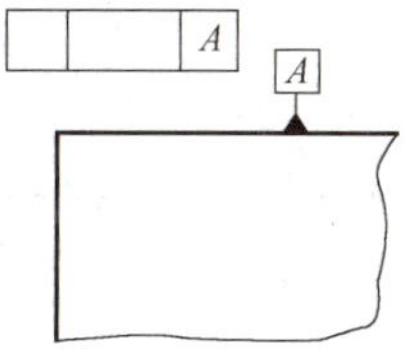	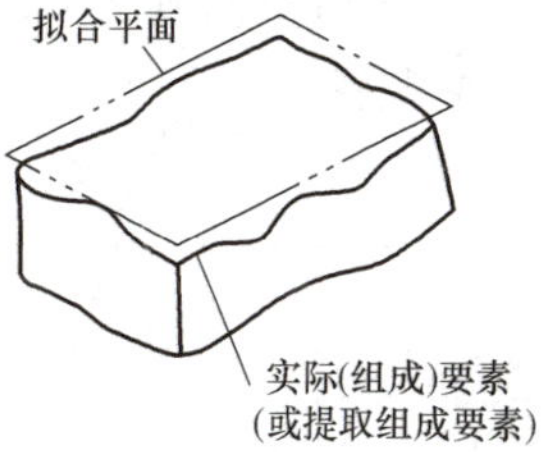
导出要素	中心线	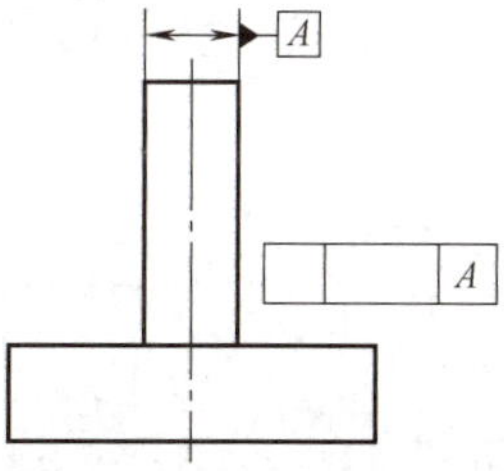	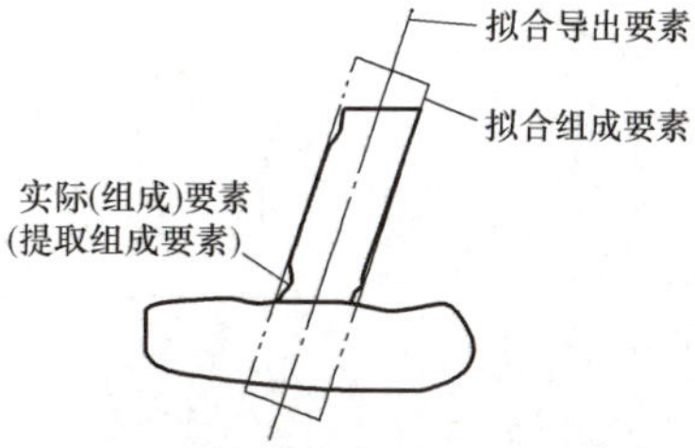

（续）

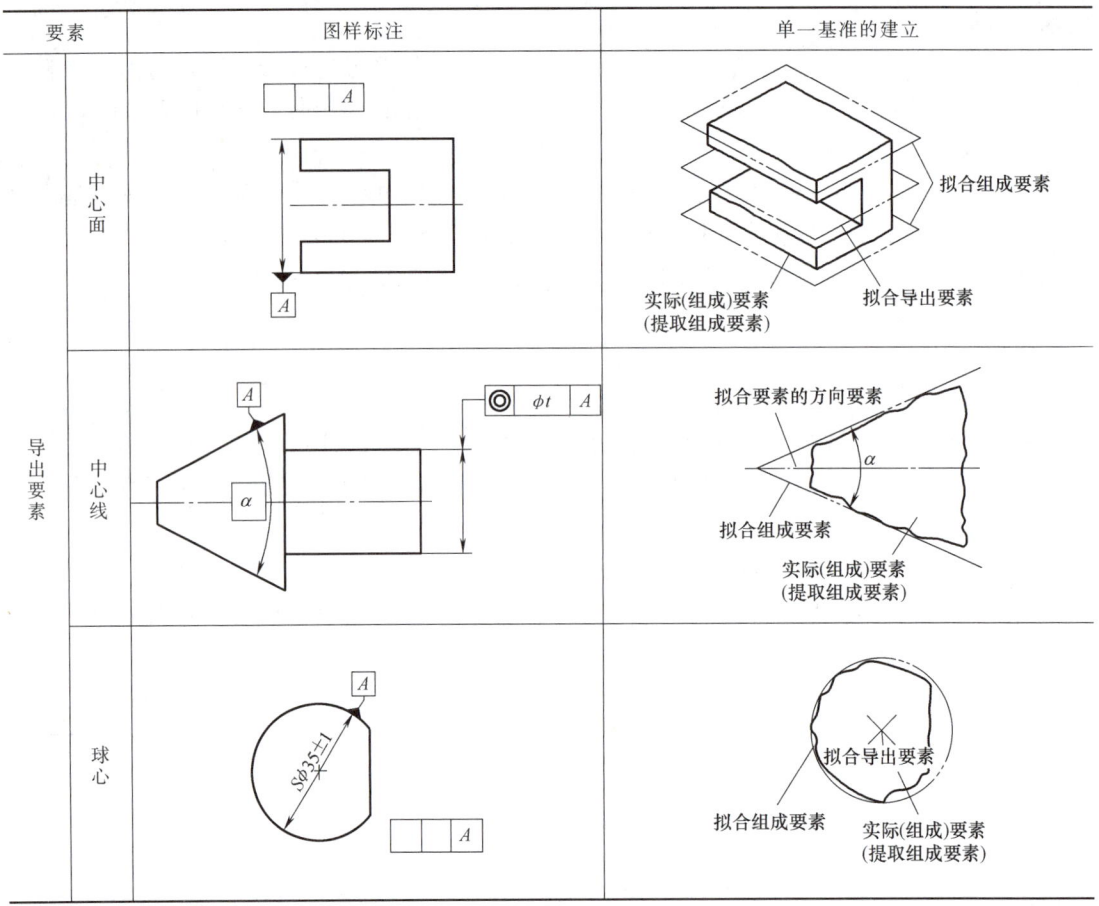

2. 公共基准

由两个或多个要素组成的基准，这些基准必须是同类要素，但不要求尺寸相同，如同为平面、轴线、中心平面等，以公共轴线、公共平面、公共中心平面等形式建立公共基准，见表 4-4。如图 4-1 所示的基准 B，以中心上下两个尺寸相同的 $\phi 30$ 孔的中心轴线建立的公共轴线 B 为公共基准。

表 4-4 公共基准

（续）

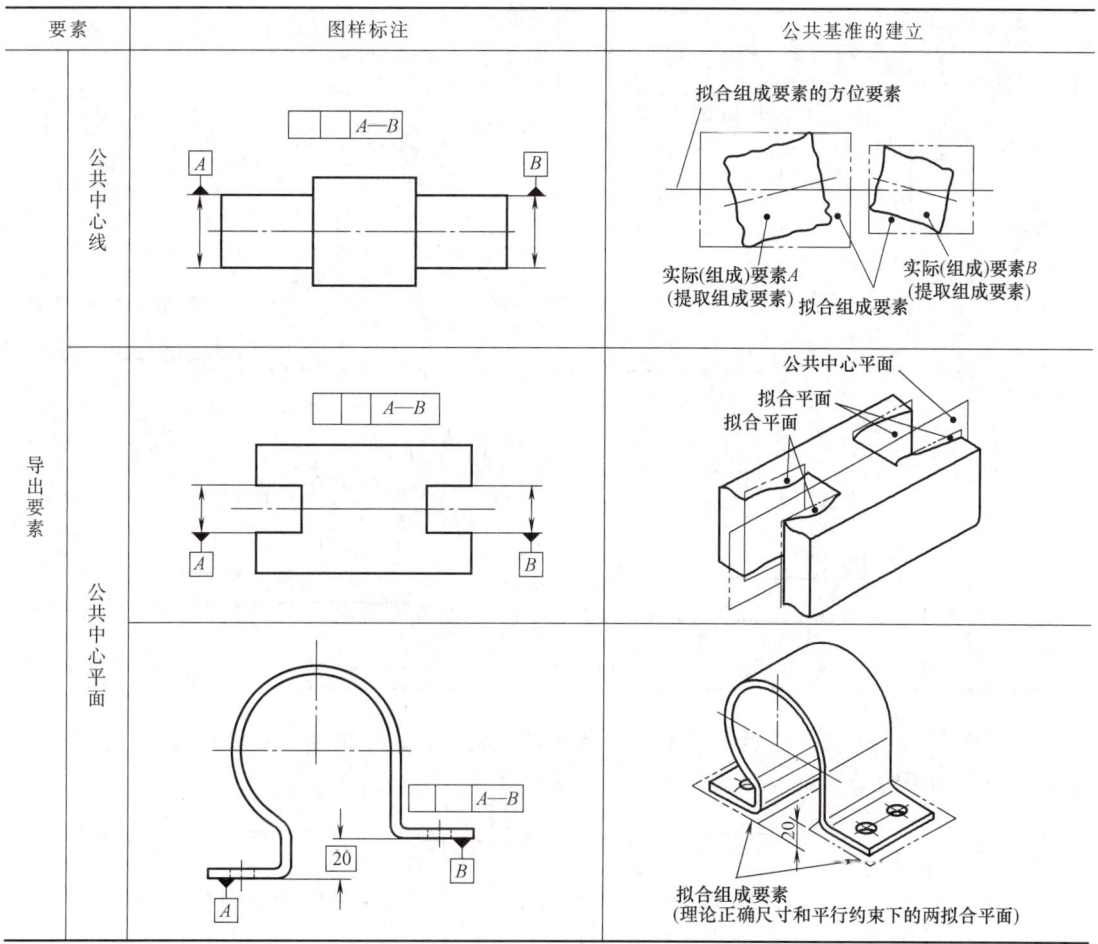

3. 基准体系

基准体系（Datum System）由两个或三个单一基准或公共基准按一定顺序排列建立，该顺序由几何规范所定义，见表4-5。用于建立基准体系的各拟合要素间的方向约束按几何规范所定义的顺序确定：第一基准对第二基准和第三基准有方向约束，第二基准对第三基准有方向约束，各基准间应该成平行或垂直关系。如果三个基准面两两垂直则构成三基面体系。

表 4-5 基准体系

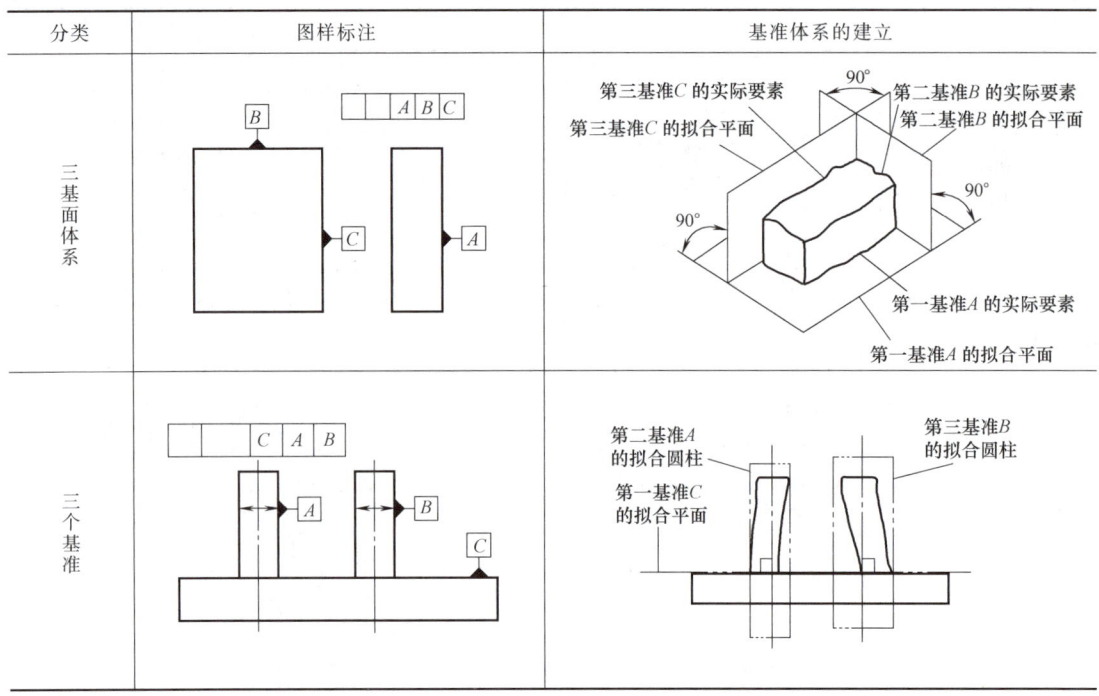

在图样上标注的基准的顺序对实际控制结果影响很大,如图 4-7 所示。其实际控制结果完全不同,如果测量和制造中不分基准的顺序将会导致测量错误。

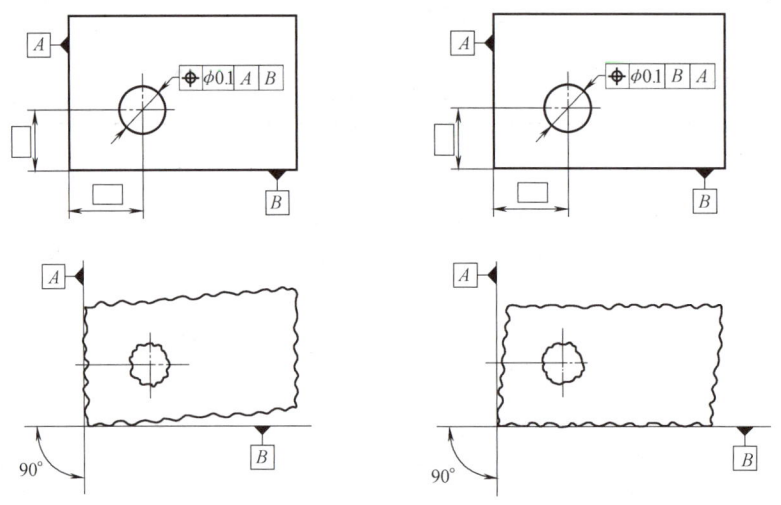

图 4-7 基准的顺序对实际控制结果影响

三基面体系是由三个相互垂直的平面组成的,常用于定位公差,此时要根据功能要求的重要性和可行性确定各基准的先后顺序。如图 4-8 所示零件选择面积最大的底平面作为第一基准有利于方便的生产、装配和检测,选择接触长度最长的与之垂直的背面作为第二基准有利于稳定定位。最后选择与二者均垂直的侧面作为第三基准,一起构成三基面体系。

当在三基面体系中需要使用基准目标时,应遵守以下规定。

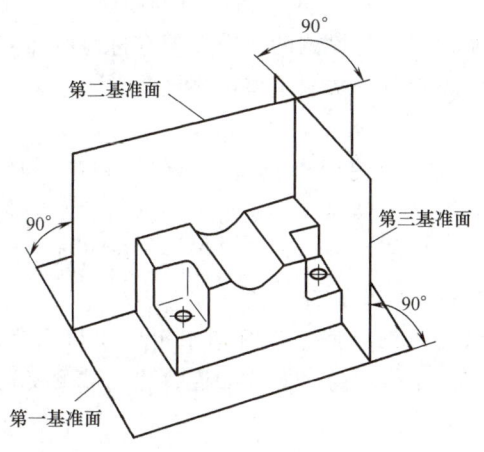

图 4-8 三基面体系

1) 第一基准：3 个基准目标（点或局部区域）；
2) 第二基准：2 个基准目标（点或局部区域）；
3) 第三基准：1 个基准目标（点或局部区域）。

4.3 几何公差规范的可视化标注

为了在图样上清楚的说明要素、大小、方向、位置、基准、原则等信息，国家标准规定了几何公差规范，一般用来定义被测要素的公差带，有时也可用来定义特征参数。被测要素是工件上的特定部分，例如点要素、线要素或面要素。这些要素可以是组成要素（如圆柱体的外表面），可以是导出要素（如中心线或中心面），也可以是它们中的局部区域。

几何公差规范在图样上的表达分为两类，即注出几何公差和未注几何公差。遵循 GPS 基本原则中"采用原则"和"明确图样原则"，注出几何公差包括对被测要素几何公差标注的规定和对基准标注的规定。为提高企业经济效益，对于较粗的几何公差规范要求可在技术文件中给出未注的几何公差等级，按 GB/T 1184—1996 控制相应几何公差，而不用标注在图中。如果出现多个重复标注，则遵循 GPS 基本原则中"一般规范原则"。

被测要素注出几何公差规范标注包括公差框格、辅助平面、要素框格（可选）以及相邻标注（补充标注）（可选），他们的相互位置要求如图 4-9 所示。

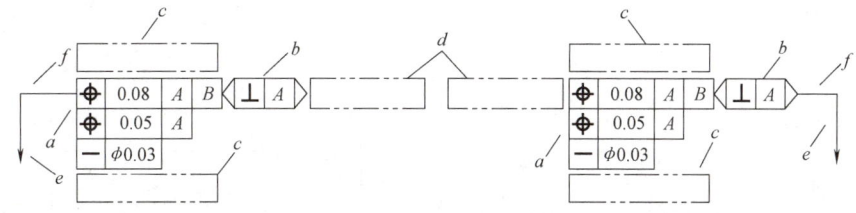

图 4-9 几何公差规范标注的元素

a—公差框格　b—辅助平面和要素框格　c—上下相邻标注　d—左右相邻标注　e—指引线　f—参照线

遵循 GPS 基本原则中"功能控制原则"和"对偶性原则"。几何公差规范标注应按照功能要求来规定，同时还应兼顾制造与检测的要求。但在标注时无需指明采用的特定加工，测量或检验方法。同一个被测要素可以采用单层或多层公差标注来定义单个或多个的几何公差要求。

几何公差规范与被测要素间应使用参照线与指引线相连。如果没有辅助平面和要素框格，无论单层还是多层公差框格，参照线都应与公差框格的左侧或右侧中点垂直于框格向外引出，否则参照线应与公差框格的左侧中点或最后一个辅助框格的右侧中点垂直于框格向外引出。此标注同时适用于二维与三维标注。

二维图中指引线指向公差带的方向，三维图中指引线与公差带方向所在平面共面或垂直，而非指引线指向的方向。指引线与参照线相连，引向被测要素时允许弯折，但不得多于两次。

常用几何公差规范标注的附加符号见表 4-6。

表 4-6 常用几何公差规范标注的附加符号

对象	描述	符号	对象	描述	符号
公差框格	无基准的几何规范	(框格图示)	基准相关符号	基准要素标识	Ⓐ
	有基准的几何规范	(框格图示 D)		基准目标标识	$\frac{\phi 4}{A1}$
辅助要素标识符或框格	任意横截面	ACS	尺寸公差相关符号	接触要素	CF
	相交平面框格	⫽ B		仅方向	><
	定向平面框格	⫽ B		包容要求	Ⓔ
	方向要素框格	⫽ B	实体状态	最大实体要求	Ⓜ
	组合平面框格	⫽ B		最小实体要求	Ⓛ
TED	理论正确尺寸	60		可逆要求	Ⓡ
组合规范元素	组合公差带	CZ	拟合被测要素	最小区域(切比雪夫)要素	Ⓒ
	独立公差带	SZ		最小二乘(高斯)要素	Ⓖ
被测要素标识符	区间	←→		最小外接要素	Ⓝ
	联合要素	UF		贴切要素	Ⓣ
	小径	LD		最大内切要素	Ⓧ
	大径	MD	参数	偏差的总体范围	T
	中径/节径	PD		峰值	P
	全周(轮廓)	(图示)		谷深	V
	全表面(轮廓)	(图示)		标准差	Q
导出要素	中心要素	Ⓐ	状态规范元素	自由状态(非刚性零件)	Ⓕ
	延伸公差带	Ⓟ			

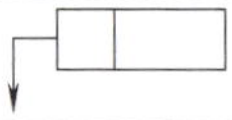

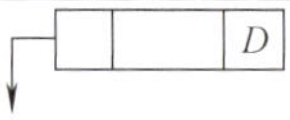

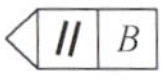

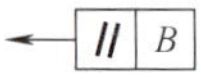

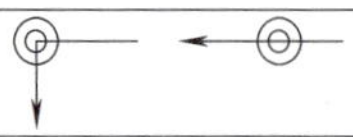

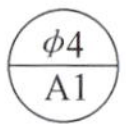

4.3.1 公差框格

用公差框格标注几何公差时,公差要求应标注在划分成两个部分或三个部分的矩形框格内,如图 4-10 所示。基准部分是可选,可以是 1~3 格,这些部分为自左向右顺序排列。

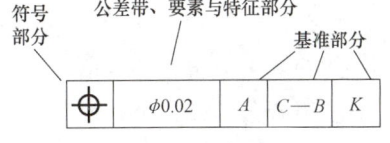

图 4-10 公差框格

1. 符号部分

几何特征符号见表 4-6。

2. 公差带、要素与特征部分

公差带、要素与特征部分规范元素有很多种,见表 4-7。黑体部分均为国家标准最新增加定义的部分,该规范主要面向先进的三维模型定义和数字化测量服务。其中公差带宽度为必注,其他均为可选标注项目,需按顺序标注在宽度数值后面。

表 4-7 公差框格的公差带、要素与特征部分中的规范元素

公差带规范元素					被测要素的规范元素			特征规范元素			
形状	宽度/范围	组合	偏置公差带	约束	滤波器	拟合被测要素	导出被测要素	参照要素的拟合规范元素	参数规范元素	实体要求	状态
φ Sφ	0.01 0.1/75	CZ SZ	UZ+0.1 UZ-0.1:-0.3	OZ VA ><	G50- S0.08-	Ⓒ Ⓖ Ⓝ Ⓣ Ⓧ	Ⓐ Ⓟ	C CE CI G GE GI X N	P V T Q	Ⓜ Ⓛ Ⓡ	Ⓕ

(1) 公差带规范元素

1) 表达公差带形状、宽度和范围。公差带形状与被测要素相关且宽度表达方式各有不同,符号为"φ"时公差带形状为圆柱形或圆形,符号为"Sφ"时公差带形状为球形。

公差带宽度为必注项目,分为以下几种情况:

① 恒宽度公差值:使用单一公差值表达,如图 4-11a 所示。

② 变宽度公差值:使用"最小公差值-最大公差值"结合区间表达,如图 4-11b 所示。

公差带默认范围适用于整个被测要素,默认垂直于被测要素,但也可自行定义范围:

① 整个要素内的任何局部区域的公差值:使用"局部线性或角度公差/局部区域范围单位尺寸"表达。如图 4-11c 所示为线性局部公差带,指任一长度为 75mm 被测线要素的直线度公差为 0.2mm。如图 4-11d 所示为圆形局部区域的公差带,指任一直径为 φ75mm 被测要素范围平面度公差为 0.2mm。如图 4-11e 所示为矩形局部区域的公差带,指任一 75mm×50mm 的矩形范围内平面度公差为 0.1mm。

② 局部区域被测要素的公差值:标注方式见图 4-24。

③ 既定义整个被测要素的公差值,也定义其中任何局部区域的公差值:如图 4-11f 所示,前者应大于后者,表示线要素全范围内直线度公差为 0.1mm,进一步约束任一 200mm 的直线度公差为 0.05mm,这样可更严格控制该线要素的局部形状。

2) 组合规范元素(可选)。公差规范适用于多个要素,应增加附加标注,n×或 n 根指引线。还可用明确的或默认的 TED 约束所有相关的单独公差带相互之间的位置及方向。

① 默认:不标注,独立公差带,即对每个被测要素的规范要求都是相互独立的,如图 4-12a 所示。

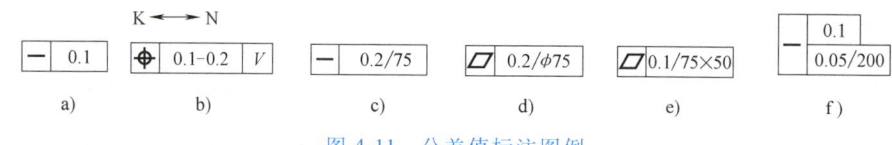

图 4-11　公差值标注图例

② 独立公差带：公差值后面标注 SZ，强调独立公差带。

③ 组合公差带：公差值后面标注 CZ，用于由若干独立的要素或同一个公差框格控制的同一个组合公差带，如图 4-12b 所示。

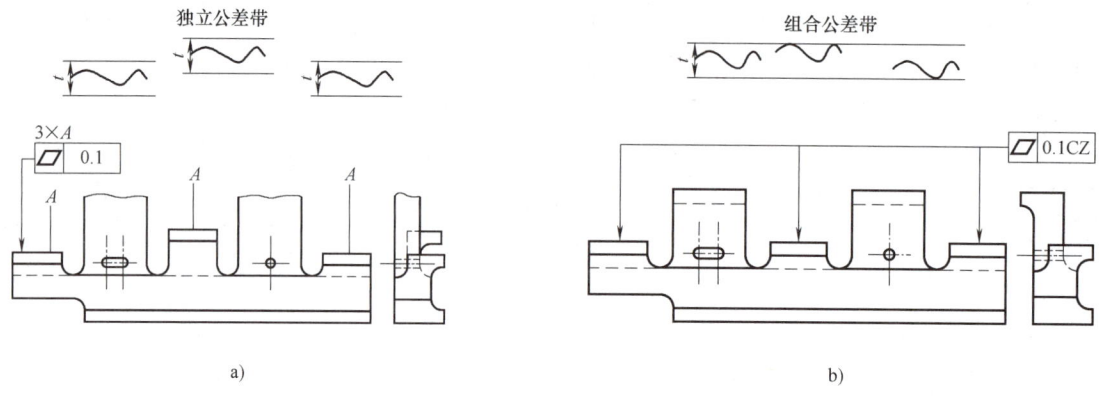

图 4-12　组合规范元素（$t=0.1\mathrm{mm}$）

3）偏置公差带规范元素（UZ）（可选）。公差带的中心默认位于理论正确要素（TEF）上，但可使用 UZ 和一个有符号数表示偏置公差带的位置，"+"表示"实体外部"，"−"表示"实体内部"。UZ 仅可用于组成要素。当 UZ 与位置度符号组合使用时，只可用在平面要素。如图 4-13 所示，整个位置度公差带保持公差带形状宽度不变的情况下，其中心相对于以基准 A（底平面）垂直向上的 TED 为 20mm 的上表面再向上方偏置+0.003mm，即距基准 A 上方 20.003mm 的位置。如果公差带的偏置量在两个值之间线性变化，则应注明两个值及其变化区间，并用冒号"："分开。如果其中一个偏置量为零则无需标注正负号。

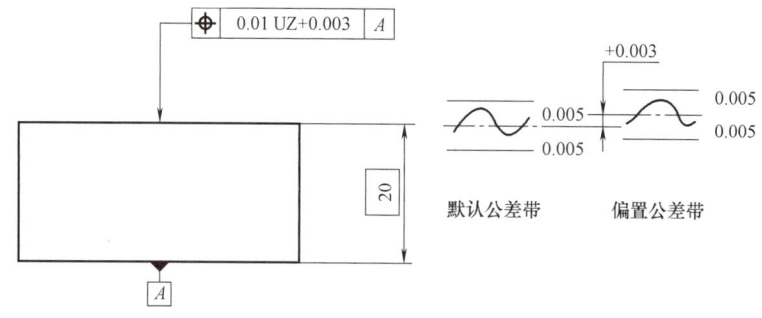

图 4-13　偏置公差带规范

4）约束规范元素（可选）。

① 未给定偏置量的线性偏置公差带规范元素（OZ）。TEF 的尺寸不固定时，如形状公差、曲面等，如果公差带允许相对于与 TEF 的对称状态有一个常量的偏置，但可不规定此数值，则应当注明符号 OZ。

② 未给定偏置量的角度偏置公差带规范元素（VA）。当公差带是基于TEF定义的，并为角度尺寸要素，且其角度可变（未给定偏置量）时，如圆锥，应标注VA。

③ 仅约束方向的规范元素（><）。当公差带的平移不受约束时，例如仅将公差带的旋转自由度约束在一个规范内，应仅标注方向符号"><"，否则此公差的平移自由度会受到基准的限定。"><"不允许公差带在平移时发生变形，然而当使用OZ（内径变小，而外径变大）时，公差带可发生变形。这种差异对非直线与不平坦的表面以及尺寸要素是很重要的。OZ在单一平面与单一直线中的作用与"><"相同。

(2) 被测要素的规范元素（可选） 该部分要素是国家标准专门为数字化测量分析提供的详细规范。

1) 滤波器的规范元素。包括规定的滤波器类型和滤波器的嵌套指数，表达如G50-、S0.08-CW-2.5等。详见GB/Z 26958.1—2011，是可选元素。

2) 拟合被测要素规范元素。仅可用于与基准有关的公差，如方向公差及位置公差。默认应用于所标注的实际提取（组成）要素或导出要素本身，也可用于表示不适用于要素本身，而适用于与其拟合的要素。如果拟合被测要素与滤波器一起使用，则拟合的应是作为非理想要素的滤波要素，当被测要素为导出要素时，拟合的要素应是间接拟合要素，范围应等于其拟合的要素范围。

可使用的拟合被测要素规范标注符号定义见表4-8。

表4-8 拟合被测要素规范

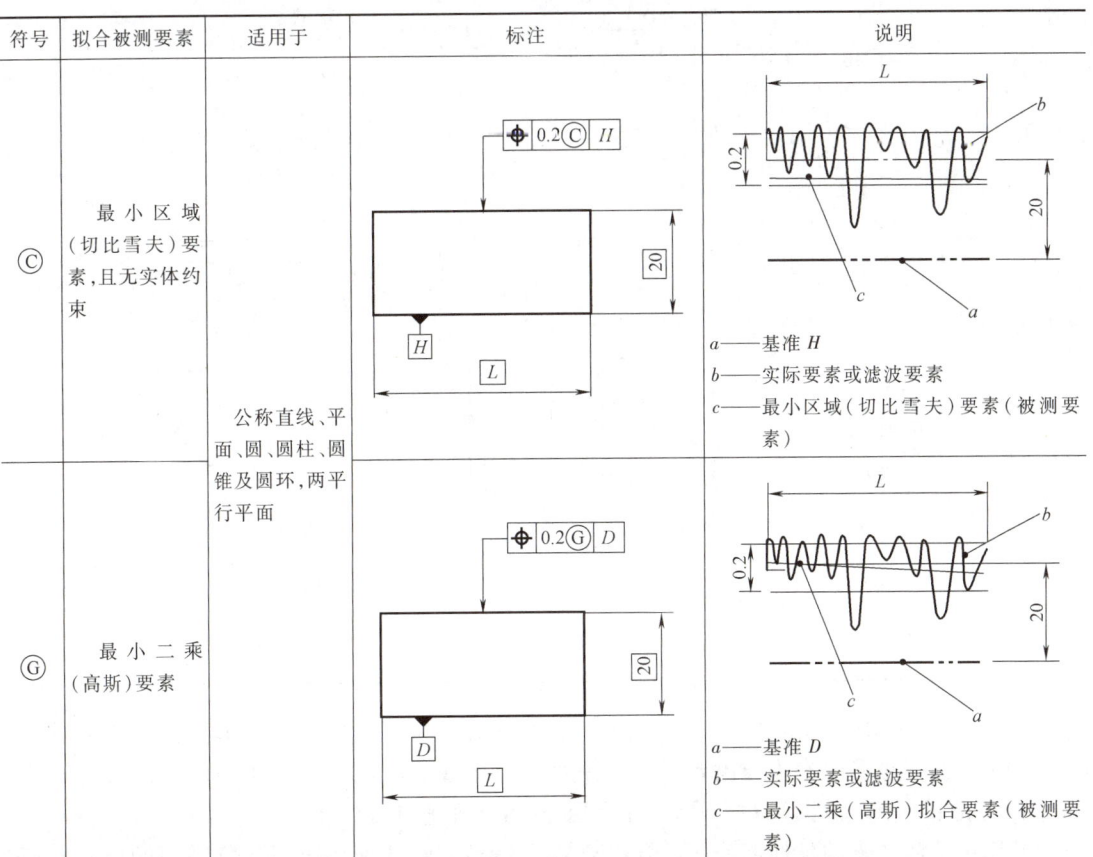

（续）

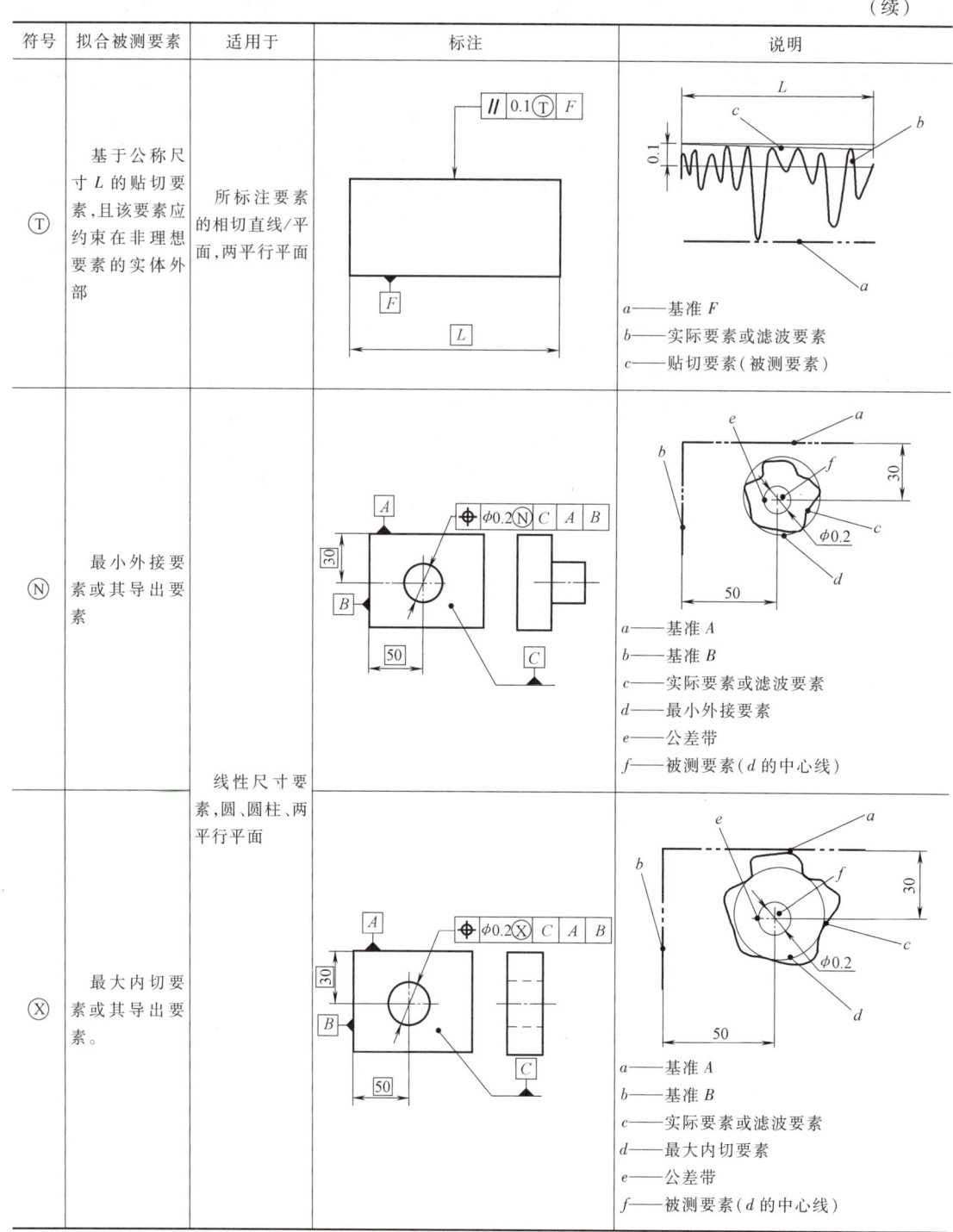

3）导出被测要素的规范元素（可选）。默认适用于标注的导出要素本身，可选注。

Ⓐ用于标注被测要素为导出要素，无需对齐尺寸线。因此仅可用于回转体的尺寸要素，如中心线或中心点。如图 4-14a 所示，被测要素为该孔的轴线。

Ⓟ用于标注要素的延伸部分或其导出要素，可以是圆柱轴线或两平行平面的中心平面。

延伸"虚拟"的组成要素可直接在图样上采用细双点画线表示,长度用 TED 表示,如图 4-14b 所示,所定义位置公差要求同样适用于 8 个 φ25 小孔以及其向上延伸 60mm 部分的中心轴线。当公差指引线直接指向延伸要素时,如图 4-14a 所示,延伸长度还可直接放在公差框格中。

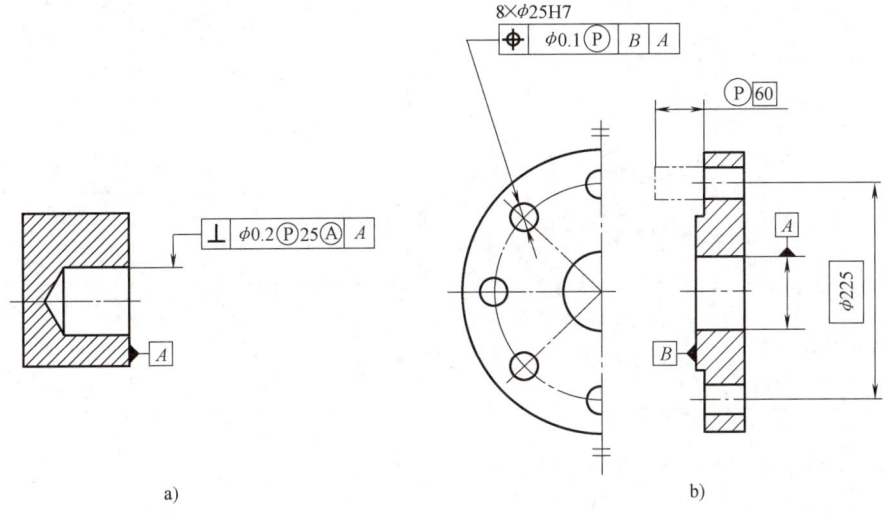

图 4-14 延伸公差带的标注

(3) 特征规范元素(可选) 用于定义评估形状误差的参数及其参照基线的拟合方法,可选注。

1) 参照要素的拟合规范元素。只能用于无基准的形状规范,或其他至少包含一个未受约束自由度的规范。默认为无约束的最小区域(切比雪夫)拟合。

可使用的拟合被测要素规范标注符号见表 4-9。

表 4-9 参照要素的拟合规范元素

符号	拟合参照要素	含义	标注	说明
C	最小区域(切比雪夫)拟合	最小化被测要素上的最远点与参照要素的距离	⌐ 0.2C	
G	最小二乘(高斯)拟合		局部误差的平方和	⌐ 0.3G	
CE	实体外部约束的最小区域(切比雪夫)拟合	参照要素保持在实体外部,最小化被测要素上的最远点与参照要素之间的距离	⌐ 0.2CE	
GE	实体外部约束的最小二乘(高斯)拟合		误差的平方和	⌐ 0.2GE	

(续)

符号	拟合参照要素	含义	标注		说明
CI	实体内部约束的最小区域（切比雪夫）拟合	参照要素保持在实体内部，最小化被测要素上的最远点与参照要素之间的	距离	▬ 0.2CI	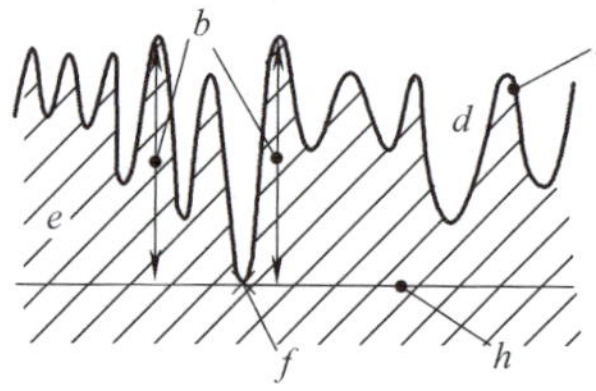
GI	实体内部约束的最小二乘（高斯）拟合		误差的平方和	▬ 0.2GI	
X	最大内切拟合	参照要素最大化，同时维持其完全处于被测要素内部	仅适用于线性尺寸的被测要素	⌀ 0.2X	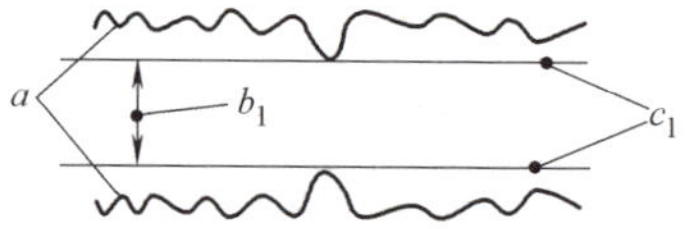
N	最小外接拟合	参照要素最小化，同时保持其完全处于被测要素的外部		⌀ 0.2N	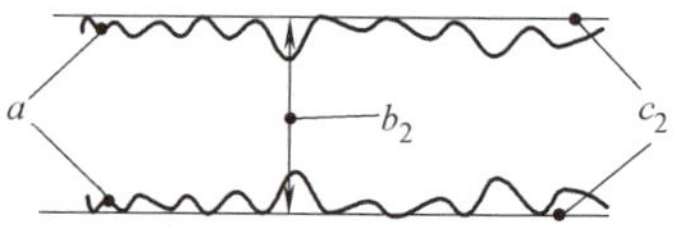

注：a——被测要素。

b——最小化的最大距离。

b_1——拟合要素（最小化的）的尺寸。

b_2——拟合要素（最大化的）的尺寸。

c——不用加约束的最小区域（切比雪夫）拟合直线参照要素（C）。

c_1——最小外接拟合尺寸要素。

c_2——最大内切拟合尺寸要素。

d——实体外部。

e——实体内部。

f——组合要素与被测要素的接触点。

g——实体外部约束的最小区域（切比雪夫）拟合直线参照要素（CE）。

h——实体内部约束的最小区域（切比雪夫）拟合直线参照要素（CI）。

2）参数规范元素。默认参数为偏差的总体范围——峰谷参数 T，即参照要素与被测要素的最低点与最高点的距离之和。只能用于无基准的形状规范。

常用参数规范元素如图 4-15 所示，P、V 仅相对于拟合规范元素 C 与 G 进行定义。

① P 峰高参数，即被测要素的最高值与参照要素之间的距离；

② V 谷深参数，即被测要素的最低值与参照要素之间的距离；

③ T 峰谷参数，偏差的总体范围，$T=P+V$，即默认参数；

④ Q 为被测要素相对于参照要素的残差平方和的平方根或标准差。

图 4-16 所示表示直线度公差规定的是：平行于基准 C 平面的素线的直线度公差带，位于平行于基准 C 平面上的两个平行直线之间，规定其最小化被测要素上的最远点，与参照要素 G 的局部误差的平方的总体范围——峰谷参数 $T=(P+V)$，不超过 0.3mm。

图 4-17 所示表示采用最小二乘法获得理想要素位置的拟合方法，形状误差值的评估参数为谷深参数，即合格的被测要素的公差带是同心双圆间区域，实际圆度曲线相对于最小二乘拟合圆得到的 V 值必须不能超过 0.01mm。

3）其他。国际标准还规定了公差原则中的各种实体要求Ⓜ、Ⓛ、Ⓡ以及非刚性零件

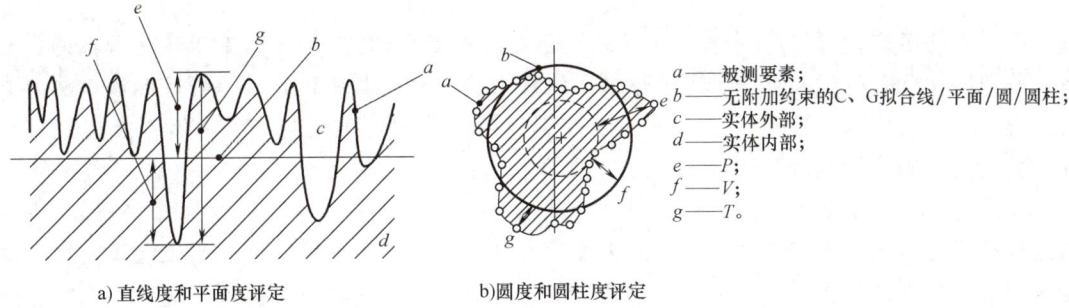

a) 直线度和平面度评定　　　b) 圆度和圆柱度评定

图 4-15　常用参数规范元素

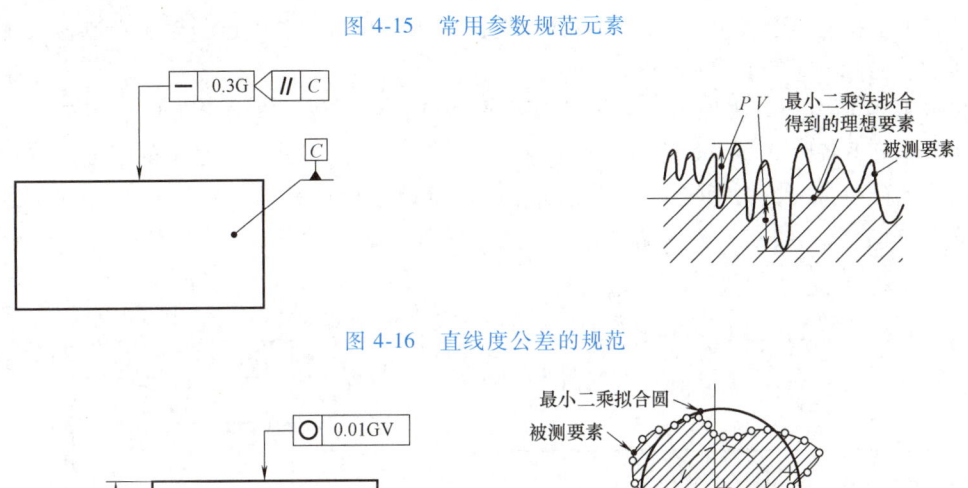

图 4-16　直线度公差的规范

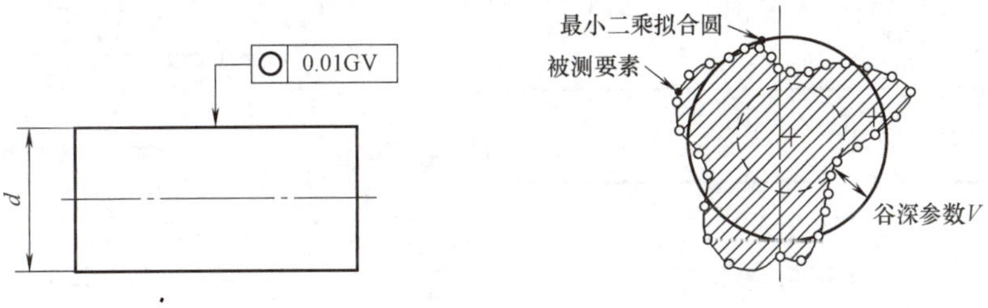

图 4-17　圆度公差的规范

状态 Ⓕ（ISO 10579：2010）等可选特征规范元素。

3. 基准部分（可选）

仅关联要素的几何公差框格需要标注基准部分，基准部分的典型标注的几种形式如图 4-18 所示。

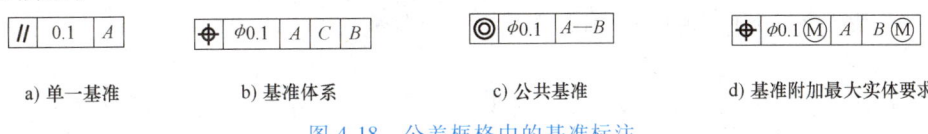

a) 单一基准　　　b) 基准体系　　　c) 公共基准　　　d) 基准附加最大实体要求

图 4-18　公差框格中的基准标注

1）单个字母表示单一基准。

2）按优先顺序自左至右的 2~3 个字母表示的由 2~3 个相互垂直或平行的基准组成的基准体系。

3）"—"连接的两个同类基准表示公共基准。

4）附加各种实体要求的基准。

任何要素不可成为其自身的基准。

4. 多层公差标注

出于功能考虑，可以对同一个被测要素定义一个或多个的几何公差要求，位置公差、方向公差和形状公差自上而下按公差值递减的次序对齐排列。其中位置公差可控制该被测要素的位置、方向与形状，方向公差可进一步控制该被测要素的方向与形状，但不能控制其位置。形状公差则仅控制该被测要素的形状。

如图4-9所示，要求某被测要素相对于基准 A、基准 B 的位置度公差为 0.08mm，肯定满足该被测要素相对于基准 A 位置度公差必须小于 0.08mm 的要求，因此第二层约定该被测要素相对于基准 A 位置度公差必须小于 0.08mm 才有必要，而最下一层该被测要素直线度公差也只有小于位置度公差 0.05mm 才有必要定义，因为位置度公差已包含了控制该被测要素直线度公差 0.05mm 的要求。

如图4-19所示，该零件上平面相对于下平面基准 A 的位置度公差带位于距离基准 A 上方 10mm 处上下各距 0.08mm 的两平行于基准 A 的平面之间，此时上平面的平面度和平行度也一定在此公差带内，为了进一步控制方向可规定第二层上平面相对于基准 A 的平行度公差为 0.06mm，为了再进一步控制形状，可规定最下一层上平面的平面度公差为 0.03mm。

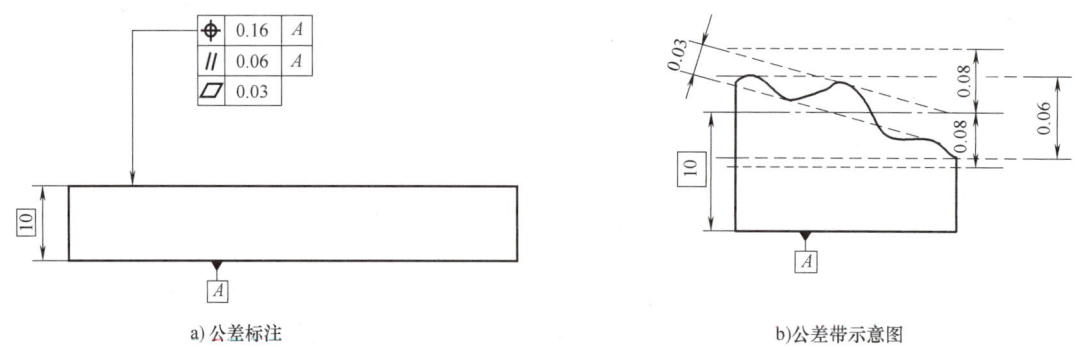

a) 公差标注　　　　　　　　　　　　b) 公差带示意图

图 4-19　多层公差标注

4.3.2　辅助平面和要素框格

辅助平面和要素框格仅用于容易引起误解的标注情况下，大多情况下省略标注。在二维环境的规范中，GB/T 1182—2008 规定依靠尺寸线的方向来定义公差带的方向，但该方法不能确保在二维环境与三维环境下使用相似的标注，因此 GB/T 1182—2018 不推荐这么做，而且建议采用辅助要素框格来明确的确定被测要素公差带的方向，确保在二维环境与三维环境下的一致性。

辅助平面和要素包括相交平面、定向平面、方向要素和组合平面。

1. 框格标注规范

辅助平面和要素标注框格的符号和作用如表4-10所示。其中相交平面框格、定向平面框格、方向要素框格适用面要素为回转型（圆锥/圆环）、圆柱型和平面型。组合平面框格用于全周轮廓包含的全部面要素集合。

辅助平面和要素框格标注规范如下：

1）辅助要素不独立使用，其框格标注在公差框格的右侧。公差框格右边可有多个辅助要素框格，如图4-20所示，由左向右依次为相交平面框格、定向或方向要素框格、组合平面框格。例如,相交平面默认垂直于被测要素,可以增加方向要素重新定向相交平面。若定向平面框格所标注的基准也标注在公差框格中,则定向平面框格只受标注在它前面的公差框格内的基准约束。

2)辅助要素框格最左侧的◁、←或○符号用于区别不同框格。

3)左起第一格是被测平面或要素相对于基准的构建方式或方向:平行∥、垂直⊥、保持特定角度∠(需标出平面与基准之间的 TED 夹角)、对称(包含)≡、跳动↗,如图 4-20 和图 4-21 所示。

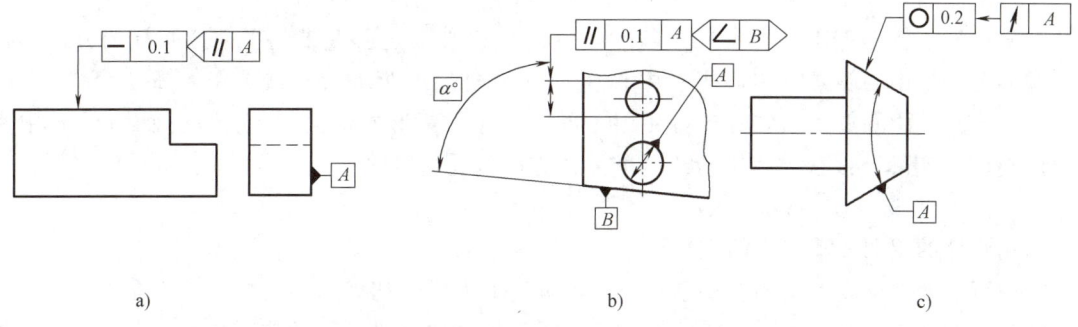

图 4-20 辅助平面和要素构建方式或方向示例

4)左起第二格是标识基准的字母,作为公差框格中基准的辅助基准。

5)框格的最右侧▷用来标识定向平面框格。

6)指引线可根据需要,与相交平面框格相连,或与公差框格之一相连。

表 4-10 辅助要素框格符号及作用

框格	符号	作用
相交平面框格	◁∥ B◁⊥ B◁∠ B◁≡ B	除圆柱、圆锥或球的母线的直线度或圆度,被测要素是组成要素上的线要素时,用于区别被测要素是组成要素上的面要素还是线要素
定向平面框格	∥ B▷ ⊥ B▷ ∠ B▷	既能控制公差带构成平面的方向(直接使用框格中的基准与符号),又能控制公差带宽度的方向(间接地与这些平面垂直),还能控制圆柱形公差带的轴线方向。如中心线/点,且公差带由两个平行平面限定,中心点公差带在由圆柱限定的情况下定义公差带的方向。 公差带要相对于其他要素定向,且该要素是基于工件的提取要素构建的,能够标识公差带的方向
方向要素框格	←∥ C ←⊥ C ←∠ C ←↗ C	非圆柱体或球体、回转体表面圆度和公差带宽度方向,与轮廓面不垂直的组成要素确定公差带宽度方向
组合平面框格	○∥ A	使用"全周"标注时标识一组单一要素,与平行于组合平面的任意平面相交为线要素或点要素

2. 相交平面（Intersection Plane）

由工件的提取要素建立的平面，用于标识提取面上的线要素（组成要素或中心要素）或标识提取线上的点要素。

它可不依赖于视图定义被测要素，可对区域性的表面结构定义评价该区域的方向。

如图 4-46c 所示指的就是分别是平行于基准 A 和垂直于基准 A 的两个方向从被测平面提取得到的线要素的直线度。

3. 定向平面（Orientation Plane）

由工件的提取要素建立的平面，用于标识公差带的方向。

它可不依赖于 TED（位置）或基准（方向）定义限定公差带的平面或圆柱的方向。仅当被测要素是中心要素（中心点、中心线）且公差带由两平行直线或平行平面所定义时，或被测要素是中心点、圆柱时才可使用。可用于定义矩形局部区域的方向。如附录 E 中直线度提取（实际）线公差带平行于基准 A 的方向就是由定向平面给定的。

4. 方向要素（Direction Feature）

由工件的提取要素建立的理想要素，用于标识公差带宽度（局部偏差）的方向。

它可改变在面要素上的线要素的公差带宽度的方向，如表示当公差值适用在规定的方向而非规定的几何形状的法线方向；使用基准重新构建方向要素，可使用被测要素的几何形状确定方向要素的几何形状。

如图 4-50b 所示，任一圆锥截面上提取（实际）线公差带宽度的方向应限定在相对于中心轴线 70° 的圆锥截面内，间距等于 0.22mm 的两圆之间。

5. 组合平面（Collection Plane）

由工件上的要素建立的平面，用于定义封闭的组合连续要素，即使用全周"○"符号或全表面"◎"符号表达的一组无缝组合在一起的单一线要素、点要素或面要素。将特征要求的一组公差要求应用到被测要素全周或全表面上。

当所有要素的公差带相互之间处于理论正确关系时，而且从一个公差带到下一个公差带的过渡区域是这两个公差带的延伸，相交成尖角，则应使用组合公差带"CZ"与全周"○"或全表面"◎"符号共同表示。

如图 4-21 所示，组合公差带是指所有横截面（一周）与平行于基准 A 垂直于基准 B 的平面相交所形成的线轮廓要素的封闭组合的公差带，如图 2-3a 所示 abcd 封闭线。如果公差符号换成"⌓"则指一周面轮廓要素封闭组合的公差带，如图 2-3b 所示 abcd 封闭面。

4.3.3 相邻标注区域

用于标注补充的标注。当只有一个公差框格，且在上、下、左、右相邻标注区域的标注含义相同时，仅使用一个相邻标注区域，优先选择上相邻标注区域。

适用于所有带指引线的公差框格的标注应采用上、下相邻的标注区域中的一个，标注应左对齐。

仅适用于一个公差框格的标注应采用水平相邻标注区域，位于公差框格非参照线连接端，并向参照线侧对齐。

1）ACS：回转体表面上与所标注的提取中心线基准垂直的横截面相交所定义的交线或交点。如图 4-22a 所示指的是与该零件外圆柱轴线垂直的横截圆环面。

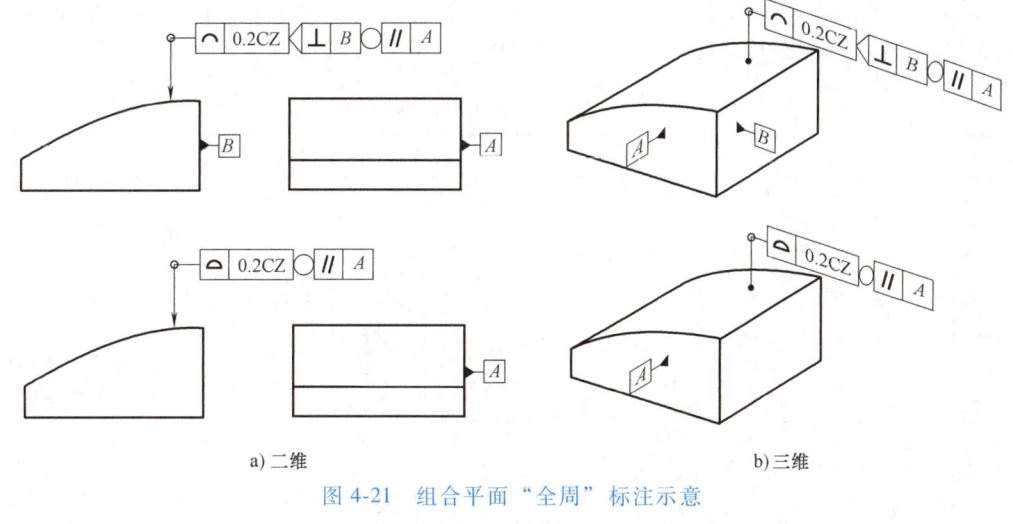

a) 二维　　　　　　　　　　　　　　　b) 三维

图 4-21　组合平面"全周"标注示意

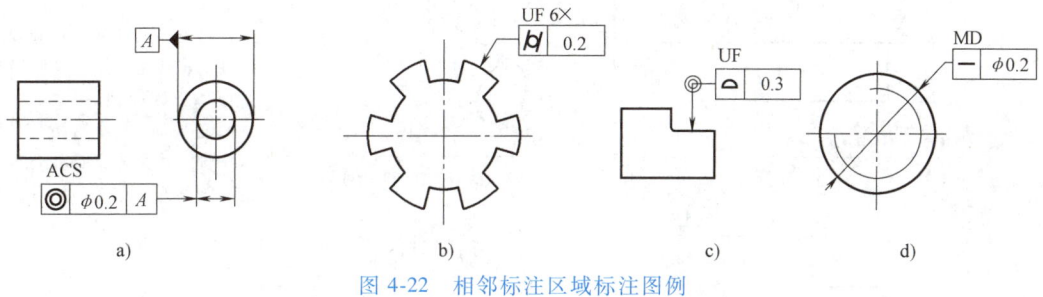

图 4-22　相邻标注区域标注图例

2) "↔"：以区间符号定义的局部被测要素。如图 4-2 所示指 K 到 N 局部平面的平面度公差要求，如图 4-24c 所示指 H、K、L 到 M 局部平面的平面度公差要求。

3) $n\times$、$n\times m\times$、多根指引线：多个特征相同的被测要素或所有特征相同的成组要素。如图 4-12 所示指的是这一组平面的平面度公差要求相同。如图 4-1 所示中间两个 $\phi 30\mathrm{mm}$ 的孔尺寸公差、几何公差等要求均相同。

4) UF：联合要素。如图 4-22b 所示指这组 6 个形状相同的圆弧要素视为一个圆柱要素的圆柱度公差要求。如图 4-22c 所示指该零件所有表面视为单个要素，全表面面轮廓度公差要求相同。

5) MD、LD：螺纹大径、小径，默认适用于中径的导出轴线。如图 4-22d 所示指外螺纹大径的导出轴线的直线度要求。

6) PD、MD、LD：花键与齿轮的节圆直径、大径、小径。

以上标注可以同时使用，每种标注间应留有间隔，顺序如下：

"$n\times/n\times m\times$"。"尺寸公差"。"↔"。"UF $k\times\leftrightarrow$"。"ACS"。"PD /MD /LD"。

例如，

4.3.4　被测要素

一般几何公差规范适用于单一的完整要素，除非被测要素不是单一的完整要素，如 ACS、变宽度公差带、使用 $n\times$ 或多根指引线标识的多个同类被测要素或采用 UF 定义的联合要素。其引线及末端规定见表4-11。三维图中公差框格可放在跟公差带同一平面或垂直于公差带的平面上，如图4-23所示。

表 4-11 被测要素的基本标注法

被测要素	二维	三维	标注
组成要素	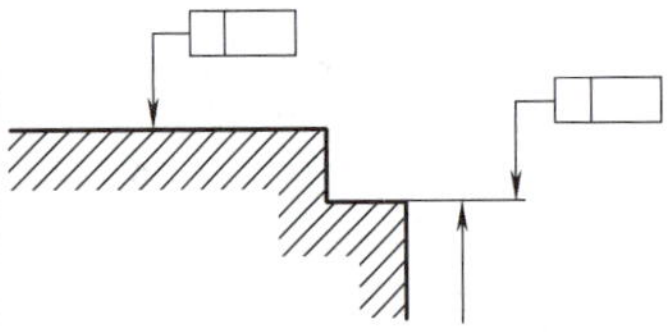	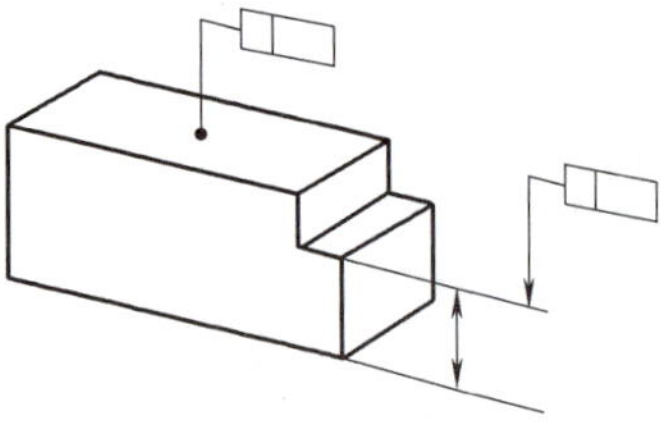	1. 用箭头↑指向要素延长线。 2. 二维中箭头↑指向轮廓线/面，指引线与公差带方向一致 3. 三维中实引线终点●放在可见面要素或一组线要素所在的面要素上，虚引线终点○放在不可见要素或一组线要素所在的面要素上，指引线所在平面与公差带方向一致。 4. 必要时，应使用相交平面框格规定被测要素是面要素上的一组线要素，而不是所放置的面要素
	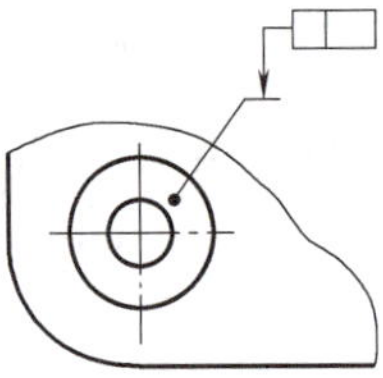	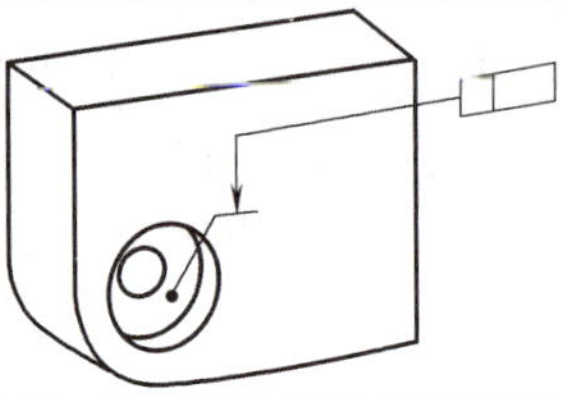	1. 实引线终点●指向局部可见面要素，虚引线终点○指向局部不可见面要素 2. 箭头↑垂直指向引出线横线
导出要素	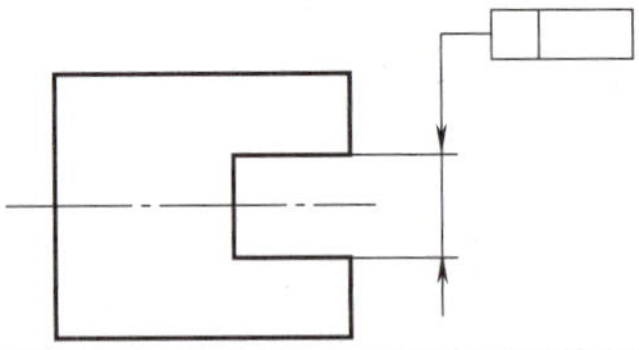	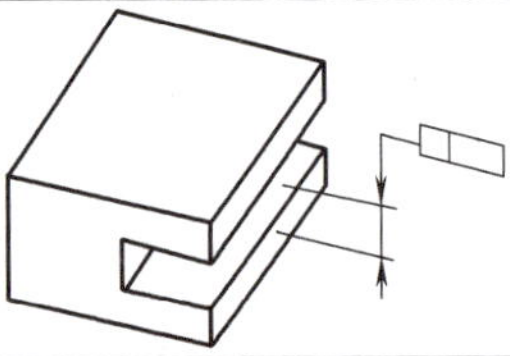	1. 用箭头↑指向相关尺寸要素延长线 2. 回转体如附加修饰符○时可不用指向相关尺寸要素，而将箭头↑（二维）或●（三维）直接放在相应组成要素上

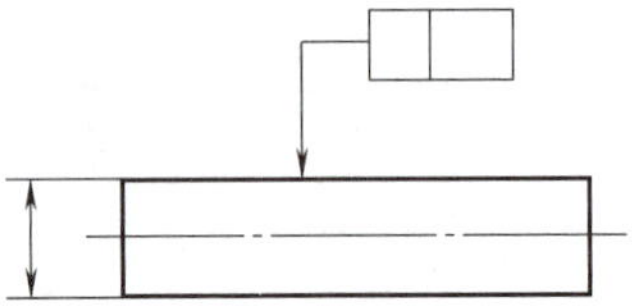

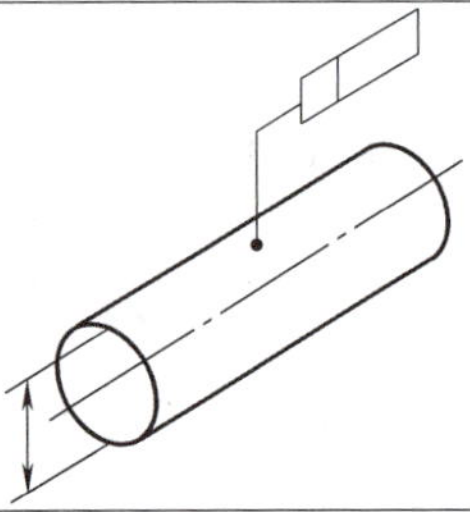

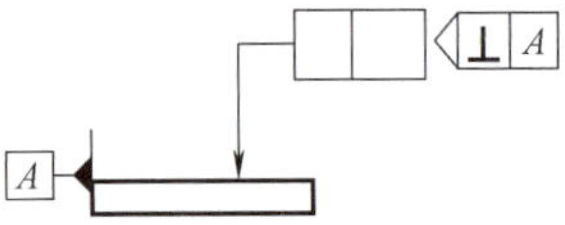

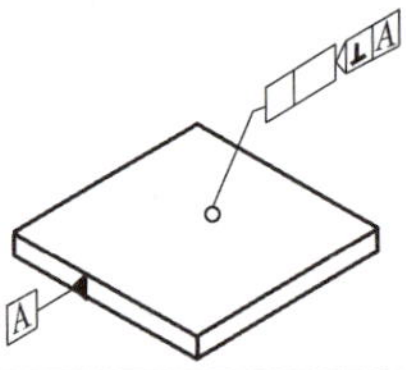

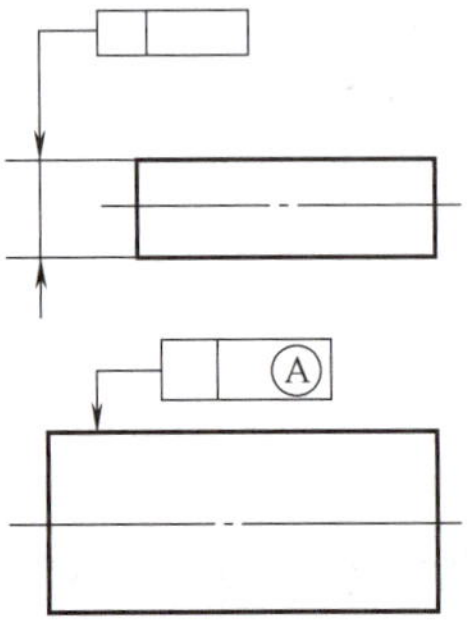

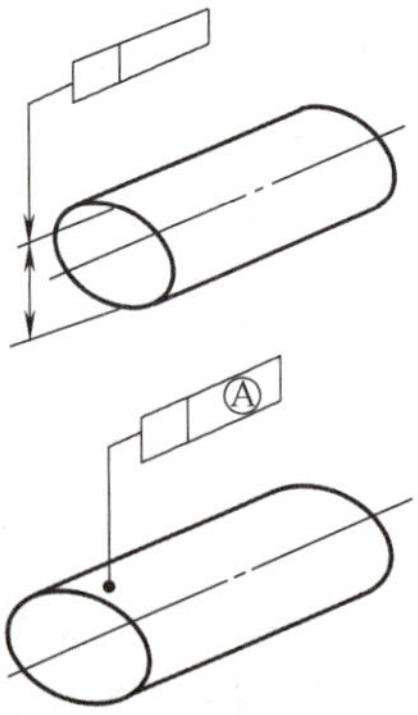

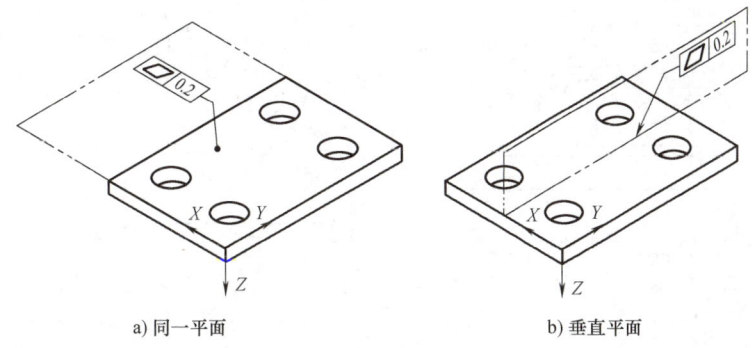

a) 同一平面　　　　　　　b) 垂直平面

图 4-23　被测要素三维标注平面（ISO 16792—2015）

1. 被测组成要素

二维图公差标注中公差框格任意一侧引出的指引线直接指向被测要素的轮廓线或其延长线且终端是箭头，应与尺寸线明显分离。三维图中，当引出线终止在要素延长线上，或是局部面要素的界限内且垂直指向引出线横线上时，终端是箭头。但三维图中，指引线直接指向组成要素上时，终端用实引线实心圆点指向可见要素或一组线要素所在的面要素上，用虚引线空心圆指向不可见面要素。如果被测要素是面要素上的一组线要素，为防止歧义，应使用相交平面框格指明线要素构建方向。

2. 被测导出要素

被测要素为中心点、中心线或中心面时，二维图公差标注中公差框格任意一侧引出的指引线直接指向相关尺寸要素延长线，且终端是箭头，应与尺寸线对齐或与尺寸线箭头重合。但对于回转体中指引线直接指向该导出要素相关的组成要素上，且公差框格内附加修饰符Ⓐ时，可在组成要素上用圆点终止。三维图中注意公差框格要与公差带宽度方向垂直或同面。但任何情况下指引线不可以直接放在导出要素上。

3. 局部区域被测要素

二维图中用粗点画线或以粗点画线为边界的阴影区域来定义部分表面，如图 4-24a、b 所示。三维图中用粗点画线为边界的阴影区域，如图 4-47a 所示；或用指引线的大写字母定义组成要素拐角点，定义部分表面，字母可标注在公差框格的上方，最后两个字母之间可布置区间"↔"符号，如图 4-24c 所示。确定的局部区域和拐角点的位置要用 TED 定义。而任意矩形局部区域可以用"长×高"，使用定向平面框格表示第一个数值所适用的方向，该区域在两个方向上都可移动，如图 4-24d 所示。

从公差框格引出的指引线在二维图中用箭头、三维图中用实心圆点终止在该局部区域上。

4.3.5　附加标注

1. 连续封闭要素

用全周"○"与全表面"◎"符号标注在公差框格的指引线与参考线的交点上。

如果将几何公差规范作为单独的要求应用到横截面的轮廓上，或将其作为单独的要求应用到封闭轮廓所表示的所有要素上时，应使用全周"○"符号，并结合组合平面框格来标识组合平面，仅适用于组合平面所定义的面要素。

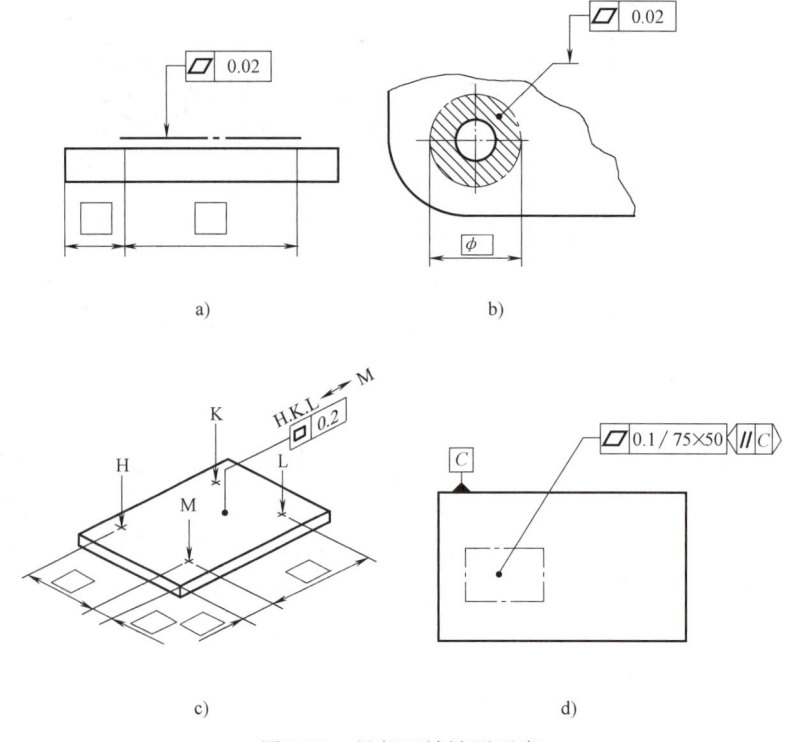

图 4-24 局部区域被测要素

如果将几何公差规范作为单独的要求应用到工件的所有组成要素上，应使用全表面符号"◎"标注，如图 4-22c 所示。

除非基准参照系可锁定所有未受约束的自由度，否则全周"○"或全表面"◎"应与 SZ（独立公差带）、CZ（组合公差带）或 UF（联合要素）组合使用，如图 4-21 所示。

2. 连续非封闭要素

如果一个规范只适用于被测要素或组合被测要素（CZ 或 UF 标注）的横截面的整个轮廓（或轮廓表示的整个面要素）的一些连续的局部区域，则应如图 4-25 所示标注。首先应使用大写字母标识出被测局部区域的起止点，如 J、K，并且用粗点画线定义部分面要素（图 4-24a）或使用区间符号"↔"连接起止点的点要素、线要素或面要素，如 J↔K。如果该点要素或线要素不在组成要素的边界上，则应用 TED 定义其位置，如 J 在上表面和底面

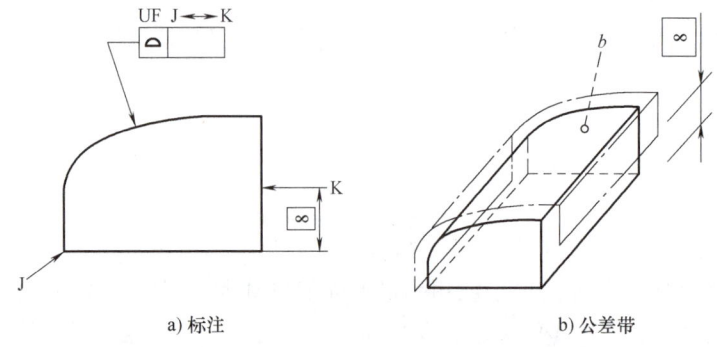

图 4-25 连续非封闭要素示例

的边界上,而点 K 不在,需要标注距离底面的 TED 为 8mm。指引线应指向局部被测要素的轮廓。

若被测要素为导出要素,可使用该要素与一个要素的相交特征定义其界限。

4.4 几何误差及其评定

几何公差规范的目的不仅要规定几何公差带的范围相关参数,更要规定以何种方法去评定这些参数,否则就无法进行正确的几何误差的评定,如图 4-26 所示不同评定方法下的几何误差评定对象和参数是完全不同的,这时就需要结合公差框格的特征规范元素根据产品功能、评定要求、企业具备的检测条件,对设备技术要求事先进行约定、定义并标注在图纸上,作为评定、验收和仲裁的依据。

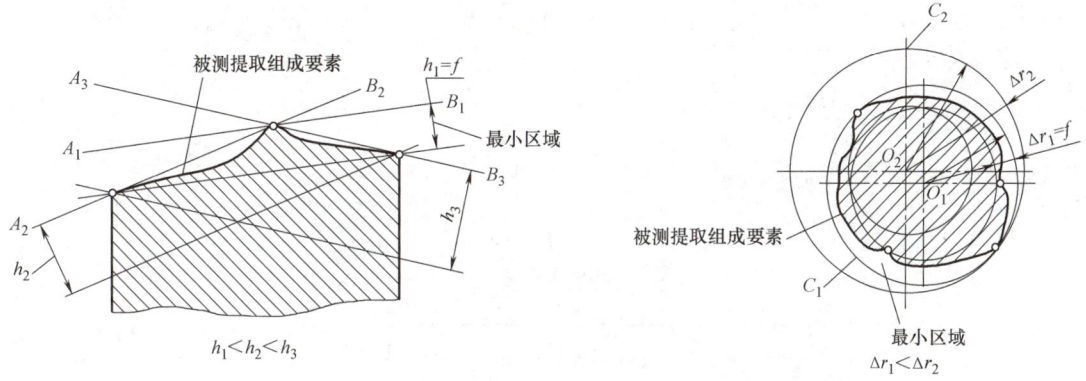

图 4-26 不同评定方法下的几何误差评定

对于形状误差的评定要根据公差框格(表 4-7)中"特征规范元素"中的"参照要素的拟合规范元素"和"参数规范元素"规定。对方向公差及位置误差的评定要根据"被测要素的规范元素"中"拟合被测要素"的规定。

一般情况下,各被测要素的各项几何误差变化最小区域的形状分别要与图样上给定的各自公差带形状一致,且保持方向和位置一致,仅当按标注的评定方法获得的误差值 f 或 ϕf 不超过(≤)给定公差值 t 或 ϕt 时,该被测要素才合格。

4.4.1 形状误差及其评定

1. 形状误差

形状误差是被测要素的提取要素对其理想要素的变动量。理想要素的形状由理论正确尺寸或/和参数化方程定义,理想要素的位置由对被测要素的提取要素进行拟合得到。

在公差框格中的特征规范元素的标注拟合的方法有 C、CE、CI、G、GE、GD、N 和 X 等,默认为 C。形状误差值评估参数有 T、P、V、Q,默认为 T。如不标注则默认指最小区域法(C)下的峰谷参数(T)。

不同的拟合方法所得到变动量也是不同的,需按图样公差标注执行。其中最常用的是最小区域法。

2. 形状误差评定的最小（包容）区域法

形状误差值常用最小区域法（简称定向最小区域）的宽度或直径表示。

最小区域法是指采用切比雪夫法（Chebyshev）对被测要素的提取要素进行拟合得到理想要素位置的方法，即：被测要素的提取要素相对于理想要素的最大距离为最小。

如图 4-27 所示，采用该理想要素包容被测要素的提取要素时，具有最小宽度 f 或直径 ϕf 的包容区域称为最小（包容）区域，其中 $f = T = P + V$，$\phi f = 2\text{MAX}(P, V)$。

一般情况下，各形状误差项目最小包容区域的形状分别与图样上给定的各自公差带形状一致，但宽度（或直径）由被测提取要素本身决定。如有辅助平面和要素规范，还需根据规范与各自的公差带保持一致的方向和位置。

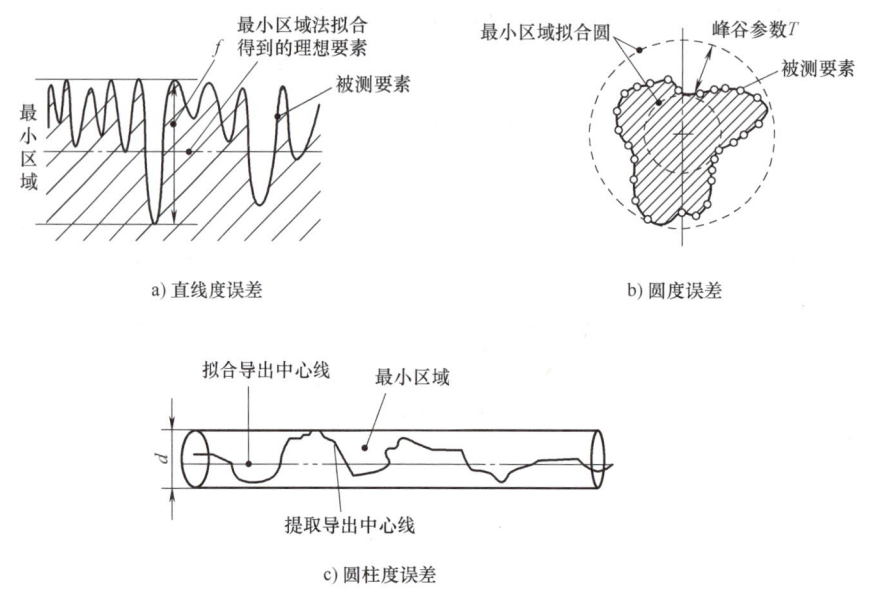

a) 直线度误差

b) 圆度误差

c) 圆柱度误差

图 4-27 形状误差评定的最小区域法

4.4.2 方向误差及其评定

1. 方向误差

方向误差是被测要素的提取要素对具有确定方向的理想要素的变动量，理想要素的方向由基准（和 TED 角度）确定。

方向公差要求中默认了对被测要素本身的方向公差要求，但如果定义了拟合被测要素规范元素（表 4-8）时，即公差值后面标注了 Ⓒ、Ⓖ、Ⓣ、Ⓝ、Ⓧ 符号时，表示的是对被测要素的拟合要素的方向公差要求。

如图 4-28 所示，在上表面被测长度范围内，采用贴切法对被测要素的提取要素（或滤波要素）进行拟合得到被测要素的拟合要素（贴切要素），即与所标注要素的相切外平面，对该贴切平面相对于基准要素底平面 A 的平行度公差值为 0.1mm。

2. 方向误差的评定

方向误差值用定向最小包容区域（简称定向最小区域）的宽度或直径表示。定向最小区域是指由基准和 TED 角度确定方向的理想要素，当其包容被测要素的提取要素时，具

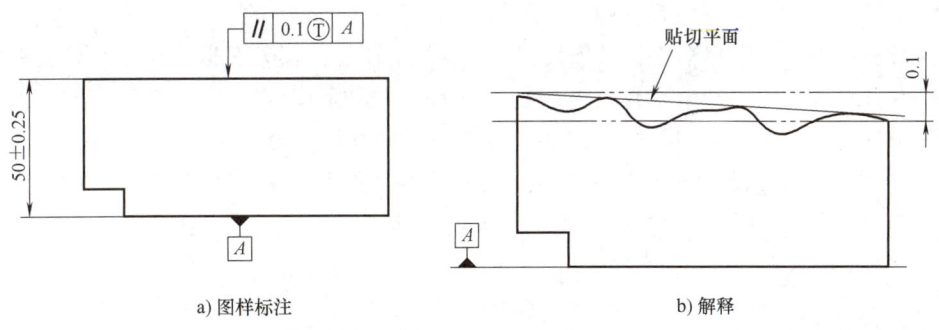

a) 图样标注 b) 解释

图 4-28　贴切要素的平行度要求

有最小宽度 f 或直径 ϕf 的包容区域。

如图 4-29a 所示为上表面平行于底平面的平行度误差的获取方法，为平行于底平面的两平行平面的最小区域，宽度为 f。图 4-29b 所示为圆柱轴线垂直于底平面的垂直度误差的获取方法，为垂直于底平面的圆柱内区域，直径为 $\phi f = d$。

各方向误差项目的定向最小区域形状和方向分别与各自的公差带形状和方向一致，但宽度（或直径）由被测提取要素本身决定。

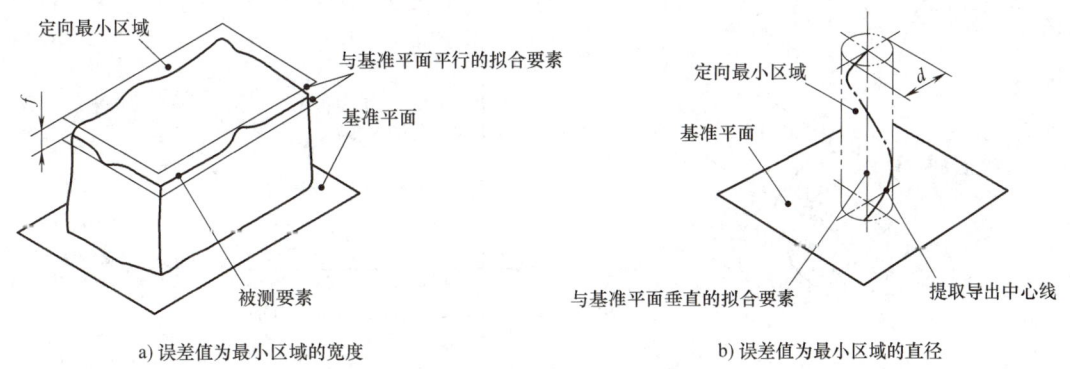

a) 误差值为最小区域的宽度　　　　b) 误差值为最小区域的直径

图 4-29　定向误差最小区域

4.4.3　位置误差及其评定

1. 位置误差

位置误差是被测要素的提取要素对具有确定位置的理想要素的变动量，理想要素的位置由基准和 TED（位置度公差外的其他位置公差中 TED 默认为 0）确定。

位置公差要求默认为对被测要素本身的位置公差要求，但如果定义了拟合被测要素规范元素（表 4-8）时，即公差值后面标注了 Ⓒ、Ⓖ、Ⓣ、Ⓝ、Ⓧ 符号时，表示的是对被测要素的拟合要素的位置公差要求。

2. 位置误差的评定

位置误差值用定位最小包容区域（简称定位最小区域）的宽度 f 或直径 ϕf 表示。定位最小区域是指用由基准和 TED 确定位置的理想要素包容被测要素的提取要素时，具有最小宽度 f 或直径 ϕf 的包容区域。

如图 4-30a 所示，为小端中心平面相对于大端中心平面的对称度误差获取方法，在平行于大端中心平面并以其为对称中心位置的两平行平面之间的最小区域,宽度为 f。如图 4-30b 所示,为小端中心轴线相对于大端中心轴线的同轴度误差获取方法,在以大端中心轴线为中心线圆柱内的最小区域,直径为 $\phi f = d$。如图 4-30c 所示,为圆心相对于两直边的位置度误差获取方法,在距离左边和下边 TED 的位置为圆心的圆内的最小区域,直径为 $\phi f = d$。

各位置误差项目的定位最小区域形状、方向和位置分别与各自的公差带形状、方向和位置一致,但宽度(或直径)由被测提取要素本身决定。

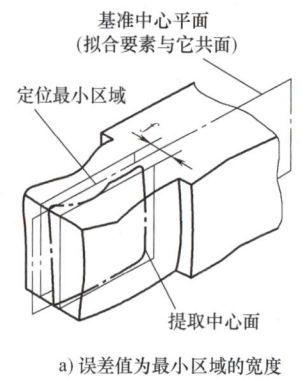

a)误差值为最小区域的宽度

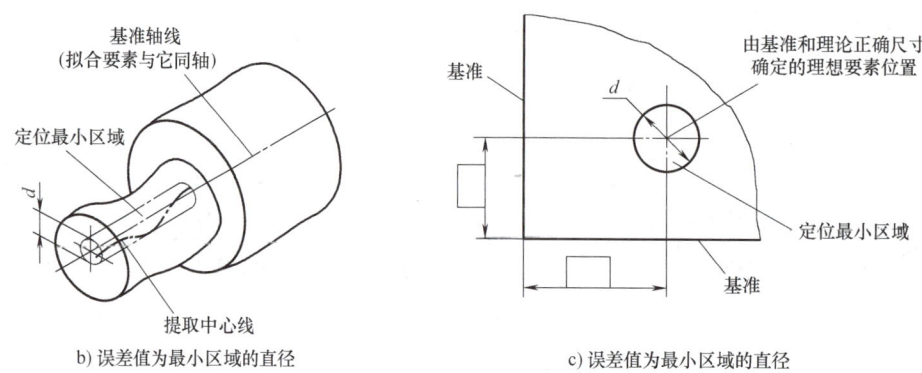

b)误差值为最小区域的直径　　　　　　c)误差值为最小区域的直径

图 4-30　定位误差最小区域

4.4.4　跳动误差及其评定

跳动公差就是基于综合误差测量而提出的一种公差规范。

被测要素是线要素的跳动误差为圆跳动误差,被测要素是面要素的跳动误差为全跳动误差。它们各自的测量方法各不相同,如图 4-31 所示。

1)圆跳动误差是任一被测要素的提取要素绕基准轴线做无相对轴向移动回转一周时,测头在给定计值方向上,如径向、轴向、斜向或给定方向上测得的最大与最小示值之差,称为圆跳动误差 f。

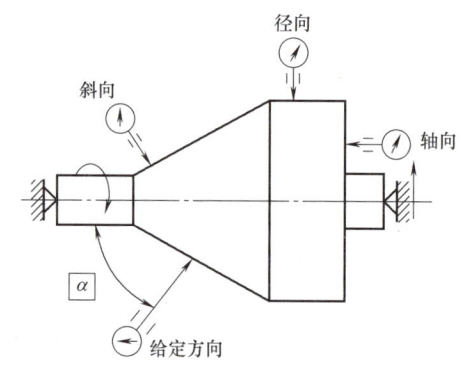

图 4-31　跳动误差测量的示意图

2)全跳动误差是被测要素的提取要素绕基准轴线做无相对轴向移动回转一周时,测头沿给定方向的理想直线连续移动过程中，由测头在给定计值方向上，如径向和轴向上，测得的最大与最小示值之差，称为全跳动误差 f。

4.5 几何公差特征项目及公差等级

几何公差分为 4 大类：形状公差、方向公差、位置公差和跳动公差，由于其中轮廓度公差比较特殊，按照实际规范既可能属于形状公差，也可能属于方向公差或位置公差。

所有的几何公差的公差等级都不出现在图样上，一般用于技术文档中更方便地表达设备加工精度、零件的精度级别和工艺精度等。在图样中，要根据实际的功能需求和加工工艺状况选择需要达到并可以加工的几何公差精度等级，直接标注精度等级对应的公差数值。GB/T 1184—1996 中所有规定的公差等级及其数值都是以零件和量具在标准温度（20℃）下测量为准的。

4.5.1 形状公差

形状公差包括直线度公差、平面度公差、圆度公差、圆柱度公差、线轮廓度公差和面轮廓度公差，是在设计中用来限制直线、平面、圆、圆柱、曲线或曲面的形状误差的规范。形状公差带通常有两个要素：公差带的形状和大小，当定义了辅助平面和要素规范时，也同时具备某些方向上的要求。

形状公差带按照不同的被测要素控制要求，其标注方法也不同，其详细定义、二维标注、三维标注和解释见附录 E。

对于形状公差的公差等级及其数值，GB/T 1184—1996 除了线轮廓度公差和面轮廓度公差两个项目未规定公差值以外，对直线度公差、平面度公差规定了 12 个公差等级（1～12级），部分见表 4-12；圆度公差和圆柱度公差规定了 13 个等级（0～12 级），部分见表 4-13。

表 4-12 直线度、平面度公差值（GB/T 1184—1996）

主参数 L /mm	公差等级											
	1	2	3	4	5	6	7	8	9	10	11	12
	公差值/μm											
≤10	0.2	0.4	0.8	1.2	2	3	5	8	12	20	30	60
>10～16	0.25	0.5	1	1.5	2.5	4	6	10	15	25	40	80
>16～25	0.3	0.6	1.2	2	3	5	8	12	20	30	50	100
>25～40	0.4	0.8	1.5	2.5	4	6	10	15	25	40	60	120
>40～63	0.5	1	2	3	5	8	12	20	30	50	80	150
>63～100	0.6	1.2	2.5	4	6	10	15	25	40	60	100	200
>100～160	0.8	1.5	3	5	8	12	20	30	50	80	120	250
>160～250	1	2	4	6	10	15	25	40	60	100	150	300

注：L 为被测要素长度<10000mm。

表 4-13 圆度、圆柱度公差值（GB/T 1184—1996）

主参数 $d(D)$ /mm	公差等级												
	0	1	2	3	4	5	6	7	8	9	10	11	12
	公差值/μm												
≤3	0.1	0.2	0.3	0.5	0.8	1.2	2	3	4	6	10	14	25
>3~6	0.1	0.2	0.4	0.6	1	1.5	2.5	4	5	8	12	18	30
>6~10	0.12	0.25	0.4	0.6	1	1.5	2.5	4	6	9	15	22	36
>10~18	0.15	0.25	0.5	0.8	1.2	2	3	5	8	11	18	27	43
>18~30	0.2	0.3	0.6	1	1.5	2.5	4	6	9	13	21	33	52
>30~50	0.25	0.4	0.6	1	1.5	2.5	4	7	11	16	25	39	62
>50~80	0.3	0.5	0.8	1.2	2	3	5	8	13	19	30	46	74
>80~120	0.4	0.6	1	1.5	2.5	4	6	10	15	22	35	54	87
>120~180	0.6	1	1.2	2	3.5	5	8	12	18	25	40	63	100
>180~250	0.8	1.2	2	3	4.5	7	10	14	20	29	46	72	115

注：$d(D)$ 为被测要素直径<500mm。

4.5.2 方向公差

方向公差包括平行度公差、垂直度公差、倾斜度公差、线轮廓度公差和面轮廓度公差，是在设计中用来限制直线、平面、曲线或曲面的方向误差的规范。方向公差带通常有三个要素：公差带的形状、大小和方向，每个公称被测要素的形状由直线或平面明确给定。当公差带有某些方向上的要求，应定义定向平面框格；如果被测要素是公称状态为平面上的一系列直线，应标注相交平面框格，此时辅助平面和要素框格中基准为公差框格中基准的辅助基准，最后都要通过定义 TED 角度锁定公称被测要素与基准之间的角度，缺省 TED 角度为 0°或 90°。

方向公差带按照不同的被测要素控制要求，其标注方法也不同，其详细定义、二维标注、三维标注和解释见附录 F。

对于方向公差的公差等级及其数值，GB/T 1184—1996 除了线轮廓度公差和面轮廓度公差两个项目未规定公差值以外，对平行度公差、垂直度公差、倾斜度公差规定了 12 个公差等级（1~12 级），部分公差值见表 4-14。

表 4-14 平行度、垂直度、倾斜度公差值（GB/T 1184—1996）

主参数 $L,d(D)$ /mm	公差等级											
	1	2	3	4	5	6	7	8	9	10	11	12
	公差值/μm											
≤10	0.4	0.8	1.5	3	5	8	12	20	30	50	80	120
>10~16	0.5	1	2	4	6	10	15	25	40	60	100	150
>16~25	0.6	1.2	2.5	5	8	12	20	30	50	80	120	200
>25~40	0.8	1.5	3	6	10	15	25	40	60	100	150	250
>40~63	1	2	4	8	12	20	30	50	80	120	200	300
>63~100	1.2	2.5	5	10	15	25	40	60	100	150	250	400
>100~160	1.5	3	6	12	20	30	50	80	120	200	300	500
>160~250	2	4	8	15	25	40	60	100	150	250	400	600

注：$L,d(D)$<10000mm。

4.5.3 位置公差

位置公差包括同心（轴）度公差、对称度公差、位置度公差、线轮廓度公差和面轮廓度公差，是在设计中用来限制点、直线、平面、导出曲线或导出曲面的位置误差的规范。

同心（轴）度公差、对称度公差的被测要素和基准都是导出要素。位置度公差的被测要素是组成要素或导出要素。

位置公差带通常有四个要素：公差带的形状、大小、位置和方向。公称被测要素的形状，除直线与平面外，应通过图样上完整的标注或 CAD 模型的查询（ISO16792）明确给定。标注的要素的公称状态为直线，且被测要素为一组点时，应标注"ACS"。此时，每个点的基准也是同一横截面上的一个点。当公差带有某些方向上的要求，应定义定向平面框格；如果被测要素是公称状态为平面上的一系列直线，应标注相交平面框格，此时辅助平面和要素框格中的基准为公差框格中的基准的辅助基准，通过定义 TED 角度锁定公称被测要素与基准之间的角度，缺省为 0° 或 90°。位置需要通过定义 TED 锁定公称被测要素与基准之间的尺寸。同心（轴）度公差、对称度公差的基准与圆心或轴线重合，其 TED 缺省为 0。

位置公差带按照不同的被测要素控制要求，其标注方法也不同，其详细定义、二维标注、三维标注和解释见附录 G。

对于位置公差的公差等级及其数值，GB/T 1184—1996 除了线轮廓度公差和面轮廓度公差两个项目未规定公差值以外，对同心（轴）度、对称度公差规定了 12 个公差等级（1~12级），部分如表 4-15；位置公差数系规定了 8 个数系（1~8），如表 4-16。

表 4-15 同心（轴）度、对称度、圆跳动、全跳动公差值（GB/T 1184—1996）

主参数 $d(D)$,B,L /mm	公差等级											
	1	2	3	4	5	6	7	8	9	10	11	12
	公差值/μm											
≤1	0.4	0.6	1.0	1.5	2.5	4	6	10	15	25	40	60
>1~3	0.4	0.6	1.0	1.5	2.5	4	6	10	20	40	60	120
>3~6	0.5	0.8	1.2	2	3	5	8	12	25	50	80	150
>6~10	0.6	1	1.5	2.5	4	6	10	15	30	60	100	200
>10~18	0.8	1.2	2	3	5	8	12	20	40	80	120	250
>18~30	1	1.5	2.5	4	6	10	15	25	50	100	150	300
>30~50	1.2	2	3	5	8	12	20	30	60	120	200	400
>50~120	1.5	2.5	4	6	10	15	25	40	80	150	250	500
>120~250	2	3	5	8	12	20	30	50	100	200	300	600

注：B 为槽口宽度，L 为两对称轴线距离，B、L<10000mm。

表 4-16 位置公差数系（GB/T 1184—1996） （单位：μm）

1	1.2	1.5	2	2.5	3	4	5	6	8
1×10	1.2×10	1.5×10	2×10	2.5×10	3×10	4×10	5×10	6×10	8×10

4.5.4 跳动公差

包括圆跳动公差和全跳动公差，其中圆跳动公差分为径向圆跳动公差、轴向圆跳动公差、斜向圆跳动公差和给定方向圆跳动公差；全跳动公差分为径向全跳动公差、轴向全跳动公差。

跳动公差的所有被测要素都是组成要素，其基准都必须包括导出要素（轴线）。

跳动公差可以综合控制多种误差，如径向圆跳动可综合控制圆度和同心度；径向全跳动可综合控制圆柱度和同轴度，因此跳动公差通常有四个要素：公差带的形状、大小、位置和方向。圆跳动公差的公称被测要素是线要素，形状与属性由圆环线或一组圆环线明确给定。全跳动公差的公称被测要素是面要素，形状与属性为平面或回转体表面，公差带保持被测要素的公称形状，但对于回转体表面不约束径向尺寸。跳动公差的方向和位置由相对于其测量基准中心轴线的方向和位置确定。对于圆锥曲面除非另有给定方向规定，公差带的宽度应沿规定几何要素的法向。

跳动公差是按照实际生产中测量方法而制定出的公差项目，它的测量简单易行，故被广泛应用，常用径向圆跳动公差和径向全跳动公差来代替难以测量的圆度误差和圆柱度误差等。

跳动公差带按照不同的被测要素控制要求，其标注方法也不同，其详细定义、二维标注、三维标注和解释见附录H。

对于跳动公差的公差等级及其数值，GB/T 1184—1996规定了12个公差等级（1～12级），见表4-15。

4.5.5 轮廓度公差

包括线轮廓度公差和面轮廓度公差，其中线轮廓度公差分为与基准不相关的线轮廓度公差和相对于基准体系的线轮廓度公差；面轮廓度公差分为与基准不相关的面轮廓度公差和相对于基准的面轮廓度公差。

轮廓度公差的被测要素可以是组成要素或导出要素。被测要素的公称形状可通过图样或CAD模型中是否有明确或缺省的TED标注来区分是直线和平面还是曲线和曲面。可将TEF的公称形状缺省定义为圆、圆柱、球或圆锥。除非有明确的TED定义，否则将尺寸要素的尺寸视为未定义，因此其尺寸也是可变的。除非有明确的TED定义，否则将圆环的母线尺寸视为未定义。

无基准时，轮廓度公差作为形状公差，其公差带有三个要素：公差带的大小、形状和方向，形状由TED确定，组成要素方向通常由相交平面框格给定，可以平行于基准面、垂直于基准轴线或与基准成一定的角度。有基准时，轮廓度公差作为方向公差或位置公差，其公差带有四个要素：公差带的大小、形状、方向和位置。

轮廓度公差带的中心位置可以有以下几种情况：

1）轮廓度公差带的中心默认位于理论正确要素（TEF）上，TEF由TED确定，如图4-32a所示。已定义公称尺寸的（由TED给出）球的面轮廓度规范，公差带中心面的直径固定公称尺寸不变，公差带是固定的。

2）使用UZ和一个有符号数偏置公差带的位置，轮廓度公差带的中心偏离TEF给定数值r，TEF由TED确定，类似图4-13所示。已定义公称尺寸的（由TED给出）球的面轮廓度规范，公差带中心面的直径固定公称尺寸偏离给定数值r不变，公差带是固定的。

3）使用OZ事先不规定公差带相对于TEF的偏置量常值r，TEF由TED确定，如

图 4-32b 所示。已定义公称尺寸的（由 TED 给出）球的面轮廓度规范，公差带中心面的直径公称尺寸偏离某给定数值 r，公差带是可变的。

4）使用 OZ 事先不规定公差带相对于 TEF 的偏置量常值 r，但当圆、圆柱、球或圆环中标有尺寸公差时，TEF 公称尺寸不可使用 TED 定义，TEF 的尺寸不固定，如图 4-32c 所示。公差带中心面的直径是可变的，且公称尺寸偏离某给定数值 r，公差带是可变的。

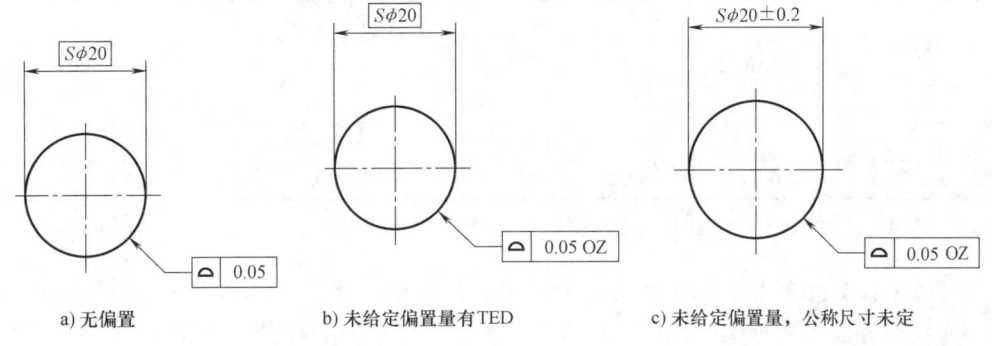

a) 无偏置　　　　b) 未给定偏置量有 TED　　　　c) 未给定偏置量，公称尺寸未定

图 4-32　线性尺寸要素面轮廓度规范

轮廓度公差带按照不同的被测要素控制要求，其标注方法也不同，其详细定义、二维标注、三维标注和解释见附录 I。

对于轮廓度公差，国家标准未规定公差等级和公差数值。

4.6　未注几何公差

除了由于功能要求对某些要素有更高的几何公差要求，或更低的几何公差要求可明显地提高制造经济效益。例如对于金属薄壁件、挠性材质零件（如橡胶件、塑料件）等选择较大几何公差值能显著降低加工难度和成本时，图样上应按照 GB/T 1182—2018 的规定直接标注几何公差特征项目及其数值。其余情况，由于工厂的机加工和常用的工艺方法不会加工出较大误差值，扩大公差值对经济效益影响甚微，为简化图纸，提高信息交换效率，节省设计和测量时间，把重点放在注出几何公差要素上，有的放矢地安排生产、质量控制和检验，避免在项目的购销之间造成不必要的合同纠纷，可不用单独标注几何公差，即使用 GB/T 1184—1996 所规定的未注几何公差所规定的公差等级，因为它基本上考虑了各类工厂的一般制造精度，主要适用于用去除材料方法形成的要素，也可用于能保证该标准精度的其他方法形成的要素。

使用未注几何公差时，图样上未注公差值应等于或大于制造方能测出的常用精度时才能接收。虽然通常功能允许的几何公差值会大于其未注几何公差值，实际某些要素超出（或偶尔超出）几何公差的未注公差值时也不会损害功能，但还是要抽样检查以保证工厂常用精度不被破坏，一旦超出几何公差的未注公差值会损害零件功能时就拒收。

几何公差的未注公差值适用于遵守独立原则的零件要素，也适用于某些遵守包容要求、要素处处都是最大实体尺寸时的零件要素。

国家标准将未注几何公差分为 H、K、L 三个公差等级，精度依次降低。应在图样标题栏附近或技术要求、技术文件（如企业标准）中注出本标准号及公差等级代号。例如选取高等级时,标注为:GB/T 1184-H。各项几何公差未注公差等级及数值规定如下。

1. 直线度和平面度

直线度和平面度的未注公差等级及数值规定见表4-17,表中公称长度对于直线度是取相应线要素的长度,对于平面度是取其表面要素较长侧的长度或圆表面的直径。

表4-17 直线度和平面度的未注公差

公差等级	公称长度范围/mm					
	≤10	>10~30	>30~100	>100~300	>300~1000	>1000~3000
H	0.02	0.05	0.1	0.2	0.3	0.4
K	0.05	0.1	0.2	0.4	0.6	0.8
L	0.1	0.2	0.4	0.8	1.2	1.6

2. 圆度

圆度的未注公差值等于标注的直径公差值,但不能大于表4-20中的径向圆跳动未注公差值。如直径标注了公差值,则圆度的未注公差值等于直径公差值,如图4-33a所示圆度未注公差值为0.1mm;否则按不能大于表4-20中的径向圆跳动未注公差值处理,如图4-33b所示直径未注公差是1mm(按GB/T 1804-c要求直径极限偏差是±0.5mm),大于径向圆跳动未注公差值按GB/T 1184-K要求是0.2mm,因此圆度未注公差值为0.2mm。

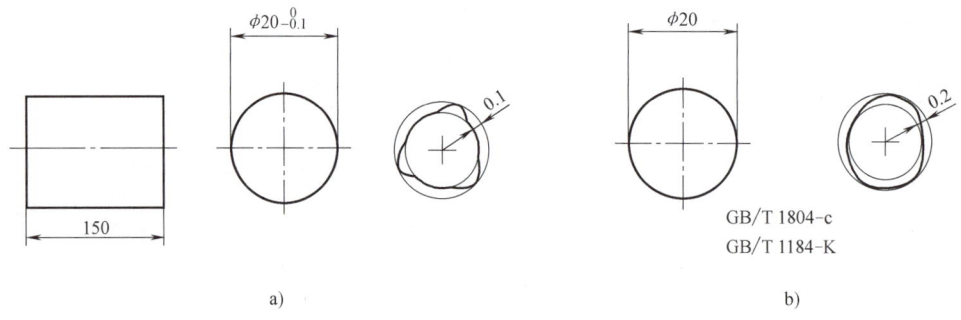

图4-33 未注圆度公差

3. 圆柱度

圆柱度的未注公差值无规定,通常,由于圆度、直线度和相对素线的平行度同时受到尺寸公差的限制,因此它们综合形成的未注公差值应小于上述三种公差值的综合结果。圆柱度误差默认是由圆柱体的圆度误差、直线度误差和相对素线的平行度误差综合构成,只需用单项注出或未注公差控制对应的单项误差即可。为简单起见,可采用包容要求Ⓔ或注出圆柱度公差。

但当因功能要求圆柱度需小于圆度、直线度和平行度的未注公差的综合结果时,应在被测要素上规定注出圆柱度公差值。

4. 平行度

平行度的未注公差值等于给出的尺寸公差值,或是用直线度和平面度未注公差值中较大者控制。如图4-34a所示平行度的未注公差值为给出的尺寸公差值0.1mm;如图4-34b所示直线度和平面度较大的直线度未注公差为0.4mm,因此平行度的未注公差值等于0.4mm。一般,互相平行的要素中取公称长度较短者作为被测要素,相等时则任选。

5. 垂直度

垂直度的未注公差等级及数值规定见表 4-18。互相垂直的要素中取公称长度较短者作为被测要素,相等时则任选。

表 4-18　垂直度未注公差

公差等级	公称长度范围/mm			
	≤100	>100~300	>300~1000	>1000~3000
H	0.2	0.3	0.4	0.5
K	0.4	0.6	0.8	1
L	0.6	1	1.5	2

6. 对称度

对称度的未注公差等级及数值规定见表 4-19。互相对称的要素中取公称长度较短者作为被测要素,相等时则任选。对称度的未注公差值用于至少两个要素中的一个是中心平面,或两个要素的轴线相互垂直。

表 4-19　对称度未注公差

公差等级	公称长度范围/mm			
	≤100	>100~300	>300~1000	>1000~3000
H	0.5			
K	0.6		0.8	1
L	0.6	1	1.5	2

7. 同轴度

同轴度的未注公差值未作规定。在极限状况下,同轴度的未注公差值可以和表 4-20 中规定的径向圆跳动的未注公差值相等。互相同轴的要素中取公称长度较短者作为被测要素,相等时则任选。

8. 圆跳动

圆跳动的未注公差等级及数值规定见表 4-20,应以设计或工艺给出的支承面作为基准,否则取公称长度较短者作为被测要素,相等时则任选。

表 4-20　圆跳动的未注公差

公差等级	圆跳动公差值/mm
H	0.1
K	0.2
L	0.5

9. 线轮廓度、面轮廓度、倾斜度、位置度和全跳动

它们的未注几何公差均应由各要素的注出或未注几何公差、线性尺寸公差或角度公差综合控制。

图 4-34a 所示为采用了未注几何公差和未注尺寸公差的图样,其包含的所有信息如

图 4-34b 所示,用细双点画线表示的几何公差和尺寸公差公差值(框格或圆)是未注公差值,这些公差值在车间加工时能自动达到,通常不要求检查(图中没有表示具有包含关系的未注公差值)。

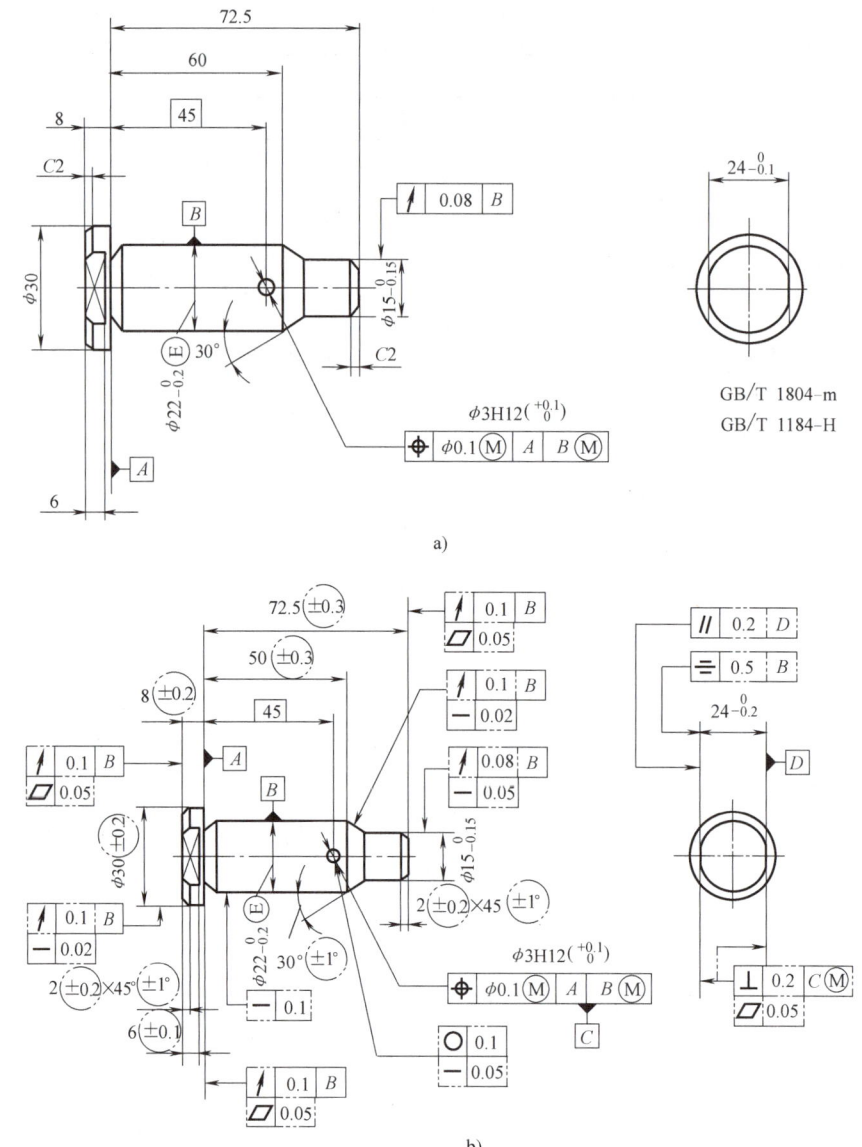

图 4-34 未注几何公差和未注尺寸公差图解读

4.7 几何公差的原则及要求

尺寸公差规范和几何公差规范是两种不同 GPS 规范,尺寸公差规范用来限制被测要素尺寸误差范围,而几何公差规范用来限制被测要素几何特征项目误差范围,如形状、方向和位置的误差范围,二者默认无关联,在机械零件精度设计和检测中,需分别满足,显然对各自的检测和精度要求都较高,且没有得到充分的利用。如图 4-35 所示,尺寸合格的一批孔和轴进行装配,当某轴的实际拟合尺寸较小时,显然对它的轴线的几何公差,如位置度误差及其综合控制的直线度误差以及垂直度误差的要求可以降低,而当实际拟合尺寸为最大极限尺寸时,对它的轴线几何公差的要求就必须严格遵守,否则会影响装配。如果能如图 4-35b 所示采用最大实体要求 Ⓜ,就可以经济合理地利用尺寸公差规范来降低对几何公差规范的要求,显然也降低了装配难度和加工成本,提高了合格品率。因此,在实际生产中,在保证功能的前提下,由于比单独采用尺寸公差规范和几何公差规范会取得更大的经济效益,采用最大实体要求等几何公差要求正越来越多地应用于设计中。

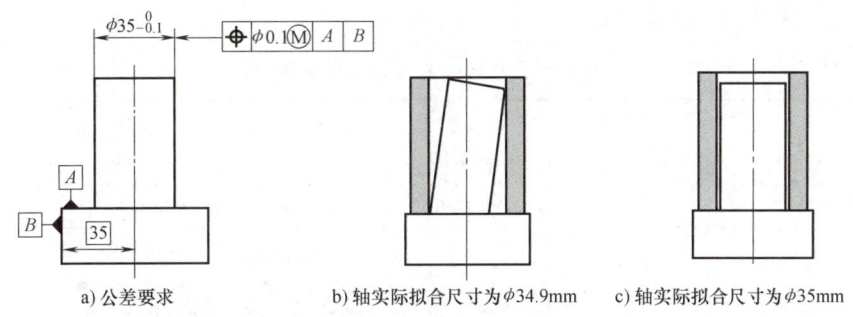

图 4-35 孔和轴的装配

4.7.1 几何公差的原则和要求

国家标准规定的尺寸规范和几何规范的关系如图 4-36 所示,分为以下 3 类情况(表 4-21):

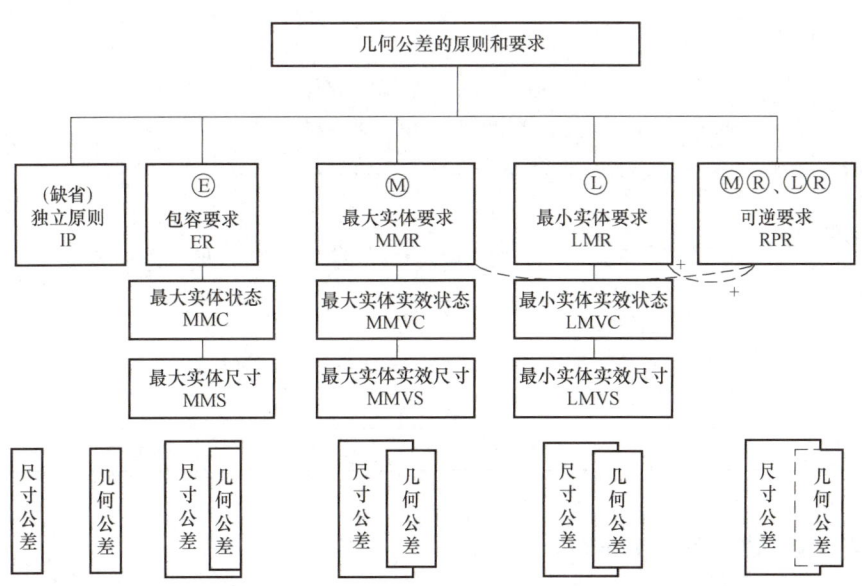

图 4-36 几何公差原则与要求的内容

1)所有图样无特殊标注时,按 GB/T 4249—2018 中 GPS 基本原则中的"独立原则",规定了默认被测要素的尺寸规范与几何规范无相互关系,需分别单独满足。

2）图样上尺寸公差后面标注Ⓔ时，按 ISO 14405.1：2016 GPS 线性尺寸公差中的"包容要求"，规定了被测要素尺寸规范可以包容其几何规范。通常会导致对要素功能（可装配性）的过多约束。使用这种约束和尺寸定义不利于互换性在技术上和经济上发挥作用。

3）图样上几何公差框格中标注Ⓜ、Ⓛ或附加Ⓡ时，按 GB/T 16671—2018 规定的最大实体要求、最小实体要求和可逆要求，用于被测要素、基准的尺寸规范和几何规范彼此相关以满足其特定功能，规定其尺寸要素的尺寸公差及其导出要素的几何公差要求（形状、方向或位置）之间组合成共同要求规范，控制该尺寸要素的组成（面）要素，以满足零件可装配性（最大实体要求）、保证最小壁厚（最小实体要求），但最大实体要求和最小实体要求也适用于其他功能要求。

表 4-21 几何公差原则与要求的分类

公差原则			独立原则 （IP）	包容要求 （ER）	最大实体要求 （MMR）	最小实体要求 （LMR）	可逆要求 （RPR）
图样标记			无（默认）	尺寸公差Ⓔ	导出要素Ⓜ	导出要素Ⓛ	导出要素Ⓡ
应用对象			被测尺寸要素	被测尺寸要素	被测尺寸要素 基准尺寸要素	被测尺寸要素 基准尺寸要素	被测尺寸要素
预期功能			精度单独控制	保证配合	保证装配性	控制最小壁厚	提高可制造性
规定	提取局部尺寸	孔	$D_{min} \leq D_a \leq D_{max}$	$D_{min} \leq D_a \leq D_{max}$	$D_{min} \leq D_a \leq D_{max}$	$D_{min} \leq D_a \leq D_{max}$	ⓂⓇ $D_a \leq D_{max}$ ⓁⓇ $D_{min} \leq D_a$
		轴	$d_{min} \leq d_a \leq d_{max}$	$d_{min} \leq d_a \leq d_{max}$	$d_{min} \leq d_a \leq d_{max}$	$d_{min} \leq d_a \leq d_{max}$	ⓂⓇ $d_{min} \leq d_a$ ⓁⓇ $d_a \leq d_{max}$
	所有提取要素不得违反	孔	$f \leq \delta$	MMC MMS = D_{min}	MMVC MMVS = $D_{min} - \delta$	LMVC LMVS = $D_{max} + \delta$	ⓂⓇ MMVC ⓁⓇ LMVC
		轴		MMC MMS = d_{max}	MMVC MMVS = $d_{max} + \delta$	LMVC LMVS = $d_{min} - \delta$	ⓂⓇ MMVC ⓁⓇ LMVC
	几何约束		保持图样上几何规范的约束关系	保持图样形状	保持图样上几何规范（形状、方向和位置）的约束关系		
检验器具			通用量具	光滑极限量规	功能量规	三坐标测量仪	三坐标测量仪

4.7.2 独立原则（Independence Principle，IP）

根据 GPS 规范的独立原则在缺省情况下，即产品的实际规范中未规定其他标准或特殊标注，如Ⓔ、Ⓜ、Ⓛ、ⓂⓇ、ⓁⓇ、CZ 时，每个要素的 GPS 规范或要素间的 GPS 规范与其他规范之间均相互独立，应分别满足。圆柱要素具有尺寸要求和对其轴线具有位置要求的独立原则见表 4-22。

表 4-22 圆柱要素具有尺寸要求和对其轴线具有位置（位置度）要求的 IP 示例

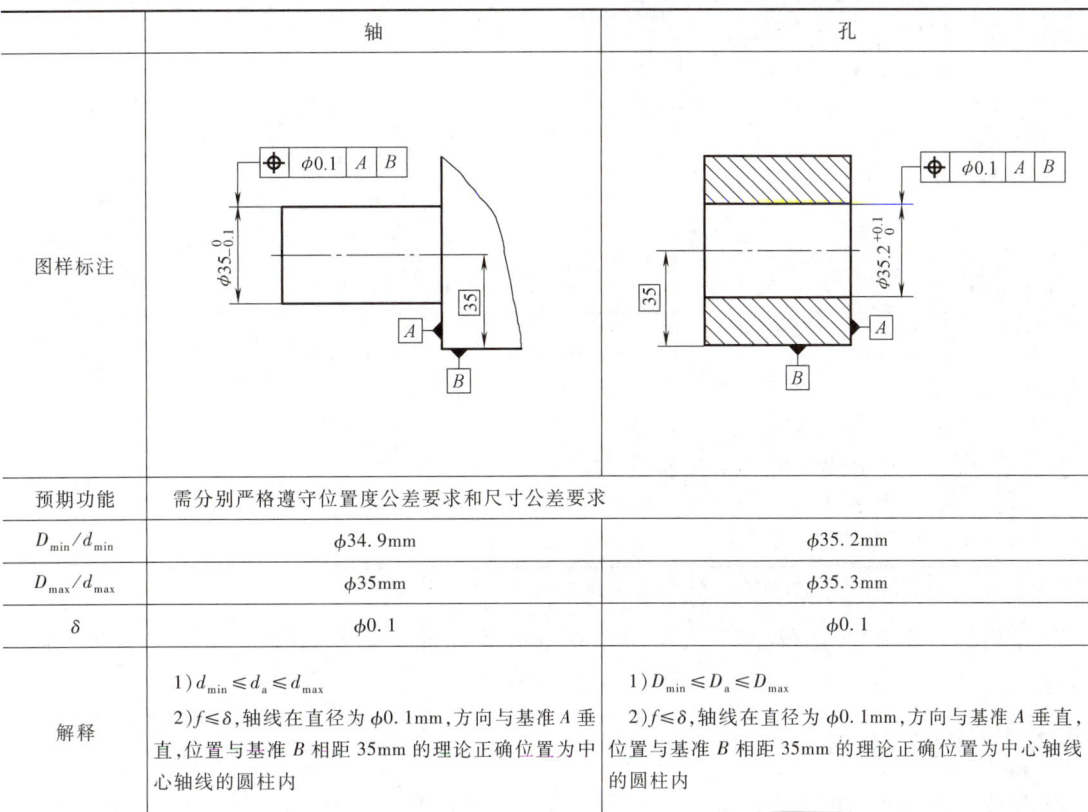

	轴	孔
图样标注	（图示）	（图示）
预期功能	需分别严格遵守位置度公差要求和尺寸公差要求	
$D_{\min}/d_{\min}$	$\phi 34.9$mm	$\phi 35.2$mm
$D_{\max}/d_{\max}$	$\phi 35$mm	$\phi 35.3$mm
δ	$\phi 0.1$	$\phi 0.1$
解释	1) $d_{\min} \leq d_a \leq d_{\max}$ 2) $f \leq \delta$，轴线在直径为 $\phi 0.1$mm，方向与基准 A 垂直，位置与基准 B 相距 35mm 的理论正确位置为中心轴线的圆柱内	1) $D_{\min} \leq D_a \leq D_{\max}$ 2) $f \leq \delta$，轴线在直径为 $\phi 0.1$mm，方向与基准 A 垂直，位置与基准 B 相距 35mm 的理论正确位置为中心轴线的圆柱内

4.7.3 包容要求（Envelope Requirement，ER）（泰勒原则）

所有两点间尺寸 d_a、D_a 使用最小实体尺寸（LMS）约束，轴或孔的最小包容尺寸使用最大实体尺寸（MMS）来约束。圆柱要素线性尺寸的包容要求见表 4-23。

包容要求（ER）可应用于被测要素的尺寸要素，用符号 Ⓔ 标注。

表 4-23 圆柱要素线性尺寸的包容要求示例

	外尺寸要素（轴）	内尺寸要素（孔）
图样标注	$\phi 40_{-0.1}^{0}$ Ⓔ	$\phi 40_{0}^{+0.1}$ Ⓔ

(续)

	外尺寸要素（轴）	内尺寸要素（孔）
说明	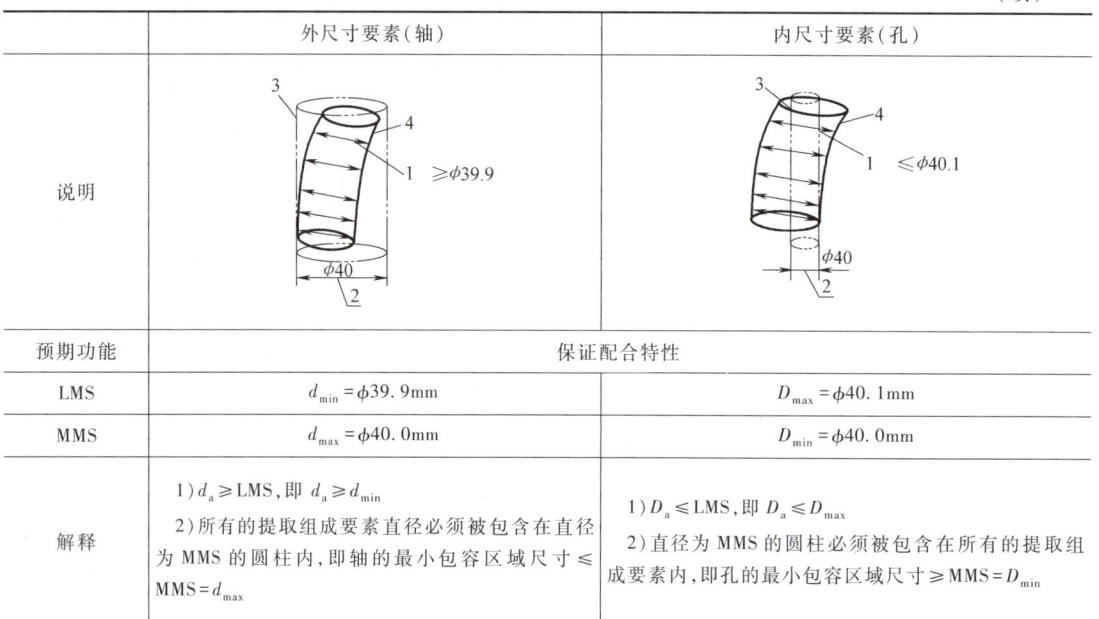	
预期功能	保证配合特性	
LMS	$d_{min} = \phi 39.9$mm	$D_{max} = \phi 40.1$mm
MMS	$d_{max} = \phi 40.0$mm	$D_{min} = \phi 40.0$mm
解释	1) $d_a \geq$ LMS，即 $d_a \geq d_{min}$ 2) 所有的提取组成要素直径必须被包含在直径为 MMS 的圆柱内，即轴的最小包容区域尺寸 $\leq$ MMS $= d_{max}$	1) $D_a \leq$ LMS，即 $D_a \leq D_{max}$ 2) 直径为 MMS 的圆柱必须被包含在所有的提取组成要素内，即孔的最小包容区域尺寸 $\geq$ MMS $= D_{min}$

注：1—两点间尺寸；2—包容圆柱直径；3—包容圆柱；4—提取组成要素。

使用包容要求Ⓔ会过约束，会导致装配或要素功能（最小壁厚）对技术要求高而不经济。

4.7.4 最大实体要求（Maximum Material Requirement，MMR）

尺寸要素的非理想要素不得违反其最大实体实效状态（MMVC）的一种尺寸要素要求，也即尺寸要素的非理想要素不得超越其最大实体实效边界（MMVB）的一种尺寸要素要求。只能用于中心线和中心面。

最大实体要求（MMR）通过尺寸公差对几何公差的作用，可用于控制工件的可装配性。

最大实体要求（MMR）可应用于被测要素和基准的尺寸要素，用符号Ⓜ标注。

1. 应用于被测要素

图样上尺寸要素（被测要素）的导出要素的公差框格中，几何公差之后用符号Ⓜ标注。对（尺寸要素的）面要素有四条相互独立的要求：

1) 被测要素的提取局部尺寸的上限要求。对于外尺寸要素（轴），等于或小于最大实体尺寸（MMS）。对于内尺寸要素（孔），等于或大于最大实体尺寸（MMS）。但可逆要求（RPR）即标注ⓂⓇ则不遵循此规则。

2) 被测要素的提取局部尺寸的下限要求。对于外尺寸要素（轴），等于或大于最小实体尺寸（LMS）。对于内尺寸要素（孔），等于或小于最小实体尺寸（LMS）。

3) 不得违反 MMVC 表面的要求。被测要素的提取组成要素不得违反其最大实体实效状态（MMVC）。

当几何公差为形状公差时，如图 4-37，标注 $\phi 0$ Ⓜ和Ⓔ意义相同，会影响最大实体要求（MMR）在技术上和经济上发挥作用。

4) 涉及一个以上要素的要求。当几何规范是相对于（第一）基准或基准体系的方向或

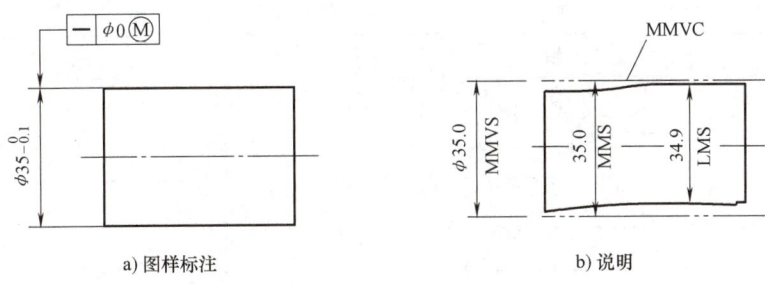

a) 图样标注　　　　　　　　　　b) 说明

1) LMS=ϕ34.9 mm，MMS=ϕ35.0mm，MMVS=MMS=35.0；
2) LMS≤d_a≤MMS；
3) 提取要素不得违反直径为 MMVS (=MMS) 的 MMVC；
4) MMVC 的方向和位置无约束。

图 4-37　ϕ0 Ⓜ 标注的含义

位置要求时，被测要素的最大实体实效状态（MMVC）应相对于基准或基准体系，根据 GB/T 1182—2018 和 ISO 5459：2011，处于理论正确方向或位置，见表4-24和表4-25。

表 4-24　圆柱要素具有尺寸要求和对其轴线具有方向（垂直度）要求的 MMR 示例

	轴	孔
图样标注		
说明		
预期功能	两零件相配合,而且要求轴装入孔内时两基准平面应同时相接触	
解释	1）LMS≤d_a≤MMS，即 d_{min}≤d_a≤d_{max}。 2）轴的提取要素不得违反其直径为 MMVS 的 MMVC。 3）MMVC 的方向和基准 A 垂直,但其位置无约束	1）MMS≤D_a≤LMS，即 D_{min}≤D_a≤D_{max}。 2）孔的提取要素不得违反其直径为 MMVS 的 MMVC。 3）MMVC 的方向和基准 A 垂直,但其位置无约束

表 4-25　圆柱要素具有尺寸要求和对其轴线具有位置（位置度）要求的 MMR 示例

	轴	孔
图样标注	$\phi 35_{-0.1}^{\ 0}$，位置度 $\phi 0.1$ Ⓜ A B，基准 A、B	$\phi 35.2_{\ 0}^{+0.1}$，位置度 $\phi 0.1$ Ⓜ A B，基准 A、B
说明	MMVS $\phi 35.1$，MMS 35.0，LMS 34.9，MMVC	MMS 35.2，LMS 35.3，MMVS $\phi 35.1$，MMVC
预期功能	两零件相配合，且要求两基准平面 A 相接触，两基准平面 B 双方同时和另一零件（图中未画出）的平面相接触	
解释	1）LMS ≤ d_a ≤ MMS，即 $d_{\min}$ ≤ d_a ≤ $d_{\max}$。 2）轴的提取要素不得违反其直径为 MMVS 的 MMVC。 3）MMVC 的方向和基准 A 垂直，其中心线位置位于与基准 B 相距 35mm 的理论正确位置上	1）MMS ≤ D_a ≤ LMS，即 $D_{\min}$ ≤ D_a ≤ $D_{\max}$。 2）孔的提取要素不得违反其直径为 MMVS 的 MMVC。 3）MMVC 的方向和基准 A 垂直，其中心线位置位于与基准 B 相距 35mm 的理论正确位置上

另外，当几个被测要素用同一公差标注时，除了相对于基准可能的约束以外，其最大实体实效状态（MMVC）相互之间应处于理论正确方向和位置，如图 4-38 所示。当几个被测要素用同一公差标注时，Ⓜ加 CZ 和Ⓜ的意义相同，如分别规定要求则用Ⓜ加 SZ 表示。

图 4-38 所示为两个销柱和两个孔彼此之间的位置由理论正确尺寸和具有基准的位置度公差确定的 MMR 示例，它表示对于两销柱（轴）和两孔，它们的 MMVC 处于彼此相距 TED 为 30mm 的位置，彼此理论正确要素相互平行，且要和基准 A 相垂直。

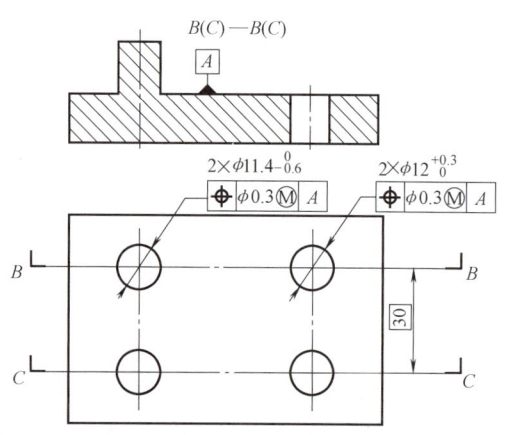

图 4-38　具有基准和 TED 的多要素 MMR 示例

2. 应用于关联基准要素

仅当基准取自于尺寸要素时,在图样上基准字母之后标注Ⓜ。

应用于公共基准的面要素集合的所有元素时,应在括号内标注出用于标识公共基准的字母的相应顺序,并且缺省约束最大实体实效状态(MMVC)相互之间的位置和方向(见 ISO 5459:2011)。当应用于公共基准要素集的面要素时,不可在括号内标注出用于标识公共基准的字母的顺序,要求仅适用于修饰符之前的字母所标识的要素。

对(尺寸要素的)面要素规定了三条相互独立的要求:

1)不违反 MMVC 表面的要求。基准要素的提取组成要素不得违反关联基准要素的最大实体实效状态(MMVC)。

2)当关联基准要素没有几何规范,或只有公差值后面无Ⓜ的 MMS 要求,或者没有标注符合要求的几何规范时,基准要素的最大实体实效状态(MMVC)尺寸为最大实体尺寸(MMS),见表 4-26。

表 4-26 具有同轴度要求和尺寸要求的 MMR 的示例

	轴	孔
图样标注	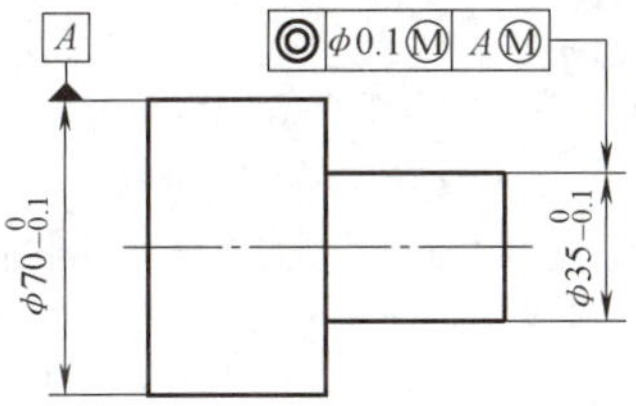 ⌖ $\phi 0.1$Ⓜ AⓂ，$\phi 70_{-0.1}^{~0}$，$\phi 35_{-0.1}^{~0}$，基准 A	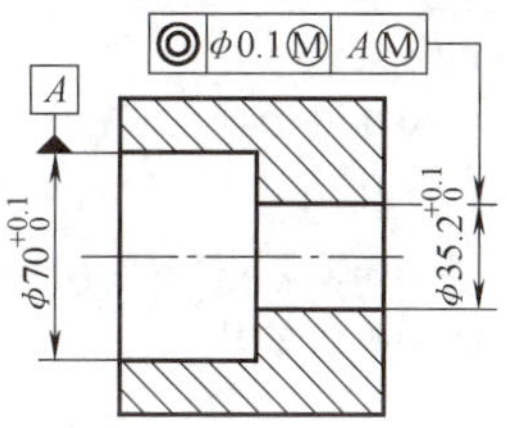 ⌖ $\phi 0.1$Ⓜ AⓂ，$\phi 70_{~0}^{+0.1}$，$\phi 35.2_{~0}^{+0.1}$，基准 A
预期功能	两零件相配合	
解释	1)小轴的 LMS $\leq d_a \leq$ MMS,即 $d_{min} \leq d_a \leq d_{max}$。 2)小轴的提取要素不得违反其直径为 MMVS 的 MMVC。 3)基准要素的 $d_a \geq$ LMS $= d_{min} = \phi 69.9$mm。 4)基准要素的提取要素不得违反其直径为 MMVS = MMS $= d_{max} = \phi 70.0$mm 的 MMVC。 5)小轴的 MMVC 的中心线位置和基准要素的 MMVC 同轴	1)小孔的 MMS $\leq D_a \leq$ LMS,即 $D_{min} \leq D_a \leq D_{max}$。 2)小孔的提取要素不得违反其直径为 MMVS 的 MMVC。 3)基准要素的 $D_a \leq$ LMS $= D_{max} = \phi 70.1$mm。 4)基准要素的提取要素不得违反其直径为 MMVS = MMS $= D_{min} = 70.0$mm 的 MMVC。 5)小孔的 MMVC 的中心线位置和基准要素的 MMVC 同轴

3)几何规范公差值后面有Ⓜ且其公差框格的基准部分(第三或其子部分)满足:当形状规范关联基准为第一基准并标有Ⓜ;方向、位置规范基准或基准体系所包含的基准及其顺序和公差框格中前一个关联基准完全一致并标有Ⓜ时:

关联基准要素的最大实体实效状态(MMVC)的尺寸为最大实体尺寸(MMS)(对于外尺寸要素)加上或(对于内尺寸要素)减去几何公差。

此时,基准要素方格应和控制基准要素的最大实体实效状态(MMVC)几何公差框格直接相连,见表 4-27。

表 4-27 同轴度和直线度的 MMR 示例

	轴	孔
图样标注		
预期功能	两零件相配合	两零件相配合
解释	1）小轴的 LMS ≤ d_a ≤ MMS，即 d_{min} ≤ d_a ≤ d_{max}。 2）小轴的提取要素不得违反其直径为 MMVS 的 MMVC。 3）基准要素的 LMS（d_{min} = φ69.9mm）≤ d_a ≤ MMS（d_{max} = φ70mm）。 4）基准要素的提取要素不得违反其直径为 MMVS = φ70.2mm 的 MMVC。 5）小轴的 MMVC 的位置和基准要素的 MMVC 同轴	1）小孔的 MMS ≤ D_a ≤ LMS，即 D_{min} ≤ D_a ≤ D_{max}。 2）小孔的提取要素不得违反其直径为 MMVS 的 MMVC。 3）基准要素的 MMS（D_{min} = φ70mm）≤ D_a ≤ LMS（D_{max} = φ70.1mm）。 4）基准要素的提取要素不得违反其直径为 MMVS = φ69.8mm 的 MMVC。 5）小孔的 MMVC 的位置和基准要素的 MMVC 同轴

4.7.5 最小实体要求（Least Material Requirement，LMR）

尺寸要素的非理想要素不得违反其最小实体实效状态（LMVC）的一种尺寸要素要求，即尺寸要素的非理想要素不得超越其最小实体实效边界（LMVB）的一种尺寸要素要求。

成对使用的最小实体要求（LMR）通过尺寸公差对几何公差的作用，可用于控制其最小壁厚，例如两个对称或同轴布置的同类尺寸要素间的最小壁厚。

最小实体要求（LMR）可应用于被测要素和基准的尺寸要素，用符号Ⓛ标注。

1. 应用于被测要素

图样上尺寸要素（被测要素）的导出要素的公差框格中，几何公差之后用符号Ⓛ标注。

为了充分控制最小壁厚，防止爆裂，应将符号Ⓛ同时应用在圆柱壁的内外两侧要素的公差标注上，LMR 可按如下的两种方式来标注，见表 4-28。

1）圆柱壁的内外两侧不同的位置要求可参照相同的基准轴线或基准体系。此时Ⓛ适用于这两个被测要素。

2）圆柱壁的一侧导出要素的位置要求可将另一侧的导出要素参照作为基准。此时被测要素的公差及基准后面应有Ⓛ。只有当两侧的要素均为尺寸要素时，才可这样应用。

表 4-28 充分控制壁厚成对使用 LMR 的示例

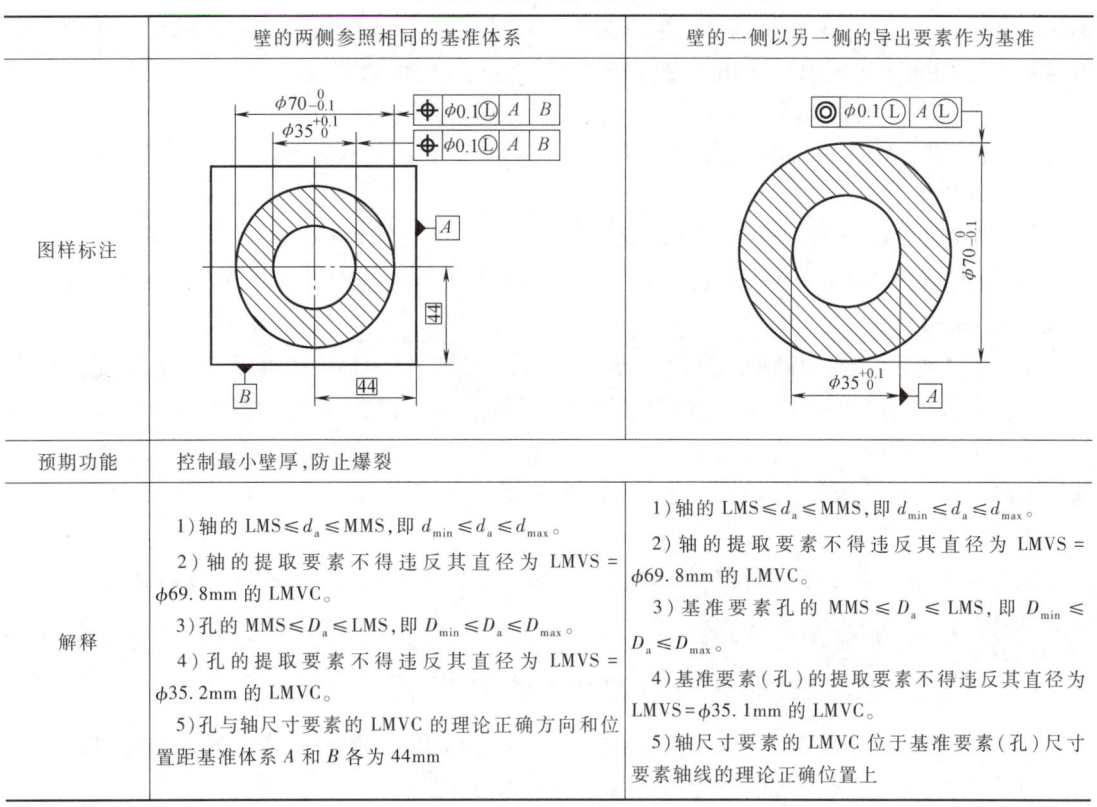

	壁的两侧参照相同的基准体系	壁的一侧以另一侧的导出要素作为基准
图样标注		
预期功能	控制最小壁厚，防止爆裂	
解释	1) 轴的 LMS $\leq d_a \leq$ MMS，即 $d_{min} \leq d_a \leq d_{max}$。 2) 轴的提取要素不得违反其直径为 LMVS = ϕ69.8mm 的 LMVC。 3) 孔的 MMS $\leq D_a \leq$ LMS，即 $D_{min} \leq D_a \leq D_{max}$。 4) 孔的提取要素不得违反其直径为 LMVS = ϕ35.2mm 的 LMVC。 5) 孔与轴尺寸要素的 LMVC 的理论正确方向和位置距基准体系 A 和 B 各为 44mm	1) 轴的 LMS $\leq d_a \leq$ MMS，即 $d_{min} \leq d_a \leq d_{max}$。 2) 轴的提取要素不得违反其直径为 LMVS = ϕ69.8mm 的 LMVC。 3) 基准要素孔的 MMS $\leq D_a \leq$ LMS，即 $D_{min} \leq D_a \leq D_{max}$。 4) 基准要素（孔）的提取要素不得违反其直径为 LMVS = ϕ35.1mm 的 LMVC。 5) 轴尺寸要素的 LMVC 位于基准要素（孔）尺寸要素轴线的理论正确位置上

对（尺寸要素的）面要素规定了以下规则。

1) 被测要素的提取局部尺寸要求。对于外尺寸要素（轴），等于或大于最小实体尺寸（LMS）。对于内尺寸要素（孔），等于或小于最小实体尺寸（LMS）。但可逆要求（RPR）可以改变此规则。

2) 被测要素的提取局部尺寸要求。对于外尺寸要素（轴），等于或小于最大实体尺寸（MMS）。对于内尺寸要素（孔），等于或大于最大实体尺寸（MMS）。

3) 被测要素的提取组成要素不得违反其最小实体实效状态（LMVC）。使用包容要求Ⓔ通常会导致对要素功能（最小壁厚）的过多约束。使用这种约束和尺寸定义会影响最小实体要求（LMR）在技术上和经济上发挥作用。

4) 当几何规范是相对于（第一）基准或基准体系的方向或位置要求时，被测要素的最小实体实效状态（LMVC）应相对于基准或基准体系（根据 GB/T 1182—2018）处于理论正确方向或位置。另外，当几个被测要素用同一公差标注时（除了相对于基准可能的约束以外），最小实体实效状态（LMVC）相互之间应处于理论正确方向和位置。

当几个被测要素用同一公差标注时，Ⓛ加 CZ 和Ⓛ意义相同。如分别规定要求，则用Ⓛ加 SZ 表示。

2. 应用于关联基准要素

仅当基准取自于尺寸要素时，方可在图样上基准字母之后标注Ⓛ。

应用于公共基准的面要素集合的所有元素时，应在括号内标注出用于标识公共基准的字母的相应顺序,并且缺省约束最大实体实效状态(MMVC)相互之间的位置和方向(见 ISO 5459:2011)。当应用于公共基准的要素集的面要素时,不可在括号内标注出用于标识公共基准的字母的顺序,要求仅适用于修饰符之前的字母所标识的要素。

对(尺寸要素的)面要素规定了有三条相互独立的要求。

1)不违反 LMVC 表面的要求。基准要素的提取组成要素不得违反关联基准要素的最小实体实效状态(LMVC)。

2)当关联基准要素没有几何规范或只有公差值后面无Ⓛ时的 LMS 要求,或者没有标注符合要求的几何规范时,见表 4-28。基准要素的最小实体实效状态(LMVC)尺寸为最小实体尺寸(LMS)。

3)几何规范公差值后面有Ⓛ且其公差框格的基准部分(第三或其子部分)满足:当形状规范关联基准为第一基准并标有Ⓛ;方向、位置规范基准或基准体系所包含的基准及其顺序和公差框格中前一个关联基准完全一致并标有Ⓛ时,关联基准要素的最小实体实效状态(LMVC)的尺寸为最小实体尺寸(LMS)(对于外尺寸要素)减去或(对于内尺寸要素)加上几何公差。

此时,基准要素方格应和控制基准要素的最小实体实效状态(LMVC)的几何公差框格直接相连。

4.7.6 可逆要求(Reciprocity Requirement,RPR)

最大实体要求(MMR)或最小实体要求(LMR)的附加要求,表示尺寸公差可以在实际几何误差小于几何公差之间的差值内相应地增大。

可逆要求仅用于被测要素。可逆要求(RPR)是最大实体要求(MMR)或最小实体要求(LMR)的附加要求,在图样上用符号Ⓡ标注在Ⓜ或Ⓛ之后。

在最大实体要求(MMR)或最小实体要求(LMR)附加可逆要求(RPR)后,改变了尺寸要素的尺寸公差。采用可逆要求(RPR)可以充分利用最大实体实效状态(MMVC)和最小实体实效状态(LMVC)的尺寸。在制造可能性的基础上,可逆要求(RPR)允许尺寸和几何公差之间相互补偿,见表 4-29。

可逆要求所表达的工件功能和标注"0Ⓜ"相同。

1. 最大实体要求和可逆要求

当几何偏差未充分利用到最大实体实效状态(MMVC)时,可逆要求(RPR)允许增加尺寸公差。与(尺寸要素的)面要素的最大实体要求的不同就是,对于外尺寸要素(轴)和内尺寸要素(孔)不再受最大实体尺寸(MMS)约束,而是扩展到 MMVC。与其他公差原则和要求相比,允许孔更小,轴更大。

相当于将外尺寸要素(轴)的尺寸要求从 LMS≤d_a≤MMS(即 d_{min}≤d_a≤d_{max}),扩展到 LMS≤d_a≤MMVS(即 d_{min}≤d_a≤d_{max}+δ)。内尺寸要素(孔)的尺寸要求从 MMS≤D_a≤LMS(即 D_{min}≤D_a≤D_{max}),扩展到 MMVS≤D_a≤LMS(即 D_{min}-δ≤D_a≤D_{max})。

2. 最小实体要求和可逆要求

当几何偏差未充分利用到最小实体实效状态(LMVC)时,可逆要求(RPR)允许增加尺寸公差。与(尺寸要素的)面要素的最小实体要求的不同就是,对于外尺寸要素(轴)和内尺寸要素(孔)不再受最小实体尺寸(LMS)约束,而是扩展到 LMVC。与其他公差原则和要求相比,允许孔更大、轴更小。

相当于将外尺寸要素(轴)的尺寸要求从 $LMS \leq d_a \leq MMS$(即 $d_{min} \leq d_a \leq d_{max}$),扩展到 $LMVS \leq d_a \leq MMS$(即 $d_{min} - \delta \leq d_a \leq d_{max}$)。内尺寸要素(孔)的尺寸要求从 $MMS \leq D_a \leq LMS$(即 $D_{min} \leq D_a \leq D_{max}$),扩展到 $MMS \leq D_a \leq LMVS$(即 $D_{min} \leq D_a \leq D_{max} + \delta$)。

表 4-29 具有尺寸要求和同轴度要求的 MMR/LMR 和 RPR 的示例

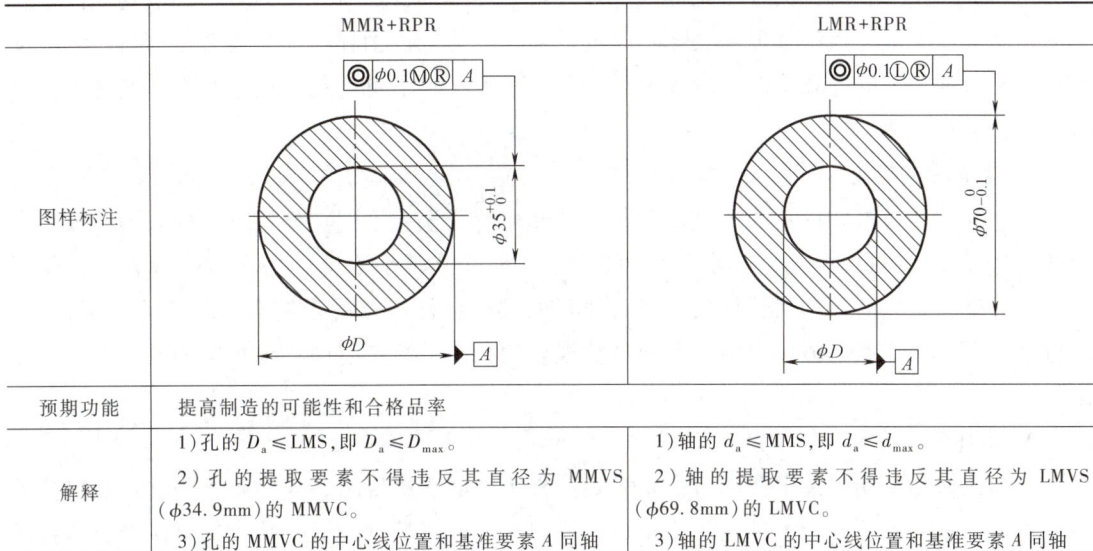

	MMR+RPR	LMR+RPR
图样标注	⌀35$^{+0.1}_{0}$,⌀D,◎ ⌀0.1 Ⓜ Ⓡ A	⌀70$^{0}_{-0.1}$,⌀D,◎ ⌀0.1 Ⓛ Ⓡ A
预期功能	提高制造的可能性和合格品率	
解释	1)孔的 $D_a \leq LMS$,即 $D_a \leq D_{max}$。 2)孔的提取要素不得违反其直径为 MMVS(⌀34.9mm)的 MMVC。 3)孔的 MMVC 的中心线位置和基准要素 A 同轴	1)轴的 $d_a \leq MMS$,即 $d_a \leq d_{max}$。 2)轴的提取要素不得违反其直径为 LMVS(⌀69.8mm)的 LMVC。 3)轴的 LMVC 的中心线位置和基准要素 A 同轴

4.8 零件几何精度综合设计

几何精度设计主要是根据零件的功能需求、结构特征、检测条件、装配要求、制造成本、制造条件和生产率要求以及车间制造条件,选择需要重点控制的被测对象,选择基准、几何公差规范、几何精度和几何公差原则或要求,确定几何公差值,并按标准规定进行图样标注,如图 4-39 所示。

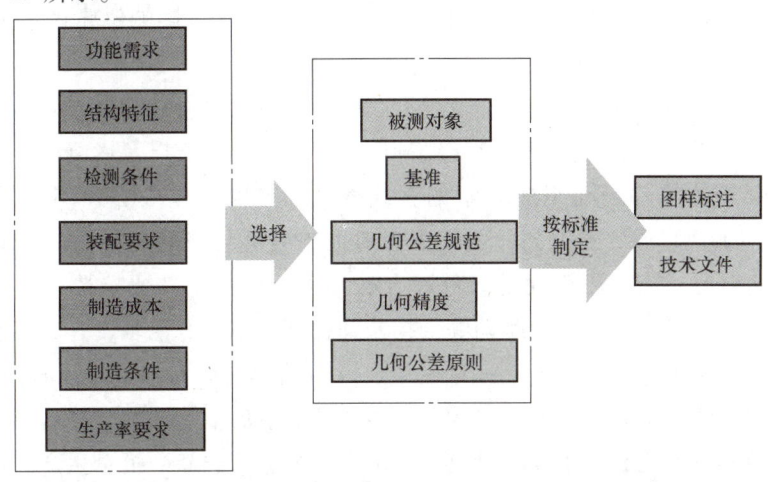

图 4-39 零件几何精度综合设计

正确合理地设计零件的几何精度，对于在企业现有加工装配工艺水平下，最大限度地保证机械产品功能的前提下，提高合格品率、降低制造检测复杂度、提升经济效益都有着十分重要的意义。

4.8.1 几何公差的选择依据

图样上不是所有的几何要素都需要标注几何公差规范，如对于大多数不影响功能的项目无需标注，应充分发挥综合控制公差项目的功能，尽量减少图样上的几何公差，所以需要从几何要素特征、功能需求、测量要求和合同要求出发，经济可行地从以下几个方面考虑选择特征项目进行标注。

1. 几何要素特征

零件的几何要素特征不同，其需要控制的几何特征误差不同。如箱体零件表面组成要素的几何特征误差的控制不会涉及圆度、圆柱度，但会涉及平面度、平行度、垂直度、位置度、对称度和直线度等。回转体表面组成要素的几何特征误差的控制会涉及圆度、圆柱度、圆跳动和全跳动。回转体导出要素几何特征误差的控制会涉及与中心线相关的同轴度、位置度等。

2. 功能需求

控制几何特征误差最主要的目的是满足零件不同的功能要求，功能要求是选择几何公差特征项目的出发点。如为了满足机床工作台或刀架的运行精度，就必须控制机床导轨的直线度、平面度；为了满足滚珠轴承的工作性能和使用寿命，就必须控制轴颈及外壳孔的圆柱度误差和轴肩端面的轴向圆跳动误差；为了满足法兰零件上成组孔能顺利装配，应规定孔组的位置度公差等。

3. 测量要求

几何公差规定了之后是必须要测量的，所以在确定要控制的几何特征误差特征项目时，必须要考虑到测量的可行性、准确性、经济性和便捷性，实际企业是否具有相应的测量设备、人员和条件，测量是否符合设计意图，测量的方法是否与生产批量相适应，测量是否很方便地开展，测量和评定是否能依据标准执行等，这些都直接影响测量的有效性和生产效益，否则几何公差的规定就失去了意义。

几何公差规定必须可行，如目前企业没有三坐标测量仪等专用设备，就尽量不要使用轮廓度去控制表面组成要素。几何公差规定必须明确，不能有歧义以免影响测量的准确性和有效性，如在控制箱体零件表面组成要素的直线度时，几何公差中必须明确采用要素框格（相交平面），明确规定测量的方向，便于准确地控制测量与基准的方向。当对同一要素有多个几何公差规定时，应选用简便易行的综合检测项目代替条件要求严苛、测量繁琐的项目，如对轴类零件一般可用径向全跳动综合控制圆柱度、圆度、同轴度、轴线直线度等，用端面全跳动综合控制端面的平面度、垂直度等，因为跳动误差的测量远比直线度、圆柱度、圆度、同轴度误差的测量方便高效，在满足功能要求的前提下能同时检测到多个几何误差的状况，实现简便高效的测量。生产批量直接影响几何公差的选择，批量生产和单件生产的测量方法是不同的，采用百分表、量规还是三坐标测量仪对同一种轴类零件的测量精度和效率显然不同，此时需要根据批量选择控制的是直线度、圆柱度还是跳动误差。

4. 制造工艺

几何公差规定之后必须要能加工得出来，所以在确定要控制的几何特征误差特征项目时，必须要考虑到加工装配的可行性、经济性，尽量降低难度，提高合格品率，考虑实际企业是否具有相应的加工设备和制造工艺，首先是现有设备加工装配能达到的最经济的精度等级，然后是批量生产中精度的工艺保障，加工中心和流水线等能稳定地保证大批量几何精度的控制，而普通机床在大批量生产中就不宜采用过高的精度。

例如，加工口罩熔喷布的熔喷头结构如图 4-40，为了能将黏流态的高聚物溶液，通过微孔喷出转变成有特定截面形状的细流，经过凝固介质（如空气）固化而形成丝条。熔喷头几何精度要求很高，喷丝微孔 ϕD_2 尺寸仅为 $\phi 0.1 \sim \phi 0.3 \text{mm}$，表面粗糙度要求达到镀铬镜面，且必须保证悬深很大的从导孔 ϕD_1 到喷丝微孔 ϕD_2 的同轴度，一次性加工难度很大，导致成品率低，加工周期很长。一般可采取三种方案进行加工：①中心钻孔加工法，孔太小，刀具寿命不稳定。一旦断刀，钻头无法取出会引起整块熔喷头的报废。②数控电火花成形加工法，紫铜电极的制作容易产生毛刺、发生形变。③激光加工法，设备很昂贵。由于快速生产的迫切需要，现在大部分工艺已改为两面数控机床加工，从背面加工微孔，当然这样就会产生同轴度、毛刺等问题。

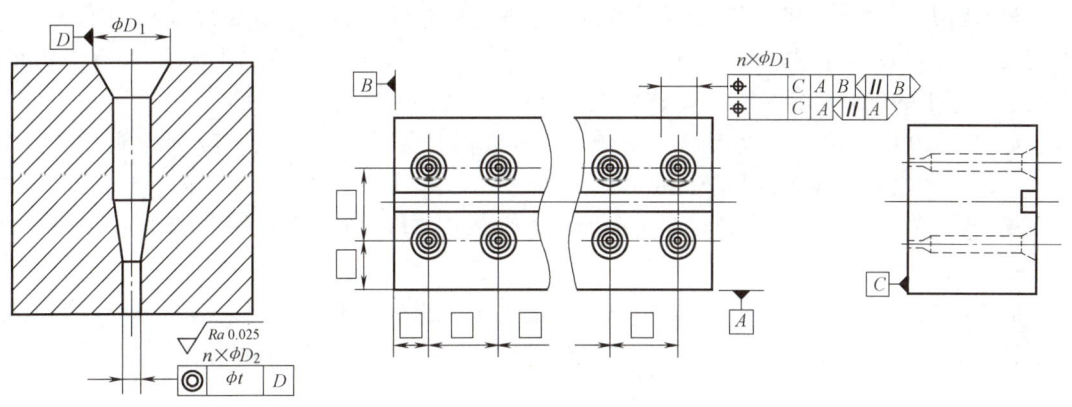

图 4-40 熔喷头的几何公差

4.8.2 基准的选择

零件在其全生命周期内常会涉及设计基准、装夹基准、加工基准、装配基准和检验基准等多种基准，如图 4-41 所示。因此设计阶段的基准选择和标注要尽量根据零件的功能和设计要求，并兼顾基准统一原则和零件结构特征等几方面来考虑。按照基准先行原则安排机械加工工艺顺序。

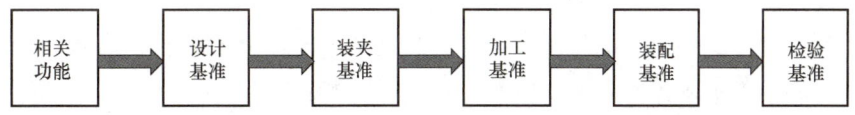

图 4-41 零件全生命周期中的基准

1)基准统一原则。即所有的基准,如设计基准、装夹基准、加工基准、装配基准和检验基准是顺序相同的同一组要素,减少因基准不重合和转换而产生的误差,简化工夹量具的设计、制造和检测过程。如图4-42所示,如果事先不确定安装基准 C 和 B 的顺序,会导致安装失败。

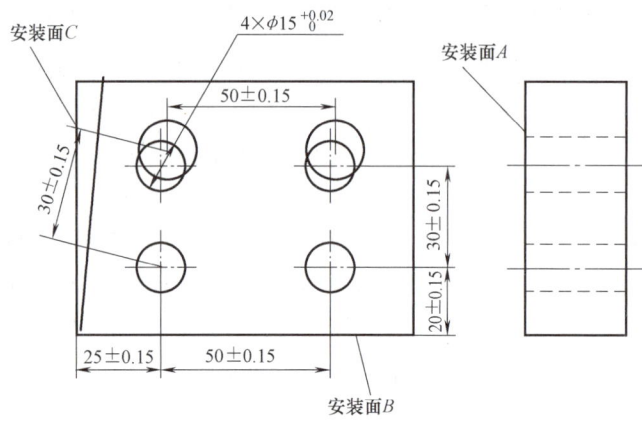

图 4-42　基准统一

2)选取基准的顺序要考虑加工装夹的方便性和可行性。一般阶梯轴类零件应选取公共轴线作为基准,这样方便加工时装夹定位,且保证基准的一致性。

3)选用三基面体系时,应选择对被测要素的功能要求影响最大或定位最稳的平面(可以定位三点)作为第一基准;影响次之或窄而长的表面(可以定位二点)作为第二基准;影响小或短小的表面(定位一点)作为第三基准,如图4-8所示。

4)任选基准只适合于表面形状完全对称,装配时无论正反、上下颠倒均能互换的零件。任选基准比指定基准要求严,故不经济。

5)平行度、垂直度、同轴度、对称度的未注公差值应取较长要素作为基准,如两要素长度相等则可选任一要素作为基准。

6)对于圆跳动的未注公差值,应以设计或工艺给出的支承面作为基准,否则应取两要素中较长的一个作为基准;若两要素的长度相等则可选任一要素作为基准。

4.8.3　几何公差精度的选择

几何公差等级(或公差值)的选择确定要根据零件的功能要求,并考虑制造的经济性、工艺水平和零件的结构、刚度等情况,在保证满足要素功能要求的条件下,为满足经济生产的需要,应该按照 GB/T 1184—1996 中规定的各类公差值,选用尽可能低的精度对应的尽可能大的公差值。

一般几何公差的常用公差等级为 6~9 级。直线度、平面度(9 级相当于未注公差等级中的 H 级)、圆度、圆柱度、平行度、垂直度和倾斜度基本级为 6 级。同轴度、对称度、圆跳动和全跳动基本级为 7 级。

另外,对于尺寸要素的多个几何公差以及与其他要素的公差关系,形状、方向、位置、尺寸公差间的大小关系应相互协调,还需考虑下列情况。

1. 多种几何公差特征项目的公差值关系要合理

采用多层公差标注时,形状公差小于方向公差、方向公差小于位置公差、位置公差小于尺寸公差。综合公差大于单项公差。几何公差按数值从大到小的顺序叠放。

这是因为对于同一要素的跳动公差和位置公差综合控制了形状误差和方向误差，而方向误差同样也控制了形状误差，因此当所规定的形状公差不小于方向公差、形状公差和方向公差不小于跳动公差和位置公差时，此时再去设定它们的公差规范就毫无意义了，反而还增添了图样和检测的复杂度，是非常不经济的做法。

因此，确定几何公差值一定要弄清楚每种几何特征公差项目会综合控制哪些其他的项目，如轴类零件圆柱度公差包含了对圆度公差的约定，箱体零件平行度公差包含了对直线度、平面度的约定，法兰孔组的位置度公差包含了直线度、垂直度等的约定，只有在被包含的公差特征项目有更高的公差要求时才需标定，如国家标准规定给出的形状公差值应小于位置公差值，如要求平行的两个表面，其平面度公差值应小于平行度公差值。

2. 几何公差与尺寸公差、表面粗糙度的关系要合理

一般情况下同一要素的表面粗糙度应小于几何公差，几何公差应小于尺寸公差。

尺寸公差精度越高，几何公差占尺寸公差比例越小。当要素的尺寸公差确定后，通常情况下，为有利于制造且确保质量，几何公差值取尺寸公差值的50%左右，表面粗糙度 Ra 取尺寸公差值的2.5%左右，但对于精度要求较高的仪表行业产品设计几何公差可取尺寸公差值的20%左右，表面粗糙度 Ra 取尺寸公差值的1%左右，而精度要求不高的重型行业产品几何公差则取尺寸公差值的70%左右，表面粗糙度 Ra 取尺寸公差值的5%左右。

圆柱形零件的形状公差值（轴线的直线度除外，如圆柱度、圆度）一般情况下应小于其尺寸公差值；如对 $\phi 28k6$ 的轴颈，可选择圆柱度公差为6级，这样可保证圆柱度公差值在尺寸公差值的50%以下。平行度公差值应小于其相应的距离公差值。

3. 公差等级与工艺关系要合理

对于工艺要求较高的特殊零件，考虑到加工的难易程度和除主参数外其他参数的影响，应在满足零件功能的要求下，适当降低1~2级选用，尤其对于下列情况。

1）孔相对于轴。
2）比较大的细长的轴或孔。
3）距离较大的轴或孔。
4）宽度较大（一般大于1/2长度）的零件表面。
5）线对线和线对面相对于面对面的平行度。
6）线对线和线对面相对于面对面的垂直度。

4.8.4 几何公差原则和要求的选用

几何公差的要求本来就是为了提高制造质量和生产效益而提出的，所以应根据被测要素的功能要求，充分发挥其优势作用来选择公差要求。

1. 独立原则（IP）适用场合

1）尺寸公差与几何公差精度要求相差较大，如机床导轨的尺寸要求不高，但是对其直线度要求非常高；印刷滚筒的直径尺寸要求不高，可以通过调整满足功能，但是其圆柱度直接影响印刷的均匀性，此时需要分别标注。

2）大多数尺寸公差与几何公差无关，仅为满足功能需要标注，如测量平板的尺寸无公差要求，但其平面度要求非常高，是保证测量是否准确的基础，功能与其尺寸无关，此时仅需标注几何公差。

3）尺寸公差与几何公差精度要求都高且需分别满足时，如轴承的尺寸公差和圆柱度、跳动的公差直接决定其运动精度和使用寿命。

2. 包容要求（ER）主要用于要严格保证配合性质的场合

由于其实际尺寸公差带不发生变化，所以相互配合的轴、孔使用包容要求时，配合特性不会被改变，即配合性质和极限配合参数（间隙或过盈）依然不变。如为了保证液体摩擦状态、滑动轴承与轴的场合、车床尾座孔与尾座套筒的配合及配合性质要求较高的场合均采用 ER。

3. 最大实体要求（MMR）主要用于要提高可装配性的场合

MMR 用于导出要素，实际的几何误差会改变实际的尺寸公差带的大小，导致配合特性发生变化，所以，一般用于在对配合性质要求不高的前提下要提高可装配性的场合。如减速器输入轴和输出轴的两轴端盖的螺栓孔部位，这些孔轴线的位置度公差可应用 MMR。

4. 最小实体要求（LMR）适用场合

主要成对用于导出要素，或用于保证薄壁零件最小壁厚和最低强度，防止其承受内压而爆裂的场合。如气罐、减速器箱盖吊耳孔轴线对箱盖内壁面的位置度以及很多航空件等可用 LMR。

5. 可逆要求（RPR）适用场合

必须与最大实体要求（MMR）或最小实体要求（LMR）联用，由于采用几何公差扩大了被测要素实际尺寸公差，虽然充分利用了公差带，但实际的尺寸误差和几何误差会改变实际的尺寸合格性和使配合特性发生变化。一般在不影响使用性能的前提下，可以选用来提高合格品率。如阶梯轴的加工可采用 MMR 和 RPR 提高装配成功率和合格品率。

4.8.5　综合设计案例

几何精度设计传统的方法主要有：类比法、计算法和试验法三种。现在更先进的是采用数字建模技术，借助是 CAD、CAM、CAPP 等技术，在装配专家知识库的指导下，进行尺寸公差和几何公差的并行设计。通过建立装配模型和加工规划模型来表达装配设计中的配合特征、零件特征、装配几何公差关系、装配尺寸关系以及装配基准体系等，然后借助蒙特卡洛公差分析软件确定公差数值。

例 4-1： 某轴类零件测量结果如图 4-43d 所示，d_{ai}（$i=1,2,3,4$）为该零件所测得的两点间局部直径尺寸，f 为其直线度误差，分别采用如图 4-43a、b、c 中的不同原则和要求（思考：如果零件改为孔，如何解答？比较孔、轴的异同）。

（1）比较它们对直线度误差控制的不同之处。

（2）对该零件进行合格性判断。

（3）为提高企业效益请给出合理建议。

解：

（1）这三种原则最大的不同就在于对实际的尺寸误差的控制程度是不同的，具体见表 4-30。

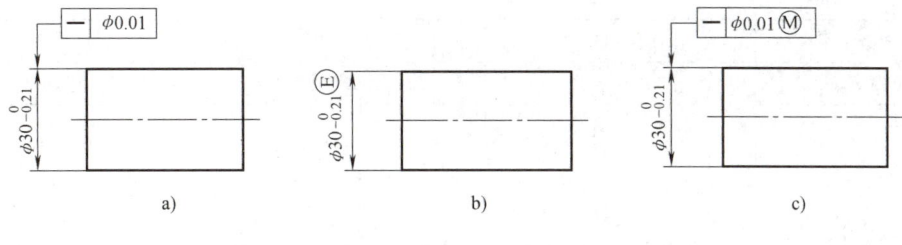

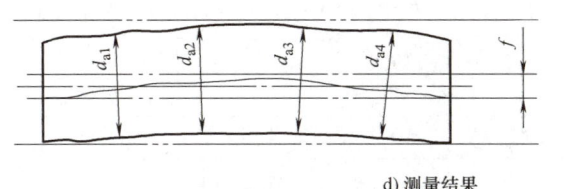

$d_{a1}=\phi 29.79\text{mm}$
$d_{a2}=\phi 29.80\text{mm}$
$d_{a3}=\phi 29.90\text{mm}$
$d_{a4}=\phi 29.99\text{mm}$
$f=\phi 0.02\text{mm}$

d) 测量结果

图 4-43 某轴类零件在不同原则和要求下的合格性判断

表 4-30 不同原则下直线度误差最大允许值

实际尺寸/mm	直线度误差最大允许值/mm		
	IP	ER	MMR
d_{ai}	δ	$\text{MMS}-d_{ai}=d_{\max}-d_{ai}$	$\delta+(\text{MMS}-d_{ai})=\delta+(d_{\max}-d_{ni})$
$d_{a1}=\phi 29.79$	$\phi 0.01$	$\phi 0.21$	$\phi 0.22$
$d_{a2}=\phi 29.80$	$\phi 0.01$	$\phi 0.20$	$\phi 0.21$
$d_{a3}=\phi 29.90$	$\phi 0.01$	$\phi 0.10$	$\phi 0.11$
$d_{a4}=\phi 29.99$	$\phi 0.01$	$\phi 0.01$	$\phi 0.02$

（2）对于零件合格性判断，首先，应判断几何规范及其所用的原则或要求。然后，根据各自规范计算所需参数。进而比较是否在规定的公差范围内，尺寸规范和几何公差规范是否满足需分别判断，即局部尺寸必须遵循的范围和提取要素不得违反的状态。最后，只有当两个规范同时满足时，该零件才合格。具体过程见表 4-31。

可以看出 IP、ER 和 MMR 对局部尺寸的合格性要求相同，但是对几何误差即直线度误差的控制不同，IP 允许最大的直线度公差一直不变，为给定的 $\delta=\phi 0.01\text{mm}$，而 ER 和 MMR 允许的最大直线度公差 δ_i 则是一直随着 d_{ai} 变化的；决定提取组成要素是否违反 MMV 或 MMSV 的是该轴在最大实际尺寸时的状态，此时允许的最大直线度公差 δ_i 最小。实际测量时将用通用量具测量局部尺寸 d_{ai}，用光滑极限量规或功能量规来模拟 MMV 或 MMSV，通过零件能否通过来判断是否违反了 MMV 或 MMSV，这样就无需计算每个 δ_i，测量效率较高，适合批量生产。

表 4-31 某轴类零件在不同原则和要求下的合格性判断　　（单位：mm）

图号		图 4-43a	图 4-43b	图 4-43c
原则或要求		IP	ER	MMR
参数计算		$d_{\min}=\phi30-0.21=\phi29.79$ $d_{\max}=\phi30-0=\phi30.00$	$d_{\min}=\phi30-0.21=\phi29.79$ $d_{\max}=\phi30-0=\phi30.00$ $LMS=d_{\min}=\phi29.79$ $MMS=d_{\max}=\phi30.00$	$d_{\min}=\phi30-0.21=\phi29.79$ $d_{\max}=\phi30-0=\phi30.00$ $LMS=d_{\min}=\phi29.79$ $MMS=d_{\max}=\phi30.00$ $MMVS=MMS+\delta=\phi30.00+\phi0.01=\phi30.01$
合格性判断	局部尺寸 合格性判据	$d_{\min}\leq d_{ai}\leq d_{\max}$	$LMS\leq d_{ai}\leq MMS$, 即 $d_{\min}\leq d_{ai}\leq d_{\max}$	$LMS\leq d_{ai}\leq MMS$, 即 $d_{\min}\leq d_{ai}\leq d_{\max}$
	过程	$d_{\min}\leq d_{ai}\leq d_{\max}$	$d_{\min}\leq d_{ai}\leq d_{\max}$	$d_{\min}\leq d_{ai}\leq d_{\max}$
	结论	尺寸合格	尺寸合格	尺寸合格
	所有提取组成要素 合格性判据	$f\leq\delta$	不得违反 MMC, 即 $d_{ai}+f\leq MMS=d_{\max}$ (即允许直线度 $\delta_i=MMS-d_{ai}=d_{\max}-d_{ai}$)	不得违反 MMVC, 即 $d_{ai}+f\leq MMVS=d_{\max}+\delta$ (即允许直线度 $\delta_i=(MMS-d_{ai})+\delta=d_{\max}-d_{ai}+\delta$)
	过程	$f=0.02$mm $\delta=0.01$mm $f>\delta$	$\text{Max}(d_{ai})+f=d_{a4}+f=\phi29.99+\phi0.02=\phi30.01$ $d_{a4}+f>MMS$	$\text{Max}(d_{ai})+f=d_{a4}+f=\phi29.99+\phi0.02=\phi30.01$ $d_{a4}+f=MMVS$
	结论	几何特征不合格	几何特征不合格	几何特征合格
最终结论		不合格	不合格	合格

（3）从该例可以看出，ER 和 IP 的要求是比较严格的，而 MMR 可提高合格品率，更有利于提高生产效益。

例 4-2：图 4-44 所示为法兰上两组成组要素（孔）相互位置控制的标注示例，试说明其含义。

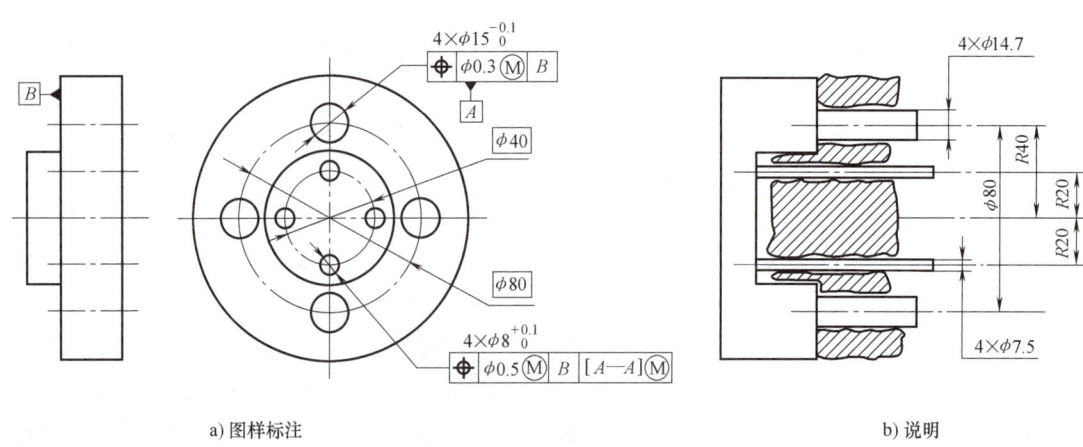

a) 图样标注　　　　　　　　　　　　　　　　　　b) 说明

图 4-44　成组要素 MMR 应用示例

解：

图中以一组要素（外圈大孔）为基准的成组要素（内圈小孔）中各个要素均有尺寸要求和对其轴线又均有位置度要求的 MMR 示例，它表示：

（1）对于被测尺寸要素（四个小孔） MMS $\leq D_a \leq$ LMS，即 $D_{\min} \leq D_a \leq D_{\max}$，LMS = $\phi 8.1$mm，MMS = $\phi 8.0$mm；它们的提取要素不得违反其直径为 MMVS = $\phi 7.5$mm 的 MMVC，MMVC 均应与基准 B 的理论正确方向和基准 A 的理论正确位置相一致。

（2）对于基准要素（大孔组要素） MMS $\leq D_a \leq$ LMS，即 $D_{\min} \leq D_a \leq D_{\max}$，LMS = $\phi 15.1$mm，MMS = $\phi 15.0$mm；它们的提取要素不得违反其直径为 MMVS = MMS − 0.3 = $\phi 14.7$mm 的 MMVC，MMVC 相对于基准 B 处于理论正确方向，即垂直于基准面 B，且相互之间处于理论正确位置，即均匀地分布在直径 $\phi 80$mm 的圆柱上。

4.9 三维数字产品定义中的几何精度综合标注

三维数字产品定义中的几何精度综合标注主要包括表达单个、一组或一部分特征的尺寸公差标注、几何公差标注和表面结构标注，可以按照 ISO 16792—2015（ASME-Y14.41 数字化产品定义标准）规定标注在三维图上。在三维 CAD 软件要素属性里能设置和查询到这些要求。重点要了解不同要素如何正确指向、标注平面以及标注线型和端点的规定，一般箭头指向要素边界，圆点指向组成要素边界内表面区域；实线和黑点用于可见要素，虚线和空心圆点用于三维显示中不可见部分的指示。

4.9.1 三维数字产品定义中的尺寸公差与 TED 标注

尺寸公差和 TED 应放置在平行于绝对坐标系或用户定义的模型坐标系的半面上，特殊情况可平行于所定义的几何平面，也可以是圆角、倒角等。可以放置在尺寸线或延长线上。对于球形尺寸、圆角、倒圆角的标注平面应包含中心点。圆柱尺寸标注平面应垂直或包含其轴线，当指引线直接指向圆柱交叉平面时，用箭头终止。平行平面间距要垂直或包含其中心平面。

4.9.2 三维数字产品定义中的基准标注

三维数字产品模型坐标系可与多个或一个基准系统相关联对应，如图 4-45a、b 所示。

所有基准要素必须放置在基准实体表面并以小三角终止，如图 4-45 中基准 A、B、C，也可以放在基准要素的尺寸线上或公差框格之下，如图 4-48b 中的基准 A。以平面组成要素为基准应垂直于平面组成要素；以球心为基准则指向其尺寸线，或放在其公差框格之下；以圆柱表面为基准以圆点终止于其表面；以圆柱轴线为基准则指向其尺寸线，或放在其公差框格之下；以平行平面中心平面为基准则指向其间距宽度尺寸线。但在轴测图中不能放在轮廓单根延长线上，因为会造成歧义。

局部特征的基准使用模型上的补充几何图形来指示区域，将指引线指向所表示的区域，如图 4-47a 所示的阴影部分为被测局部要素。

基准目标可以用阴影平面和圆或交叉线来表示，对于面应使用指引线以圆点终止，如图 4-45a 中基准目标 $C1$、$B1$、$B2$。对于线要素则以箭头终止。如可以通过圆柱内侧多点建立圆柱内表面轴线的基准目标，也可通过两个圆柱的外表某段横截区域或横截轮廓线建立公共轴线的基准目标。如图 4-45b 中基准目标 $A1$、$B1$。

当使用尺寸特征模式建立基准轴时，所涉及的模型特征及其任何公差都应组织为一个关联组，如图 4-49a 所示的 $H—H$、$F—F$。多个圆柱轴线组成的公共轴线等也可以使用一个关联组作为基准目标。多个具有相同公差要求的同类要素，如多个平面组成的公共平面，也可组成一个关联组作为基准目标。

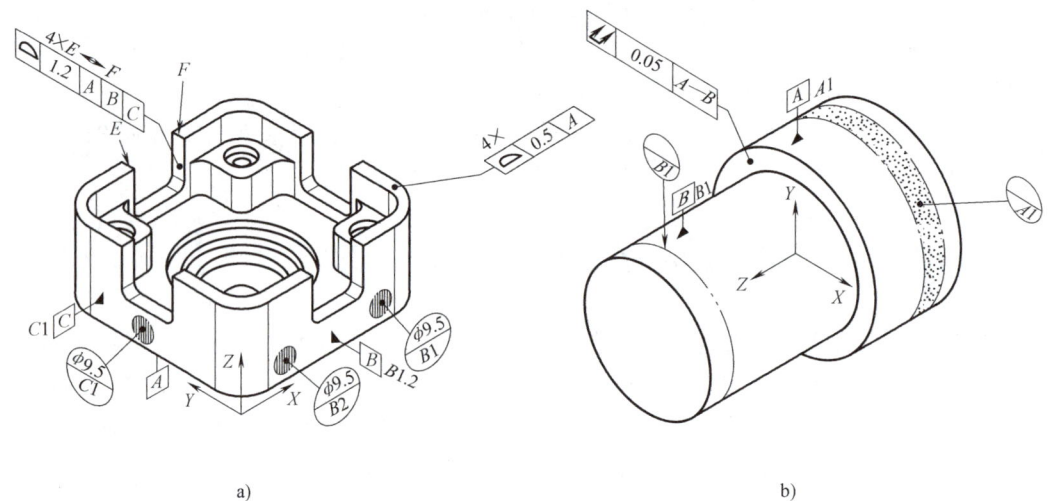

图 4-45 三维 CAD 模型的基准与基准目标的标注

4.9.3 三维数字产品定义中的几何公差标注

在一般应用下各类几何公差标注时对于附加技术要求（如尺寸公差及其定向指引线标注、尺寸线标注的规则）可以按照 ISO 16792—2015 的规定标注在三维图上，规则见表 4-32。

表 4-32 不同要素的三维几何公差附加标注基本规则

项目		被测要素	附加标注		
			尺寸	定向指引线	尺寸线
形状公差	平面度	平面、局部表面		√	
	圆度	球、圆柱、圆锥面、旋转表面		√	
	圆柱度	圆柱		√	
	直线度	平面、圆柱面、圆锥面		√	
		中心线	√Ⓐ		
方向公差	垂直度	平面、平面上素线		√	
		圆柱中心线		√	
				√Ⓐ	
		平行平面间的中心平面、中心线		√	
					√

（续）

项目		被测要素	附加标注		
			尺寸	定向指引线	尺寸线
方向公差	平行度	平面、平面上素线		√	
		圆柱中心线	√		
				√Ⓐ	
		平行平面间的中心平面、中心线	√		
					√
	倾斜度	平面、平面上素线、倾斜平面		√	
		圆柱中心线	√		
				√Ⓐ	
		平行平面间的中心平面、中心线	√		
					√
位置公差	位置度	单基准、延伸公差带	√Ⓟ		
				√ⒶⓅ	
		键槽,双向极坐标或直角坐标			√
		平面	√		
	同轴/心度	导出中心线	√		
				√Ⓐ	
	对称度	导出中心面	√		
					√
跳动公差	圆跳动	垂直于轴的端面、圆柱面、圆锥面、旋转面、相关同类		√	
		球面	√		
				√	
	全跳动	垂直于轴的端面、圆柱面、相关同类		√	
轮廓度	面轮廓度	平面、圆锥面、旋转面、多面、共面、局部区间面、全周表面		√	
	线轮廓度	表面素线			

被测要素公差要求应在视图中可视，几何公差框应放置在尺寸下面。

当被测要素为表面时，指引线应在表面边界内以圆点终止，如图 4-46a 所示，只有指向表示表面方向的辅助线上时以箭头结束，如图 4-46b 所示。当被测要素为线时，指引线应以箭头结束。指引线可以终止于尺寸特征的边。

方向相关的公差有三种标注方式：使用模型坐标系矢量定义、辅助线法和采用相交平面框格来表示，依次如图 4-46a、b、c 所示。国家标准中推荐采用相交平面框格来表示。

局部特征的公差使用模型上的补充几何图形来指示区域，将引线从公差框指向所表示的区域，如图 4-47a 所示的阴影部分为被测局部要素。

1. 形状公差

公差框应放置在一个注释平面上，该注释平面可平行于公差框、垂直于公差框或与公差框的表面重合。

1）使用模型上的补充几何图形来指示区域，显示适用于局部特征的公差框。将指引线

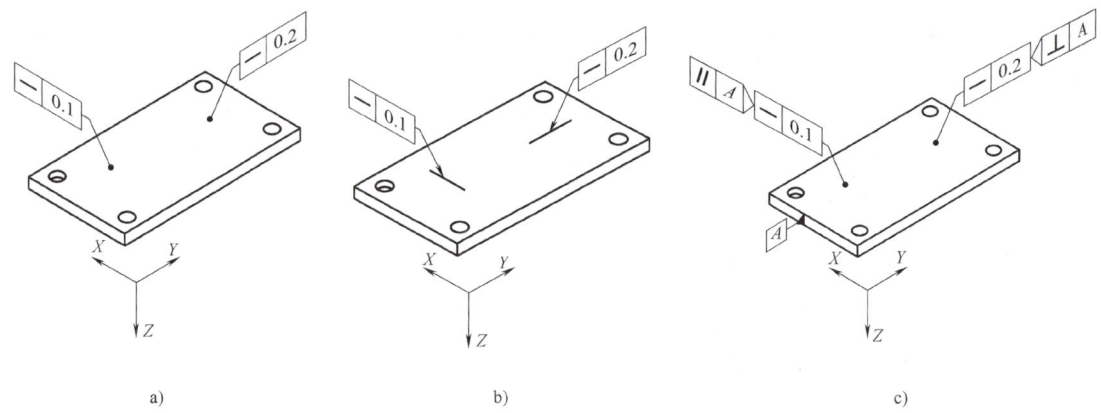

图 4-46 三维 CAD 模型的指引线及方向相关的公差的标注

从公差框指向所表示的区域,如图 4-47a 所示由 TED 定义的阴影部分为被测局部要素。

2)当圆度公差应用于球体、圆柱体、锥体或旋转表面时,公差框应放置在垂直于模型特征轴的注释平面上或包含球体的中心点。如图 4-47b 所示的公差框应放置在垂直于 Z 向轴的 XY 平面上。

3)当直线度公差应用于圆柱或圆锥形表面的素线时,公差框应放置在包含模型特征表面的轴的注释平面上,被测素线位于其轴向。如图 4-47c 所示的公差框应放置在包含 Z 轴的 XZ 或 YZ 平面上。

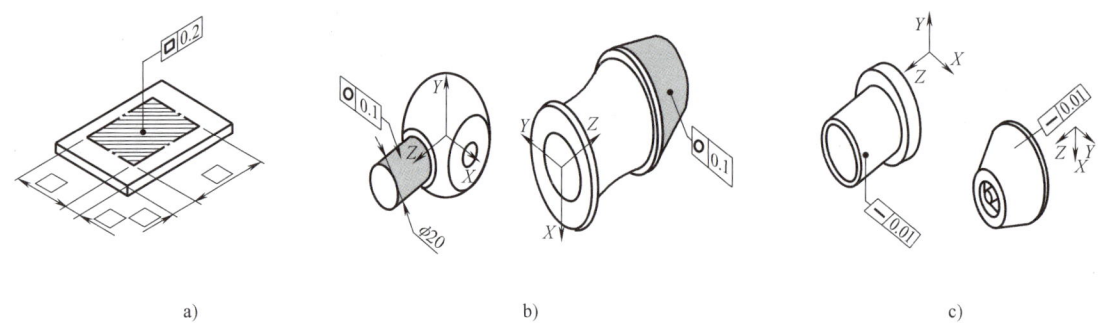

图 4-47 三维 CAD 模型的形状公差标注

2. 方向公差

应将公差框放置在与参考基准或主要基准平行或垂直的注释平面上。

1)当表面每个素线由纵坐标轴引导时,方向公差框应放置在与绝对坐标系或已建立的用户定义坐标系平行且垂直的注释平面上。如图 4-48a 所示的公差框及其相交平面框格放置在平行于平面 XZ 且垂直于 Y 轴的平面上。

2)当使用多个基准参考时,方向公差框应放置在包含表示被测素线方向的注释平面上。如图 4-48a 所示的公差框放在平面 XZ 上。

3)当确定圆柱体中心线的方向在一对平行平面的公差带内时,应将方向公差框附在直径尺寸和任何其他几何公差要求上。尺寸线的方向定义了公差带的方向。如图 4-48b 所示的方向公差放在小圆柱内孔直径公差带和位置度要求之下,指的是它的公差带在一对平行于平

面 YZ 的平面上，这对平行平面 X 方向间距为 0.07mm，并对称于小圆柱内孔中心轴线并平行于大圆柱内孔中心轴线。

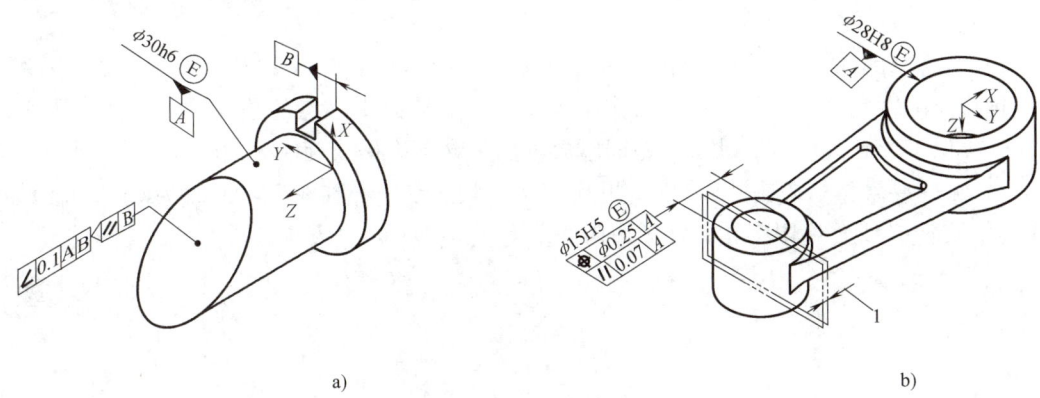

图 4-48 三维 CAD 模型的方向公差标注

3. 位置公差

位置公差框格放置在与参考基准或主要基准平行或垂直的注释平面上。

1) 当将位置特征模式单独定位到单个基准时，应将模型特征的每个单独模式和所需的单个基准作为一个相关组，建立代表每个单一基准的模型坐标系。如图 4-49a 所示对于 3 种孔需要建立各自的坐标系才能确定位置。

2) 当对极坐标和直角坐标进行双向位置公差标注时，规定双向要求的指示应放置在与特性尺寸规范相同的注释平面上。如图 4-49b 所示对于孔在 X 轴和 Y 轴方向各有位置度要求。

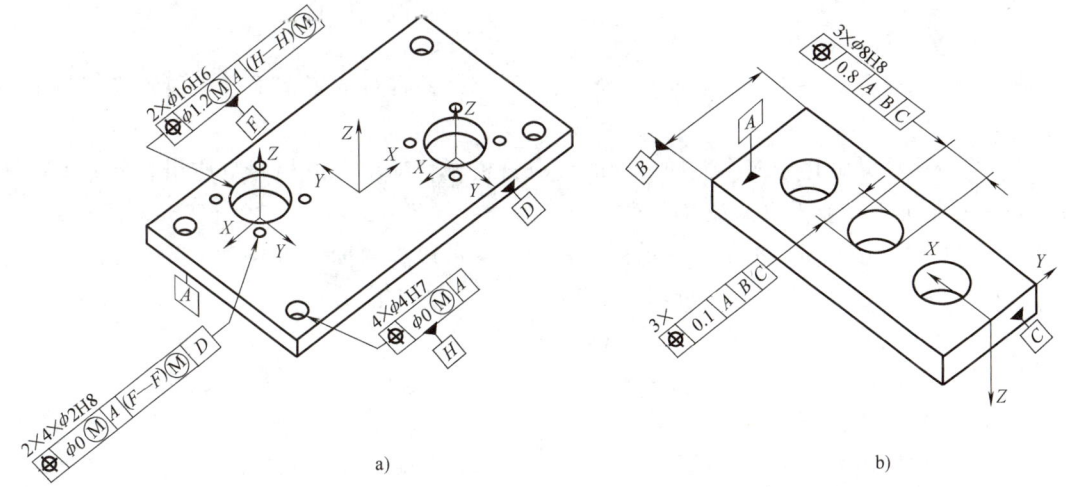

图 4-49 三维 CAD 模型的位置公差标注（图中 TED 略）

4. 跳动公差

1) 在指定跳动公差时，应避免使用多条指引线。当具有相同公差值和基准参考的相同跳动要求应用于多个特征时，可以使用以下方法之一：

①（推荐）为所有相同的受控曲面创建一个跳动公差框，并将其与所有适用的模型曲面相关联。一个说明公差适用的表面数量的注释可以包括在附加的标注中；如图 4-50a 所示

"3×"表达的就是阶梯轴三个直径不同的圆柱面的全跳动公差定义是一样的。

② 在一般注释中定义几何公差。

③ 在每个被测表面上分别创建并附加一个单独的跳动公差框。该方法会显得图上标注比较凌乱。

2)当将全跳动应用于球面或圆锥形表面或旋转体表面时,全跳动公差框应放置在垂直于圆锥形或旋转表面轴线的注释平面上,或位于包含球面中心点的注释平面上。如图4-50a所示,类似于形状公差。圆跳动公差框应放置在包含圆锥形或旋转表面轴线的注释平面上。

3)方向要素指示的应用如图4-50b所示。在相对于中心轴线70°的任一圆锥截面上提取(实际)要素(线)应限定在圆锥截面内间距等于0.22mm的两圆之间。

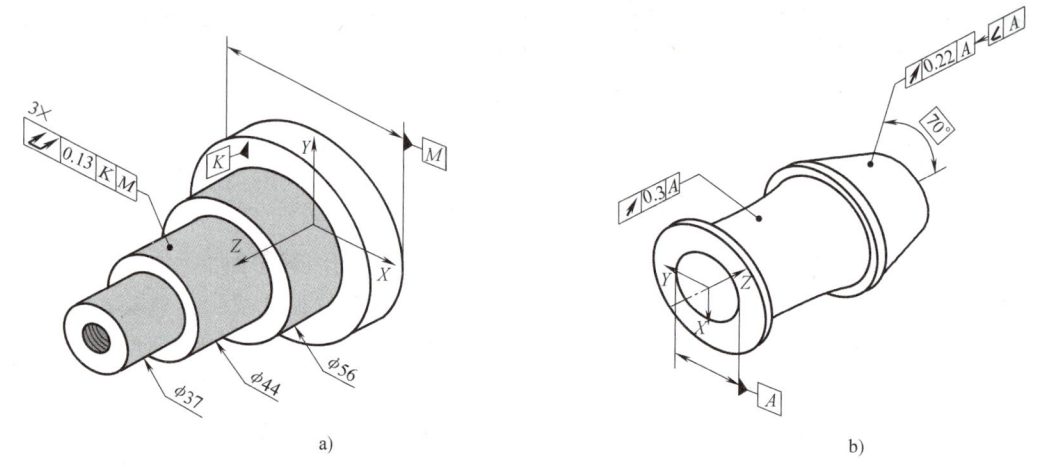

图4-50 三维CAD模型的跳动公差标注

5. 轮廓公差

1)当轮廓公差适用于圆锥表面或旋转表面时,公差框被放置在垂直或包含模型特征轴的注释平面上。

2)当轮廓公差适用于多个共同表面时,应将模型特征组合成相关组使用。公差框应放置在与参考基准平行或垂直的注释平面上。

3)当关联的几何图形不足以指示被测要素时,可以添加标记的补充几何图形以指示被测要素的边界。区间符号"↔"可用于阐明要求。

4)当使用全周符号"○"时,应识别受控表面。

5)当线轮廓由素线定向时,公差框应放置在注释平面上,该注释平面包含与绝对坐标系或已建立的用户定义坐标系平行或垂直的素线。

6)当线轮廓由纵坐标轴引导时,公差框应放置在与绝对坐标系或已建立的用户坐标系平行或垂直的注释平面上。

4.9.4 三维数字产品定义中的三维表面结构标注

1. 指引线

在三维模型中标注表面纹理符号的首选方法是使用指引线附着到参考线或附着到其他尺寸或公差标注。当单独使用指引线时,它指到表面的末端是圆点,与其他公差一起标注时则使用箭头如图 4-51 所示。

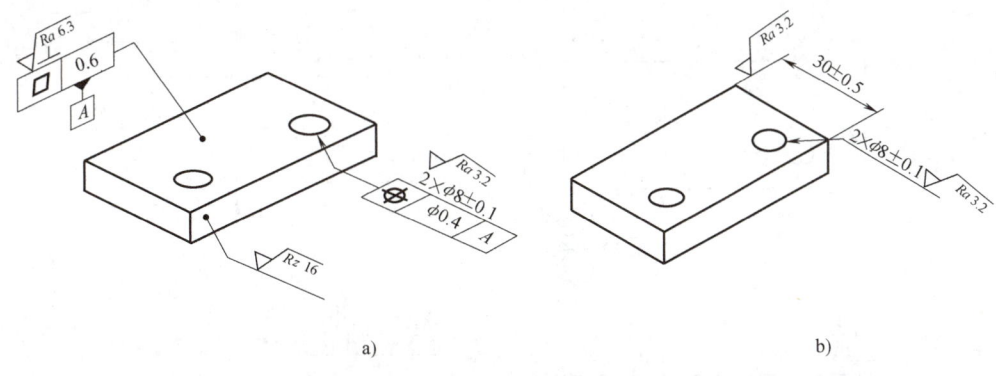

图 4-51 三维模型表面的结构标注

2. 位置

表面结构符号可以放在尺寸的上方、前方或后方，还可以放在尺寸线的延长线上，如图 4-51 所示。但标注时不建议按照国家标准或 ISO 1302 标准中的二维标注一样，把表面结构符号直接放在几何模型表面上或模型特征轮廓的单一延长线上。

表面结构符号应放置在一个注释平面上，该注释平面应平行于所注表面、垂直于所注表面或与适用表面之一重合。表面结构所适用的模型部分应为其符号的相关几何结构。

当表面结构与表面纹理方向有关时，如平行或垂直时，应明确指出方向，可以使用纹理方向或相交平面来表达。零件全周表面结构可选择使用全周符号，并将相交平面与表面结构符号一起使用，全方位指示纹理方向。

4.9.5 二维和三维数字产品定义中的公差综合标注及转换

随着智能制造对产品设计信息的共享需要和三维 CAD 设计的普及，越来越多的设计面临着三维 CAD 和面向三视图的传统的二维公差标注相互转换的问题。三维公差标注大部分规则与二维公差标注规则相同，如公差框格规范的内容等，但二者标注也有些显著区别。

例 4-3：将图 4-52 所示零件二维图中的公差标注要求转换为三维图下的公差标注。

解：

（1）几何公差标注指引线形式及方向 二维公差标注的指引线格式为带箭头的指引线，且指引线方向必须指向公差带方向。三维公差标注表面组成要素的指引线格式为：带圆点的指引线。当导出要素与尺寸合并标注时，格式为带箭头的指引线。

三维标注的指引线方向无规定，只需在标注平面指向标注对象即可。

（2）表达平面 二维标注的表达平面通常体现为"线"形式，即由于每个视图的方向固定，在特定角度下，实体上的面会表达为"线"。因此在进行二维图样公差尺寸标注时需要格外考虑视图方向，避免标注信息被误解。

三维标注是建立于实体模型上，与标注对象垂直或共面，但指引线无标注角度的顾虑，在提高标注效率的同时也能很好的避免标注信息被误解。

（3）基准标注 大多数的二维和三维基准标注相同，但仍有少数特殊情况不同。

1）特定角度导致基准面不可视。二维为切换视图标注，如图 4-52 所示右视图中无法标注基准面 C，需切换至正视图标注。三维为改变标注形式，可延伸基准线至可视处标注，也

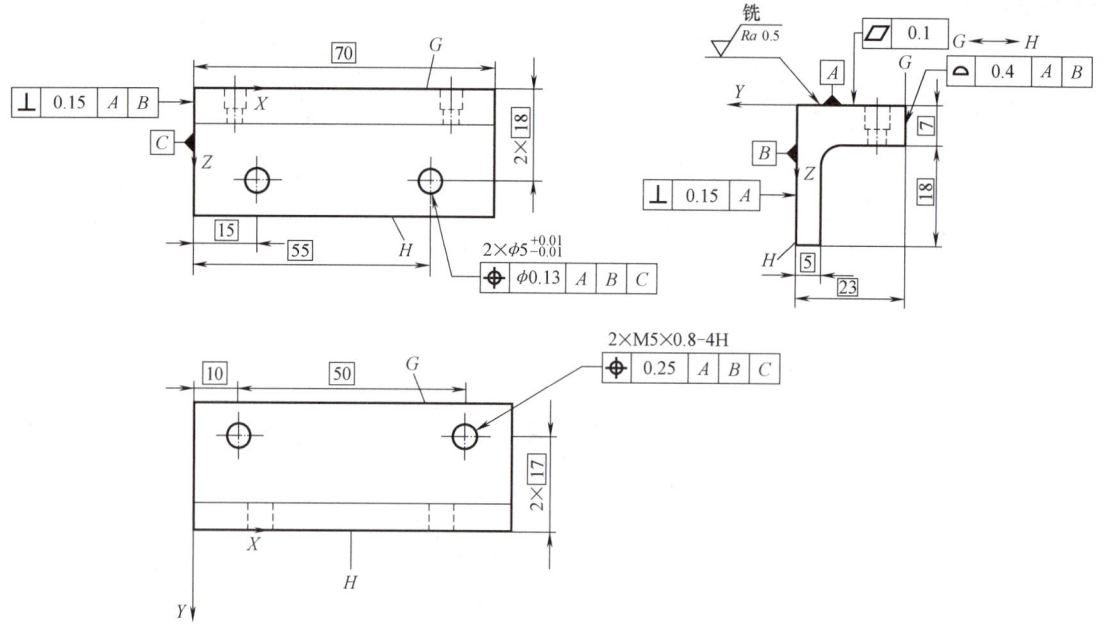

图 4-52 零件二维公差综合标注

可将基准置于接有空心圆的虚线指引线上。

2）圆柱基准轴线标注。二维为标注于尺寸线上或延长线上。三维由于模型具有空间性，为避免误解，必须标注于延长线上。

图 4-53 所示为按国家标准转换后的三维标注。

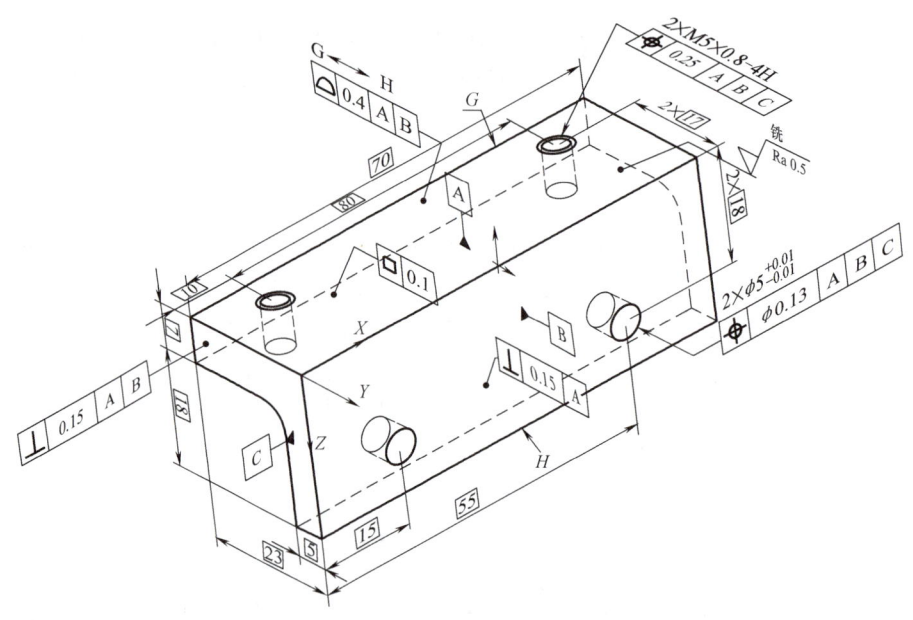

图 4-53 零件三维公差综合标注

习　题

1. 总结几何公差有哪些项目？画出对应的特征符号。
2. 公差原则分为几种？写出它们各自的适用范围和标注特点。
3. 比较基准、辅助平面和要素框格作用的异同点。
4. 说明四类常用的几何误差及其评定方法。
5. 从公差含义、公差带特征等方面来比较下列几何公差之间的异同点：
①平面度和平行度；②圆度与圆柱度；③圆度与径向圆跳动；④圆柱度与径向全跳动；⑤两平面的平行度与两平面的对称度；⑥端面轴向全跳动与端面对轴线的垂直度。
6. 已知几何公差带的形状如图 4-54 所示，请举例加以说明（画出零件图，标出几何公差）。

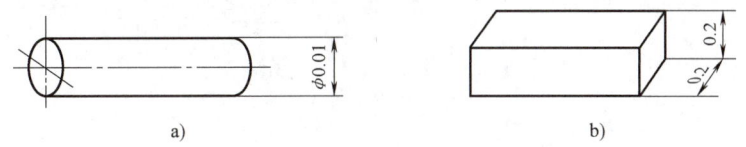

图 4-54　几何公差带的形状

7. 对零件同一被测要素有不同项目的几何公差要求时，其数值之间应遵循什么规定？改正图 4-55 所示的公差标注。
8. 孔的位置度公差如图 4-55b 所示，试分析它能综合控制哪些几何误差？

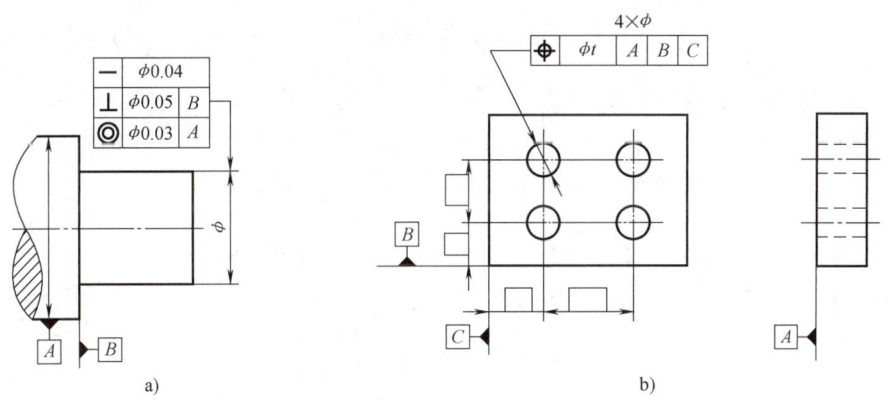

图 4-55　公差标注

9. 改正图 4-56 所示零件上各项公差标注的错误（不改变公差项目）。
10. 在底板的边角上有一孔，要求位置度公差为 $\phi 0.1$mm，如图 4-57 所示 4 种标注方法是否准确？请指出或给出正确的标注。
11. 如图 4-58 所示，为某轴套的 4 种不同公差标注，按以下要求填表 4-33。

（1）比较它们各自垂直度公差要求的不同点，包括遵守的公差原则、边界、允许的最大垂直度误差范围、检验器具、应用场合。

（2）计算当孔的实际尺寸 D_a 在不同大小下，如最大实体尺寸（MMS）时、最小实体尺寸（LMS）时和 $\phi 0.005$mm 时所允许的最大垂直度误差值。

（3）给出这 4 种要求下零件的合格条件，并判断当 $D_a = \phi 20.02$mm 时，如果实际垂直度误差为 $\phi 0.02$mm，该轴套是否合格。

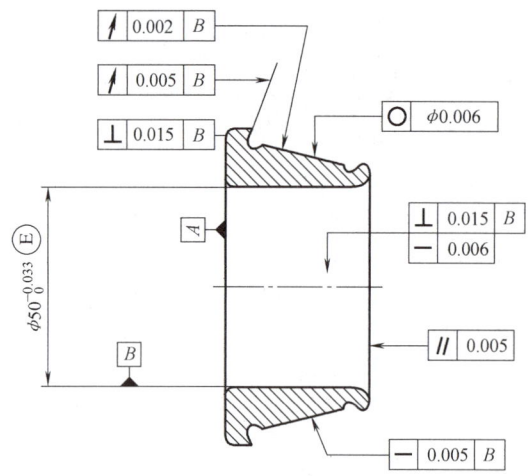

图 4-56 零件上的公差标注

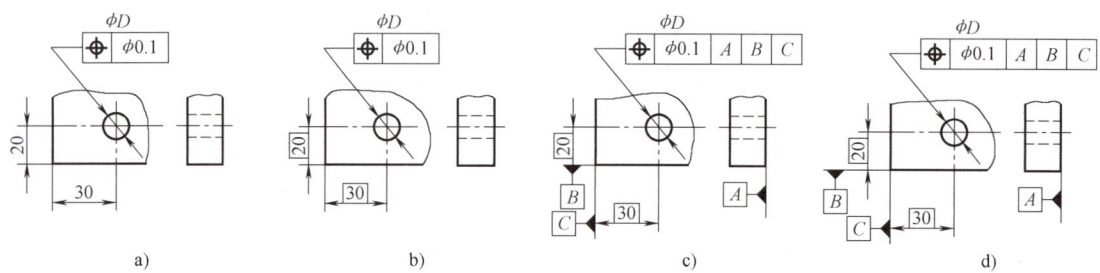

图 4-57 4 种标注方法

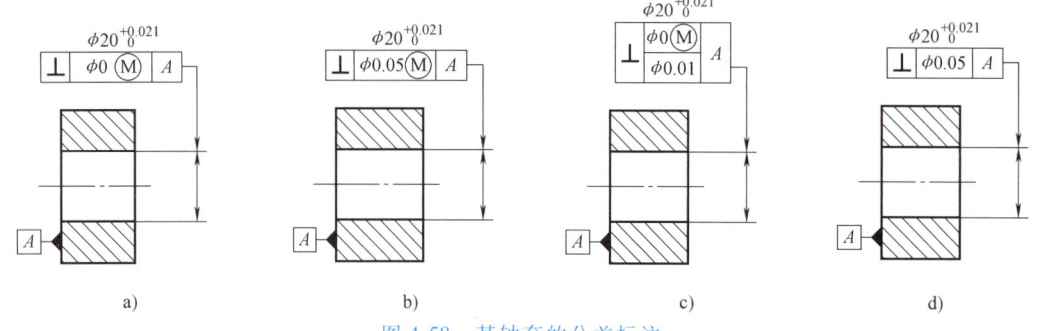

图 4-58 某轴套的公差标注

表 4-33 某轴套的公差标注

图号	图 4-58a	图 4-58b	图 4-58c	图 4-58d
公差原则				
边界				
允许的最大垂直度误差范围				
检验器具				
应用场合				

（续）

图号		图 4-58a	图 4-58b	图 4-58c	图 4-58d
D_a = MMS	允许最大垂直度误差				
D_a = LMS					
$D_a = \phi 20.02\text{mm}$					
当 $D_a = \phi 20.02\text{mm}$ 且实际垂直度误差为 $\phi 0.02\text{mm}$ 时	合格性条件				
	是否合格				

12. 某零件如图 4-59a 所示，若测得小端 $d_{a1} = \phi 20.01\text{mm}$，其轴线的直线度误差 f_{a1} 为 $\phi 0.023\text{mm}$，大端 $d_{a2} = \phi 40.06\text{mm}$，与小端轴线的同轴度误差 f_{a2} 为 $\phi 0.15\text{mm}$，试判断该零件的合格性并给出详细计算过程和理由。

13. 将下列技术要求标注在零件图 4-59b 上。

（1）阶梯孔的大孔尺寸为 $\phi 40^{+0.021}_{0}$，遵守包容要求。

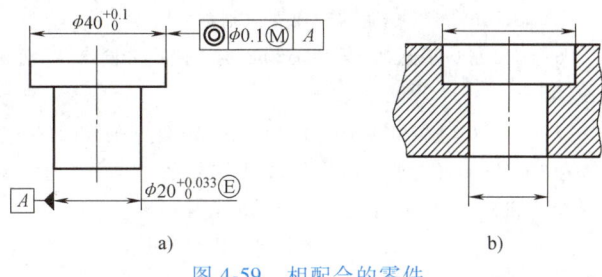

图 4-59 相配合的零件

（2）小孔尺寸为 $\phi 20^{+0.013}_{0}$，以大孔的中心线为基准，遵守最大实体要求，对基准的同轴度公差为 $\phi 0.01\text{mm}$。

（3）上平面对下平面的平行度公差为 0.05mm。

（4）大孔内壁的表面粗糙度 Ra 为 $3.2\mu\text{m}$。

14. 将下列技术要求标注在图 4-60 所示零件上。

（1）圆锥面 A 垂直于其轴线截面的圆度公差为 0.005mm。圆锥素线的直线度公差为 0.004mm。圆锥面 A 的轴线对 $\phi 30h7$ 轴线的同轴度公差为 $\phi 0.02\text{mm}$，表面粗糙度 Ra 为 $1.6\mu\text{m}$。

（2）$\phi 30h7$ 圆柱面的圆柱度公差为 0.01mm。$\phi 30h7$ 轴线遵守包容要求，且直线度公差为 $\phi 0.015\text{mm}$。

（3）右端面 B 对 $\phi 30h7$ 轴线的轴向圆跳动公差为 0.01mm。

（4）左端面 C 对 $\phi 30h7$ 轴线的轴向全跳动公差为 0.02mm。

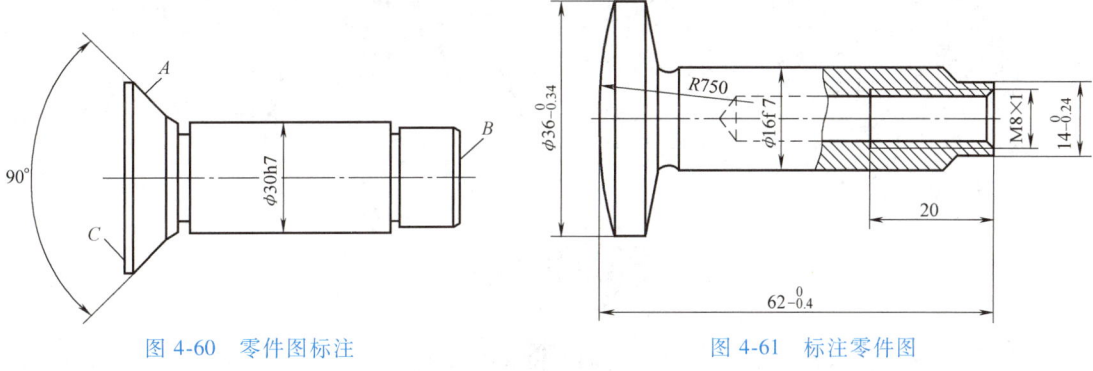

图 4-60 零件图标注　　　　图 4-61 标注零件图

15. 将下列技术要求标注在零件图 4-61 上。

（1）$\phi 16f7$ 圆柱面的素线直线度公差为 0.005mm，表面粗糙度 Ra 为 $1.6\mu\text{m}$。

（2）$\phi 16f7$ 圆柱面的圆柱度公差为 0.005mm，该轴线遵守包容要求。

（3）M8×1 内螺纹的中心线对 $\phi 16f7$ 轴线的同轴度公差为 $\phi 0.1mm$，并采用最大实体要求。

（4）R750 的左球端面对 $\phi 16f7$ 轴线的斜向圆跳动公差为 0.03mm。

16. 将下列技术要求标注在零件图 4-62 上。

（1）A 端面的平面度公差为 0.02mm。

（2）B 端面对 A 端面的平行度公差为 0.05mm。

（3）$\phi 50f8$ 外圆轴线对 A 端面的垂直度公差为 $\phi 0.03mm$。

（4）$\phi 50f8$ 外圆遵守包容要求，表面粗糙度 Ra 为 $1.6\mu m$。

（5）$\phi 120h8$ 外圆柱面遵守独立原则。

（6）$\phi 120h8$ 外圆轴线对 $\phi 50f8$ 外圆轴线同轴度公差为 $\phi 0.1mm$。

（7）4 个 $\phi 16H9$ 孔轴线对 A 端面和 $\phi 50$ 外圆轴线的位置度公差为 $\phi 0.15mm$（要求均匀分布），且被测轴线的位置度公差与 $\phi 16H9$ 和 $\phi 50f8$ 的尺寸公差应用最大实体要求。

17. 分类说明图 4-63 中三维零件图中各项标注所要控制的公差项目及其含义。

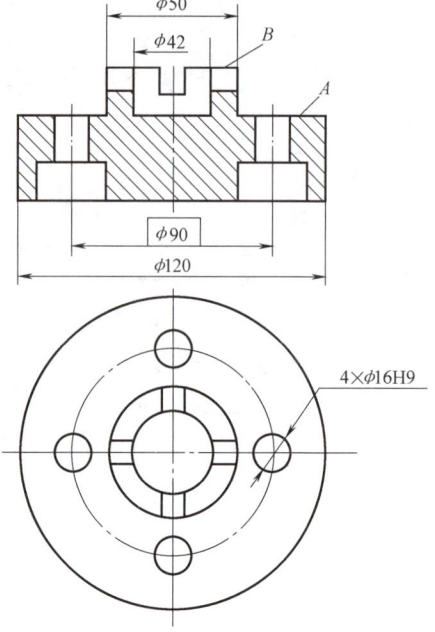

图 4-62 联轴器零件图

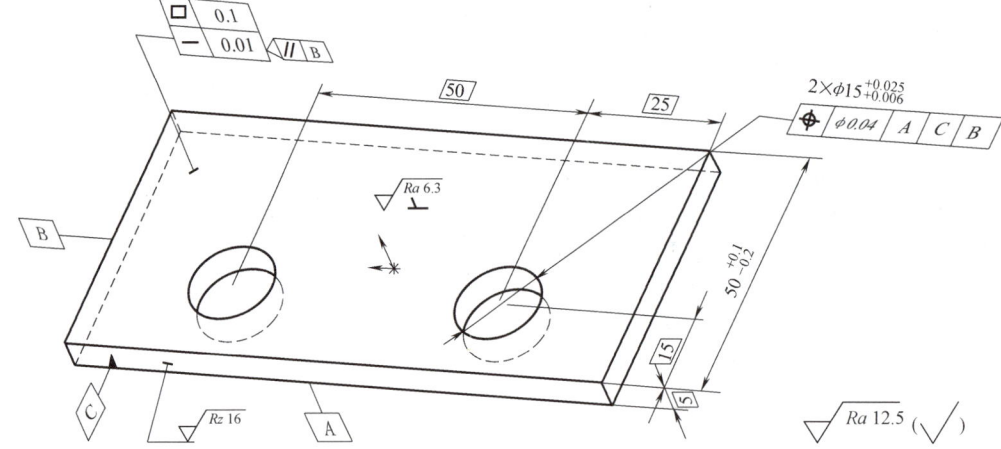

图 4-63 三维零件图

功勋科学家：
孙家栋

第5章 表面结构

表面结构是由实际表面的重复或偶然的偏差所形成的表面三维形貌,包括表面粗糙度、表面波纹度、形状误差、纹理方向和表面缺陷。无论是机械加工的零件表面上,还是用铸、锻、冲压、热轧、冷轧等方法获得的零件表面上,都会存在具有很小间距的微小峰、谷所组成的微观几何形状特征,用肉眼是难以区分的。这些微小峰、谷的高低程度和间距状况称为表面粗糙度。表面粗糙度对机械零件的功能要求、使用寿命、美观程度都有重大的影响。

本章所引用和参考的相关国家标准有:

GB/T 3505—2009《产品几何技术规范(GPS) 表面结构 轮廓法 术语、定义及表面结构参数》。

GB/T 1031—2009《产品几何技术规范(GPS) 表面结构 轮廓法 表面粗糙度参数及其数值》。

GB/T 131—2006《产品几何技术规范(GPS) 技术产品文件中表面结构的表示法》。

GB/T 10610—2009《产品几何技术规范(GPS) 表面结构 轮廓法 评定表面的规则和方法》。

GB/T 6062—2009《产品几何技术规范(GPS) 表面结构 轮廓法 接触(触针)式仪器的标称特性》。

5.1 表面结构的基本概念

5.1.1 表面结构的轮廓

为了研究零件的表面结构,通常用垂直于零件实际表面的平面与该零件的实际表面相交所得到的轮廓作为评估对象,被称为表面轮廓。如图 5-1 所示。

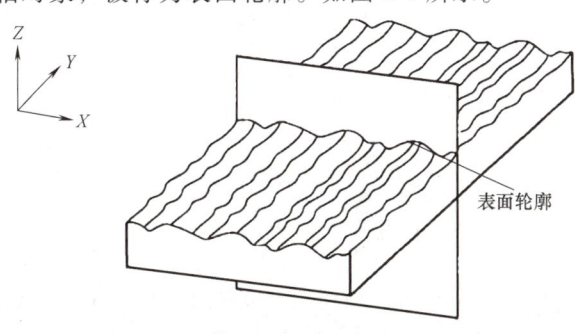

图 5-1 表面轮廓

通常采用一个直角坐标系定义表面结构参数的坐标体系，其轴线形成一个右旋笛卡儿坐标系，X 轴与中线方向一致，Y 轴也处于实际表面中，而 Z 轴则在从材料到周围介质的外延方向上。本标准的参数和术语都是在此坐标系中定义的。

国家标准规定了用轮廓法确定表面结构的术语、定义和参数。通常按表面轮廓上相邻峰、谷波距的大小来划分：波距<1mm 的属于表面粗糙度；波距在 1～10mm 的属于表面波纹度；波距>10mm 的属于形状误差。如图 5-2 所示。

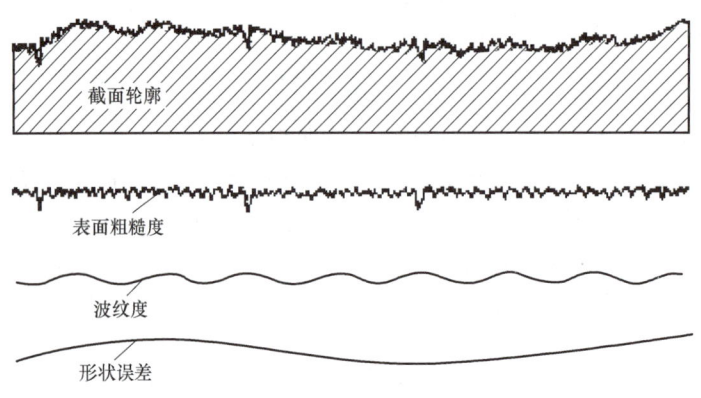

图 5-2　零件实际表面轮廓形状

轮廓滤波器（Profile Filter）：把轮廓分成长波和短波成分的滤波器。

粗糙度轮廓（Roughness Profile）：粗糙度轮廓是对原始轮廓采用 λc 轮廓滤波器抑制长波成分以后形成的轮廓，是经过人为修正的轮廓，如图 5-2 所示。

波纹度轮廓（Waviness Profile）：波纹度轮廓是对原始轮廓连续应用 λf 和 λc 两个轮廓滤波器以后形成的轮廓。采用 λf 轮廓滤波器抑制长波成分，采用 λc 轮廓滤波器抑制短波成分，是经过人为修正的轮廓。

轮廓单元（Profile Element）：轮廓峰和相邻轮廓谷的组合，如图 5-3 所示。

在取样长度始端或末端的被评定轮廓的向外部分或向内部分应看作一个轮廓峰或一个轮廓谷。当在若干个连续的取样长度上确定若干个轮廓单元时，在每一个取样长度的始端或末端评定的峰和谷仅在每个取样长度的始端计入一次。

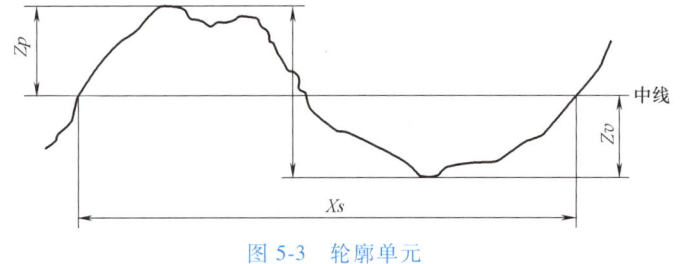

图 5-3　轮廓单元

5.1.2　表面粗糙度的相关术语

1. 取样长度 lr

取样长度是指在 X 轴方向上判别被评定轮廓不规则特征的一段基准长度。用符号 lr 表示，如图 5-4 所示。规定取样长度的目的是为了限制和削弱表面波纹度对表面粗糙度测量结果的影响。取样长度过长，表面粗糙度的测量值中可能包含有表面波纹度的成分；取样长度过短，则不能客观地反映表面粗糙度的实际情况，使测得结果有很大随机性。因此表面越粗糙，取样长度 lr 就应越大。取样长度的标准化值见表 5-1。

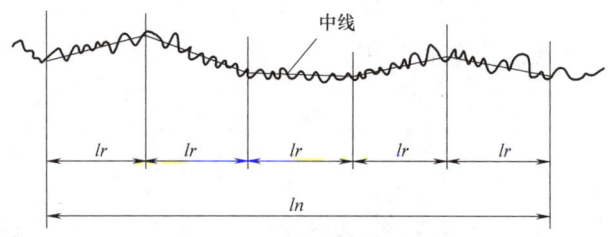

图 5-4　取样长度和评定长度

取样长度 lr 的数值从表 5-1 中给出的系列数值中选取。

表 5-1　取样长度 lr 的标准化值

lr/mm	0.08	0.25	0.8	2.5	8	25

2. 评定长度 ln

评定长度是用于评定被评定轮廓在 X 轴方向上所必须的一段长度。用符号 ln 表示，如图 5-4 所示。评定长度可以只包含一个取样长度或包含连续的几个取样长度，为了充分合理地反映粗糙度轮廓的特性，应测量连续的几个取样长度上的粗糙度轮廓，取其平均值作为表面粗糙度的可靠值。标准评定长度为连续的 5 个取样长度（即 $ln = 5lr$）。评定长度的标准化值见表 5-6。

3. 轮廓的中线

获得实际表面轮廓后，为了定量地评定粗糙度轮廓，而确定的一条中线，它是具有几何轮廓形状并划分被评定轮廓的基准线。以中线为基础来计算各种评定参数的数值。通常采用下列两种轮廓中线。

（1）轮廓的最小二乘中线　轮廓的最小二乘中线如图 5-5 所示。在一个取样长度 lr 范围内，最小二乘中线使被测轮廓线上的各点至该线的距离的平方和为最小。即：

$$\int_0^n Z_i^2 \mathrm{d}x = \min \tag{5-1}$$

这条假想的线就是轮廓的最小二乘中线。

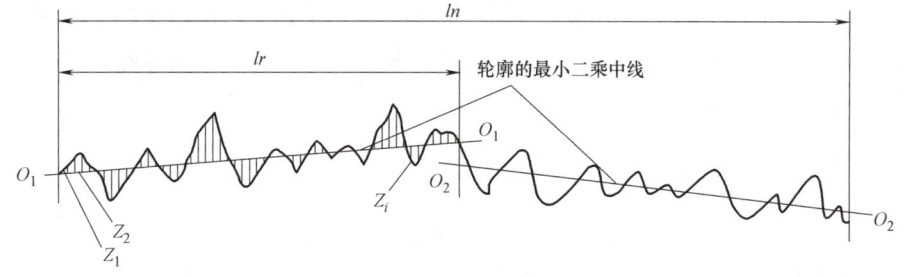

图 5-5　轮廓的最小二乘中线

（2）轮廓的算术平均中线　轮廓的算术平均中线如图 5-6 所示。在一个取样长度 lr 范围内，算术平均中线与轮廓走向一致，它将实际轮廓划分为上、下两部分，并使上半部分的各个峰面积之和等于下半部分的谷面积之和，即：

$$\sum_{i=1}^{n} F_i = \sum_{i=1}^{n} F'_i \tag{5-2}$$

这条假想的线就是轮廓的算术平均中线。

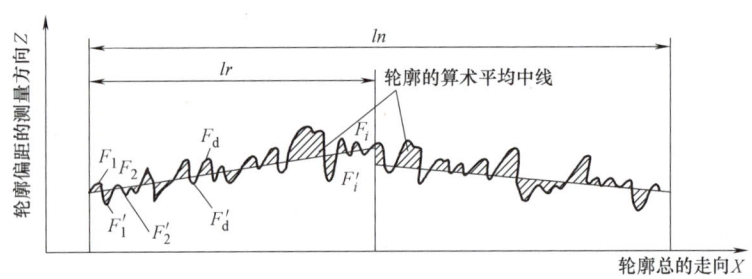

图 5-6　轮廓的算术平均中线

5.2　表面粗糙度的评定参数

5.2.1　常用的表面粗糙度评定参数

国家标准 GB/T 3505—2009 中规定表面粗糙度的评定参数有幅度参数、间距参数、混合参数及曲线和相关参数等。下面介绍几种常用的评定参数。

1. 轮廓的算术平均偏差 Ra（幅度参数）

如图 5-7 所示，轮廓的算术平均偏差是指在一个取样长度 lr 范围内，被评定轮廓上各点到轮廓中线的纵坐标值 $Z(x)$ 的绝对值的算术平均值，用符号 Ra 表示。其数学表达式为

$$Ra = \frac{1}{lr}\int_0^{lr} |Z(x)| \, \mathrm{d}x \tag{5-3}$$

或近似为

$$Ra = \frac{1}{n}\sum_{i=1}^{n} |Z_i| \tag{5-4}$$

轮廓的算术平均偏差 Ra 参数能充分反映表面微观几何形状高度方面的特性，并且所用仪器（电动轮廓仪）的测量比较简便，不受人为因素的影响，因此是国家标准推荐的首选评定参数。但 Ra 参数不够直观，当被评定轮廓太粗糙或太光滑时不宜用轮廓仪测量。Ra 的数值见表 5-2。

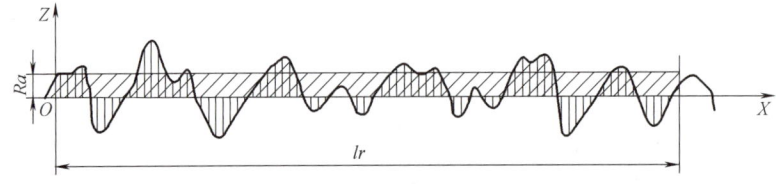

图 5-7　轮廓的算术平均偏差

表 5-2 轮廓的算术平均偏差 Ra 的数值　　　　　　　　（单位：μm）

0.012	0.2	3.2	50
0.025	0.4	6.3	100
0.05	0.8	12.5	
0.1	1.6	25	

2. 轮廓的最大高度 Rz（幅度参数）

如图 5-8 所示，轮廓的最大高度表示为：在一个取样长度 lr 范围内，被评定轮廓上各个高极点到中线的距离称为轮廓峰高，用符号 Zp 表示，其中最大的距离称为最大轮廓峰高（图中为 Zp_6）；被评定轮廓上各个低极点到中线的距离称为轮廓谷深，用符号 Zv 表示，其中最大的距离称为最大轮廓谷深（图中为 Zv_2）；那么被评定轮廓的最大轮廓峰高与最大轮廓谷深之和，就是轮廓的最大高度，用符号 Rz 表示。其数学表达式为

$$Rz = |Zp| + |Zv| \tag{5-5}$$

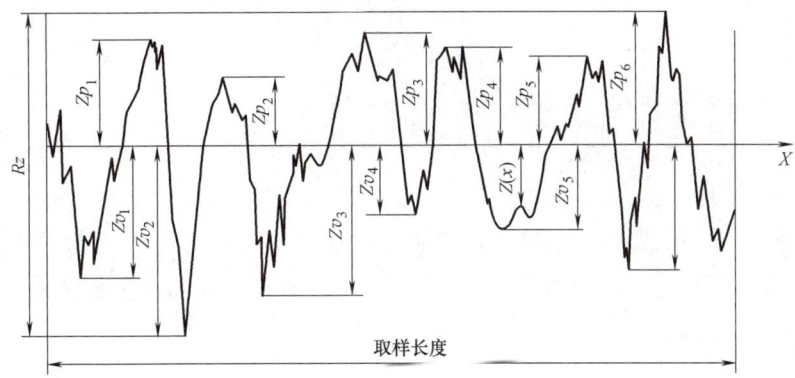

图 5-8　轮廓的最大高度

在零件图上，对零件某一表面的表面粗糙度要求，按需要选择 Ra 或 Rz 标注，Rz 参数是指某些小表面上不允许出现较深的加工痕迹，该参数有实用意义。Rz 的数值见表 5-3。

表 5-3　轮廓的最大高度 Rz 的数值　　　　　　　　（单位：μm）

0.025	0.4	6.3	100	1600
0.05	0.8	12.5	200	
0.1	1.6	25	400	
0.2	3.2	50	800	

3. 轮廓单元的平均宽度 Rsm（间距参数）

对于表面轮廓上的微小峰、谷的间距特征，通常采用轮廓单元的平均宽度来评定。如图 5-9 所示，一个轮廓峰与相邻的轮廓谷的组合称为轮廓单元，在一个取样长度 lr 范围内，中线与各个轮廓单元相交线段的长度称为轮廓单元的宽度，用符号 Xs_i 表示。

轮廓单元的平均宽度是指在一个取样长度 lr 范围内所有轮廓单元的宽度 Xs_i 的平均值，用符号 Rsm 表示，其数学表达式为

$$Rsm = \frac{1}{m} \sum_{i=1}^{m} Xs_i \tag{5-6}$$

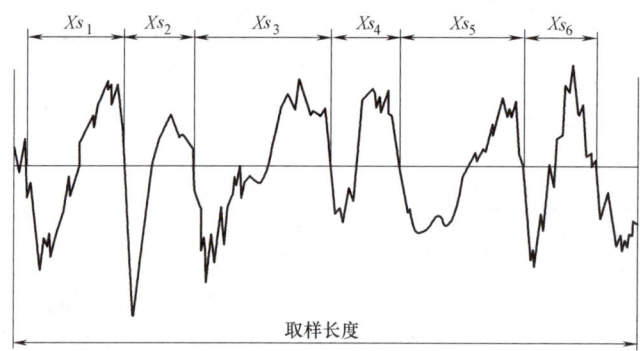

图 5-9 轮廓单元的宽度

Rsm 属于附加评定参数，与 Ra 或 Rz 同时选用，不能独立采用。Rsm 的数值见表 5-4。

表 5-4 轮廓单元的平均宽度 Rsm 的数值 （单位：μm）

0.006	0.1	1.6
0.0125	0.2	3.2
0.025	0.4	6.3
0.05	0.8	12.5

4. 轮廓的支承长度率 Rmr（混合参数）

截距 c 到某一水平位置时，与轮廓相截所得的各段截线长度 b_i 之和与评定长度 ln 的比值称为轮廓的支承长度率，用符号 $Rmr(c)$ 表示，如图 5-10 所示，其数学表达式为

$$Rmr(c) = \frac{Ml(c)}{ln} \tag{5-7}$$

式中，

$$Ml(c) = b_1 + b_2 + \cdots + b_i + \cdots + b_n = \sum_{i=1}^{n} b_i \tag{5-8}$$

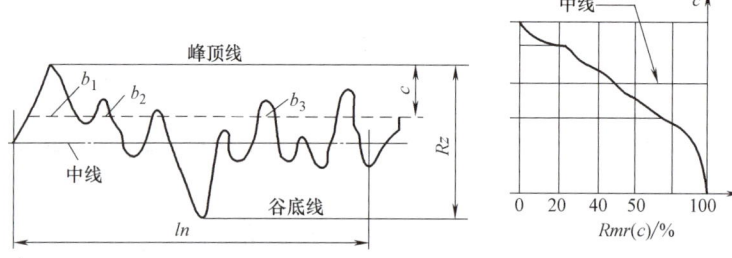

图 5-10 轮廓的支承长度率

显然，从峰顶线向下所取的水平截距 c 不同，其支承长度率也不同，因此 $Rmr(c)$ 值应是对应于水平截距 c 值而给出的。在标准中，$Rmr(c)$ 的值是以百分率来表示的，当 c 值一定时，$Rmr(c)$ 值越大，表示轮廓凸起的实体部分越多，故起支承作用的长度起长，表面接触刚度越高，耐磨性越好。$Rmr(c)$ 属于附加评定参数，一般不独立采用，其数值见表 5-5。

表 5-5　轮廓的支承长度率 Rmr(c) 的数值

Rmr(c)	10%	15%	20%	25%	30%	40%	50%	60%	70%	80%	90%

注：选用轮廓支承长度率参数时，应同时给出轮廓截面高度 c 值。它可用微米或 Rz 的百分数表示，Rz 的百分数系列如下：5%、10%、15%、20%、25%、30%、40%、50%、60%、70%、80%、90%。

5.2.2　表面粗糙度的参数值

GB/T 1031—2009《产品几何技术规范（GPS）表面结构　轮廓法　术语、定义及表面结构参数》对评定表面粗糙度的参数及其数值系列进行了规定。各参数值的推荐值见表 5-3~表 5-6。对于表面粗糙度幅度参数 Ra 和 Rz，标准推荐优先选用 Ra。当对表面粗糙度除了有高度要求外，还有密封性和耐磨性性能要求时，就要考虑选择附加参数 Rsm 或 $Rmr(c)$。

表 5-6　Ra、Rz 参数数值与取样长度 lr 值的关系

$Ra/\mu m$	$Rz/\mu m$	lr/mm	ln/mm ($ln = 5 \times lr$)
≥0.008~0.02	≥0.025~0.10	0.08	0.4
>0.02~0.1	>0.10~0.50	0.25	1.25
>0.1~2.0	>0.50~10.0	0.8	4.0
>2.0~10.0	>10.0~50.0	2.5	12.5
>10.0~80.0	>50.0~320.0	8.0	40.0

5.3　表面粗糙度的标注规范

确定零件表面粗糙度评定参数和其他技术要求后，应按照 GB/T 131—2006 的规定，把表面粗糙度技术要求正确地标注在表面粗糙度的完整图形符号上和零件图上。

5.3.1　表面粗糙度的符号表示

1. 标注表面结构的图形符号

GB/T 131—2006 规定了一个基本图形符号，如图 5-11a 所示，以及三个完整图形符号，如图 5-11b、c、d 所示。

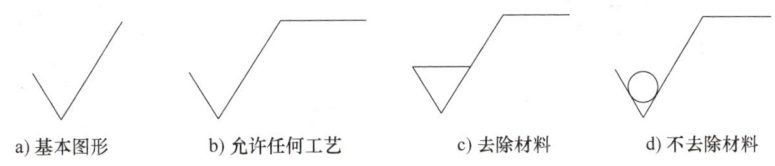

a) 基本图形　　b) 允许任何工艺　　c) 去除材料　　d) 不去除材料

图 5-11　表面结构的基本图形符号和完整图形符号

图 5-11a 所示表面结构的基本图形符号由两条不等长的相交直线构成，这两条直线的夹角成 60°，基本图形符号仅用于简化标注，不能单独使用。

在基本图形符号的长边端部加一条横线，或者同时在其三角形部位增加一段短横线或一个圆圈，就构成用于三种不同工艺要求的完整图形符号。图 5-11b 所示的符号表示表面允许

用任何工艺方法获得。图 5-11c 所示的符号表示表面用去除材料的方法获得，例如车、铣、钻、刨、磨、抛光、电火花加工、气割等方法获得的表面。图 5-11d 所示的符号表示表面用不去除材料的方法获得，例如铸、锻、冲压、热轧、冷轧、粉末冶金等方法获得的表面。

2. 表面结构完整图形符号的组成

在完整图形符号中，对表面结构的单一要求和补充要求应注写在如图 5-12 所示的指定位置上。表面结构的补充要求包括取样长度、加工工艺、表面纹理方向、加工余量等。

图 5-12 中位置 a~e 分别注写以下内容：

位置 a 标注表面结构的单一要求；依次标注幅度参数符号（Ra 或 Rz）及极限值（单位为 μm）和有关技术要求。该要求不能省略。

位置 b 标注两个或多个表面结构要求，附加评定参数的符号及相关数值 Rsm 或 $Rmr(c)$，单位为 mm，为第二个表面结构要求。

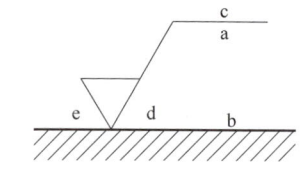

图 5-12　各项技术要求标注的指定位置

位置 c 标注加工方法、表面处理、涂层或其他加工工艺要求等，如车、磨、镀等加工表面。

位置 d 标注表面纹理和纹理方向。各种典型的表面纹理方向的规定符号见表 5-7。

位置 e 标注所要求的加工余量，以 mm 为单位给出数值。

表 5-7　加工纹理符号及说明

符号	解释	示例	符号	解释	示例
=	纹理平行于视图所在的投影面		C	纹理呈近似同心圆且圆心与表面中心相关	
⊥	纹理垂直于视图所在的投影面		R	纹理呈近似放射状且与表面圆心相关	
X	纹理呈两斜向交叉且与视图所在的投影面相交				
M	纹理呈多方向		P	纹理呈微粒、凸起、无方向	

注：如果表面纹理不能清楚地用这些符号表示，必要时，可以在图样上加注说明。

3. 附加评定参数、加工方法和加工纹理的标注

需要标注附加评定参数或（和）加工方法时的标注示例，如图 5-13 所示。

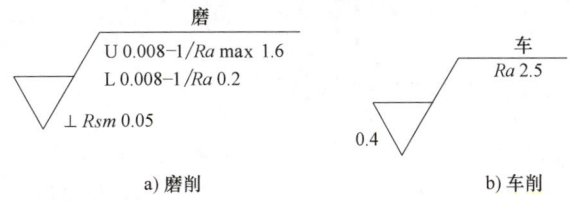

图 5-13 表面粗糙度各项技术要求在完整图形符号上标注的示例

4. 极限值判断规则的标注

（1）16%规则 16%规则是表面粗糙度技术要求中的默认规则。幅值参数的实测值超出极值的个数不超过总数的 16%。若采用，则图样上不需注出。

标注极限值中的一个数值且默认为上限值：

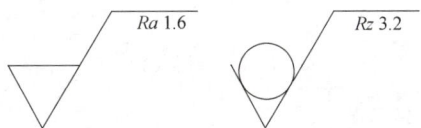

同时标注上、下限值：

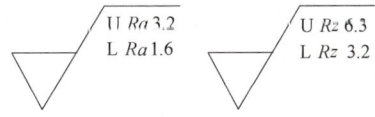

（2）最大规则 幅值参数的实测值不得超出最大极限值。在幅度参数符号 Ra 或 Rz 的后面标注一个"max"的标记。例如：

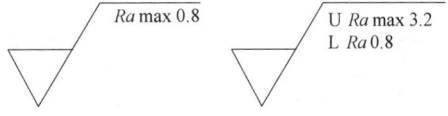

5. 传输带和取样长度、评定长度的标注

传输带是指使用轮廓滤波器区分长波和短波，由两个不同截止波长的滤波器分离获得的轮廓波长范围。需要指定传输带时，传输带（mm）标注在幅度参数符号的前面，并用斜线"/"隔开。例如：

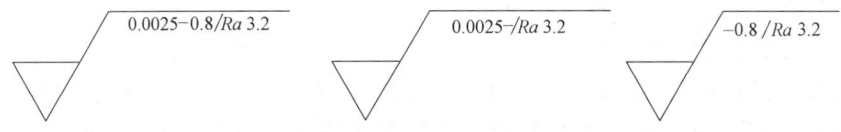

需要指定评定长度时，则应在幅度参数符号的后面注写取样长度的个数。

5.3.2 表面粗糙度参数在图样中的标注

在图样上标注表面粗糙度符号、代号时，一般应将其标注在可见轮廓线、尺寸界线、引出线或它们的延长线上，如图 5-14 所示。符号的尖端必须从材料外指向被注表面，如图 5-15 所示。粗糙度代号尽可能标注在注明相应的尺寸及其极限偏差的同一视图上，粗糙度代号上的各种符号和数字的注写和读取方向应与尺寸的注写和读取方向一致。

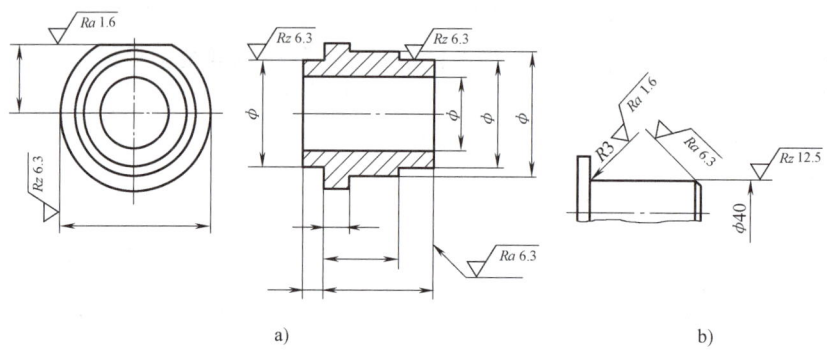

图 5-14 粗糙度标注示意图

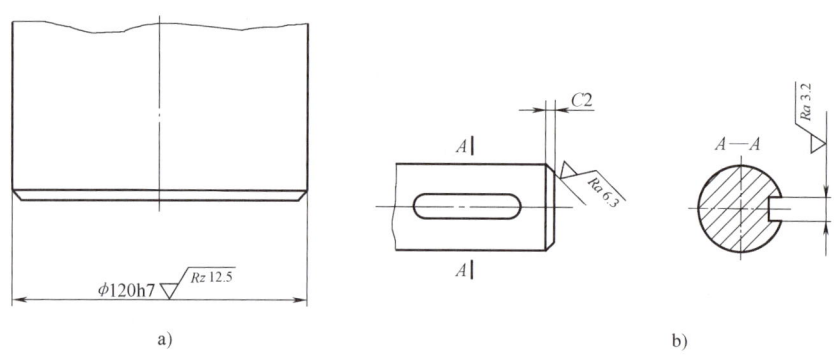

图 5-15 表面结构在圆柱特征上的标注

表面结构要求在轮廓线上的标注如图 5-16 所示，必要时，表面结构符号也可用带箭头或黑点的指引线引出标注，如图 5-17 所示。

表面结构要求可标注在几何公差框格的上方，如图 5-18 所示。

当零件的某些表面（或多数表面）具有相同的技术要求时，对这些表面的技术要求可以用特定符号，统一标注在零件图的标题栏附近，省略对这些表面分别标注，如图 5-19 所示。

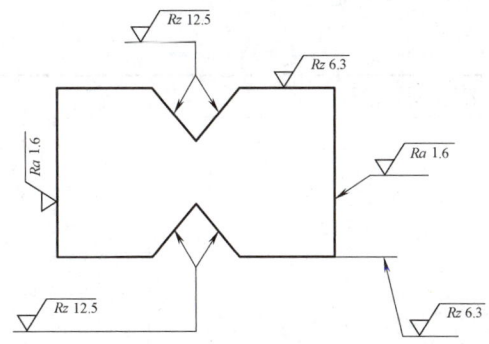

图 5-16　表面结构要求在轮廓线上的标注

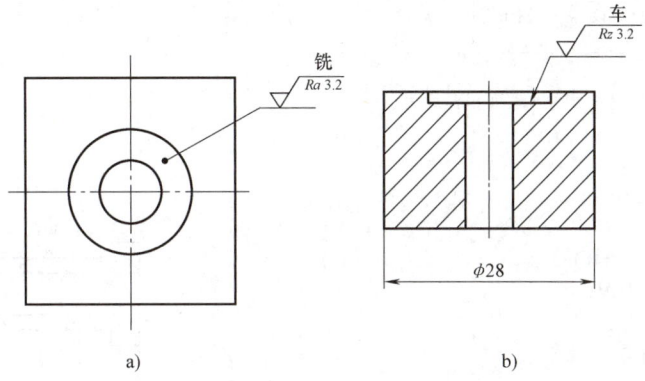

图 5-17　用指引线引出表面结构要求

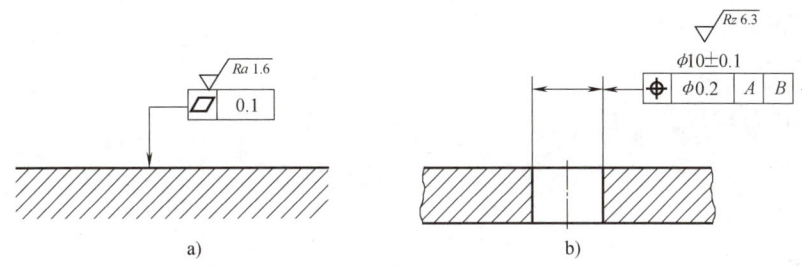

图 5-18　表面结构要求标注在几何公差框格的上方

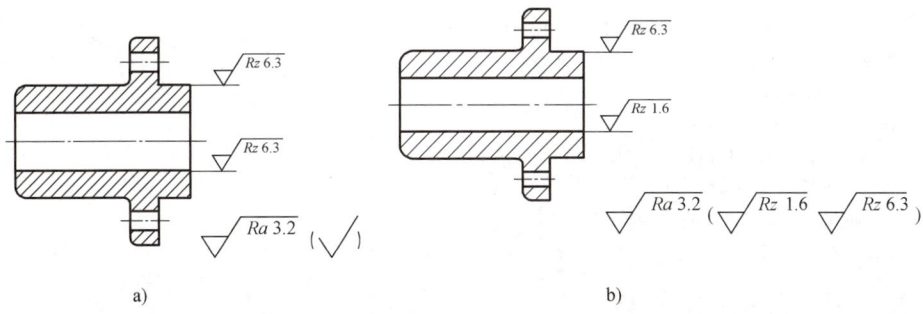

图 5-19　大多数表面具有相同表面结构要求的简化标注

常见的表面结构要求的标注示例见表5-8。

表 5-8　表面结构要求的标注示例

序号	要　　求	示　　例
1	表面粗糙度： 1）双向极限值； 2）上限值 $Ra=50\mu m$； 3）下限值 $Ra=6.3\mu m$； 4）均为"16%规则"（默认）； 5）两个传输带均为0.008-4mm； 6）默认的评定长度 5×4mm=20mm； 7）表面纹理呈近似同心圆且圆心与表面中心相关； 8）加工方法：铣。 注：因为不会引起争议，不必加 U 和 L	铣 0.008-4/Ra 50 0.008-4/Ra 6.3
2	除一个表面以外，所有表面的表面粗糙度为： 1）单向上限值； 2）$Rz=6.3\mu m$； 3）"16%规则"（默认）； 4）默认传输带； 5）默认评定长度（5×λc）； 6）表面纹理没有要求； 7）去除材料的工艺； 不同要求的表面某表面粗糙度为： 1）单向上限值； 2）$Rz=0.8\mu m$； 3）"16%规则"（默认）； 4）默认传输带； 5）默认评定长度（5×λc）； 6）表面纹理没有要求； 7）去除材料的工艺	Ra 0.8 Rz 6.3 ( )
3	表面粗糙度： (1)两个单向上限值： 1）$Ra=1.6\mu m$ ①"16%规则"（默认）(GB/T 10610—2009)； ②默认传输带(GB/T 10610—2009 和 GB/T 6062—2009)； ③默认评定长度（5×λc）(GB/T 10610—2009)； 2）$Rz\ max=6.3\mu m$ ①最大规则； ②传输带$-2.5\mu m$(GB/T 6062—2009)； ③评定长度默认（5×2.5mm）； (2)表面纹理垂直于视图的投影面； (3)加工方法：磨削	磨 Ra 1.6 -2.5/Rz max 6.3

(续)

序号	要　　求	示　　例
4	表面结构和尺寸可以标注在同一尺寸线上。 键槽侧壁的表面粗糙度： 1）一个单向上限值； 2）$Ra = 6.3\mu m$； 3）"16%规则"（默认）（GB/T 10610—2009）； 4）默认评定长度（$5\times\lambda c$）（GB/T 6062—2009）； 5）默认传输带（GB/T 10610—2009 和 GB/T 6062—2009）； 6）表面纹理没有要求； 7）去除材料的工艺。 倒角的表面粗糙度： 1）一个单向上限值； 2）$Rz = 3.2\mu m$； 3）"16%规则"（默认）（GB/T 10610—2009）； 4）默认评定长度 $5\times\lambda c$（GB/T 6062—2009）； 5）默认传输带（GB/T 10610—2009 和 GB/T 6062—2009）； 6）表面纹理没有要求； 7）去除材料的工艺。	
5	表面结构和尺寸可以一起标注在延长线上，或分别标注在轮廓线和尺寸界线上。 示例中的三个表面粗糙度要求为： 1）单向上限值； 2）分别是 $Ra = 1.6\mu m$，$Ra = 6.3\mu m$，$Rz = 12.5\mu m$； 3）"16%规则"（默认）（GB/T 10610—2009）； 4）默认评定长度 $5\times\lambda c$（GB/T 6062—2009）； 5）默认传输带（GB/T 10610—2009 和 GB/T 6062—2009）； 6）表面纹理没有要求； 7）去除材料的工艺。	
6	表面结构、尺寸和表面处理的标注。 示例是三个连续的加工工序。 第一道工序： 1）单向上限值； 2）$Rz = 1.6\mu m$； 3）"16%规则"（默认）（GB/T 10610—2009）； 4）默认评定长度（$5\times\lambda c$）（GB/T 6062—2009）； 5）默认传输带（GB/T 10610—2009 和 GB/T 6062—2009）； 6）表面纹理没有要求； 7）去除材料的工艺。 第二道工序： 镀铬，无其他表面结构要求。 第三道工序： 1）一个单向上限值，仅对长为 50mm 的圆柱表面有效； 2）$Rz = 6.3\mu m$； 3）"16%规则"（默认）（GB/T 10610）； 4）默认评定长度（$5\times\lambda c$）（GB/T 6062）； 5）默认传输带（GB/T 10610 和 GB/T 6062）； 6）表面纹理没有要求； 7）磨削加工工艺。	

5.4 表面粗糙度的选用

零件的表面粗糙度是一项重要的技术经济指标，它的正确选择十分重要。在具体选择时，不仅要根据零件的功能要求、材料性能、结构特点，同时还应考虑实际工艺的可能性和经济性。零件表面要求的粗糙度数值越小，所需工艺过程就越复杂，加工时间就越长，产品成本也就随之增加。因此，随意提高零件的表面粗糙度要求，必然造成浪费；相反，不合理地降低零件的表面粗糙度要求，则会影响零件的使用性能及其寿命。

5.4.1 表面粗糙度对零件使用性能的影响

表面粗糙度参数的大小对零件的摩擦和磨损、配合性质、耐蚀性、耐疲劳性等都有影响，直接关系到机器的使用寿命和工作可靠性。

1. 对摩擦和磨损的影响

相互运动的两个零件表面越粗糙，则零件的磨损也越快。这是因为两个零件表面只能在轮廓的峰顶接触，使实际接触面积比理论上小得多。当表面间产生相对运动时，峰顶的接触将对运动产生摩擦阻力，使零件表面磨损。

2. 对配合性质的影响

对于具有连接强度要求的过盈配合，由于压入装配时孔、轴表面上的微小峰被挤平而使有效过盈减少；对于有相对运动要求的间隙配合，在零件工作过程中孔、轴表面上的微小峰被磨去，使间隙增大，因而影响或改变原设计的配合性质。

3. 对耐疲劳性的影响

当零件承受交变载荷时，疲劳裂纹容易在零件表面轮廓的微小谷底出现，这是因为在微小谷底处产生应力集中，使材料的疲劳强度降低，导致零件表面产生裂纹而损坏。表面越粗糙，越容易产生疲劳裂纹和破坏。

4. 对耐蚀性的影响

钢铁生锈、铜件产生铜绿，是因为受到周围介质的化学腐蚀所致。表面越粗糙，腐蚀介质越容易在谷底聚集，且很快从谷底渗入到零件内部，产生腐蚀而破坏零件表面。

5. 对仪器或机器工作精度的影响

零件工作表面上的微小峰谷会使实际接触面积减小，在相同载荷下，接触表面的单位面积压力增大，使表面层的变形增大，影响仪器或机器工作精度。因此，零件表面粗糙度越小，仪器或机器工作精度越高。

此外，表面粗糙度还会影响结合的密封性、产品的外观、表面涂层的质量、表面的反射能力等，所以，在零件几何精度设计中，对零件表面粗糙度提出合理的技术要求是一项不可缺少的重要内容。

5.4.2 表面粗糙度轮廓参数的选择

表面粗糙度轮廓参数是基本参数，在表面粗糙度轮廓幅度的常用值范围（0.025~6.3μm）内，国家标准推荐优先选用 Ra，因为参数 Ra 既能反映加工表面的微观几何形状特征，又能反映表面的凹凸峰高度，而且 Ra 值用触针式轮廓仪测量时也比较容易。而当粗糙度要求特别高（$Ra<0.025\mu m$）或特别低（$Ra>6.3\mu m$）时，可选用 Rz，参数 Rz 可控制表面凹凸不平的极限情况，常用于某些不容许出现较深加工痕迹的表面及小零件表面，用光切显微镜测量时计算较方便。当幅度参数已不能满足控制功能要求时，可根据需要选用 Rsm 或 Rmr 其中的一个参数来补充控制。

5.4.3 表面粗糙度轮廓参数值的选择

表面粗糙度轮廓参数值已标准化。表面粗糙度轮廓参数极限值应从 GB/T 1031—2009 规定的参数值系列（见表 5-4～表 5-5）中选取。必要时可采用其补充系列中的数值。

间距参数 Rsm 和 $Rmr(c)$ 仅附加选用于少数零件的有特殊要求的重要表面。

表面粗糙度轮廓参数极限值的选用：总原则是在满足零件表面功能要求的前提下，尽量选取较大的参数值。

一般原则：

1）同一零件上，工作表面的粗糙度轮廓参数值应比非工作表面小。

2）摩擦表面的粗糙度轮廓参数值应比非摩擦表面小。

3）承受交变载荷的表面，其圆角、沟槽等易产生应力集中的部位，粗糙度轮廓参数值都应小。

4）对于要求配合性质稳定的小间隙配合和承受重载荷的过盈配合，它们的表面粗糙度轮廓参数值都应小。

5）在确定表面粗糙度轮廓参数值时，应注意它与尺寸公差、形状公差协调。这可参考表 5-9 所列的比例关系来确定。

6）凡有关标准对表面粗糙度轮廓技术要求作出具体规定的特定表面（例如与滚动轴承配合的轴颈和外壳孔），应按该标准的规定来确定其表面粗糙度轮廓参数极限值。

7）对于耐蚀性、密封性要求高的表面以及要求外表美观的表面，其表面粗糙度轮廓参数值应小。

8）同一公差等级的零件，小尺寸比大尺寸、轴比孔的表面粗糙度轮廓参数值要小。

确定表面粗糙度轮廓参数极限值，除有特殊要求的表面外，通常采用类比法。表 5-10、表 5-11 列出了各种不同的表面粗糙度轮廓参数值的选用实例，供选用时参考。

表 5-9 表面粗糙度轮廓参数值与尺寸公差值、形状公差值的一般关系

形状公差值 t 对尺寸公差值 T 的百分比 $t/T(\%)$	表面粗糙度轮廓参数值对尺寸公差值的百分比	
	$Ra/T(\%)$	$Rz/T(\%)$
约 60	≤5	≤30
约 40	≤2.5	≤15
约 25	≤1.2	≤7

表 5-10　孔、轴常用的粗糙度参数值

表面特征	公差等级	表面	Ra/μm 不大于	
			基本尺寸/mm	
			≤50	>50~500
轻度装卸零件的配合表面（如挂轮、滚刀等）	5	轴	0.2	0.4
		孔	0.4	0.8
	6	轴	0.4	0.8
		孔	0.4~0.8	0.8~1.6
	7	轴	0.4~0.8	0.8~1.6
		孔	0.8	1.6
	8	轴	0.8	1.6
		孔	0.8~1.6	1.6~3.2

表面特征	公差等级	表面	基本尺寸/mm		
			≤50	>50~120	>120~500
过盈配合的配合表面 ① 装配按机械压入法 ② 装配按热处理法	① 5	轴	0.1~0.2	0.4	0.4
		孔	0.2~0.4	0.8	0.8
	6~7	轴	0.4	0.8	1.6
		孔	0.8	1.6	1.6
	8	轴	0.8	0.8~1.6	1.6~3.2
		孔	1.6	1.6~3.2	1.6~3.2
	②	轴	1.6		
		孔	1.6~3.2		

表面特征	表面	径向跳动公差/μm					
精密定心用配合的零件表面	表面	2.5	4	6	10	16	25
		Ra/μm 不大于					
	轴	0.05	0.1	0.1	0.2	0.4	0.8
	孔	0.1	0.2	0.2	0.4	0.8	1.6

表面特征	表面	公差等级		液体湿摩擦条件
		6~9	10~12	
滑动轴承的配合表面		Ra/μm 不大于		
	孔	0.4~0.8	0.8~3.2	0.1~0.4
	轴	0.8~1.6	1.6~3.2	0.2~0.8

表 5-11　表面粗糙度轮廓参数值的选用实例

表面微观特征		Ra(μm)	Rz(μm)	加工方法	应用举例
粗糙表面	微见刀痕	≤20	≤80	粗车、粗刨、粗铣、钻、毛锉、锯断	半成品粗加工过的表面，非配合的加工表面，如轴端面、倒角、钻孔、齿轮皮带轮侧面、锉槽底面、垫圈接触面

(续)

表面微观特征		$Ra(\mu m)$	$Rz(\mu m)$	加工方法	应用举例
半糙表面	微见加工痕迹	≤10	≤40	车、刨、铣、锉、钻、粗铰	轴上不安装轴承、齿轮处的非配合表面,紧固件的自由装配表面,轴和孔的退刀槽
	微见加工痕迹	≤5	≤20	车、刨、铣、锉、磨、铰、粗刮、滚压	半精加工表面,箱体、支架、盖板、套筒等和其他零件结合而无配合要求的表面,需要发蓝的表面等
	看不清加工表面	≤2.5	≤10	车、刨、铣、锉、磨、铰、刮、滚压、铣齿	接近于精加工表面,箱体上安装轴承的镗孔表面,齿轮的工作面
表面	可辨加工痕迹方向	≤1.25	≤6.3	车、镗、磨、铰、刮、精铰、磨齿滚压	圆柱销、圆锥销,与滚动轴承配合的表面,普通车床导轨面,内、外花键定心表面
	微辨加工痕迹方向	≤0.63	≤3.2	精铰、精镗、磨、刮、滚压	要求配合性质稳定的配合表面,工作时受交变应力的重要零件,较高精度车床的导轨面
	不可辨加工痕迹方向	≤0.32	≤1.6	精磨、珩磨、研磨、超精加工	精密机床主轴锥孔,顶尖圆锥孔,发动机曲轴、凸轮轴工作面,高精度齿轮齿面
光表面	暗光泽面	≤0.16	≤0.8	精磨、研磨、普通抛光	精密机床主轴轴颈表面,一般量规工作表面,气缸套内表面,活塞销表面
	亮光泽面 镜状光泽面	≤0.08 ≤0.08	≤0.4 ≤0.2	超研磨、精抛光、镜面研磨	精密机床主轴轴颈表面,滚动轴承的滚珠、高压液压泵中柱塞孔和柱塞配合的表面
	镜面	≤0.01	≤0.05	镜面磨削、超精研	高精度量仪、量块的工作表面,光学仪器中的金属镜面

习 题

1. 表面粗糙度属于什么误差? 对零件的使用性能有哪些影响?
2. 为什么要规定取样长度和评定长度? 两者有何区别?
3. Ra 和 Rz 有何区别? 各自的常用范围如何?
4. 试述表面粗糙度评定参数中常用的两个幅度参数和一个间距参数的名称、符号和定义。
5. 一般情况下,下列每组中两孔表面粗糙度轮廓参数值的允许值是否应该有差异? 如果有差异,那么哪个孔的允许值较小? 为什么?

1) $\phi60H8$ 与 $\phi20H8$ 孔;
2) $\phi50H7/h6$ 与 $\phi50H7/g6$ 中的 H7 孔;
3) 圆柱度公差分别为 0.01mm 和 0.02mm 的两个 $\phi40H7$ 孔。

6. 解释图 5-20 中标注的各表面粗糙度要求的含义。
7. 试将下列表面粗糙度技术要求标注在图 5-21 所示的机械加工的零件图样上。

1) 两 ϕd_1 圆柱面的表面粗糙度轮廓参数 Ra 的上限值为 $1.6\mu m$,下限值为 $0.8\mu m$;
2) ϕd_2 轴肩的表面粗糙度轮廓参数 Rz 的最大值为 $20\mu m$;
3) ϕd_2 圆柱面的表面粗糙度轮廓参数 Ra 的最大值为 $3.2\mu m$,最小值为 $1.6\mu m$;

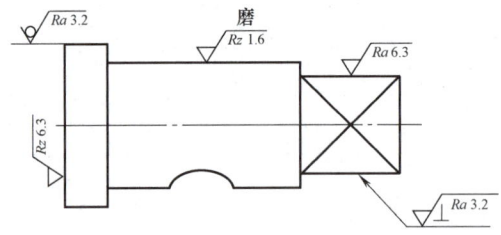

图 5-20 习题 6 图

4) 宽度为 b 的键槽两侧面的表面粗糙度轮廓参数 Ra 的上限值为 $3.2\mu m$;

5) 其余表面的表面粗糙度轮廓参数 Ra 的最大值为 $12.5\mu m$。

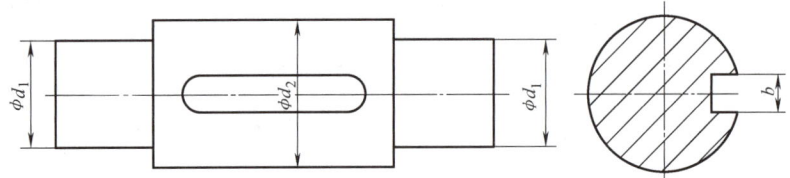

图 5-21 习题 7 图

功勋科学家：
杨嘉墀

第6章　典型零件的公差与配合

本章重点介绍机械零件中的一些常见的标准件（滚动轴承、普通螺纹、键和花键、圆锥、渐开线圆柱齿轮）的公差与配合。本章所引用和参考的相关国家标准如下。

1. 滚动轴承部分

GB/T 307.3—2017《滚动轴承　通用技术规则》

GB/T 4199—2003《滚动轴承　公差　定义》

GB/T 307.1—2017《滚动轴承　向心轴承　产品几何技术规范（GPS）和公差值》

GB/T 275—2015《滚动轴承　配合》

GB/T 273.3—2015《滚动轴承　外形尺寸总方案　第3部分：向心轴承》

GB/T4604.1—2012《滚动轴承　游隙　第1部分：向心轴承　径向游隙》

2. 普通螺纹部分

GB/T 193—2003《普通螺纹　直径与螺距系列》

GB/T 14791—2013《螺纹　术语》

GB/T 15756—2008《普通螺纹　极限尺寸》

GB/T 3934—2003《普通螺纹量规　技术条件》

GB/T 9144—2003《普通螺纹　优选系列》

GB/T 196—2003《普通螺纹　基本尺寸》

GB/T 197—2018《普通螺纹　公差》

GB/T 2516—2003《普通螺纹　极限偏差》

3. 键和花键部分

GB/T 1095—2003《平键　键槽的剖面尺寸》

GB/T 1144—2001《矩形花键尺寸、公差和检验》

GB/T 3478.1—2008《圆柱直齿渐开线花键（米制模数　齿侧配合）　第1部分：总论》

4. 圆锥公差部分

GB/T 11334—2005《产品几何量技术规范（GPS）　圆锥公差》

GB/T 157—2001《产品几何量技术规范（GPS）　圆锥的锥度与锥角系列》

GB/T 1801—2009《产品几何技术规范（GPS）　极限与配合　公差带和配合的选择》

GB/T 12360—2005《产品几何量技术规范（GPS）　圆锥配合》

GB/T 15754—1995《技术制图　圆锥的尺寸和公差注法》

5. 渐开线圆柱齿轮部分

GB/Z 18620—2008《圆柱齿轮　检验实施规范》

GB/T 10095—2008《圆柱齿轮　精度制》

6.1　滚动轴承的公差与配合

6.1.1　滚动轴承的分类及公差特点

1. 概述

滚动轴承是以滑动轴承为基础发展起来的，是用来支承轴的部件，是机械行业中应用极为广泛的一种标准部件，其工作原理是以滚动摩擦代替滑动摩擦。滚动轴承有各式各样的结构，但是，最基本的结构一般是由两个套圈、一组滚动体和一个保持架所组成的通用性很强、标准化、系列化程度很高的机械基础件。按照滚动轴承所能承受的主要载荷方向，又可分为向心轴承（主要承受径向载荷）、推力轴承（承受轴向载荷）、向心推力轴承（能同时承受径向载荷和轴向载荷）。由此可见，滚动轴承可用于承受径向、轴向、或径向与轴向的联合载荷。

如图 6-1 所示为典型的滚动轴承中的一种——深沟球轴承的结构。由深沟球轴承结构可知，内圈与传动轴的轴颈配合，外圈与外壳孔配合，属于典型的光滑圆柱配合。目前，滚动轴承已发展成为主要的支承型式，应用越来越广泛。

滚动轴承的工作性能和使用寿命，既取决于本身的制造精度，也与其配合件即外壳孔、传动轴的配合性质，及外壳孔、传动轴轴颈的尺寸精度、几何公差和表面粗糙度等因素有关。

为了便于在机器上安装轴承和更换新轴承，轴承内圈内孔和外圈外圆柱面应具有完全互换性。滚动轴承工作时应保证其工作性能，还必须满足旋转精度和游隙要求。

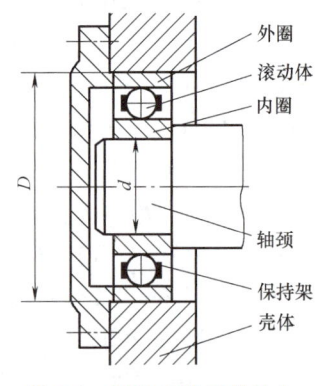

图 6-1　深沟球轴承的结构

（1）必要的旋转精度　轴承工作时轴承的内、外圈和端面的跳动应控制在允许的范围内，以保证传动零件的回转精度。

（2）合适的游隙　滚动体与内、外圈之间的游隙分为径向游隙 δ_1 和轴向游隙 δ_2。轴承工作时，这两种游隙的大小皆应保持在合适的范围内，以保证轴承正常运转。

2. 滚动轴承的公差等级

滚动轴承的精度是指滚动轴承主要尺寸的公差等级及旋转精度。根据滚动轴承的结构尺寸、公差等级和技术性能等产品特征，GB/T 307.3—2017《滚动轴承　通用技术规则》将滚动轴承按尺寸公差与旋转精度分级，公差等级依次由低到高排列如下：

向心轴承（圆锥滚子轴承除外）公差等级共分为五级，即普通级、6 级、5 级、4 级和 2 级。

圆锥滚子轴承公差等级共分为五级，即普通级、6X 级、5 级、4 级和 2 级。

推力轴承公差等级共分为四级，即普通级、6 级、5 级和 4 级。

常用公差等级为普通级，在机械制造业中应用最广，主要用于旋转精度要求不高的机械中。例如，卧式车床变速箱和进给箱、汽车和拖拉机的变速器、普通电动机、水泵、压缩机和涡轮机等。

除普通级外，其余各级统称高精度轴承，主要用于高线速度或高旋转精度的场合，这类精度的轴承在各种金属切削机床中应用较多，普通机床主轴的前轴承多采用5级轴承，后轴承多采用6级轴承；用于精密机床主轴上的轴承应为5级及其以上级；而对于数控机床、加工中心等高速、高精密机床的主轴支承，则需选用4级及其以上级超精密轴承。

3. 滚动轴承内径、外径公差带特点

轴承的配合是指内圈与轴颈及外圈与外壳孔的配合。轴承的内、外圈，按其尺寸比例一般认为是薄壁零件，精度要求很高，在制造、保管过程中极易产生变形（如变成椭圆形），但当轴承内圈与轴颈及外圈与外壳孔装配后，其内、外圈的圆度，将受到轴颈及外壳孔形状的影响，这种变形比较容易得到纠正。因此，GB/T 4199—2003《滚动轴承 公差 定义》对轴承内径 d 与外径 D，不仅规定了直径公差，还规定了轴承套圈任一横截面内平均内径和平均外径（用 d_m 或 D_m 表示）的公差，后者相当于轴承在正确制造的轴上或外壳孔中装配后，它的内径或外径的尺寸公差。其目的是控制轴承的变形程度及轴承与轴颈和外壳孔的配合尺寸精度。为此 GB/T 307.1—2017《滚动轴承 向心轴承 产品几何技术规范（GPS）和公差值》规定了普通级、6(6X)级、5级、4级、2级公差等级轴承的内径 d_m 和外径 D_m 的公差带均为单向制，而且统一采用公差带位于以公称直径为零线的下方，即上极限偏差为零，下极限偏差为负值的分布，如图6-2所示。

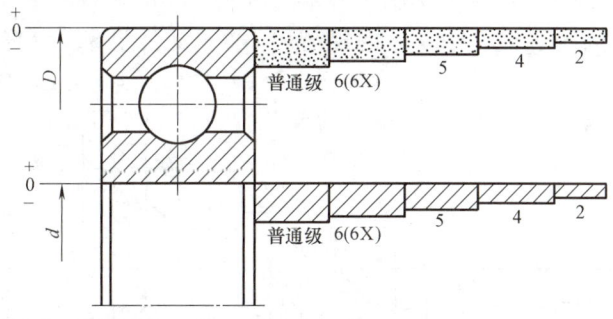

图 6-2 轴承内径、外径公差带的分布

滚动轴承是标准件，为使轴承便于互换和大量生产，轴承内圈与轴的配合采用基孔制，即以轴承内圈的尺寸为基准。但内圈的公差带位置却和一般的基准孔相反，如图6-2中公差带都位于零线以下，即上极限偏差为零，下极限偏差为负值。

这样分布主要是考虑配合的特殊需要。因为通常情况下，轴承的内圈是随轴一起转动的，为防止内圈和轴颈之间的配合产生相对滑动而导致结合面磨损，影响轴承的工作性能。因此，要求两者的配合应具有一定的过盈，但由于内圈是薄壁零件，容易弹性变形胀大，且一定时间后又要拆换，故过盈量不能太大。

如果采用过渡配合，又可能出现间隙，不能保证具有一定的过盈，因而不能满足轴承的工作需要；若采用非标准配合，则又违反了标准化和互换性原则，所以要采用有一定过盈的配合。

此时，当它与一般过渡配合的轴相配时，不但能保证获得不大的过盈，而且还不会出现间隙，从而满足了轴承内圈与轴的配合要求，同时又可按标准偏差来加工轴。可以看出，这

样的基准孔公差带与 GB/T 1801—2009 中基孔制的各种轴公差带组成的配合，有不同程度地变紧。

滚动轴承的外径与外壳孔的配合采用基轴制，即以轴承的外径尺寸为基准。因轴承外圈安装在外壳孔中，通常不旋转，但考虑到工作时温度升高会使轴热膨胀而产生轴向延伸，因此两端轴承中应有一端采用游动支承，可使外圈与壳体孔的配合稍微松一点，使之能补偿轴的热胀伸长量；否则，轴会产生弯曲，致使内部卡死，影响正常运转。滚动轴承的外径与外壳孔两者之间的配合不要求太紧，公差带遵循一般基准轴的规定，仍分布在零线下方，它与基本偏差为 h 的公差带相类似，但公差值不同。滚动轴承采用这样的基准轴公差带与 GB/T 1801—2009 中基轴制配合的孔公差带所组成的配合，基本上保持了 GB/T 1801—2009 的配合性质。

6.1.2 滚动轴承配合件公差及选用

滚动轴承配合件是指与滚动轴承内圈孔和外圈轴相配合的传动轴轴颈和箱体外壳孔。

1. 轴颈和外壳孔的公差带

由于滚动轴承是标准件，轴承内圈孔径和外圈轴径公差带在制造时已确定，因此轴承与轴颈和外壳孔的配合，需由轴颈和外壳孔的公差带决定。故选择轴承的配合也就是确定轴颈和外壳孔的公差带种类，GB/T 275—2015 所规定的轴颈和外壳孔的公差带如图 6-3 和图 6-4 所示。该公差带适用于以下场合：①轴承外形尺寸符合 GB/T 273.3—2015《滚动轴承 外形尺寸总方案 第 3 部分：向心轴承》的规定；②轴承的公差等级为普通级。

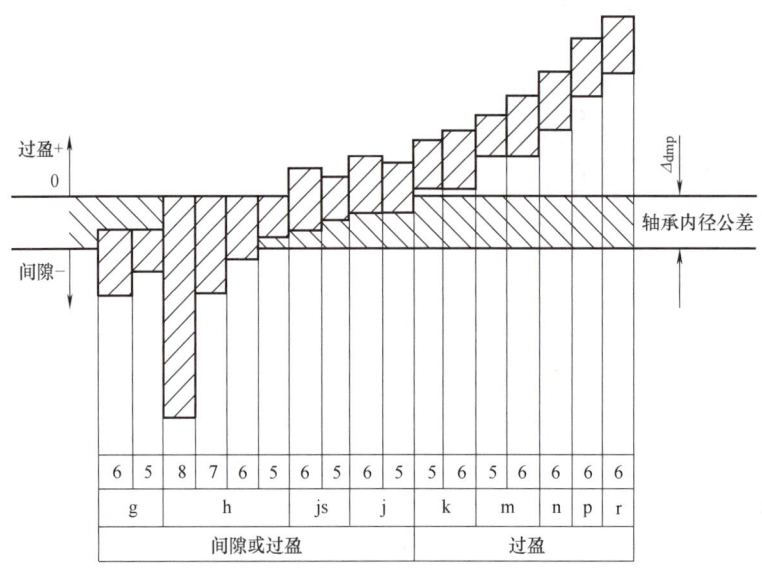

图 6-3 普通级公差轴承与轴颈配合的常用公差带关系图

由于这里孔的公差带在零线之下，而 GB/T 1801—2009 中基准孔的公差带在零线之上，所以滚动轴承的配合可以由图中清楚地看出，如它的基准面（内圈内径、外圈外径）公差带以及与轴颈或外壳孔尺寸偏差的相对关系。显然，轴承内圈与轴颈的配合比 GB/T 1801—2009 中基孔制同名配合紧一些。对轴承内圈与轴的配合而言，圆柱公差标准中的许多间隙

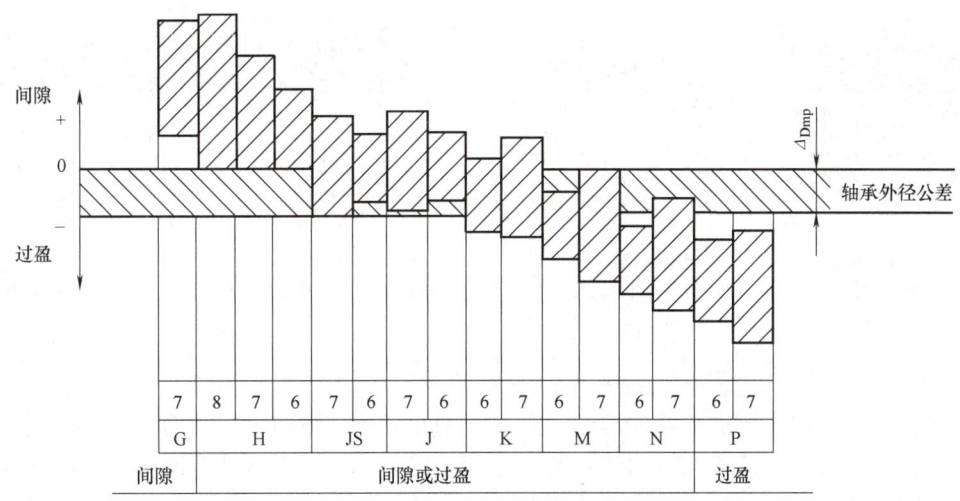

图 6-4　普通级公差与轴承座孔配合常用公差带关系图

配合在这里实际已变成过渡配合，如常用配合中，g5、g6、h5、h6 的配合已变成过渡配合；而有的过渡配合在这里实际已成为过盈配合，如常用配合中，k5、k6、m5、m6 的配合已变成过盈配合，其余配合也都有所变紧。

而轴承外圈与外壳孔的配合与 GB/T 1801—2009 中规定的基轴制同类配合相比较，虽然尺寸公差值有所不同，但配合性质基本一致。只是由于轴承外径的公差值较小，因而配合也稍紧，如 H6、H7、H8 已成为过渡配合。

2. 滚动轴承的配合选择

由于滚动轴承内孔和外圆柱面的公差带在生产轴承时已经确定，因此，轴承与轴颈、外壳孔的配合选择就是确定轴颈和外壳孔的公差带。选择时应考虑以下几个主要因素。

（1）轴承套圈相对于载荷的运转状态　作用在轴承上的径向载荷，可以是定向载荷（如带轮的拉力或齿轮的作用力）或旋转载荷（如机件的转动离心力），或者是两者的合成载荷。它的作用方向与轴承套圈（内圈或外圈）存在着以下三种关系。

1）套圈相对于载荷旋转。当套圈相对于径向载荷的作用线旋转，或者径向载荷的作用线相对于轴承套圈旋转时，该径向载荷就依次作用在套圈整个滚道的各个部位上，这表示该套圈相对于载荷旋转。

如图 6-5a、b 所示，轴承承受一个方向和大小均不变的径向载荷 F_r，图 6-5a 中的旋转内圈和图 6-5b 中的旋转外圈皆相对于径向载荷 F_r 旋转，前者的运转状态称为旋转的内圈载荷，后者的运转状态称为旋转的外圈载荷，像减速器转轴两端的滚动轴承的内圈，汽车、拖拉机车轮轮毂中滚动轴承的外圈，都是套圈相对于载荷旋转的实例。

2）套圈相对于载荷固定。当套圈相对于径向载荷的作用线不旋转，或者径向载荷的作用线相对于轴承套圈不旋转时，该径向载荷始终作用在套圈滚道的某一局部区域上，这表示该套圈相对于载荷固定。

如图 6-5a、b 所示，轴承承受一个方向和大小均不变的径向载荷 F_r，图 6-5a 中的不旋转外圈和图 6-5b 中的不旋转内圈都相对于径向载荷 F_r 固定，前者的运转状态称为固定的外圈载荷，后者的运转状态称为固定的内圈载荷。像减速器转轴两端的滚动轴承的外圈，汽

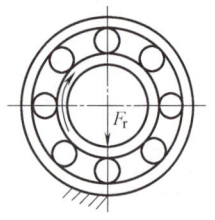
a) 旋转的内圈载荷和固定的外圈载荷

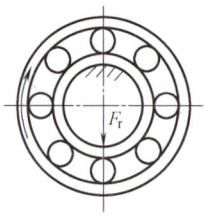
b) 固定的内圈载荷和旋转的外圈载荷

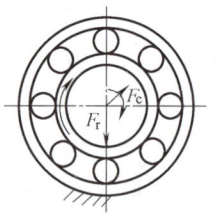
c) 旋转的内圈载荷和外圈承受摆动载荷

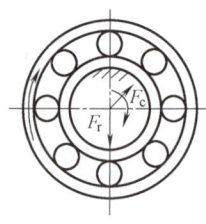
d) 内圈承受摆动载荷和旋转的外圈载荷

图 6-5 轴承套圈相对于负荷的运转状态

车、拖拉机车轮轮毂中滚动轴承的内圈，都是套圈相对于载荷固定的实例。

为了保证套圈滚道的磨损均匀，相对于载荷方向旋转的套圈与轴颈或外壳孔的配合应保证它们能固定成一体，以避免它们产生相对滑动，从而实现套圈滚道均匀磨损。相对于载荷固定的套圈与轴颈或外壳孔的配合应稍松些，以便在摩擦力矩的带动下，它们可以做非常缓慢的相对滑动，从而避免套圈滚道局部磨损。这样选择配合就能提高轴承的使用寿命。

3) 轴承套圈相对于载荷摆动。当大小和方向按一定规律变化的径向载荷依次往复地作用在套圈滚道的一段区域上时，表示该套圈相对于载荷摆动。如图 6-5c、d 所示，套圈承受一个大小和方向均固定的径向载荷 F_r 和一个旋转的径向载荷 F_c，两者合成的径向载荷的大小将由小逐渐增大，再由大逐渐减小，周而复始地周期性变化，这样的径向载荷称为摆动载荷。

如图 6-6 所示，当 $F_r > F_c$ 时，按照矢量合成的平行四边形法则，F_r 与 F_c 的合成载荷就在滚道 AB 区域内摆动。因此，不旋转的套圈就相对于载荷 F 摆动，而旋转的套圈就相对于载荷 F 旋转。前者的运转状态称为摆动的套圈载荷。

如果 $F_r < F_c$，则 F_r 与 F_c 的合成载荷 F 沿整个滚道圆周变动，因此，不旋转的套圈就相对于合成载荷旋转，而旋转的套圈则相对于合成载荷摆动。后者的运转状态称为摆动的套圈载荷。

当套圈相对载荷旋转时，该套圈与轴颈或外壳孔的配合应较紧，一般选用具有小过盈的过盈配合或过盈概率大的过渡配合。

当套圈相对于载荷固定时，该套圈与轴颈或外壳孔的配合应稍松些，一般选用具有平均间隙较小的过渡配合或具有极小间隙的间隙配合。

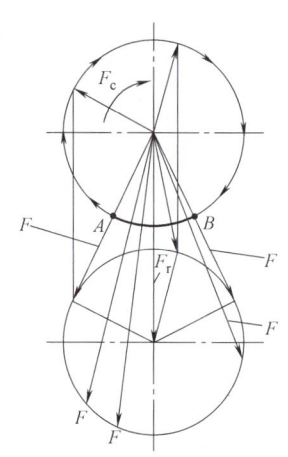

图 6-6 摆动载荷

当套圈相对于载荷摆动时，该套圈与轴颈或外壳孔的配合松紧程度一般与套圈相对载荷旋转时选用的配合相同或稍松一些。

(2) 载荷的大小　轴承与轴颈、外壳孔的配合的松紧程度跟载荷的大小有关。对于向心轴承，GB/T 275—2015 按其径向当量动载荷，与径向额定动载荷 Cr 的比值将载荷状态分为轻载荷、正常载荷和重载荷三类，见表 6-1。

表 6-1　向心轴承载荷状态分类

载荷状态	轻载荷	正常载荷	重载荷
Pr/Cr	≤0.06	0.06~0.12	>0.12

Pr 和 Cr 的数值分别由计算公式求出和轴承产品样本查出。

轴承在重载荷作用下，套圈容易产生变形，将会使该套圈与轴颈或外壳孔配合的实际过盈减小而引起松动，影响轴承的工作性能。因此，承受轻载荷、正常载荷、重载荷的轴承与轴颈或外壳孔的配合应依次越来越紧。

(3) 径向游隙　按 GB/T 4604.1—2012《滚动轴承　游隙　第 1 部分：向心轴承径向游隙》规定，轴承的径向游隙分为：2 组、N 组、3 组、4 组和 5 组，游隙的大小依次由小到大。

游隙过小，若轴承与轴颈、外壳孔的配合为过盈配合，则会使轴承中滚动体与套圈产生较大的接触应力，并增加轴承工作时的摩擦发热，导致轴承寿命降低。游隙过大，就会使转轴产生较大的径向跳动和轴向跳动，使轴承工作时产生较大的振动和噪声。因此，游隙的大小应适度。

具有 0 组游隙的轴承，在常温状态的一般条件下工作时，它与轴颈、外壳孔配合的过盈应适中。游隙比 0 组游隙大的轴承，配合的过盈应增大。游隙比 0 组游隙小的轴承，配合的过盈应减小。

(4) 其他因素

1) 温度的影响。轴承工作时，因摩擦发热及其他热源的影响。套圈的温度会高于相配件的温度，内圈的热膨胀使之与轴颈的配合变松，而外圈的热膨胀则使之与外壳孔的配合变紧。因此，当轴承工作温度高于 100℃ 时，应对所选的配合进行适当的修正，以保证轴承的正常运转。

2) 轴颈与外壳孔的结构和材料的影响。剖分式外壳孔和整体式外壳孔与轴承外圈的配合松紧有差异，前者稍松，以避免夹扁外圈；薄壁外壳或空心轴与轴承套圈的配合应比厚壁外壳或实心轴与轴承套圈的配合紧一些，以保证有足够的连接强度。

3) 轴承组件的轴向游动。由前述内容可知，轴承组件在运转过程中，轴颈受热容易伸长，因此，轴承组件的一端应保证一定的轴向移动余地，则该端的轴承套圈与相配件的配合应较松，以保证轴向可以游动。

4) 旋转精度及旋转速度的影响。当轴承的旋转精度要求较高时，应选用较高精度等级的轴承，以及较高等级的轴、孔公差；对载荷较大且旋转精度要求较高的轴承，为消除弹性变形和振动的影响，旋转套圈应避免采用间隙配合，但也不宜过紧；对载荷较小并用于精密机床的高精度轴承，为了避免相配件形状误差对旋转精度的影响，无论旋转套圈还是非旋转套圈，与轴或孔的配合常常希望有较小的间隙。当轴承的旋转速度过高，且又在冲击动载荷下工作时，轴承与轴颈及外壳孔的配合最好都选用过盈配合。在其他条件相同的情况下，轴承转速越高，配合应越紧。

5) 公差等级的协调。选择轴颈和外壳孔的公差等级时，应与轴承的公差等级协调。如 0 级轴承配合的轴颈一般选 IT6，外壳孔一般选 IT7；对旋转精度和运转平稳性有较高要求的场合（如电动机），轴颈一般选 IT5，外壳孔一般选 IT6。

6) 轴承的安装与拆卸。为了方便轴承的安装与拆卸,应考虑采用较松的配合。如要求装拆方便但又要紧配合时,可采用分离型轴承,或内圈带锥孔、紧定套和退卸套的轴承。

综上所述,影响滚动轴承配合的因素很多,通常难以用计算法确定,所以实际生产中可采用类比法选择轴承的配合。类比法确定轴颈和外壳孔的公差带时,参考表 6-2 和表 6-3,按照表列条件进行选择。

表 6-2 向心轴承和轴承座孔的配合——孔公差带

(摘自 GB/T 275—2015)

载荷情况		举例	其他状况	公差带[①]	
				球轴承	滚子轴承
外圈承受固定载荷	轻、正常、重	一般机械、铁路机车车辆轴箱	轴向易移动,可采用剖分式轴承座	H7、G7[②]	
	冲击		轴向能移动,可采用整体或剖分式轴承座	J7、JS7	
方向不定载荷	轻、正常	电动机、泵、曲轴主轴承		K7	
	正常、重				
	重、冲击	牵引电动机		M7	
外圈承受旋转载荷	轻	带传动张紧轮	轴向不移动,采用整体式轴承座	J7	K7
	正常	轮毂轴承		M7	N7
	重			—	N7、P7

① 并列公差带随尺寸的增大从左至右选择。对旋转精度有较高要求时,可相应提高一个公差等级。
② 不适用于剖分式轴承座。

表 6-3 向心轴承和轴的配合——轴公差带(摘自 GB/T 275—2015)

载荷情况		举例	圆柱孔轴承			公差带
			深沟球轴承、调心球轴承和角接触球轴承	圆柱滚子轴承和圆锥滚子轴承	调心滚子轴承	
			轴承公称内径 /mm			
内圈承受旋转载荷或方向不定载荷	轻载荷	输送机、轻载齿轮箱	≤18	—	—	h5
			18~100	40	≤40	j6[①]
			100~200	40~140	40~100	k6[①]
			—	140~200	100~200	m6[①]
	正常载荷	一般通用机械、电动机、泵、内燃机、正齿轮传动装置	≤18	—	—	j5、js5
			18~100	≤40	≤40	k5[②]
			100~140	40~100	40~65	m5[②]
			140~200	100~140	65~100	m6
			200~280	140~200	100~140	n6
			—	200~400	140~280	p6
			—	—	280~500	r6
	重载荷	铁路机车车辆轴箱、牵引电动机、破碎机等	—	50~140	50~100	n6[③]
			—	140~200	100~140	p6[③]
			—	200	140~200	r6[③]
			—	—	>200	r7[③]

(续)

载荷情况			圆柱孔轴承			公差带
		举例	深沟球轴承、调心球轴承和角接触球轴承	圆柱滚子轴承和圆锥滚子轴承	调心滚子轴承	
			轴承公称内径/mm			
内圈承受固定载荷	所有载荷	内圈需在轴向易移动	非旋转轴上的各种轮子	所有尺寸		f6
						g6
		内圈不需在轴向易移动	张紧轮、绳轮			h6
						j6
仅有轴向载荷			所有尺寸			j6、js6
圆锥孔轴承						
所有载荷		铁路机车车辆轴箱	装在退卸套上	所有尺寸		h8(IT6)④、⑤
		一般机械传动	装在紧定套上	所有尺寸		h9(IT7)④、⑤

① 凡精度要求较高的场合，应用 j5、k5、m5 代替 j6、k6、m6。
② 圆锥滚子轴承、角接触球轴承配合对游隙影响不大，可用 k6、m6 代替 k5、m5。
③ 重载荷下轴承游隙应选大于 N 组。
④ 凡精度要求较高或转速要求较高的场合，应选用 h7（IT5）代替 h8（IT6）。
⑤ IT6、IT7 表示圆柱度公差数值。

3. 配合表面及端面的几何公差和表面粗糙度

为保证轴承正常运转，除了正确选择轴承与轴颈及外壳孔的公差等级与配合外，还应对轴颈及外壳孔的几何公差及表面粗糙度提出要求。

（1）配合表面及轴肩、孔肩的几何公差　因轴承套圈为薄壁件，装配后靠轴颈和外壳孔来矫正，故套圈工作时的形状与轴颈及外壳孔表面形状密切相关。为保证轴承正常工作，对轴颈和外壳孔表面应提出圆柱度公差要求。

为保证轴承工作时有较高的旋转精度，应限制与套圈端面接触的轴肩及壳体孔肩的倾斜，以避免轴承装配后滚道位置不正而使旋转不平稳，因此规定了轴肩和壳体孔肩的轴向圆跳动公差。配合表面及端面的标注方式，如图 6-7、图 6-8 所示。几何公差值见表 6-4。

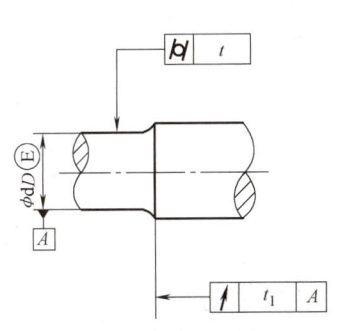

图 6-7　轴颈的圆柱度公差和轴肩的轴向圆跳动

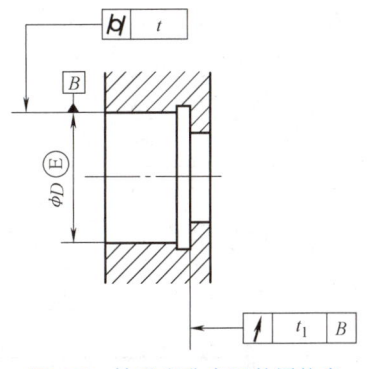

图 6-8　轴承座孔表面的圆柱度公差和孔肩的轴向圆跳动

（2）配合表面及端面的粗糙度要求 表面粗糙度的大小直接影响配合的性质和连接强度，因此，凡是与轴承内、外圈配合的表面通常都对粗糙度提出了较高的要求，按表 6-5 选择。

表 6-4 轴和外壳孔的几何公差（摘自 GB/T 275—2015）

公称尺寸/mm		圆柱度 $t/\mu m$				轴向圆跳动 $t_1/\mu m$			
		轴颈		轴承座孔		轴肩		轴承座孔肩	
		轴承公差等级							
>	≤	0	6(6X)	0	6(6X)	0	6(6X)	0	6(6X)
—	6	2.5	1.5	4	3	5	3	8	5
6	10	2.5	1.5	4	4	6	4	10	6
10	18	3	2	5	5	8	5	12	8
18	30	4	2.5	6	6	10	6	15	10
30	50	4	2.5	7	8	12	8	20	12
50	80	5	3	8	10	15	10	25	15
80	120	6	4	10	6	15	10	25	15
120	180	8	5	12	8	20	12	30	20
180	250	10	7	14	10	20	12	30	20
250	315	12	8	16	12	25	15	40	25
315	400	13	9	18	13	25	15	40	25
400	500	15	10	20	15	25	15	40	25
500	630	—	—	22	16	—	—	50	30
630	800	—	—	25	18	—	—	50	30
800	1000	—	—	28	20	—	—	60	30
1000	1250	—	—	33	24	—	—	60	40

表 6-5 配合表面及端面的表面粗糙度（摘自 GB/T 275—2015）

轴或轴承座孔直径/mm		轴或轴承座孔配合表面直径公差等级					
		IT7		IT6		IT5	
		表面粗糙度 $Ra/\mu m$					
>	≤	磨	车	磨	车	磨	车
—	80	1.6	3.2	0.8	1.6	0.4	0.8
80	500	1.6	3.2	1.6	3.2	0.8	1.6
500	1250	3.2	6.3	1.6	3.2	1.6	3.2
端面		3.2	6.3	6.3	6.3	6.3	3.2

轴颈和轴承座孔的公差在图样上的标注示例如图 6-9 所示。

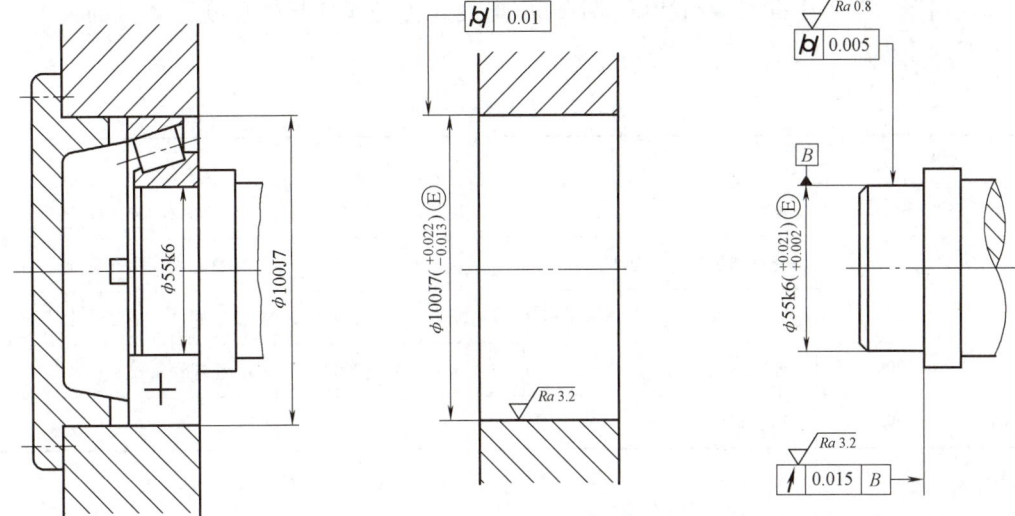

图 6-9 与轴承配合的轴颈和外壳孔技术要求的标注

6.2 普通螺纹的公差与配合

6.2.1 螺纹种类及标准

螺纹连接是由相互结合的内、外螺纹组成,通过相互旋合及牙侧面的接触作用来实现零部件间的连接、紧固和相对位移等功能,可用来连接部件、传递动力或改变运动形式。

根据 GB/T 193—2003,螺纹按不同的功用或形状可分为密封螺纹与非密封螺纹,机械紧固螺纹与传动螺纹,圆柱螺纹与圆锥螺纹,对称牙型螺纹与非对称牙型螺纹。

在产品应用中,螺纹的功能取决于其配合特性,通常分为以下三类(见表 6-6)。

1)紧固螺纹。基本牙型为三角形,主要用于零、部件的连接与紧固。常见的如螺钉、螺栓和螺母等。

2)传动螺纹。基本牙型为梯形、锯齿形或矩形,主要用于传递精确的位移和传递动力。常见的如机床传动中的丝杠和螺母副等。

3)紧密螺纹。基本牙型为锥形,主要用于有密封要求的连接,保证使用过程中不漏油、漏水、漏气。常见的如气、液密封的管螺纹、容器接口和封口的锥形螺纹。

表 6-6 螺纹类型和特点

类型	作用	配合	典型元件
紧固螺纹	可旋合性,连接的可靠性	具有一定间隙	普通螺纹
传动螺纹	可靠传递动力,准确传递位移 保证良好的润滑性	具有一定间隙	梯形螺纹
紧密螺纹	良好的旋合性和密封性	具有一定过盈	锥形螺纹

本章主要讨论用于一般用途的机械紧固螺纹连接且不具密封功能的普通螺纹的公差与配合,以及用于一般用途机械传动和紧固的梯形螺纹(传动丝杠与螺母副)连接的公差与配合。参照的主要标准见表6-7。

表6-7 主要螺纹标准

代号	名称	代号	名称
GB/T 14791—2013	螺纹术语	GB/T 2516—2003	普通螺纹 极限偏差
GB/T 192—2003	普通螺纹 基本牙型	GB/T 9144—2003	普通螺纹 优选系列
GB/T 193—2003	普通螺纹 直径与螺距系列	GB/T 15756—2008	普通螺纹 极限尺寸
GB/T 196—2003	普通螺纹 基本尺寸	GB/T 3934—2003	普通螺纹量规 技术条件
GB/T 197—2003	普通螺纹 公差		

6.2.2 普通螺纹结合的公差与配合

1. 普通螺纹的牙型和几何参数

(1) 基本牙型和设计牙型 普通螺纹的基本牙型如图6-10a,是削去原始三角形顶部的$H/8$和底部的$H/4$所形成的内、外螺纹共有的理论牙型,它是确定螺纹设计牙型的基础。基本牙型高度为

$$H = \frac{\sqrt{3}}{2}P = 0.866P \tag{6-1}$$

式中,P为螺距(mm),规格相同的内、外螺纹的基本牙型及其对应的基本尺寸相同。

螺纹的设计牙型如图6-10b所示,是设计给定的牙型,它相对于基本牙型规定出功能所需的各种间隙和圆弧半径,是内、外螺纹基本偏差的起点。

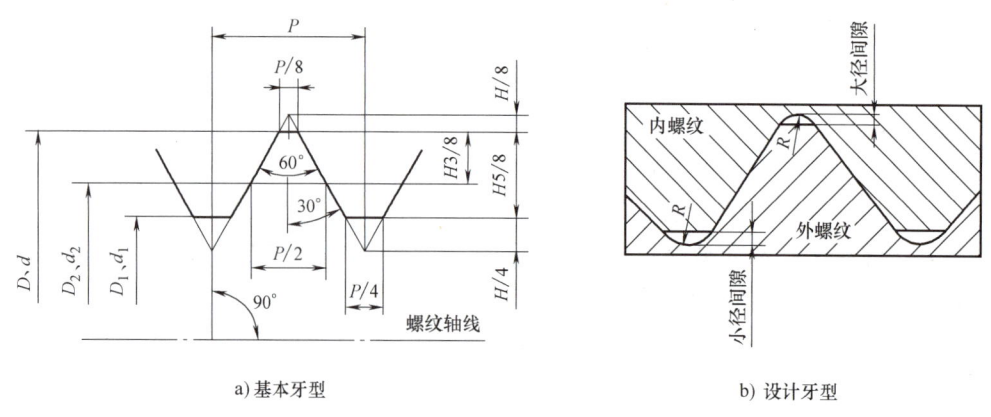

a) 基本牙型　　　　　　　　　b) 设计牙型

图6-10 普通螺纹的基本牙型和设计牙型
D—内螺纹的基本大径(公称直径) 　d—外螺纹的基本大径(公称直径) 　D_2—内螺纹的基本中径
d_2—外螺纹的基本中径 　D_1—内螺纹的基本小径 　d_1—外螺纹的基本小径
H—原始三角形高度　P—螺距

普通螺纹其外螺纹设计牙型牙底通常为圆弧形状，而其基本牙型在牙底为直线平底。

最大/最小实体牙型是螺纹的设计牙型和各直径的基本偏差及公差所决定的最大/最小实体状态下的螺纹牙型。

（2）主要几何参数　普通螺纹的几何参数主要有大径、小径、中径、螺距、牙型角等。

1）大径/公称直径（D 或 d）。指与外螺纹牙顶或内螺纹牙底相切的假想圆柱或圆锥的直径。普通螺纹标准系列中优选系列（GB/T 9144—2003）的公称直径范围为 1~64mm。

公称直径=大径=外螺纹顶径=内螺纹底径。

2）小径（D_1 或 d_1）。指与外螺纹牙底或内螺纹牙顶相切的假想圆柱或圆锥的直径。

小径=外螺纹底径=内螺纹顶径。

$$D_1(d_1) = D(d) - 2 \times 5/8H = D(d) - 1.082P$$

相连接的内、外螺纹的大/小径基本尺寸相等，即 $D=d$，$D_1=d_1$。

3）中径（D_2 或 d_2）。一个假想圆柱或圆锥的直径，该圆柱或圆锥的母线通过牙型上沟槽和凸起宽度相等的地方，如图6-11所示。螺纹中径的大小，直接影响螺纹牙型相对于螺纹轴线的径向位置，直接影响螺纹的旋合性能，它是螺纹公差与配合中一个重要的几何参数。

$$D_2(d_2) = D(d) - 2 \times 3/8H = D(d) - 0.6495P$$

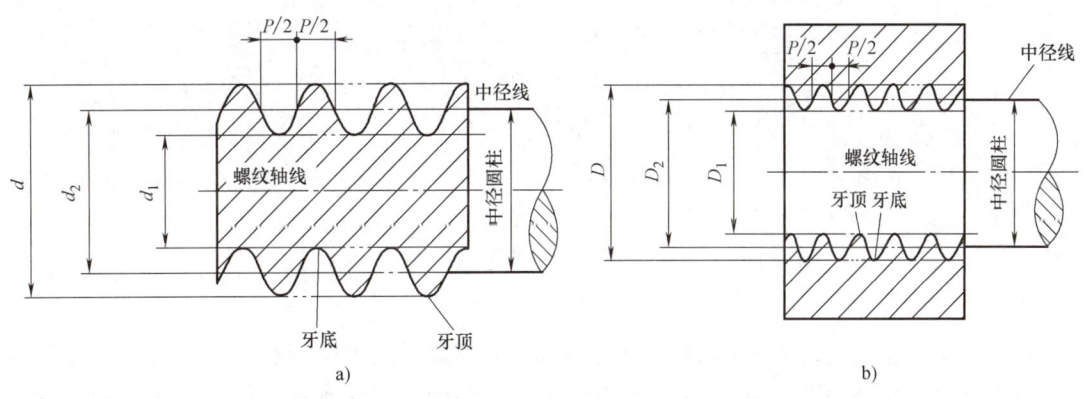

图 6-11　普通螺纹的中径

小径、中径和大径基本尺寸见表6-8。

表 6-8　基本尺寸（摘自 GB/T 196—2003）　　　　（单位：mm）

公称直径 （大径） D、d	螺距 P	中径 D_2、d_2	小径 D_1、d_1
1	0.25	0.838	0.729
	0.2	0.870	0.763
20	2.5	18.376	17.294
	2	18.701	17.835
	1.5	19.026	18.376
	1	19.350	18.917

4）单一中径 d_{2a}。是一个假想圆柱或圆锥的直径，该圆柱或圆锥的素线通过牙型上沟槽宽度等于 1/2 基本螺距的地方，如图 6-12 所示，其中 P 为基本螺距，ΔP 为螺距误差。如果实际螺纹螺距没有误差，螺纹中径与单一中径一致。测量时常用于代替实际中径 d_2。

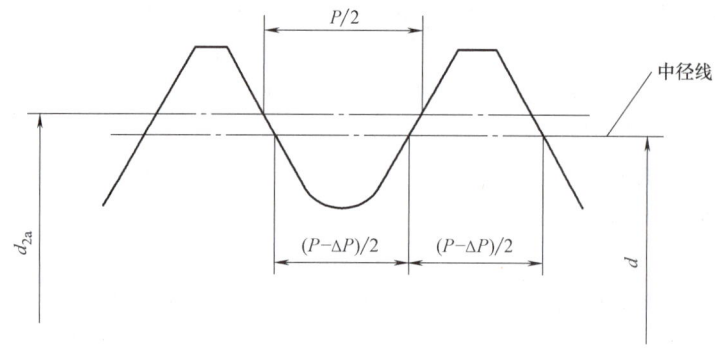

图 6-12　普通螺纹的中径和单一中径

5）作用中径 d_{2m}。在规定的旋合长度内，恰好包容实际螺纹的一个假想螺纹的中径。这个假想螺纹具有理想的螺距、牙型角以及牙型高度，并在牙顶处和牙底处留有间隙，以保证包容时不与实际螺纹的大、小径发生干涉，如图 6-13 所示。

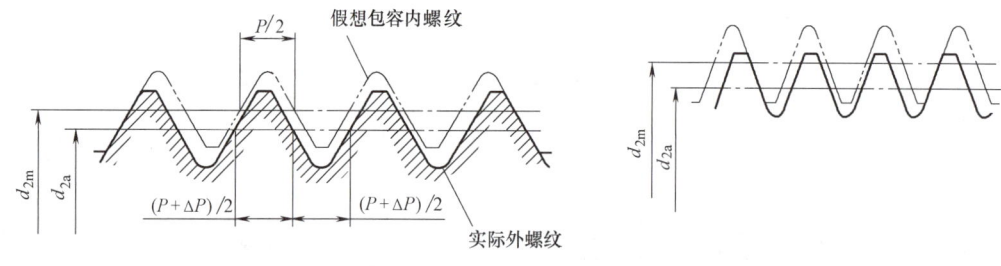

图 6-13　普通螺纹的作用中径

6）牙型半角（$\alpha/2$）和牙侧角（α_1、α_2）。在螺纹牙型上，两相邻牙侧间的夹角的一半为牙型半角。普通螺纹的牙型半角 $\alpha/2 = 30°$。而牙侧与螺纹轴线的垂线间的夹角称为牙侧角，如图 6-14 所示。

7）螺距 P。螺距是指相邻两牙在中径线上对应两点间的轴向距离。而导程 P_h 是指同一条螺旋线上的相邻两牙在中径线上对应两点间的轴向距离。对于单线（头）螺纹，$P_h = P$；对于多线（头）螺纹，导程等于螺距与线数 n 的乘积：$P_h = nP$。如图 6-15 所示。

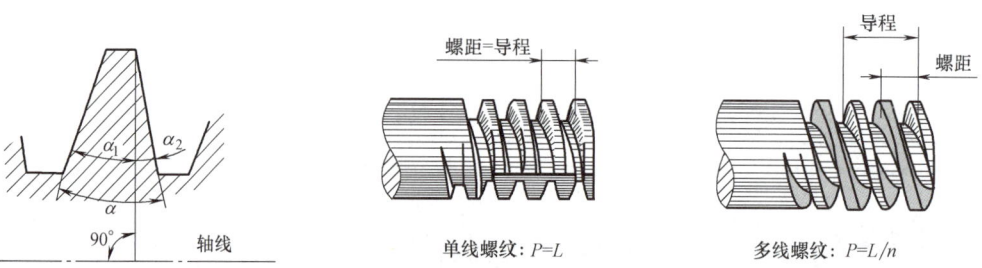

图 6-14　牙型半角（$\alpha/2$）和牙侧角（α_1、α_2）　　　图 6-15　螺距和导程

螺纹公称直径与螺距标准组合系列见表 6-9。其中螺距分为粗牙和细牙两种。优选第 1 系列的直径，螺距则选与之同行的螺距。如 M20 粗牙螺纹螺距为 2.5mm。

表 6-9　螺纹公称直径与螺距标准组合系列（摘自 GB/T 193—2003）（单位：mm）

公称直径 D、d			螺距 P								
第1系列	第2系列	第3系列	粗牙	细牙							
				3	2	1.5	1.25	1	0.75	0.5	0.35	0.25	0.2
1			0.25										0.2
	1.1		0.25										0.2
1.2			0.25										0.2
		1.4	0.3										0.2
1.6			0.35										0.2
	1.8		0.35										0.2
2			0.4									0.25	
	2.2		0.45									0.25	
2.5			0.45								0.35		
3			0.5								0.35		
	3.5		0.6								0.35		
4			0.7							0.5			
	4.5		0.75							0.5			
5			0.8							0.5			
		5.5								0.5			
6			1						0.75				
		7	1						0.75				
8			1.25					1	0.75				
		9	1.25					1	0.75				
10			1.5				1.25	1	0.75				
		11	1.5			1.5		1	0.75				
12			1.75				1.25	1					
	14		2			1.5	1.25	1					
		15				1.5		1					
16			2			1.5		1					
		17				1.5		1					
	18		2.5		2	1.5		1					
20			2.5		2	1.5		1					

8）旋合长度 L_n。两个相互配合的螺纹沿螺纹轴线方向相互旋合部分的长度。螺纹长度的大小，直接关系到螺纹的加工和装配。短螺纹容易加工和装配，长螺纹的加工和装配难度大。旋合长度将会影响螺纹连接件的配合精度和互换性，必须选择合理的旋合长度。

9）螺纹升角（导程角）ψ。在中径圆柱或圆锥上，螺旋线的切线与垂直于螺纹轴线的平面的夹角称为螺纹升角，如图 6-16 所示。

2. 普通螺纹主要几何参数偏差对螺纹连接互换性的影响

在螺纹加工过程中，螺纹的车削和磨削都是较为复杂的成形加工，由于实际螺纹刀具本身角度误差和刀具安装误差都是不可避免的，因此会产生一定的加工误差，导致实际螺纹的几何参数（如大径和小径、螺距、牙侧角和中径）与理想螺纹存在偏差。

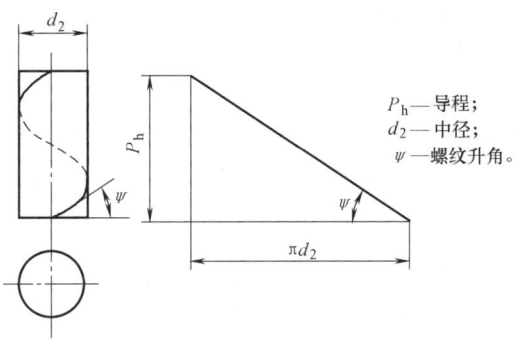

P_h—导程；
d_2—中径；
ψ—螺纹升角。

图 6-16 螺纹升角

普通螺纹连接是通过牙侧进行工作的，如果内、外螺纹的牙侧接触不均匀，就会造成载荷分布不均，势必降低螺纹的配合均匀性和连接强度。连接可靠性与可旋合性也受加工影响。例如，外螺纹的大径、中径、小径的实际尺寸加工大了，会影响螺纹的可旋合性；而加工小了，则影响螺纹的连接可靠性。

实际螺纹的几何参数的误差均会影响牙侧的形状和位置误差，使螺纹的作用中径发生变化，从而影响螺纹的可旋合性、接触高度、配合松紧和连接的可靠性，最终导致对螺纹连接互换性有不同程度的影响。

（1）大径和小径误差对螺纹连接互换性的影响　从加工工艺和使用强度上考虑，实际加工出的外螺纹小径和内螺纹大径的牙底处均是略呈弧状的。为了防止旋合时在该处发生干涉，须要求内、外螺纹在大径和小径上不准接触，如图 6-17 所示。为此，国家标准就规定了内螺纹大、小径的实际尺寸要分别大于外螺纹大、小径的实际尺寸，否则就影响螺纹的可旋合性。因此螺纹大（小）径误差对其使用要求的影

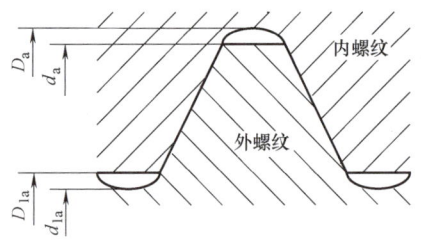

图 6-17 螺纹大径和小径

响相对较小。当然，若内螺纹的大径和小径过小、外螺纹的大径和小径过大也会影响可旋合性。

如在加工外螺纹时，当采用高速螺纹车刀车削螺纹时或车刀磨钝以后会产生"挤峰"现象，导致外螺纹大径扩大；进刀深度小，导致小径增大，从而使螺纹的实体牙型变大。因此，应将螺纹车刀磨得锋利一些，或者在车完螺纹以后将牙顶部分切削一部分，使外螺纹大径的实际尺寸在规定范围内；实际进刀深度要比计算出的进刀深度稍大些，补偿由于"让刀"、机床精度误差等因素引起的进刀深度减小，从而避免外螺纹小径实际尺寸增大而造成对螺纹可旋合性的影响。

在加工内螺纹时，当加工底孔的车刀刀杆刚性差会出现少量的弯曲变形，机床导轨的几何精度超差将会引起锥度误差，使内螺纹小径实际尺寸减小；横走刀系统异常（如刻度盘过松定位不准、丝杠与螺母间隙大、刻度盘空行程大等）将会造成进刀深度不准确而引起内螺纹大径变小，减小内螺纹的实体牙型。因此，在车螺纹之前应检查并排除横走刀系统的异常情况；加工过程中应注意进刀量，让刀具在同一位置，反复车削几次，逐步消除螺纹的锥度误差。

（2）螺距误差对螺纹互换性的影响　螺旋面的形成是靠刀具与工件之间按照一定规律

做相对运动来实现的。当工件随主轴均匀地转一周,刀具应移动一个螺纹导程,而且移动量也应是准确而均匀的,这种有规律的相对运动是由机床的传动链来保证的。由于组成机床传动链的各个环节都有一定误差,所以刀具与工件之间的瞬时相对位置,也不会完全准确均匀,反映到工件上就是产生误差。所以螺距误差是客观存在的,它使螺纹结合时发生干涉,影响螺纹的可旋合性。螺距误差使螺纹在结合长度内实际接触的牙数减少,从而影响螺纹的连接可靠性。

一般说来,机床纵向丝杠的制造误差和安装误差会直接反映到工件上,对工件螺距的局部误差、周期误差和累积误差影响都很大。其中丝杠的轴向及径向圆跳动会引起螺距的周期误差,丝杠安装不准确(丝杠相对顶尖轴线倾斜)会引起螺距的累积误差,所以一定要提高机床丝杠的制造和安装精度。机床主轴的轴向及径向圆跳动会使同一段螺纹在不同的纵母线上测得的螺距不等。而进给传动链的传动误差会产生按螺距变化规律而重复出现的周期误差,其中交换齿轮传动比误差会产生螺距的累积误差。机床、刀具、工件等工艺系统的随机跳动、窜动、振动以及机床导轨的局部磨损、磕碰都会引起工件螺距的局部误差。

1) 螺距偏差 ΔP。是指螺距的实际值 P_a 与其公称值 P 之差,它与旋合长度无关,$\Delta P = P_a - P$。

假设内螺纹理想,外螺纹螺距偏差大于零($\Delta P > 0$),则内、外螺纹在螺纹牙型的右侧产生干涉;反之,内、外螺纹在螺纹牙型的左侧产生干涉。

2) 螺距累积误差 ΔP_Σ。是指在规定的螺纹长度内,任意两同名牙侧与中径线交点间的实际轴向距离与其公称值之差的最大绝对值(图6-18)。它与旋合长度有关。

为了保证互换性的需要,必须对旋合长度范围内任意两牙间最大积累误差 ΔP_Σ 加以限制。

对于紧固螺纹,螺距累积误差主要影响螺纹的可旋合性和连接的可靠性;对于传动螺纹,螺距累积误差会影响螺纹的传动精度,并影响螺纹牙上载荷分布的均匀性。

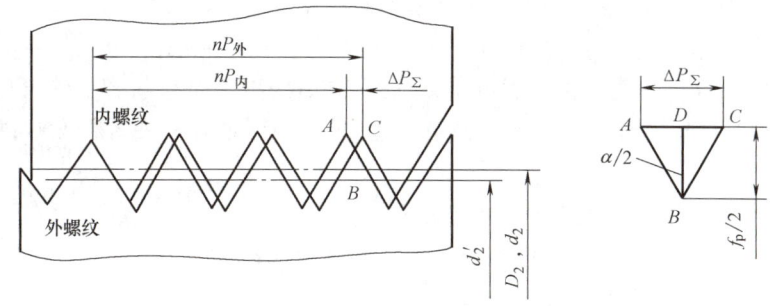

图 6-18 螺纹的螺距累积误差

3) 螺距误差中径当量 f_p。是指将螺距误差换算成中径的数值 f_p,单位为 μm。

螺距误差的测量一般在万能工具显微镜下进行,根据测得的螺距误差的形态,采取相应措施加以消除。但在一般生产车间的条件下,对螺距很难检测。因而,国家标准中对普通螺纹的螺距不采用规定公差的办法,而是采取将外螺纹中径减小或内螺纹中径增大的方法,补偿螺距误差的影响,以保证达到可旋合性的要求。

假设内螺纹具有基本牙型,与存在累积误差为 ΔP_Σ 的外螺纹结合,内、外螺纹必然会由于在牙侧产生干涉而不能旋合。因此,为了防止干涉,使外螺纹旋入理想的内螺纹,就必须使外螺纹的中径减小一个数值f_p。

普通螺纹f_p与ΔP_Σ的关系可由如图6-18所示的$\triangle ABC$的几何关系导出。

$$f_p = \Delta P_\Sigma \cot(\alpha/2) = 1.732|\Delta P_\Sigma|$$

测量时,为了消除螺纹的安装误差对螺距测量结果的影响,ΔP_Σ取螺纹旋合长度范围内牙型左、右两侧螺距积累误差的绝对值。即:

$$\Delta P_\Sigma = 1/2(|\Delta P_{\Sigma 左}| + |\Delta P_{\Sigma 右}|)$$
$$f_p = 1.732/2(|\Delta P_{\Sigma 左}| + |\Delta P_{\Sigma 右}|)$$

(3)牙侧角误差对螺纹互换性的影响 对于普通螺纹,在理论上其牙型角α为60°,而牙侧角α_1和α_2为30°。牙侧角误差是由于牙型角存在误差($\alpha \neq 60°$)或牙型角的位置误差而造成左、右牙侧角不相等(即$\alpha_1 \neq \alpha_2$)形成的,也可能是由于上述两个因素共同形成的(如图6-19所示)。牙侧角误差的存在使内外螺纹连接时发生干涉,影响可旋合性。同时牙侧角误差还会使内、外螺纹连接时接触面积减小、磨损加快,从而使螺纹连接的可靠性受到影响。

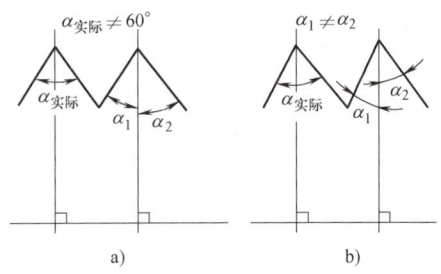

图6-19 产生牙侧角误差的原因

在实际生产中,由于刀具形状不正确、刀具相对工件的安装位置不正确均会产生牙侧角误差,应保证刀具形状、提高对刀精度减少牙侧角误差。

1)牙侧角偏差。是指牙侧角的实际值与其基本值之差。

牙侧角螺纹加工过程中,由于刀具角度不准确或刀具相对于螺纹的轴线的安装不准确,都会产生牙侧角偏差,导致螺纹牙侧发生干涉,对螺纹的可旋合性和连接强度均有影响。此外还会影响牙侧面的接触面积,降低连接强度。

2)牙侧角误差中径当量。是指将牙侧角误差换算成中径的数值f_α,单位为μm。

实际情况是,同一牙型的左右半角并不一定对称,$\Delta\alpha_1$和$\Delta\alpha_2$也并不一定相等,对互换性的影响也就不同。当左、右牙侧角误差$\Delta\alpha_1$和$\Delta\alpha_2$不等时,两者中绝对值较小的误差能对较大的误差起一定的补偿作用,所以在计算f_α时,常取左、右牙侧角误差中径当量的平均值。

牙侧角误差中径当量可根据具体情况按下式计算

$$f_\alpha = 0.073P(k_1|\Delta\alpha_1| + k_2|\Delta\alpha_2|) \tag{6-2}$$

式中,k_1、k_2取值由内外螺纹的$\Delta\alpha_1$和$\Delta\alpha_2$符号决定,见表6-10。

表6-10 系数k_1、k_2的取值

类型	$\Delta\alpha_1$或$\Delta\alpha_2 > 0$	$\Delta\alpha_1$或$\Delta\alpha_2 < 0$
外螺纹	$k_1 = 2$	$k_2 = 3$
内螺纹	$k_1 = 3$	$k_2 = 2$

外螺纹牙侧角误差中径当量f_α的计算式分别为

$\Delta\alpha_1 > 0$,$\Delta\alpha_2 > 0$,$f_\alpha = 0.073P(2|\Delta\alpha_1| + 2|\Delta\alpha_2|) = 0.146P(|\Delta\alpha_1| + |\Delta\alpha_2|)$;

$\Delta\alpha_1 < 0$,$\Delta\alpha_2 < 0$,$f_\alpha = 0.073P(3|\Delta\alpha_1| + 3|\Delta\alpha_2|) = 0.219P(|\Delta\alpha_1| + |\Delta\alpha_2|)$;

$\Delta\alpha_1>0$，$\Delta\alpha_2<0$，$f_\alpha=0.073P(2|\Delta\alpha_1|+3|\Delta\alpha_2|)=P(0.146|\Delta\alpha_1|+0.219|\Delta\alpha_2|)$；

$\Delta\alpha_1<0$，$\Delta\alpha_2>0$，$f_\alpha=0.073P(3|\Delta\alpha_1|+2|\Delta\alpha_2|)=P(0.219|\Delta\alpha_1|+0.146|\Delta\alpha_2|)$。

3）中径误差对螺纹连接互换性的影响。影响螺纹连接可靠性的根本原因是螺纹的单一中径超出了最小实体牙型的中径。也就是说，对于外螺纹来讲，单一中径的尺寸加工小了；对于内螺纹来讲，单一中径的尺寸加工大了。此时，当外螺纹的中径大于内螺纹的中径时，外螺纹就无法旋合；而当外螺纹的中径过小，外螺纹旋入后内、外螺纹的间隙过大，配合过松，影响连接的紧密性和强度。为了保证螺纹连接的配合质量和强度，必须严格控制中径误差。

在螺纹的制造过程中，由于进刀量不准确、机床几何精度误差和机床、刀具、工件等工艺系统的径向变形，均会引起中径误差。当这样的螺纹与合格的螺纹连接时，则连接的接触面积减小，磨损加快，使用寿命缩短，严重的会产生"松旷"甚至"滑扣"。

螺纹加工过程中，刀具进刀量越大，外螺纹的中径越小，内螺纹的中径则越大，中径的大小决定了牙型的径向位置，影响螺纹连接的松紧程度，因此对中径误差也必须加以限制。

中径误差的影响显而易见：内螺纹的中径过小、外螺纹中径过大，影响可旋合性；内螺纹的中径过大、外螺纹中径过小，影响连接强度。

由于螺纹连接时，大、小径处不接触，牙侧角误差和螺距误差又可用中径来补偿，所以，螺纹中径是影响螺纹可旋合性的主要参数。

3. 保证普通螺纹连接互换性的条件

由上可知，为保证普通螺纹连接的互换性，主要考虑可旋合性，一般要求内、外螺纹牙底实际轮廓上的任何点不应超越按基本牙型和公差带位置所确定的最大实体牙型，因此必须控制螺纹的顶径、中径在极限尺寸范围内。

对于内螺纹：$D_{1\min} \leqslant D_{1a} \leqslant D_{1\max}$；

对于外螺纹：$d_{\min} \leqslant d_a \leqslant d_{\max}$。

由于牙侧角误差和螺距误差均可折合到中径当量上，因此实际螺纹作用中径作为实际尺寸与形状误差的综合可表示为

$$D_{2m} = D_{2a} - (f_\alpha + f_p) \tag{6-3}$$

$$d_{2m} = d_{2a} + (f_\alpha + f_p) \tag{6-4}$$

因此，对于中径控制常常有

对于内螺纹：$D_{2\min} \leqslant D_{2m}$（保证连接强度），$D_{2a} \leqslant D_{2\max}$（保证可旋合性）；

对于外螺纹：$d_{2\min} \leqslant d_{2a}$（保证连接强度），$d_{2m} \leqslant d_{2\max}$（保证可旋合性）。

普通螺纹极限尺寸可以根据表 6-11 所示公式计算出来。

表 6-11 普通螺纹极限尺寸计算公式（摘自 GB/T 15756—2008）

	内螺纹	外螺纹
大径	$D_{\min} = D + EI$	$d_{\max} = d + es$， $d_{\min} = d_{\max} - T_d$
中径	$D_{2\min} = D_{\min} - 3/4H = D_{\min} - 0.6495P$ $D_{2\max} = D_{2\min} + T_{D2}$	$d_{2\max} = d_{\max} - 3/4h = d_{\max} - 0.6495P$ $d_{2\min} = d_{2\max} - T_{d2}$
小径	$D_{1\min} = D_{\min} - 5/4H = D_{\min} - 1.0825P$ $D_{1\max} = D_{2\min} + T_{D1}$	$d_{1\min} = d_{\min} - 5/4h = d_{\min} - 1.0825P$ $d_{1\max} = d_{\min} - 1.227P$

一般对于符合普通螺纹基本牙型的，公称直径为 1~300mm 的螺纹的公差带为 4H、5H、6H、7H、6G、4h、6h、6g、6f 和 6e，常用普通螺纹的极限尺寸可直接查表，见表 6-12。

表 6-12　6g 外螺纹的极限尺寸（摘自 GB/T 15756—2008）　　　（单位：mm）

公称直径 d	螺距 P	大径		中径		小径（参考）
		d_{max}	d_{min}	d_{2max}	d_{2min}	d_{Dmax}
20	1	19.974	19.794	19.324	19.206	18.747
	1.5	19.968	19.732	18.994	18.854	18.128
	2	19.962	19.682	18.663	18.503	17.508
	2.5	19.958	19.623	16.334	16.104	16.891

4. 普通螺纹的公差与配合及其选用

螺纹的精度主要由螺纹公差带和旋合长度共同组成的衡量螺纹质量的综合指标表示。螺纹公差带具有大小和位置这两个特征。公差带大小由公差等级所决定，公差带位置由基本偏差所决定。

（1）公差带位置　螺纹公差带是以基本牙型为零线布置的。螺纹的基本牙型是计算螺纹偏差的基准。螺纹的公差带是按"向体内"原则，沿基本牙型的牙侧、牙顶和牙底进行分布，且在垂直于螺纹轴线方向上计算各直径公差。

国家标准对内螺纹规定了两种基本偏差 G、H，其基本偏差 EI≥0，如图 6-20 所示。

国家标准对外螺纹规定了八种基本偏差 a、b、c、d、e、f、g、h，其基本偏差 es≤0，如图 6-21 所示。

基本偏差数值见表 6-13。选择基本偏差主要依据螺纹涂镀层的厚度和螺纹件的装配间隙。

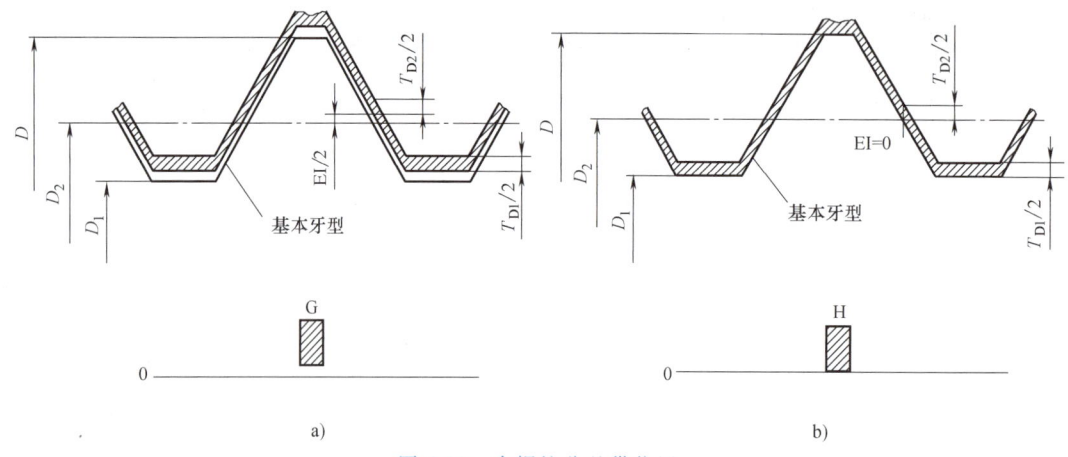

图 6-20　内螺纹公差带位置

（2）公差等级　按螺纹的中径和顶径，即内螺纹的中径、小径公差或外螺纹的中径、大径公差，可将公差大小分为不同的公差等级，见表 6-14~表 6-18。内、外普通螺纹的国家标准规定保证了 $D_{min}>d_{max}$ 和 $D_{1min}>d_{1max}$，使螺纹在大径和小径处均不发生干涉，满足旋合性的要求。普通螺纹的公差等级中 6 级是基本级，3 级公差值最小，精度最高，9 级精度最低。

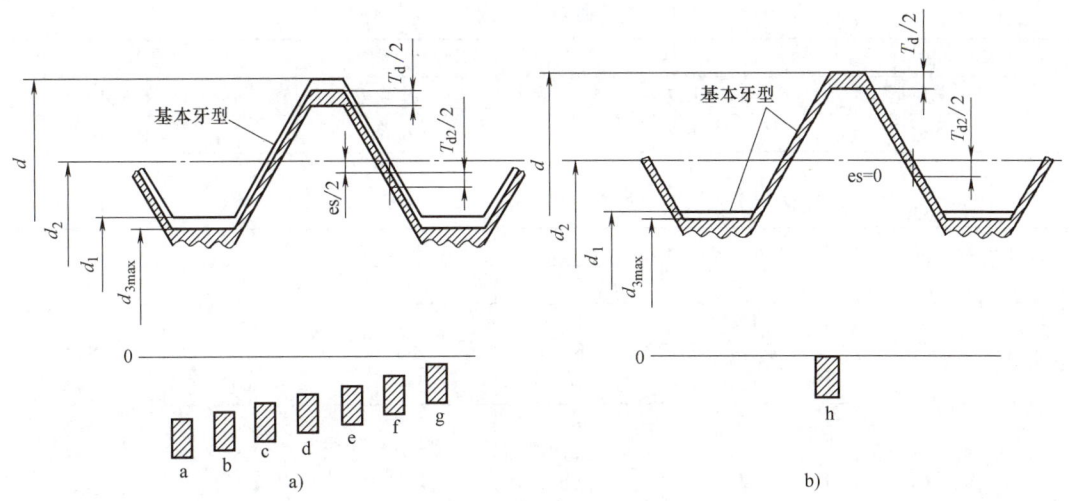

图 6-21 外螺纹公差带位置

表 6-13 内外螺纹的基本偏差（摘自 GB/T 197—2018）　　　　　（单位：μm）

螺距 P/mm	基本偏差									
	内螺纹		外螺纹							
	G EI	H EI	a es	b es	c es	d es	e es	f es	g es	h es
0.2	+17	0	—	—	—	—	—	—	−17	0
0.25	+18	0	—	—	—	—	—	—	−18	0
0.3	+18	0	—	—	—	—	—	—	−18	0
0.35	+19	0	—	—	—	—	—	−34	−19	0
0.4	+19	0	—	—	—	—	—	−34	−19	0
0.45	+20	0	—	—	—	—	—	−35	−20	0
0.5	+20	0	—	—	—	—	−50	−36	−20	0
0.6	+21	0	—	—	—	—	−53	−36	−21	0
0.7	+22	0	—	—	—	—	−56	−38	−22	0
0.75	+22	0	—	—	—	—	−56	−38	−22	0
0.8	+24	0	—	—	—	—	−60	−38	−24	0
1	+26	0	−290	−200	−130	−85	−60	−40	−26	0
1.25	+28	0	−295	−205	−135	−90	−63	−42	−28	0
1.5	+32	0	−300	−212	−140	−95	−67	−45	−32	0
1.75	+34	0	−310	−220	−145	−100	−71	−48	−34	0
2	+38	0	−315	−225	−150	−105	−71	−52	−38	0
2.5	+42	0	−325	−235	−160	−110	−80	−58	−42	0
3	+48	0	−335	−245	−170	−115	−85	−63	−48	0
3.5	+53	0	−345	−255	−180	−125	−90	−70	−53	0
4	+60	0	−355	−265	−190	−130	−95	−75	−60	0
4.5	+63	0	−365	−280	−200	−135	−100	−80	−63	0
5	+71	0	−375	−290	−212	−140	−106	−85	−71	0
5.5	+75	0	−385	−300	−224	−150	−112	−90	−75	0
6	+80	0	−395	−310	−236	−155	−118	−95	−80	0
8	+100	0	−425	−340	−265	−180	−140	−118	−100	0

表 6-14 普通螺纹公差等级（摘自 GB/T 197—2018）

螺纹直径		公差等级	螺纹直径		公差等级
外螺纹	中径 d_2	3、4、5、6、7、8、9	内螺纹	中径 D_2	4、5、6、7、8
	大径 d	4、6、8		小径 D_1	4、5、6、7、8

表 6-15 部分内螺纹小径公差（T_{D1}）（摘自 GB/T 197—2018） （单位：μm）

螺距 P/mm	公差等级				
	4	5	6	7	8
0.75	118	150	190	236	—
0.8	125	160	200	250	315
1	150	190	236	300	375
1.25	170	212	265	335	425
1.5	190	236	300	375	475
1.75	212	265	335	425	530
2	236	300	375	457	600
2.5	280	355	450	560	710
3	315	400	500	630	800

表 6-16 部分外螺纹大径公差（T_d）（摘自 GB/T 197—2018） （单位：μm）

螺距 P/mm	公差等级		
	4	6	8
2	180	280	450
2.5	212	335	530
3	236	375	600

表 6-17 部分内螺纹中径公差（T_{D2}）（摘自 GB/T 197—2018） （单位：μm）

基本大径 D/mm		螺距 P/mm	公差等级				
>	≤		4	5	6	7	8
5.6	11.2	0.75	85	106	132	170	—
		1	95	118	150	190	236
		1.25	100	125	160	200	250
		1.5	112	140	180	224	280
11.2	22.4	1	100	125	160	200	250
		1.25	112	140	180	224	280
		1.5	118	150	190	236	300
		1.75	125	160	200	250	315
		2	132	170	212	265	335
		2.5	140	180	224	280	355

表 6-18 部分外螺纹中径公差（T_{d2}）（摘自 GB/T 197—2018） （单位：μm）

基本大径 D/mm		螺距 P/mm	公差等级						
>	≤		3	4	5	6	7	8	9
5.6	11.2	0.75	50	63	80	100	125	—	—
		1	56	71	90	112	140	180	224
		1.25	60	75	95	118	150	190	236
		1.5	67	85	106	132	170	212	265

(续)

基本大径 D/mm		螺距 P/mm	公差等级						
>	≤		3	4	5	6	7	8	9
11.2	22.4	1	60	75	95	118	150	190	236
		1.25	67	85	106	132	170	212	265
		1.5	71	90	112	140	180	224	280
		1.75	75	95	118	150	190	236	300
		2	70	100	125	160	200	250	315
		2.5	75	106	132	170	212	265	335

（3）旋合长度 螺纹长度的大小，直接关系到螺纹的加工和装配。短螺纹容易加工和装配，长螺纹的加工和装配难度大。旋合长度越长，螺距的累积误差越大，越难旋合，且加工长螺纹比短螺纹难以保证精度。因此，对不同的旋合长度应规定不同大小的公差带，旋合长度是螺纹精度设计中必须考虑的因素。

国家标准对螺纹连接规定了三组旋合长度，分别为短旋合长度组（S）、中等旋合长度组（N）和长旋合长度组（L），各组的旋合长度范围与公称直径和螺距的对应关系，见表6-19。

表 6-19 部分螺纹的旋合长度（摘自 GB/T 197—2018） （单位：mm）

基本大径 D、d		螺距 P/mm	旋 合 长 度			
			S	N		L
>	≤		≤	>	≤	>
2.8	5.6	0.35	1	1	3	3
		0.5	1.5	1.5	4.5	4.5
		0.6	1.7	1.7	5	5
		0.7	2	2	6	6
		0.75	2.2	2.2	6.7	6.7
		0.8	2.5	2.5	7.5	7.5
5.6	11.2	0.75	2.4	2.4	7.1	7.1
		1	3	3	9	9
		1.25	4	4	12	12
		1.5	5	5	15	15
11.2	22.4	1	3.8	3.8	11	11
		1.25	4.5	4.5	13	13
		1.5	5.6	5.6	16	16
		1.75	6	6	18	18
		2	8	8	24	24
		2.5	10	10	30	30
22.4	45	1	4	4	12	12
		1.5	6.3	6.3	19	19
		2	8.5	8.5	25	25
		3	12	12	36	36
		3.5	15	15	45	45
		4	18	18	53	53

（4）推荐公差带　公差带选用与旋合长度及所需精度有关，为了减少螺纹加工刀具和检测量具的规格和种类，国家标准推荐了常用的公差带。

1）螺纹精度。根据螺纹使用场合、加工的难易程度和成本将螺纹精度，分为3级：

精密级——用于精密螺纹。

中等级——用于一般用途连接。

粗糙级——用于要求不高或制造困难的情况，如热轧棒料上和深盲孔内加工螺纹。

2）优选公差带。为了减少螺纹加工刀具和检测量具的规格和种类，对薄涂镀层（电镀螺纹）及非特殊情况，国家标准推荐了常用的公差带，其他公差带不宜选用（表6-20）。涂镀后，螺纹实际轮廓上的任何点不应超过按公差位置H或h所确定的最大实体牙型。

公差带优先选用顺序为：粗字体公差带、一般字体公差带、括号内公差带。带方框的粗字体公差带用于大量生产的紧固件螺纹。如果螺纹旋合长度的实际值（例如，标准螺栓）未知，推荐按中等旋合长度（N）选取螺纹公差带。

表6-20中的内、外螺纹公差带能形成任意组合。但是，为了保证内、外螺纹间有足够的螺纹接触高度，推荐完工后的螺纹零件宜优先组成H/g、H/h或G/h配合。极限偏差值见表6-21。对公称直径小于等于1.4mm的螺纹，应选用5H/6h、4H/6h或更精密的配合。

表6-20　内、外螺纹推荐公差带

类型		内螺纹			外螺纹		
旋合长度		S	N	L	S	N	L
公差精度等级	精密级	4H	5H	6H	(3h、4h)	4h(4g)	(5h、4h、5g、4g)
	中等级	5H(5G)	**6H**、6G	7H(7G)	(5h、6h、5g、6g)	6h、**6g**、6f、6e	(7h、6h、7g、6g、7e、6e)
	粗糙级	—	7H(7G)	8H(8G)	—	8g(8e)	(9g、8g、9e、8e)

表6-21　优选普通螺纹的极限偏差值（摘自GB/T 2516—2003）　　（单位：μm）

基本大径/mm		螺距 P/mm	内螺纹				外螺纹					
			公差带	中径		小径		公差带	中径		大径		小径
>	≤			ES	EI	ES	EI		es	ei	es	ei	用于计算应力的偏差
11.2	22.4	2		—	—	—	—	6f	−52	−212	−52	−332	−341
			6G	+250	+38	+413	+38	6g	−38	−198	−38	−318	−327
			6H	+212	0	+375	0	6h	0	−160	0	−280	−289
				—	—	—	—	7e6e	−71	−271	−71	−351	−360
			7G	+303	+38	+513	+38	7f6f	−38	−238	−38	−318	−327
			7H	+265	0	+475	0	7h6h	0	−200	0	−280	−289
			8G	+373	+38	+638	+38	8g	−38	−288	−38	−488	−327
			8H	+335	0	+600	0	9g8g	−38	−353	−38	−448	−327

(续)

基本大径 /mm		螺距 P/mm	内螺纹				外螺纹					
			公差带	中径		小径		公差带	中径		大径		小径
>	≤			ES	EI	ES	EI		es	ei	es	ei	用于计算应力的偏差
11.2	22.4	2.5	—	—	—	—	—	3h4h	0	−85	0	−212	−361
			4H	+140	0	+280	0	4h	0	−106	0	−212	−361
			4G	+222	+42	+397	+42	5g6g	−42	−174	−42	−377	−403
			5H	+180	0	+355	0	5h4h	0	−132	0	−212	−361
			—	—	—	—	—	5h6h	0	−132	0	−335	−361
			—	—	—	—	—	6e	−80	−250	−80	−415	−441
			—	—	—	—	—	6f	−58	−228	−58	−393	−419
			6G	+266	+42	+492	+42	6g	−42	−212	−42	−377	−403
			6H	+224	0	+450	0	6h	0	−170	0	−335	−361
			—	—	—	—	—	7e6e	−80	−292	−80	−415	−441
			7G	+322	+42	+602	+42	7g6g	−42	−254	−42	−377	−403
			7H	+280	0	+560	0	7h6h	0	−212	0	−335	−361
			8G	+397	+42	+752	+42	8g	−42	−307	−42	−572	−403
			8H	+355	0	+710	0	9g8g	−42	−377	−42	−572	−403

5. 普通螺纹及其配合的标注

螺纹的完整标记由螺纹特征代号（"M"）、尺寸代号、公差带代号（内螺纹/外螺纹）及其他有必要进一步说明的个别信息等组成，基本表达如下：

M 尺寸代号—内螺纹中径（小径）公差带代号/外螺纹中径（大径）公差带代号（—旋合长度等级—旋合方向）。

注：（）内可按情况省略。

如：公称直径为16mm、螺距为1.5mm、导程为3mm、中径公差带为5g、顶（大）径公差带为6g的细牙普通外螺纹与中径公差带为5H、顶（小）径公差带为6H的双线细牙左旋普通螺纹的长旋合长度配合，表达为：

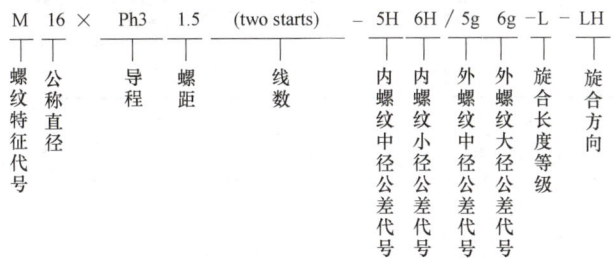

（1）单线螺纹的尺寸代号为"公称直径×螺距"，粗牙螺纹，螺距可略 多线螺纹的尺寸代号为"公称直径×Ph 导程 P 螺距（线数）"，双线为"two starts"可省略，三线为"three starts"，四线为"four starts"。如：

公称直径为10mm，螺距为1mm的单线细牙螺纹：M8×1。

公称直径为10mm，螺距为1.5mm的单线粗牙螺纹：M10。

公称直径为16mm，螺距为1.5mm、导程为3mm的双线螺纹：M16×Ph3P1.5 或 M16×Ph3P1.5（two starts）。

（2）普通螺纹的公差带代号为"公差等级数字""基本偏差字母"，如 7g、5H 等 国家标准规定，当公称直径小于或等于 1.4mm 且内螺纹公差带代号为 5H 或外螺纹公差带代号为 6h 时，和公称直径大于或等于 1.6mm，且内螺纹公差带代号为 6H 或外螺纹公差带代号为 6g 时，中等精度螺纹不标注公差带代号。如：

公称直径为 8mm，中径公差带和大径公差带为 6g、中等公差精度的粗牙外螺纹：M8
公称直径为 8mm，中径公差带和小径公差带为 6H、中等公差精度的粗牙内螺纹：M8
若中径和顶径的公差带相同时，只需注一个公差带代号即可，如：
中径公差带为 5g、大径公差带为 6g 的外螺纹与中径公差带为 5H、小径公差带为 6H 的内螺纹配合：M10×1-5H6H/5g6g。
中径和大径公差带为 6g 的粗牙外螺纹与中径和小径公差带为 6H 的粗牙内螺纹的配合：M10-6H/6g。

（3）有必要说明的其他信息：螺纹的旋合长度和旋向 对长、短旋合长度组的螺纹，应在公差带代号后分别标注"L"或"S"代号，中等旋合长度组螺纹不标注。

长旋合长度的内、外螺纹：M6-7H/7g6g-L。
中等旋合长度的外螺纹（粗牙、中等精度的 6g 公差带）：M6。
对左旋螺纹，应在旋合长度代号之后标注"LH"，右旋螺纹不标注。如：
左旋螺纹：M12×1-LH（公差带代号和旋合长度代号被省略）。

例 6-1： 查表求 M20-7G/7g6g 普通的内、外螺纹的基本尺寸、极限偏差和极限尺寸，及保证互换性的条件。

解：

1）M20-7G/7g6g 为公称直径为 20mm，中径公差带为 7g，大径公差带为 6g 的粗牙普通外螺纹，与中径和小径公差带均为 7G 的粗牙普通内螺纹的配合。

2）查表 6-9 直径与螺距标准组合系列表得：螺距 = 2.5mm。

3）查表 6-8 基本尺寸表（单位为 mm）得：

大径(D,d)	螺距 P	中径(D_2,d_2)	小径(D_1,d_1)
20mm	2.5mm	18.376mm	17.294mm

4）查表 6-21 优选普通螺纹的极限偏差值表，或查表 6-13～表 6-18（单位为 μm）均可得：

内螺纹						外螺纹					
大径		中径		小径		大径		中径		小径	
ES	EI	ES	EI	ES	EI	es	ei	es	ei	es	ei
不规定	0	+322	+42	+602	+42	-42	-377	-42	-254	-403	不规定
		$T_{D2}=280$		$T_{D1}=560$		$T_d=335$		$T_{d2}=212$			

5）一般对于符合普通螺纹基本牙型的公称直径为 1～300mm 的公差带为 6g 的常用普通螺纹的极限尺寸可查表 6-12。6g 外螺纹的极限尺寸可根据表 6-11 普通螺纹极限尺寸计算公

式计算出极限尺寸（单位为 mm）：

	内螺纹	外螺纹
大径	不超过实体牙型 $D_{\min} = 20$	$d_{\max} = 20 + es = 19.958$ $d_{\min} = d_{\max} - T_d = 19.623$
中径	$D_{2\min} = D_{\min} - 0.6495P = 18.376$ $D_{2\max} = D_{2\min} + T_{D2} = 18.656$	$d_{2\max} = d_{\max} - 0.6495P = 18.334$ $d_{2\min} = d_{2\max} - T_{d2} = 18.164$
小径	$D_{1\min} = D_{\min} - 5/4H = 17.294$ $D_{1\max} = D_{1\min} + T_{D1} = 17.854$	$d_{1\min} = d_{\min} - 1.0825P = 16.891$ $d_{1\max} = d_{1\min} - 1.227P = 16.891$

6）为保证普通螺纹的互换性，就必须控制螺纹的大径、小径、中径在极限尺寸范围内。

对于内螺纹小径：$17.294 \leq D_{1a} \leq 17.854$，$18.376 \leq D_{2m} \leq 18.656$；

对于外螺纹大径：$19.623 \leq d_a \leq 19.958$，$18.164 \leq d_{2a} \leq 18.334$；

对于内螺纹中径：$18.376 \leq D_{2m}$（保证连接强度），$D_{2a} \leq 18.656$（保证可旋合性）；

对于外螺纹中径：$18.164 \leq d_{2a}$（保证连接强度），$d_{2m} \leq 18.334$（保证可旋合性）。

6.3 键和花键的公差与配合

键连接和花键连接广泛用于轴与轴上传动件（如齿轮、带轮、联轴器等）之间的可拆连接，以传递转矩。当轴与传动件之间有轴向相对运动要求时，键连接和花键连接还能起导向作用，如变速器中变速齿轮花键孔与花键轴的连接。

键又称单键，可分为平键、半圆键、切向键和楔形键等几种，其中平键又分为普通平键和导向平键两种。平键连接制造简单，装拆方便，因此应用广泛。

花键分为矩形花键和渐开线花键两种。与平键连接相比较，花键连接的强度高，承载能力强。矩形花键连接在机床和一般机械中应用较广。渐开线花键连接与矩形花键连接相比较，前者的强度更高，承载能力更强，且具有精度高、齿面接触良好、能自动定心、加工方便等优点，在汽车、拖拉机制造业中已被广泛采用。

为了满足普通平键连接、矩形花键连接和圆柱直齿渐开线花键连接的使用要求，并保证其互换性，我国发布了 GB/T 1095—2003《平键 键槽的剖面尺寸》、GB/T 1144—2001《矩形花键尺寸、公差和检验》和 GB/T 3478.1—2008《圆柱直齿渐开线花键（米制模数齿侧配合）第 1 部分：总论》等国家标准。

6.3.1 普通平键连接的公差与配合

1. 普通平键和键槽的尺寸

普通平键连接如图 6-22 所示，由键、轴键槽和轮毂键槽（孔键槽）三部分组成，通过键的侧面和轴键槽及轮毂键槽的侧面相互接触来传递转矩。因此在普通平键连接中，键和轴键槽、轮毂键槽的宽度 b 是配合尺寸，应规定较严格的公差；而键的高度 h 和长度 L 以及轴键槽的深度 t_1 和长度 L、轮毂键槽的深度 t_2 皆是非配合尺寸，应给予较松的公差。

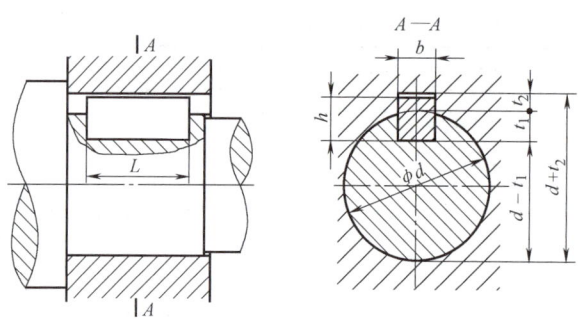

图 6-22 普通平键和键槽的尺寸

2. 普通平键连接的公差与配合

（1）普通平键和键槽配合尺寸的公差带和配合种类　普通平键连接中，键由型钢制成，是标准件。因此，键和键槽宽度 b 的配合采用基轴制。GB/T 1095—2003 规定的键和键槽宽度公差带均根据 GB/T 1801—2009《产品几何技术规范（GPS）　极限与配合　公差带和配合的选择》选取，如图 6-23 所示，对键的宽度规定一种公差带 h8，对轴和轮毂键槽的宽度各规定三种公差带，以满足不同用途的需要。键和键槽宽度公差带形成了三类配合，即松连接、正常连接和紧密连接，它们的应用可参考表 6-22。

（2）普通平键和键槽非配合尺寸的公差带　普通平键高度的公差带一般采用 h11，平键长度 L 的公差带采用 h14，轴键槽长度 L 的公差带采用 H14。GB/T 1095—2003 对轴键槽深度 t_1 和轮毂键槽深度 t_2 的极限偏差进行了专门规定。为了便于测量，在图样上对轴键槽深度和轮毂键槽深度分别标注 "$d-t_1$" 和 "$d+t_2$"（此处 d 为孔、轴的基本尺寸）。

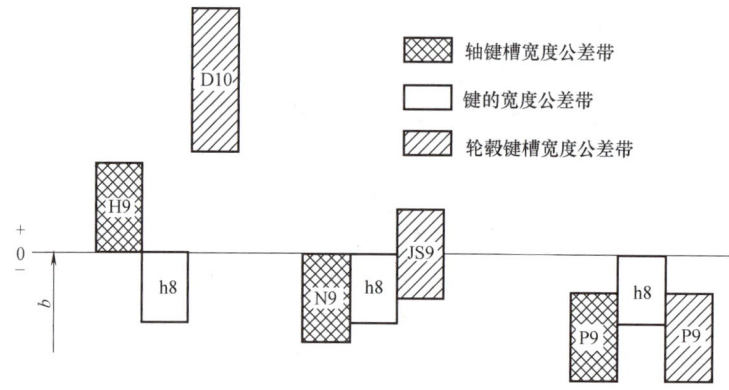

图 6-23　普通平键宽度和键槽宽度 b 的公差带示意图

表 6-22　普通平键连接的三类配合及其应用

配合种类	宽度 b 的公差带			应用
	键	轴键槽	轮毂键槽	
松连接	h8	H9	D10	用于导向平键，轮毂在轴上移动
正常连接		N9	JS9	键在轴键槽和轮毂键槽中均固定，用于载荷不大的场合
紧密连接		P9	P9	键在轴键槽中和轮毂槽中均牢固地固定，用于载荷较大、有冲击和双向转矩的场合

（3）键槽的几何公差 键与键槽配合的松紧程度不仅取决于它们的配合尺寸的公差带，而且还与它们的配合表面的几何误差有关，因此还需规定轴键槽两侧面的中心平面对轴的基准轴线和轮毂键槽两侧面的中心平面对孔的基准轴线的对称度公差。根据不同的功能要求，该对称度公差与键槽宽度公差的关系以及与孔、轴尺寸公差的关系可以采用独立原则，或者采用最大实体要求。对称度公差等级可按 GB/T 1184—1996《形状和位置公差未注公差值》取为 7~9 级。

（4）键槽的表面粗糙度轮廓要求 键槽的宽度方向两侧面的表面粗糙度轮廓幅度参数 Ra 的上限值一般取为 $1.6~3.2\mu m$，键槽底面的 Ra 的上限值取为 $6.3\mu m$。

6.3.2 矩形花键连接的公差与配合

1. 矩形花键的主要尺寸

GB/T 1144—2001 规定矩形花键的主要尺寸有小径 d、大径 D、键宽和键槽宽 B，如图 6-24 所示。键数 N 规定为偶数，有 6、8、10 三种，以便于加工和检测。按承载能力，对基本尺寸分为轻系列和中系列两种规格，同一小径的轻系列和中系列的键数相同，键宽（键槽宽）也相同，仅大径不相同。

2. 矩形花键连接的定心方式

矩形花键连接（图 6-25）由内花键和外花键构成，它是靠内、外花键的大径 D、小径 d 和键槽宽、键宽 B 同时参与配合，来保证内、外花键的同轴度（定心精度）、连接强度和传递转矩的可靠性；对要求轴向滑动的连接，还应保证导向精度。因此，矩形花键可以有三种定心方式：小径 d 定心、大径 D 定心和键侧（键槽侧）B 定心。

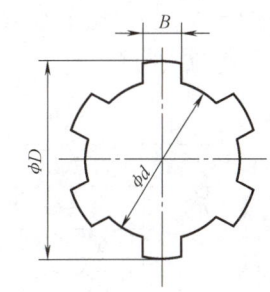

图 6-24 矩形花键连接的主要尺寸

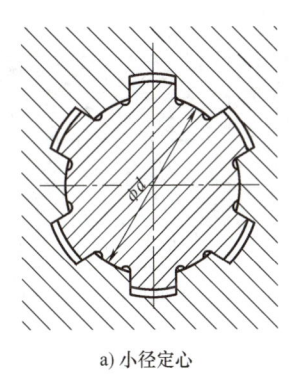
a) 小径定心

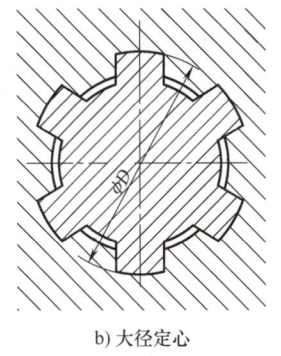
b) 大径定心

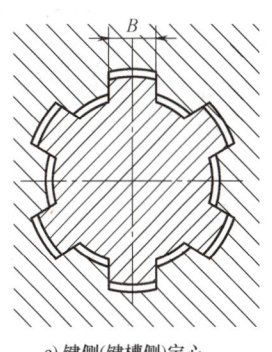
c) 键侧(键槽侧)定心

图 6-25 矩形花键连接的定心方式

在矩形花键连接中，要保证三个配合面同时达到高精度的配合是很困难的，也没有必要。因此，GB/T 1144—2001 规定矩形花键连接采用小径定心。这是因为随着科学技术的发展，现代工业对机械零件的质量要求不断提高，对花键连接的机械强度、硬度、耐磨性和精度的要求都提高了。例如，工作时每小时相对滑动 15 次以上的内、外花键，要求硬度在 40HRC 以上；相对滑动频繁的内、外花键，则要求硬度为 56~60HRC。因此在内、外花键制造时需热处理（淬火）来提高硬度和耐磨性。为保证定心表面的精度要求，淬硬后需进行磨削加工。从加工工艺性看，小径便于磨削（内花键小径表面可在内圆磨床上磨削，外花键小径表面可用成形砂轮磨削），通过磨削可达到高精度要求。所以矩形花键连接采用小径定心可以获得更高的定心精度，并能保证和提高花键的表面质量。而非定心直径表面之间有相当大的间隙，以保证它们不接触。键和键槽两侧面的宽度也应具有足够的精度，因为它们要传递转矩和导向。

3. 矩形花键连接的公差与配合

（1）尺寸公差带与装配型式　GB/T 1144—2001 规定的矩形花键装配型式分为滑动、紧滑动、固定三种。按精度高低，这三种装配型式均可分为一般用途和精密传动使用两种。内、外花键的定心小径、非定心大径和键宽（键槽宽）的尺寸公差带与装配型式见表 6-23，这些尺寸公差带均取自 GB/T 1801—2009。为了减少花键拉刀和花键塞规的品种、规格，花键连接采用基孔制配合。由于花键几何误差的影响，三种装配型式指明的配合皆分别比各自的配合代号所表示的配合紧些。此外，大径为非定心直径，所以内、外花键大径表面的配合采用较大间隙的配合。

表 6-23　矩形花键的尺寸公差带与装配型式

内花键				外花键			装配型式
小径 d	大径 D	键槽宽 B		小径 d	大径 D	键宽 B	
		拉削后不热处理	拉削后热处理				
一般用途							
h7Ⓔ	H10	H9	H11	f7Ⓔ	a11	d10	滑动
				g7Ⓔ		f9	紧滑动
				h7Ⓔ		h10	固定
精密传动使用							
h5Ⓔ	H10	H7，H9		f5Ⓔ	a11	d8	滑动
				g5Ⓔ		f7	紧滑动
				h5Ⓔ		h8	固定
h6Ⓔ				f6Ⓔ		d8	滑动
				g6Ⓔ		f7	紧滑动
				h6Ⓔ		h8	固定

注：1. 精密传动使用的内花键，当需要控制键侧配合间隙时，键槽宽 B 可选用 H7，一般情况下可选用 H9。
　　2. 小径 d 的公差带为 h6Ⓔ 或 h7Ⓔ 的内花键，允许与提高一级的外花键配合。

（2）几何公差　矩形花键的几何误差对花键连接有很大影响，如图 6-26 所示，花键连接采用小径定心，假设内、外花键各部分的实际尺寸合格，内花键（粗实线）定心表面和键槽侧面的形状和位置都正确，而外花键（细实线）定心表面各部分不同轴线，各键不等分或不对称，这相当于外花键轮廓尺寸增大，造成它与内花键干涉，从而使该内花键与外花键装配后不能获得配合代号表示的配合性质，甚至可能无法装配，并且使键（键槽）侧面受载不均匀。同样地，内花键位置误差的存在相当于内花键轮廓尺寸减少，也会造成它与外花键干涉。因此，对内、外花键必须分别规定几何公差，以保证花键连接精度和强度的要求。

为了保证内、外花键小径定心表面装配后的配合性质，GB/T 1144—2001 规定该表面的形状公差与尺寸公差的关系采用包容要求Ⓔ。

除了小径定心表面的形状误差以外，还有内、外花键的位置误差影响装配和精度，包括键（键槽）两侧面的中心平面对小径定心表面轴线的对称度误差、键（键槽）的等分度误差、键（键槽）侧面对小径定心表面轴线的平行度误差和大径表面轴线对小径定心表面轴线的同轴度误差。其中，以花键的对称度误差和分度误差的影响最大。因此，花键的对称度误差和分度误差通常用位置度公差予以综合控制。该位置度公差与键（键槽）宽度公差及小径定心表面尺寸公差的关系皆采用最大实体要求，如图 6-27 所示，用花键量规检验。

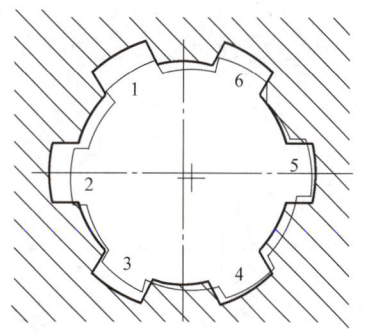

图 6-26 矩形花键几何误差对花键连接的影响
1—键位置正确　2~6—键位置不正确

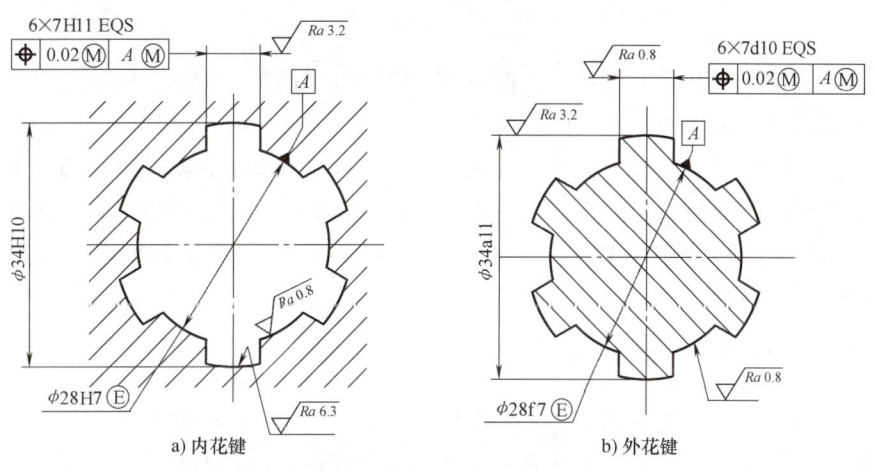

图 6-27 矩形花键位置度公差标注示例

在单件小批生产时，采用单项测量，则规定键（键槽）两侧面的中心平面对小径定心表面轴线的对称度公差和等分度公差，该对称度公差与键（键槽）宽度公差及小径定心表面尺寸公差的关系皆采用独立原则，如图 6-28 所示。花键等分度公差要求如下：花键各键（键槽）沿 360°圆周均匀分布为它们的理想位置，允许它们偏离理想位置的最大值的两倍为花键均匀分布公差值，其数值与花键对称度公差值相同，故花键等分度公差在图样上不必注出。

对于较长的花键，可根据产品性能自行规定键（键槽）侧面对小径定心表面轴线的平行度公差。由于内、外花键大径表面分别按 H10 和 a11 加工，它们的大径表面之间的间隙很大，因此大径表面轴线对小径定心表面轴线的同轴度误差可以用此间隙来补偿。

(3) 表面粗糙度轮廓要求　矩形花键的表面粗糙度轮廓幅度参数 Ra 的上限值推荐如下。

内花键：小径表面不大于 $0.8\mu m$，键槽侧面不大于 $3.2\mu m$，大径表面不大于 $6.3\mu m$。

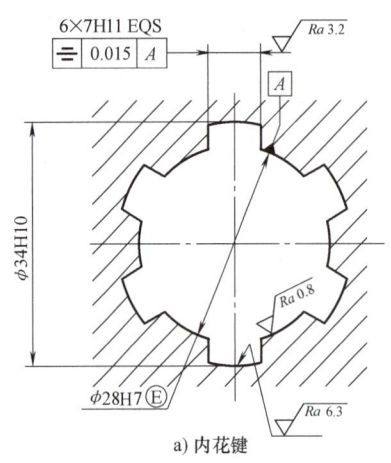
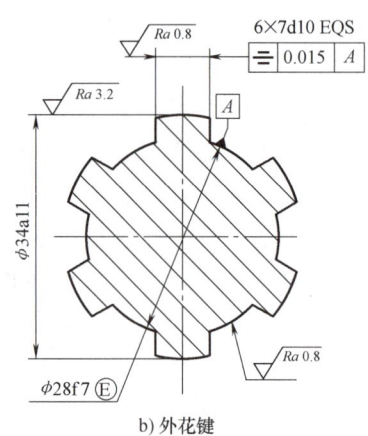

a) 内花键　　　　　　　　b) 外花键

图 6-28　矩形花键对称度公差标注示例

外花键：小径表面不大于 $0.8\mu m$，键侧面不大于 $0.8\mu m$，大径表面不大于 $3.2\mu m$。

4. 矩形花键的图样标注

矩形花键的规格按下列顺序表示：键数 $N×$小径 $d×$大径 $D×$键宽（键槽宽）B。按这顺序在装配图上标注花键的配合代号和在零件图上标注花键的尺寸公差带代号。例如，花键键数 N 为 6、小径 d 的配合为 28H7/f7、大径 D 的配合为 34H10/a11、键槽宽与键宽 B 的配合为 7H11/d10，其标注方法如下：

花键副，在装配图上标注配合代号：$6×28\dfrac{H7}{f7}×34\dfrac{H10}{a11}×7\dfrac{H11}{d10}$。

内花键，在零件图上标注尺寸公差带代号：$6×28H7×34H10×7H11$。

外花键，在零件图上标注尺寸公差带代号：$6×28f7×34a11×7d10$。

此外，在零件图上，对内、外花键除了标注尺寸公差带代号（或极限偏差）以外，还应标注几何公差和公差原则的要求，标注示例如图 6-27 和图 6-28 所示。

6.4　圆锥结合的公差与配合

圆锥结合是机器、仪器和工具结构中广泛应用的连接与配合形式。圆锥面是组成机械零件的一种常用的典型几何要素，与圆柱面相比影响其互换性的因素复杂一些，不仅有直径尺寸，还有角度。本节介绍 GB/T 11334—2005 的相关规定，主要讨论圆锥结合的公差与配合。

6.4.1　概述

1. 圆锥结合的主要几何参数

（1）公称圆锥　由设计给定的理想形状的圆锥，如图 6-29 所示。

1）公称圆锥直径：指圆锥在垂直于轴线的截面上的直径，包括：最大圆锥直径 D、最

第6章 典型零件的公差与配合

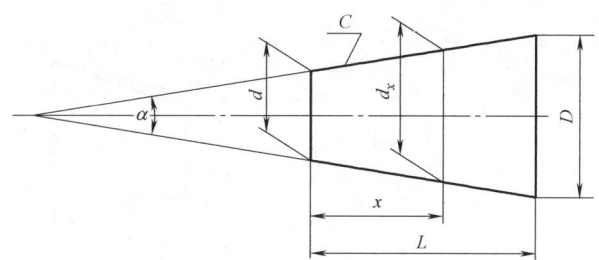

图 6-29 圆锥主要几何参数

小圆锥直径 d、给定截面圆锥直径 d_x。

2) 公称圆锥长度 L：指内、外圆锥配合时，结合面的轴向长度。

3) 公称圆锥角 α：指在通过圆锥轴线的截面内，两条素线的夹角。

4) 公称锥度 C：指圆锥在垂直于轴线的两个截面上的直径差，与该两截面间的轴向距离之比。

$$C = \frac{D-d}{L} = 2\tan\frac{\alpha}{2} = 1 : \frac{1}{2}\cot\frac{\alpha}{2} \qquad (6-5)$$

（2）实际圆锥　实际存在并与周围介质分隔的圆锥。

1) 实际圆锥直径 d_a。实际圆锥上的任一直径，如图 6-30 所示。

2) 实际圆锥角。实际圆锥的任一轴向截面内，包容其素线且距离为最小的两对平行直线之间的夹角，如图 6-31 所示。

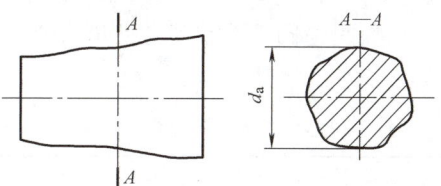

图 6-30　实际圆锥直径 d_a

（3）极限圆锥

1) 与公称圆锥共轴且与圆锥角相等，直径分别为上极限直径和下极限直径的两个圆锥，在垂直圆锥轴线的任一截面上，这两个圆锥的直径差都相等，如图 6-32 所示。

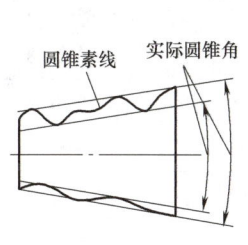

图 6-31　实际圆锥角

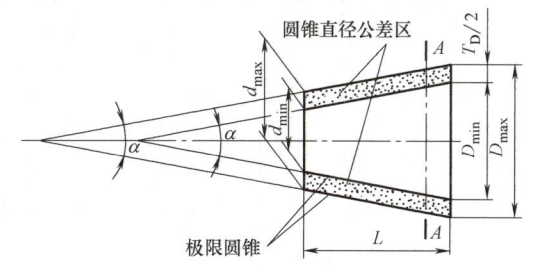

图 6-32　极限圆锥

2) 极限圆锥角。允许的上极限或下极限圆锥角，如图 6-33 所示。

2. 圆锥结合的特点

1) 间隙配合时具有良好的同轴性，内、外圆锥能自对中心；通过内外圆锥的轴向移动可调整径向间隙的大小。

2) 过渡配合时内、外圆锥配合的结合面经过配对研磨后，具有良好的气密性和水密性。

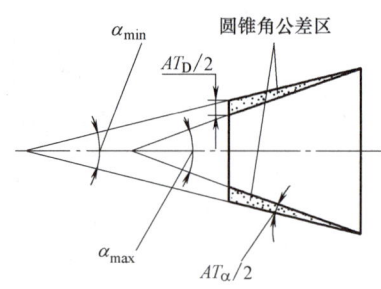

图 6-33 极限圆锥角

3)过盈配合时内、外圆锥配合的接触表面所产生的摩擦力可传递转矩,具有自锁性。

3. 圆锥结合的使用要求

内、外圆锥的结合面在结合长度上应接触均匀。要求内、外圆锥的锥角大小尽可能一致。内、外圆锥在任意正截面上的直径必须具有一定的配合精度,才能保证预定的配合性质。

4. 圆锥的锥度和锥角系列

GB/T 157—2001《产品几何量技术规范(GPS) 圆锥的锥度与锥角系列》规定了机械工程一般用途圆锥的锥度与锥角系列,见表6-24。适用于光滑圆锥,不适用于锥螺纹、锥齿轮等。

表 6-24 一般用途圆锥的锥度与锥角系列

基本值		推算值			
系列 1	系列 2	锥角 α			锥度 C
		(°)(′)(″)	(°)	rad	
120°		—	—	2.09439510	1∶0.2886751
90°		—	—	1.57079633	1∶0.5000000
	75°	—	—	1.30899694	1∶0.6516127
60°		—	—	1.04719755	1∶0.8660254
45°		—	—	0.78539816	1∶1.2071068
30°		—	—	0.52359878	1∶1.8660254
1∶3		18°55′28.7199″	18.92464442°	0.33029735	—
	1∶4	14°15′0.1177″	14.25003270°	0.24870999	—
1∶5		11°25′16.2706″	11.42118627°	0.19933730	—
	1∶6	9°31′38.2202″	9.52728338°	0.16628246	—
	1∶7	8°10′16.4408″	8.17123356°	0.14261493	—
	1∶8	7°9′9.6075″	7.15266875°	0.12483762	—
1∶10		5°43′29.3176″	5.72481045°	0.09991679	—
	1∶12	4°46′29.7970″	4.77188806°	0.08328516	—
	1∶15	3°49′5.8975″	3.81830487°	0.06664199	—

(续)

基本值		推算值			锥度 C
系列 1	系列 2	锥角 α			
		(°)(′)(″)	(°)	rad	
1∶20		2°51′51.0925″	2.86419237°	0.04998959	—
1∶30		1°54′34.8570″	1.90968251°	0.03333025	—
1∶50		1°8′45.1586″	1.14587740°	0.01999933	—
1∶100		34′22.6309″	0.57295302°	0.00999992	—
1∶200		17′11.3219″	0.28647830°	0.00499999	—
1∶500		6′52.5295″	0.11459152°	0.00200000	—

注：系列 1 中 120°~1∶3 的数值近似按 R10/2 优先数系列，1∶5~1∶500 按 R10/3 优先数系列。

6.4.2 圆锥公差

1. 圆锥公差项目

圆锥公差项目可分为：圆锥直径公差、圆锥角公差、给定截面圆锥直径公差、圆锥形状公差。

1) 圆锥直径公差 T_D。是指圆锥直径的允许变动量，如图 6-32 所示，即允许的最大极限圆锥直径 D_{max}（或 d_{max}）与最小极限圆锥直径 D_{min}（或 d_{min}）之差。用两个极限圆锥所限定的区域，表示在轴向截面内的圆锥直径公差区（Cone Diameter Tolerance Interval）。

2) 圆锥角公差 AT（AT_α 或 AT_D）。是指圆锥角的允许变动量（如图 6-33 所示）。即最大圆锥角 α_{max} 与最小圆锥角 α_{min} 之差。用两个极限圆锥角所限定的区域，表示圆锥角公差区（Tolerance Interval for the Cone Angle）。

3) 给定截面圆锥直径公差 T_{DS}。是指在垂直圆锥轴的给定截面内，圆锥直径的允许变动量。在给定的圆锥截面内，由两个同心圆所限定的区域，表示给定截面圆锥直径公差区（Cone Section Diameter Tolerance Interval），如图 6-34 所示。

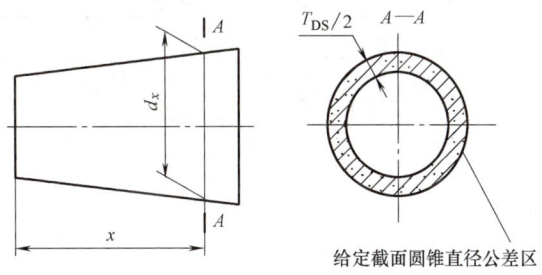

图 6-34 给定截面圆锥直径公差

4) 圆锥形状公差 T_F 包括素线直线度公差和截面圆度公差。

2. 圆锥公差的给定方法

1) 给出圆锥的公称圆锥角 α（或锥度 C）和圆锥直径公差 T_D。由圆锥直径公差 T_D 确定两个极限圆锥。此时圆锥角误差和圆锥的形状误差均应在圆锥直径公差区所限定的区域内。一般情况下，可不必单独规定圆锥角公差，而是将实际圆锥角控制在圆锥直径公差带内，此时圆锥角与是圆锥直径公差区内可能产生的极限圆锥角，如图 6-33 所示。

当对圆锥角公差、圆锥的形状公差有更高的要求时，可再给出圆锥角公差 AT、圆锥的形状公差 T_F。此时，AT_α 和 T_F 仅占 T_D 的一部分。

2）给出给定截面圆锥直径公差 T_{DS} 和圆锥角公差 AT_α。此时，给定截面圆锥直径和圆锥角应分别满足这两项公差的要求。T_{DS} 和 AT_α 的关系如图 6-35 所示。该方法是在假定圆锥素线为理想直线的情况下给出的。对圆锥形状公差有更高的要求时，可再给出圆锥的形状公差 T_F。

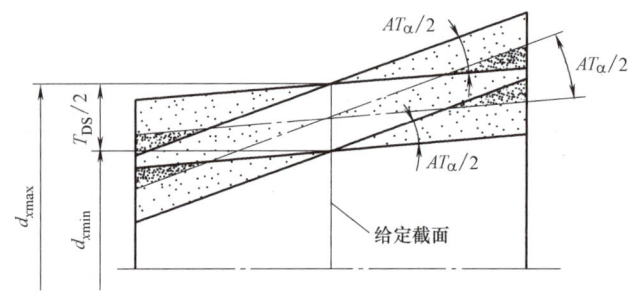

图 6-35 T_{DS} 和 AT_α 的关系

3. 圆锥公差数值的确定

1）圆锥直径公差 T_D。以公称圆锥直径（一般取最大圆锥直径 D）为公称尺寸，按 GB/T 1801—2009 规定的标准公差选取。

2）给定截面圆锥直径公差 T_{DS}。给定截面圆锥直径公差 T_{DS}，以给定截面圆锥直径 d_x 为公称尺寸，按 GB/T 1801—2009 规定的标准公差选取。

3）圆锥角公差 AT。圆锥角公差 AT 共分 12 个公差等级，用 $AT1$、$AT2$、…、$AT12$ 表示。圆锥角公差的数值见表 6-25。

表 6-25 圆锥角公差的数值表（摘自 GB/T 1801—2009）

公称圆锥长度 L/mm		圆锥公差等级								
		AT7			AT8			AT9		
		AT_α		AT_D	AT_α		AT_D	AT_α		AT_D
大于	至	μrad	(')(")	μm	μrad	(')(")	μm	μrad	(')(")	μm
6	10	800	2'45"	>5.0~8.0	1250	4'18"	>8.0~12.5	2000	6'52"	>12.5~20
10	16	630	2'10"	>6.3~10.0	1000	3'26"	>10.0~16.0	1600	5'30"	>16~25
16	25	500	1'43"	>8.0~12.5	800	2'45"	>12.5~20.0	1250	4'18"	>20~32
25	40	400	1'22"	>10.0~16.0	630	2'10"	>16.0~25.0	1000	3'26"	>25~40
40	63	315	1'05"	>12.5~20.0	500	1'43"	>20.0~32.0	800	2'45"	>32~50
63	100	250	52"	>16.0~25.0	400	1'22"	>25.0~40.0	630	2'10"	>40~63
100	160	20	41"	>20.0~32.0	315	1'05"	>32.0~50.0	500	1'43"	>50~80
160	250	160	33"	>25.0~40.0	250	52"	>40.0~63.0	400	1'22"	>63~100
250	400	125	26"	>32.0~50.0	200	41"	>50.0~80.0	315	1'05"	>80~125
400	630	100	21"	>40.0~63.0	160	33"	>63.0~100.0	250	52"	>100~160

(续)

公称圆锥长度 L/mm		圆锥公差等级								
		AT10			AT11			AT12		
		AT_α		AT_D	AT_α		AT_D	AT_α		AT_D
大于	至	μrad	(′)(″)	μm	μrad	(′)(″)	μm	μrad	(′)(″)	μm
6	10	3150	10′49″	>20~32	5000	17′10″	>32~50	8000	27′28″	>50~80
10	16	2500	8′35″	>25~40	4000	13′44″	>40~63	6300	21′38″	>63~100
16	25	2000	6′52″	>32~50	3150	10′49″	>50~80	5000	17′10″	>80~125
25	40	1600	5′30″	>40~63	2500	8′35″	>63~100	4000	13′44″	>100~160
40	63	1250	4′18″	>50~80	2000	6′52″	>80~125	3150	10′49″	>125~200
63	100	1000	3′26″	>63~100	1600	5′30″	>100~160	2500	8′35″	>160~250
100	160	800	2′45″	>80~125	1250	4′18″	>125~200	2000	6′52″	>200~320
160	250	630	2′10″	>100~160	1000	3′26″	>160~250	1600	5′30″	>250~400
250	400	500	1′43″	>125~200	800	2′45″	>200~320	1250	4′18″	>320~500
400	630	400	1′22″	>160~250	630	2′10	>250~400	1000	3′26″	>400~630

注：1μrad 等于半径为 1m，弧长为 1μm 所对应的圆心角。5μrad ≈ 1″（秒），300μrad ≈ 1′（分）。

圆锥角公差可用两种形式表示：

① AT_α 以角度单位微弧度或以度、分、秒表示。

② AT_D 以长度单位微米表示。

AT_α 和 AT_D 的关系如下：

$$AT_D = AT_\alpha \times L \times 10^{-3} \tag{6-6}$$

式中，AT_D 单位为 μm；AT_α 单位为 μrad；L 单位为 mm。

AT_D 值应按上式计算，表 6-25 中仅给出了圆锥长度 L 的尺寸段相对应的 AT_D 范围值。AT_D 计算结果的尾数按 GB/T 1801—2009 的规定进行修整，其有效位数应与表 6-25 中所列该 L 尺寸段的最大范围值的位数相同。

表 6-25 中 AT_D 取值举例：

例 6-2：L 为 63mm，选用 AT7，查表 6-25 得 AT_α 为 315μrad 或 1′05″，则

$$AT_D = AT_\alpha \times L \times 10^{-3} = 315 \times 63 \times 10^{-3} = 19.8\mu m$$

例 6-3：L 为 50mm，选用 AT7，查表 6-25 得 AT_α 为 315μrad 或 1′05″，则

$$AT_D = AT_\alpha \times L \times 10^{-3} = 315 \times 50 \times 10^{-3} = 15.75\mu m$$

4）圆锥角的极限偏差。圆锥角的极限偏差可按单向或双向（对称或不对称）取值，如图 6-36 所示。

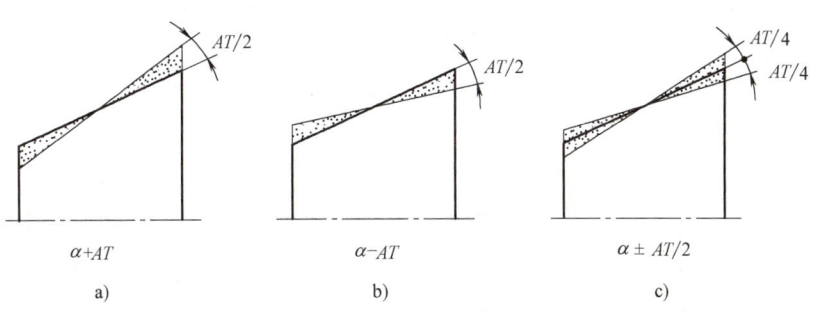

图 6-36 圆锥角的极限偏差

5) 圆锥的形状公差。圆锥的形状公差推荐按 GB/T 1184—1996 选取。

6.4.3 圆锥配合

GB/T 12360—2005 适用于锥度 C 为 1：3～1：500，圆锥长度 L 为 6～630mm，直径小于等于 500mm 光滑圆锥的配合。

圆锥的公差与配合制是由配合基准制、圆锥公差和圆锥配合等组成。相互配合的内外两圆锥其公称尺寸应相同。

圆锥配合的配合基准制与圆柱配合一样，分为基孔制和基轴制，优先选用基孔制。

圆锥公差按 GB/T 11334—2005 的规定确定。

圆锥配合的配合特征是通过相互结合的内、外圆锥规定的轴向位置来形成间隙或过盈。间隙或过盈是在垂直于圆锥表面方向起作用，但需按照垂直于圆锥轴线方向给定及测量。

按确定相互结合的内、外圆锥轴向位置的不同方法，圆锥配合有结构型圆锥配合和位移型圆锥配合两种。

1. 结构型圆锥配合

1) 由内、外圆锥的结构确定装配的最终位置而获得配合。这种方式可以得到间隙配合、过渡配合和过盈配合。由轴肩接触得到间隙配合的示例，如图 6-37a 所示。

2) 由内、外圆锥基准平面之间的尺寸确定装配的最终位置而形成配合。这种方式可以得到间隙配合、过渡配合和过盈配合。由结构尺寸得到过盈配合的示例，如图 6-37b 所示。

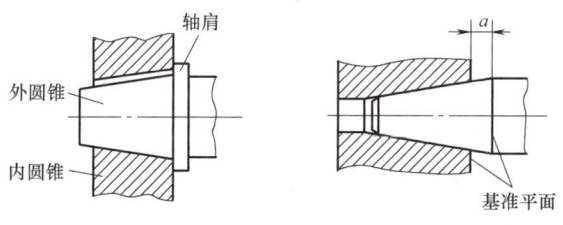

a) 由轴肩接触得到间隙配合　　b) 由结构尺寸得到过盈配合

图 6-37　结构型圆锥配合

2. 位移型圆锥配合

内、外圆锥在装配时作一定相对轴向位移（E_a）确定的相互关系。位移型圆锥配合可以是间隙配合或过盈配合。

1) 由内、外圆锥实际初始位置 P_a 开始，作给定的相对轴向位移 E_a 而形成间隙配合。如图 6-38a 所示。

2) 由内、外圆锥实际初始位置 P_a 开始，施加给定的装配力 F 产生轴向位移而形成过盈配合。如图 6-38b 所示。

3. 圆锥配合的术语及定义

(1) 圆锥配合　公称圆锥相同的内外圆锥直径之间，由于结合不同所形成的相互关系。对结构型圆锥配合，由内外圆锥直径公差区决定；对于位移型圆锥配合，由内外圆锥相对轴向位移决定。

(2) 圆锥直径配合量 T_{Df}（Span of Cone Diameter Fit）　圆锥配合在配合直径上允许的

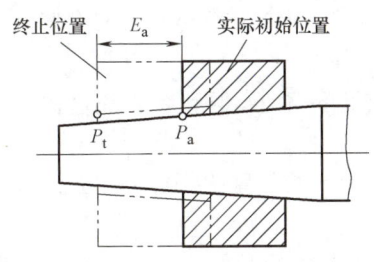 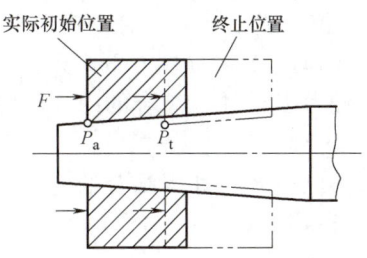

a) 由实际初始位置作给定轴向位移　　　　b) 由实际初始位置施加给定的装配力

图 6-38　位移型圆锥配合

间隙或过盈的变动量。

1) 对于结构型圆锥配合，圆锥直径间隙配合量是最大间隙（X_{max}）与最小间隙（X_{min}）之差；圆锥直径过盈配合量是最小过盈（Y_{min}）与最大过盈（Y_{max}）之差；圆锥直径过渡配合量是最大间隙（X_{max}）与最大过盈（Y_{max}）之差。圆锥直径配合量也等于内圆锥直径公差（T_{Di}）与外圆锥直径公差（T_{De}）之和，即：

圆锥直径间隙配合量　　　　$T_{Df} = X_{max} - X_{min}$ 　　　　　　　　　　(6-7)

圆锥直径过盈配合量　　　　$T_{Df} = Y_{min} - Y_{max}$ 　　　　　　　　　　(6-8)

圆锥直径过渡配合量　　　　$T_{Df} = X_{max} - Y_{max}$ 　　　　　　　　　　(6-9)

圆锥直径配合量　　　　　　$T_{Df} = T_{Di} + T_{De}$ 　　　　　　　　　　　(6-10)

2) 对于位移型圆锥配合，圆锥直径间隙配合量是最大间隙（X_{max}）与最小间隙（X_{min}）之差；圆锥直径过盈配合量是最小过盈（Y_{min}）与最大过盈（Y_{max}）之差；也等于轴向位移公差（T_E）与锥度（C）之积，即：

圆锥直径间隙配合量

$$T_{Df} = X_{max} - X_{min} = T_E \times C \quad (6-11)$$

圆锥直径过盈配合量

$$T_{Df} = Y_{min} - Y_{max} = T_E \times C \quad (6-12)$$

3) 位移型圆锥配合的轴向位置。

① 初始位置 P。在不施加力的情况下，相互结合的内、外圆锥表面接触时的轴向位置。

② 极限初始位置 P_1、P_2。初始位置允许的界限。P_1 为内圆锥的下极限圆锥和外圆锥的上极限圆锥接触时的位置，如图 6-39 所示。P_2 为内圆锥的上极限圆锥和外圆锥的下极限圆锥接触时的位置，如图 6-39 所示。

③ 初始位置公差 T_P。初始位置允许的变动量。它等于极限初始位置 P_1 和 P_2 之间的距离，如图 6-39 所示。

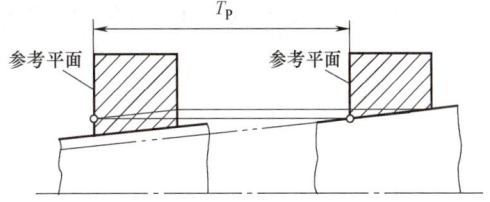

图 6-39　极限初始位置

$$T_P = \frac{1}{C}(T_{Di} + T_{De}) \quad (6-13)$$

④ 实际初始位置 P_a。相互结合的内、外实际圆锥的初始位置如图 6-38a 和图 6-38b 所示。它应位于极限初始位置 P_1 和 P_2 之间。

⑤ 终止位置 P_f。相互结合的内、外圆锥，为使其终止状态得到要求的间隙或过盈，所规定的相互轴向位置，如图 6-38a 所示。

4）装配力 F_s。相互结合的内、外圆锥，为在终止位置 P_f 得到要求的过盈所施加的轴向力，如图 6-38b 所示。

5）轴向位移 E_a。相互结合的内、外圆锥，从实际初始位置 P_a 到终止位置 P_f 移动的距离，如图 6-38a 所示。

① 最小轴向位移 E_{amin}。在相互结合的内、外圆锥的终止位置上，得到最小间隙或最小过盈的轴向位移。

② 最大轴向位移 E_{amax}。在相互结合的内、外圆锥的终止位置上，得到最大间隙或最大过盈的轴向位移。图 6-40 所示为在终止位置上得到最大、最小过盈的示例。

③ 轴向位移公差 T_E。轴向位移允许的变动量。它等于最大轴向位移 E_{amax} 与最小轴向位移 E_{amin} 之差，如图 6-40 所示。

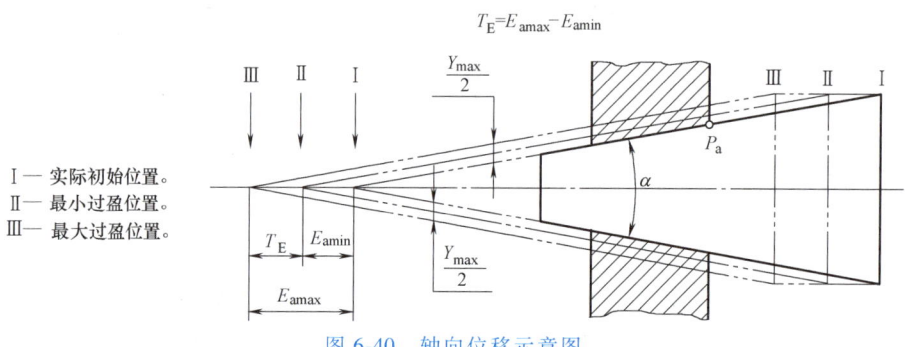

图 6-40 轴向位移示意图

4. 圆锥配合的一般规定

1）结构型圆锥配合推荐优先采用基孔制。内、外圆锥直径公差带代号及配合按 GB/T 1801—2009 选取。如 GB/T 1801—2009 给出的常用配合仍不能满足需要，可按 GB/T 1801—2009 规定的基本偏差和标准公差组成所需配合。

2）位移型圆锥配合的内圆锥直径公差带代号的基本偏差推荐选用 H、JS。外圆锥直径公差带代号的基本偏差推荐选用 h、js。其轴向位移的极限值（E_{amax}、E_{amin}）按 GB/T 1801—2009 规定的极限间隙或极限过盈来计算。

3）位移型圆锥配合的轴向位移极限值（E_{amax}、E_{amin}）和轴向位移公差 T_E 计算公式如下。

① 对于间隙配合：

$$E_{amin} = \frac{1}{C} X_{min} \tag{6-14}$$

$$E_{amax} = \frac{1}{C} X_{max} \tag{6-15}$$

$$T_E = E_{amax} - E_{amin} = \frac{1}{C}(X_{max} - X_{min}) \tag{6-16}$$

② 对于过盈配合：

$$E_{amin} = \frac{1}{C} |Y_{min}| \tag{6-17}$$

$$E_{a\max} = \frac{1}{C}|Y_{\max}| \tag{6-18}$$

$$T_E = E_{a\max} - E_{a\min} = \frac{1}{C}|Y_{\max} - Y_{\min}| \tag{6-19}$$

5. 圆锥角偏差对圆锥配合的影响

GB/T 12360—2005 给出了圆锥角偏离公称圆锥角时对圆锥配合的影响。

1) 内、外圆锥的圆锥角偏离其公称圆锥角的圆锥角偏差，将影响圆锥配合表面的接触质量和对中性能。GB/T 11334—2005 中给出了由圆锥直径公差（T_D）限制的最大圆锥角误差（$\Delta\alpha_{\max}$）。在完全利用圆锥直径公差区时，圆锥角极限偏差可达 $\pm\Delta\alpha_{\max}$。

2) 为了使圆锥配合尽可能获得较大的接触长度，应选较小的圆锥直径公差（T_D），或在圆锥直径公差区内给出更高要求的圆锥角公差。如在给定圆锥直径公差（T_D）后，还需给出圆锥角公差（AT），它们之间的关系应满足下列条件。

① 圆锥角规定为单向极限偏差（$+AT$ 或 $-AT$）时：

$$AT_D < \Delta\alpha_{D\max} = T_D$$

$$AT_\alpha < \Delta\alpha_{\max} = \frac{T_D}{L} \times 10^3$$

② 圆锥角规定为对称极限偏差 $\left(\pm\dfrac{AT}{2}\right)$ 时：

$$\frac{AT_D}{2} < \Delta\alpha_{D\max} = T_D$$

$$\frac{AT_\alpha}{2} < \Delta\alpha_{\max} = \frac{T_D}{L} \times 10^3$$

式中，$\Delta\alpha_{D\max}$ 为以长度单位表示的最大圆锥角误差，单位为 μm；AT_D 为以长度单位表示的圆锥角公差，单位为 μm；AT_α 为以角度单位表示的圆锥角公差，单位为 μrad。

6. 圆锥轴向极限偏差

圆锥配合的内圆锥或外圆锥直径极限偏差转换为轴向极限偏差的计算，可用以确定圆锥配合的极限初始位置和圆锥配合后基准平面之间的极限轴向距离；当用圆锥量规检验圆锥直径时，可用以确定与圆锥直径极限偏差相应的圆锥量规的轴向距离。

1) 圆锥轴向极限偏差是圆锥某一极限圆锥与其公称圆锥轴向位置的偏离，如图 6-41 所示。规定下极限圆锥与公称圆锥的偏离为轴向上极限偏差（es_z、ES_z）；上极限圆锥与公称圆锥的偏离为轴向下极限偏差（ei_z、EI_z）。轴向上极限偏差与轴向下极限偏差代数差的绝对值为轴向公差（T_z）。

2) 圆锥轴向极限偏差的计算。

① 轴向上极限偏差。

$$外圆锥：es_z = -\frac{1}{C} \times ei$$

$$内圆锥：ES_z = -\frac{1}{C} \times EI$$

② 轴向下极限偏差。

$$外圆锥：ei_z = -\frac{1}{C} \times es$$

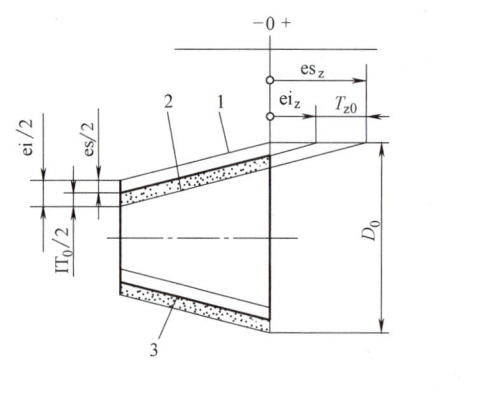 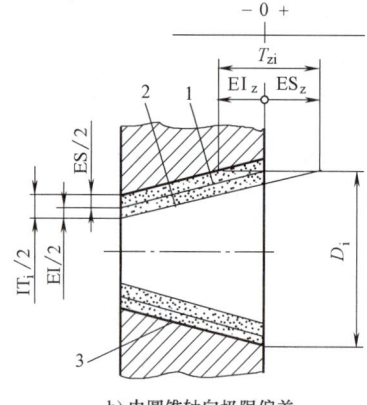

a) 外圆锥轴向极限偏差   b) 内圆锥轴向极限偏差

图 6-41 圆锥轴向极限偏差示意图

1—公称圆锥 2—下极限圆锥 3—上极限圆锥

$$内圆锥：EI_z = -\frac{1}{C} \times ES$$

③ 轴向基本偏差。

$$外圆锥：e_z = -\frac{1}{C} \times 直径基本偏差$$

$$内圆锥：E_z = -\frac{1}{C} \times 直径基本偏差$$

④ 轴向公差。

$$外圆锥：T_{ze} = \frac{1}{C} \times IT_e$$

$$内圆锥：T_{zi} = \frac{1}{C} \times IT_i$$

7. 基准平面极限初始位置和极限终止位置的计算

GB/T 12360—2005 给出了由相互配合的圆锥基准平面之间的距离（基面距）确定的极限初始位置和极限终止位置的计算方法。基准平面可选在圆锥直径的大端或小端，如图 6-42 和图 6-43 所示。

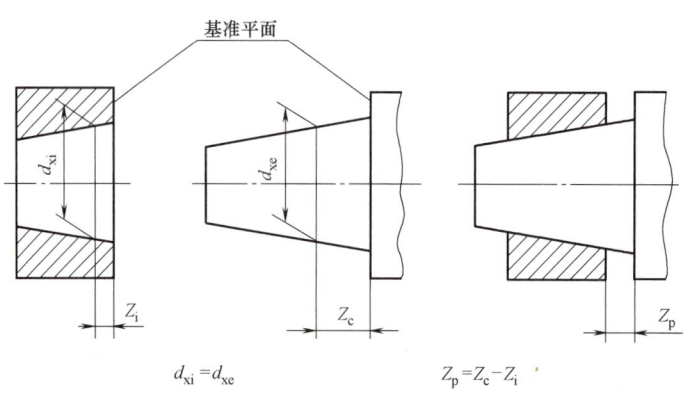

图 6-42 基准平面选在圆锥直径的大端

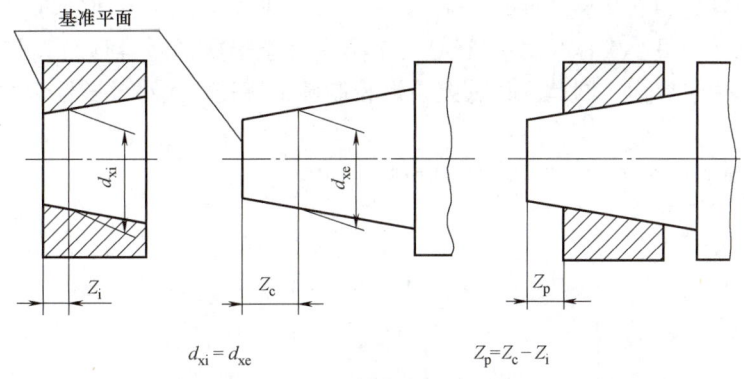

图 6-43 基准平面选在圆锥直径的小端

（1）基准平面间极限初始位置的计算　内、外圆锥基准平面之间的距离确定的极限初始位置 Z_{pmin} 和 Z_{pmax} 的计算公式见表 6-26。对于结构型圆锥配合，极限初始位置仅对过盈配合有意义，且在必要时才需计算。

表 6-26　极限初始位置 Z_{pmin} 和 Z_{pmax} 的计算公式

已知参数	基准平面的位置	计算公式	
		Z_{pmin}	Z_{pmax}
圆锥直径极限偏差	在锥体大直径端	$Z_p + \frac{1}{C}(ei-ES)$	$Z_p + \frac{1}{C}(es-EI)$
	在锥体小直径端	$Z_p + \frac{1}{C}(EI-es)$	$Z_p + \frac{1}{C}(ES-ei)$
圆锥轴向极限偏差	在锥体大直径端	$Z_p + EI_z - es_z$	$Z_p + ES_z - ei_z$
	在锥体小直径端	$Z_p + ei_z - ES_z$	$Z_p + es_z - EI_z$

注：表中 $Z_p = Z_e - Z_i$；在外圆锥距基准平面为 Z_e 处的直径 d_{xe} 和内圆锥距基准平面为 Z_i 处的 d_{xi} 是相等的。

（2）基准平面间极限终止位置的计算　对于位移型圆锥配合，基准平面之间极限终止位置 Z_{pfmin} 和 Z_{pfmax} 的计算公式见表 6-27。

对于结构型圆锥配合，基准平面之间的极限终止位置由设计给定，不需要进行计算。

表 6-27　极限终止位置 Z_{pfmin} 和 Z_{pfmax} 的计算公式

已知参数	基准平面的位置	计算公式	
		Z_{pfmin}	Z_{pfmax}
间隙配合轴向位移 E_a	在锥体大直径端	$Z_{pmin} + E_{amin}$	$Z_{pmax} + E_{amax}$
	在锥体小直径端	$Z_{pmin} - E_{amax}$	$Z_{pmax} - E_{amin}$
过盈配合轴向位移 E_a	在锥体大直径端	$Z_{pmin} - E_{amax}$	$Z_{pmax} - E_{amin}$
	在锥体小直径端	$Z_{pmin} + E_{amin}$	$Z_{pmax} + E_{amax}$

6.4.4　圆锥的公差注法

GB/T 15754—1995《技术制图　圆锥的尺寸和公差注法》规定了光滑正圆锥的尺寸和公差注法。通常采用基本锥度法和公差锥度法。

1. 基本锥度法

基本锥度法通常适用于有配合要求的结构型内、外圆锥。基本锥度法是表示圆锥要素尺寸与其几何特征具有相互从属关系的一种公差带的标注方法,即由两同轴圆锥面(圆锥要素的最大实体尺寸和最小实体尺寸)形成两个具有理想形状的包容面公差带。实际圆锥处处不得超越这两个包容面。因此,该公差带既控制圆锥直径的大小及圆锥角的偏差,也控制圆锥表面形状误差。

1) 给定圆锥直径公差 T_a 的标注如图 6-44 所示。

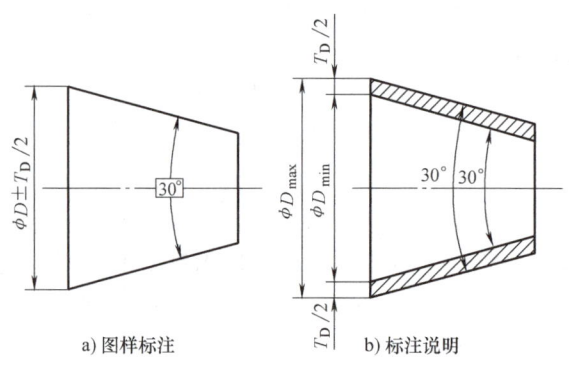

图 6-44　给定圆锥直径公差的标注

2) 给定截面圆锥直径公差 T_{DS} 的标注如图 6-45 所示。

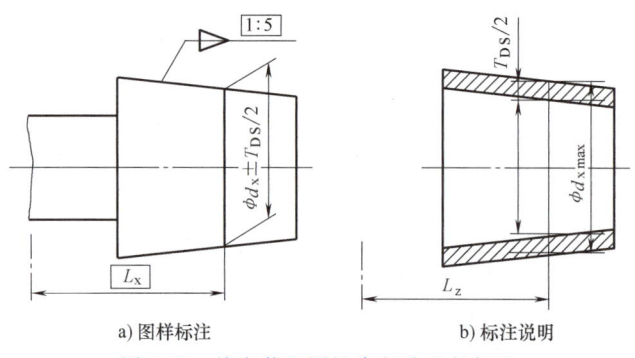

图 6-45　给定截面圆锥直径公差的标注

3) 给定圆锥的形状公差 T_f 的标注如图 6-46 所示。倾斜度公差带(包括素线的直线度)在轮廓度公差带内浮动。

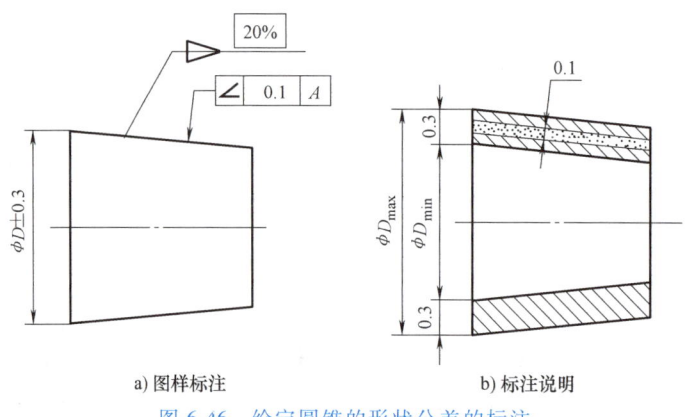

图 6-46　给定圆锥的形状公差的标注

4) 相配合的圆锥的公差注法如图 6-47 所示。

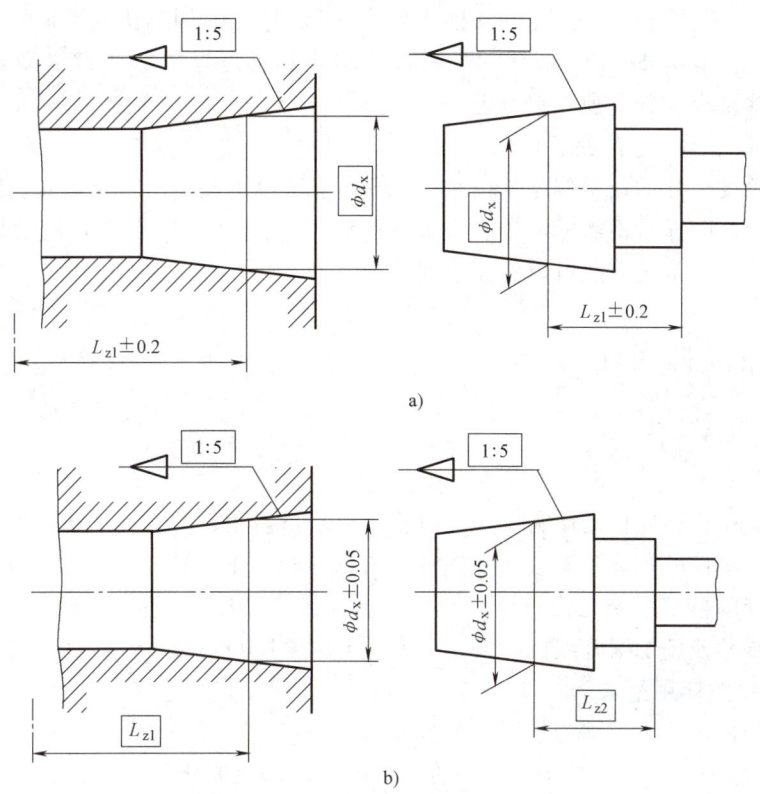

图 6-47 相配合的圆锥的公差注法

2. 公差锥度法

公差锥度法仅适用于对某些给定截面圆锥直径有较高要求的圆锥和密封及非配合的圆锥。公差锥度法是直接给定有关圆锥要素的公差,即同时给出圆锥直径公差和圆锥角公差,不构成两个同轴圆锥面公差带的标注方法。此时,给定截面圆锥直径公差仅控制该截面圆锥直径偏差,不再控制圆锥角偏差,T_{DS} 和 AT 各自分别规定,分别满足要求,故按独立原则解释。若有需要,可附加给出有关几何公差要求进一步控制。

1) 给定最大圆锥直径公差 T_D+圆锥角公差 AT 的标注示例如图 6-48a 所示。该圆锥的最大圆锥直径应由 $\phi D+T_D/2$ 和 $\phi D-T_D/2$ 确定;锥角应在 24°30′ 与 25°30′ 之间变化,圆锥的素线直线度公差要求为 t。这些要求应各自独立地考虑。

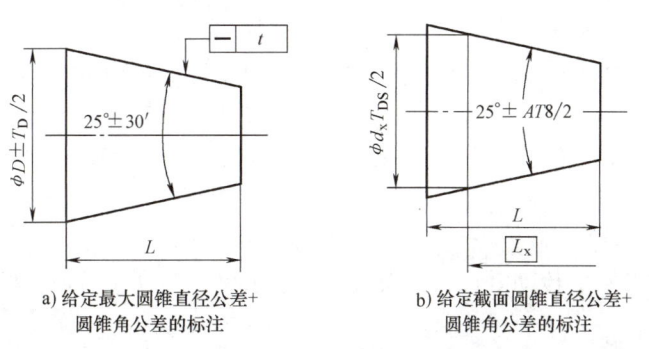

a) 给定最大圆锥直径公差+
圆锥角公差的标注

b) 给定截面圆锥直径公差+
圆锥角公差的标注

图 6-48 给定截面圆锥直径公差的标注

2）给定截面圆锥直径公差 T_{DS}+圆锥角公差 AT 的标注示例如图 6-48b 所示。该圆锥的给定截面圆锥直径应由 $\phi d_x+T_{DS}/2$ 和 $\phi d_x-T_{DS}/2$ 确定；锥角应在 $25°-AT8/2$ 与 $25°+AT8/2$ 之间变化。这些要求应各自独立地考虑。

3. 未注公差角度尺寸的极限偏差

未注公差角度尺寸的极限偏差，按 GB/T 1804—2000 的规定。对于金属切削加工件的角度，在图样上标注时通常不需标注角度（如 90°等），规定了未注公差角度的极限偏差。该极限偏差值应为一般工艺方法可以保证达到的精度。

6.5 渐开线圆柱齿轮公差

6.5.1 概述

在现代机械中，齿轮传动广为应用。齿轮传动是指齿轮、轴、轴承和箱体等零、部件的总和。这些零、部件的制造和安装精度都将影响机器的工作性能、承载能力和使用寿命，其中齿轮及齿轮副的精度影响尤为重要。本节着重介绍渐开线圆柱齿轮及齿轮副的公差及应用。目前我国推荐使用的渐开线圆柱齿轮标准为 GB/T 10095—2008《圆柱齿轮 精度制》。

1. 齿轮传动的使用要求

齿轮传动的使用要求归纳为以下四个方面。

1）运动的准确性。即要求齿轮在一转范围内的传动比变化尽量小，以保证传递运动的准确性。

2）传动的平稳性。即要求齿轮在转过一齿范围内的传动比变化甚微，以保证齿轮运转平稳，冲击及振动小，噪声低。

3）承载的均匀性。即要求齿轮啮合时齿面接触良好，以保证载荷均匀分布，避免引起齿面局部接触应力增大而造成磨损加剧，影响齿轮寿命。

4）齿轮副具有适当的传动侧隙。即要求齿轮啮合时非工作齿面间具有一定的间隙，以保证贮藏润滑油、补偿制造和安装误差、避免因受力变形和发热而引起卡死、烧伤现象。

根据齿轮的用途和工作条件不同，对上述要求应各有侧重。

1）对于低速重载齿轮，如轧钢机、矿山机械和起重机用的齿轮，其特点是功率大、转速低和工作环境差，主要要求承载的均匀性且有足够大的侧隙。

2）对于高速重载齿轮，如汽轮机减速器和汽车、机床变速箱中的齿轮，其特点是圆周速度高、功率较大，主要要求传动的平稳性和承载的均匀性。

3）对于分度和读数齿轮，如齿轮加工机床中分度链的齿轮和仪器中读数装置的齿轮，其特点是传递功率小，转速低和传递运动精确，主要要求运动的准确性。

4）对于各种用途的齿轮，除了需要正反转的读数齿轮外，还要求具有一定的传动侧隙。

2. 齿轮误差分类

齿轮是一种多参数的传动零件，其误差项目也较多，为便于后面分析，现从不同角度将齿轮误差分类如下。

1）按误差来源可分为单个齿轮的制造误差和齿轮副的安装误差。

2）按误差项目可分为单项误差和综合误差。

3）按误差种类可分为尺寸误差（如齿轮副的中心距偏差）、形状误差（如齿形误差）、位置误差（如齿圈径向跳动）和表面粗糙度等。

4）按误差的计量方向可分为径向误差、切向误差、周向误差、法向误差和轴向误差等，如图 6-49 所示。

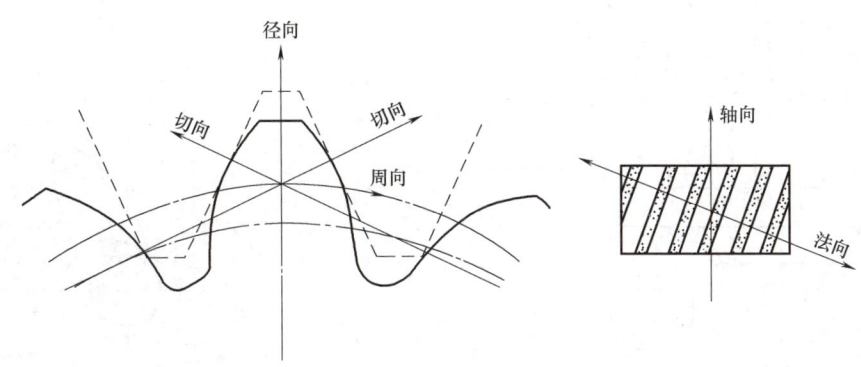

图 6-49　齿轮误差的计量方向

径向误差按垂直于齿轮轴线的齿轮的半径方向计量；切向误差沿齿轮啮合线的方向计量，此方向与基圆相切，又与齿面垂直。直齿轮的切向误差是在端截面内计量；斜齿轮的切向误差要在法向截面内计量。因此，斜齿轮的切向误差也称法向误差；周向误差沿齿轮分度圆的弧长方向计量；轴向误差沿齿轮的轴线方向计量。

5）按误差在齿轮一转中出现的次数可分为低频误差和高频误差，或按误差出现一次所需齿轮的转角，可分为长周期误差和短周期误差。低频误差即长周期误差，高频误差即短周期误差。

6）按误差对齿轮互换性的影响，可分为影响运动准确性的误差、影响传动平稳性的误差、影响承载均匀性的误差和影响齿轮传动侧隙的误差。

6.5.2　齿轮误差项目及其检测

1. 影响运动准确性的误差及其公差

（1）误差来源　齿轮的轮齿一般采用展成法加工，其中滚齿是应用最广且具有代表性的一种加工方法。下面以滚齿（图 6-50）为例说明齿轮误差的主要来源。

1）几何偏心。几何偏心是指齿轮基准孔的几何轴线与其回转轴线不重合而产生的偏心。如图 6-50 所示在滚齿加工中，因齿坯孔偏置于工作台心轴轴径，使安装后的齿坯孔几何轴线 O_1O_1 与其回转轴线 OO 不重合而产生了几何偏心 e_1。在切齿过程中，回转轴线 OO 与滚刀的径向距离虽然始终保持不变，但齿坯孔的几何轴线 O_1O_1 与滚刀的径向距离发生周期性的变化，其最大变动量为 $2e_1$，因此使切出的轮齿深浅不一。由图 6-51 可见，这样的齿轮只有在以回转轴线 OO 为中心的圆周上齿距才均匀，而在以齿坯孔几何轴线 O_1O_1 为中心的圆周上齿距是不相等的。

即 $P_1 \neq P_2$，相应齿距角 $\alpha_1 = \alpha_2$。齿轮在使用时常以其基准孔的几何轴线 O_1O_1 作为回转轴线，因其齿距不均匀，转过每个齿时的转角也不均匀，产生转角误差，必然影响齿轮运动的准确性。

假如切齿对齿坯安装正确,加工出来的齿轮无误差,若使用时齿轮孔与轴之间有间隙,也会产生几何偏心,这对齿轮运动准确性的影响与切齿时产生的几何偏心是相同的。

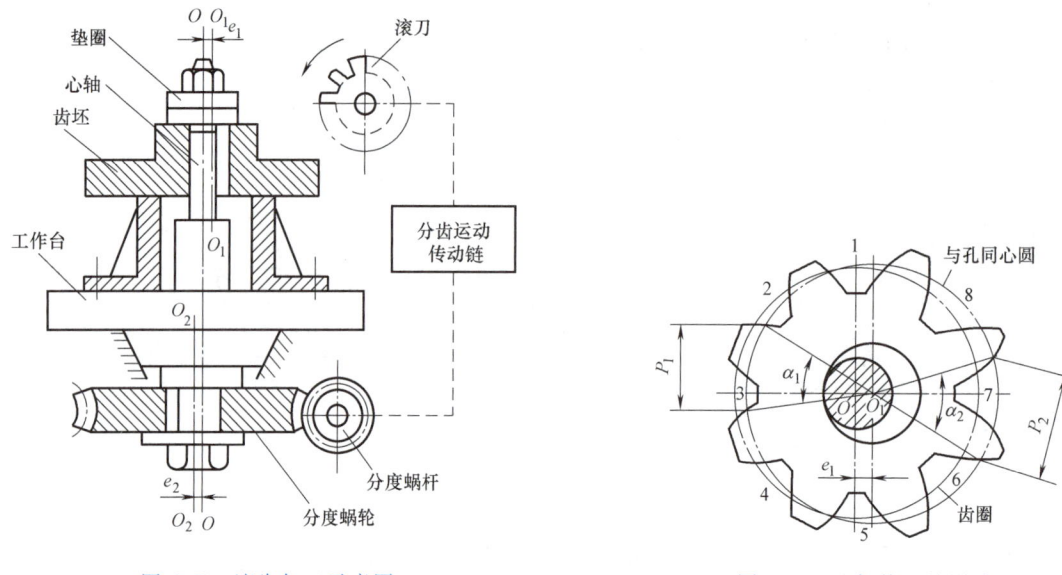

图 6-50　滚齿加工示意图　　　　　图 6-51　几何偏心的影响

综上所述,只要切齿时齿坯回转轴线与使用时齿轮回转轴线不重合,就会产生几何偏心,影响齿轮传递运动的准确性。

2) 运动偏心。运动偏心是指切齿时机床分度蜗轮的几何轴线 O_2O_2 与工作台(或齿坯)回转轴线 OO 不重合而产生的偏心,如图 6-52a 所示。图 6-52b 所示为有运动偏心时分度蜗轮的工作情况:蜗轮齿距在其几何轴线 O_2O_2 为中心的圆周上分布均匀 $\widehat{AB}=\widehat{CD}$,但因蜗轮几何轴线 O_2O_2 绕工作台回转轴线 OO 旋转,各齿距所对圆心角不再相等($\alpha \neq \beta$),因此,当分度蜗杆等速回转时,蜗轮回转就不均匀,产生转角误差。

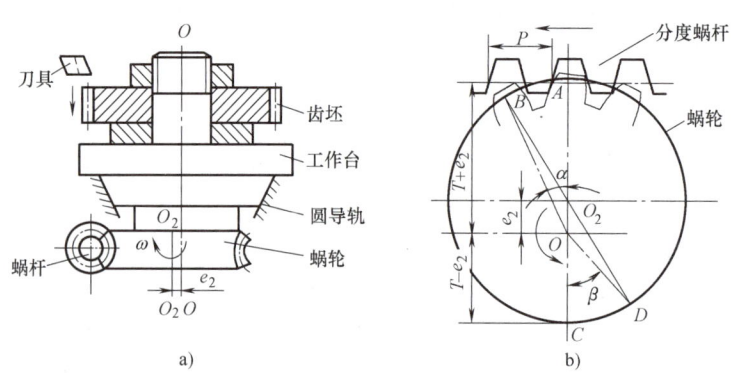

图 6-52　运动偏心的工作情况

如图 6-52a 所示,齿坯安装在机床工作台心轴上无几何偏心,它和工作台下的分度蜗轮同步回转,蜗轮时快时慢地回转,齿坯也一起时快时慢地回转。切齿时齿坯回转轴线 OO 与滚刀径向距离始终保持不变,滚刀等速回转,若齿坯时快时慢地回转,必使切出的实际齿廓相对于理论齿廓在圆周上发生错位,如图 6-53 所示。若切第 1 齿时,齿坯处于 $\Delta\varphi=0$ 的位置；切第 2 齿时，理论上应转过 $\angle AOB$（360°/8），实际上因转角误差而少转了 $\Delta\varphi$（即转过 $\angle AOC$，第 2 齿不在理论位置（虚线）12 处，而在实际位置（实线）$1'2'$处；其余各齿也随齿坯时快时慢地回转而发生圆周方向上的错位，造成转角误差，影响齿轮工作时传递运动的准确性。

（2）齿轮传递运动准确性的强制性检测精度指标　评定齿轮传递运动准确性的精度时强制性检测精度指标是齿距累积总偏差（F_p），对齿数较多且精度要求很高的齿轮，有时还要增加齿距累积偏差（F_{pk}）、齿距累积总偏差（F_p）、齿距同侧齿面任意弧段（$k=1$ 到 $k=z$）内的最大齿距累积偏差。它表现为齿距累积偏差曲线的总幅值（图 6-54）。齿距累积总偏差（F_p）可反映齿轮转一周过程中传动比的变化，因此它影响齿轮的运动精度。

齿距累积偏差（F_{pk}）是任意 k 个齿距的实际弧长与理论弧长的代数差，如图 6-54 所示，理论上它等于 k 个齿距的各单个齿距偏差的代数和。一般 $\pm F_{pk}$ 适用于齿距数 k 为 2 到 $z/8$ 范围，通常 k 取 $z/8$ 就足够了。

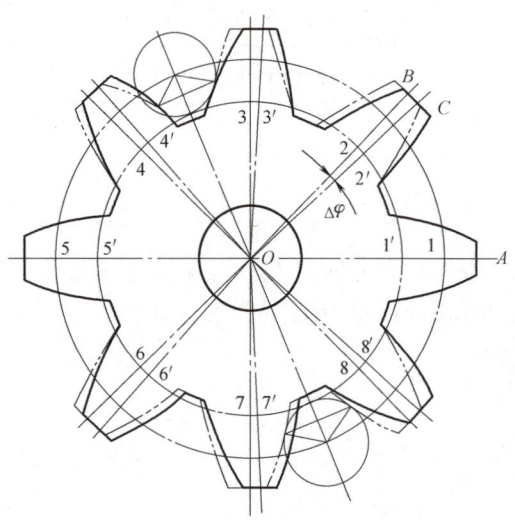

图 6-53　运动偏心的影响

齿距累积偏差实际上是控制在圆周上的齿距累积偏差，如果此项偏差过大，将产生振动和噪声，影响平稳性精度。

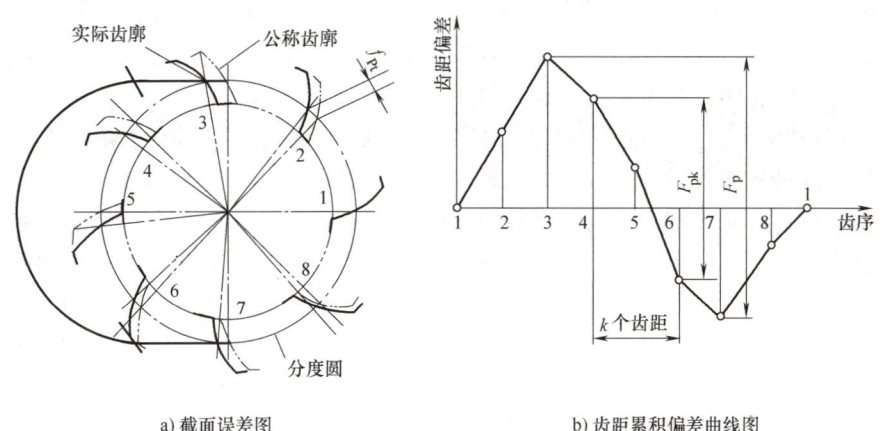

图 6-54　齿距累积总偏差

（3）齿轮传递运动准确性的非强制性检测精度指标

1）切向综合总偏差（F_i'）。被测齿轮与测量齿轮单面啮合检验时，被测齿轮转一周内，齿轮分度圆上实际圆周位移与理论圆周位移的最大差值，如图 6-55 所示。F_i'是反映齿轮运动精度的检查项目，但不是必检项目。

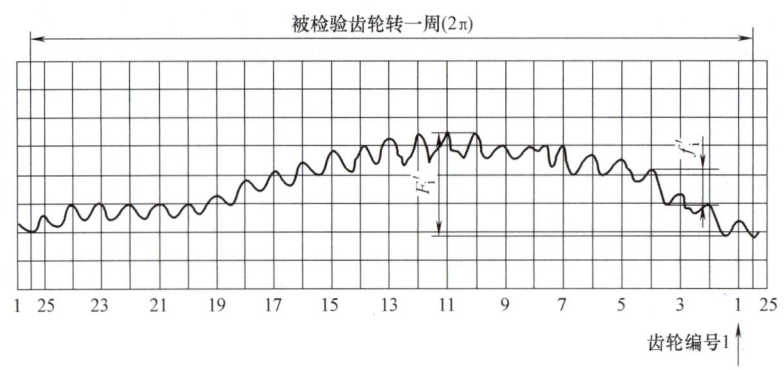

图 6-55　切向综合偏差曲线图

2) 径向综合总偏差 F_i''。径向综合总偏差 F_i'' 是在径向（双面）综合检验时，被测齿轮的左右齿面同时与测量齿轮接触，并转过一整圈时出现的中心距最大值和最小值之差，如图 6-56 所示。

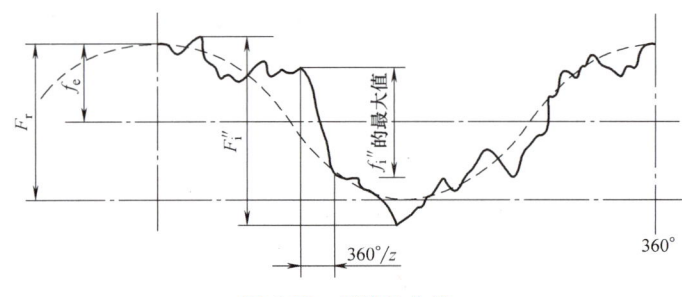

图 6-56　F_i'' 偏差曲线

如图 6-56 所示为在双啮仪上测量得到的 F_i'' 偏差曲线，横坐标表示齿轮转角，纵坐标表示偏差，过曲线最高、最低点作平行于横轴的两条直线，该二平行线距离即为 F_i'' 值。F_i'' 是反映齿轮运动精度的项目，但不是必检项目。

3) 径向跳动（F_r）。齿轮径向跳动为测头（球形、圆柱形、锥形）相继置于每个齿槽内时，相对于齿轮基准轴线的最大和最小径向距离之差，如图 6-57a 所示。检查时测头在近似齿高中部与左右齿面接触，根据测量数值可画出如图 6-57b 所示的径向跳动曲线图。

F_r 主要反映齿轮的几何偏心，它是检测齿轮运动精度的项目，但不是必检项目。

在前面讨论几何偏心时已讲到，切齿时因齿坯安装偏心，齿坯基准孔的几何轴线 O_1O_1 与滚刀的径向距离发生周期性变化，其最大变动量为 $2e_1$，如图 6-57a 所示的齿圈径向跳动的测量中，以齿轮基准孔的几何轴线 O_1O_1 为回转轴线，用近似于滚刀齿廓的量头代替滚刀，在齿轮一转范围内，量头与轴线 O_1O_1 的径向距离会复现切齿时那种周期性变化、使量头产生径向跳动。经过在齿轮一转范围内的逐个测量，做出各测量点数据的点图或折线图，如图 6-57b 所示，图中最大幅值为指示表的最大变动量，即齿圈径向跳动 F_r。此为不连续测量误差。

2. 影响运动平稳性的误差及其公差

(1) 误差来源　由滚齿加工原理可知：滚齿可近似看成是齿条和齿轮的啮合过程，如图 6-58 所示。为了保持正常的啮合关系，滚刀原始齿条的移动速度等于被切齿轮分度圆的

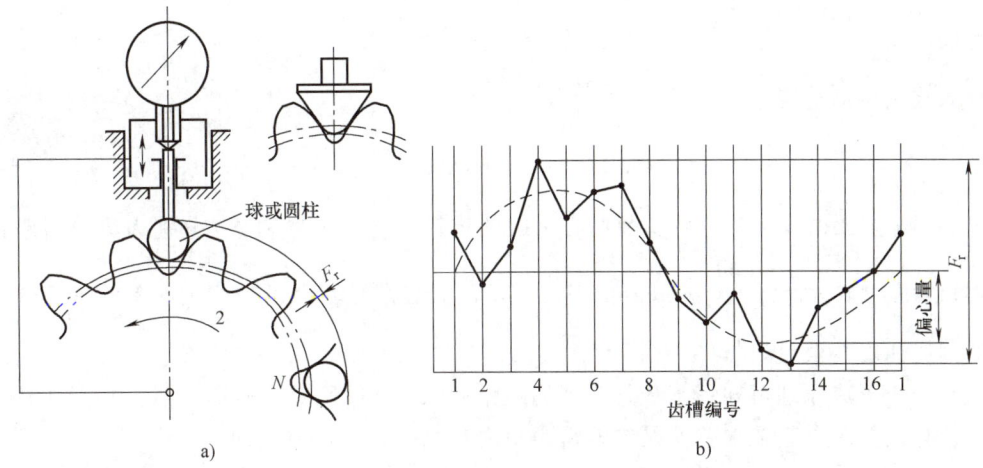

图 6-57 径向跳动

圆周速度，即

$$V_p = r_f \omega \quad (6-20)$$

式中，V_p 为滚刀原始齿条在节点上的移动速度；r_f 为被切齿轮分度圆半径；ω 为被切齿轮的角速度。

此时，齿轮基圆半径为

$$r_b = r_f \cos\alpha = \frac{V_p}{\omega} \times \cos\alpha \quad (6-21)$$

因为机床、刀具和齿坯存在制造和安装误差，必然会使滚刀原始齿条的线速度 V_p、滚刀齿形角 α 和齿坯的回转角速度 ω 在滚切过程中发生变化，因而使被切齿轮产生基圆半径误差。

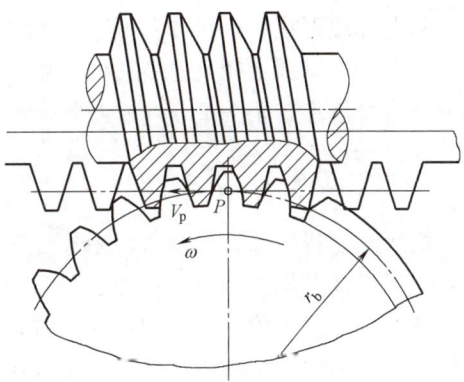

图 6-58 滚齿加工原理

将式 (6-21) 全微分并经整理可得

$$\Delta r_b = \frac{\cos\alpha}{\omega} \times \Delta V_p - \frac{V_p}{\omega} \times \sin\alpha \times \Delta\alpha - \frac{V_p}{\omega^2} \times \cos\alpha \Delta\omega \quad (6-22)$$

若滚刀线数为 Z_1、齿距为 P_1，转速为 n_1，则其线速度 $V_p = n_1 Z_1 P_1$。

若滚刀的齿距有误差 ΔP_1，就会引起滚刀线速度变化 ΔV_p，即

$$\Delta V_p = n_1 Z_1 \Delta P_1 \quad (6-23)$$

若齿坯转速为 n_2，则其回转角速度

$$\omega = 2\pi n_2$$

$$\Delta\omega = 2\pi \Delta n_2 \quad (6-24)$$

将式 (6-23)、式 (6-24) 代入式 (6-22) 式得

$$\Delta r_b = \frac{n_1 Z_1}{2\pi n_2} \times \cos\alpha \Delta P_1 - \frac{n_1 Z_1 P_1}{2\pi n_2} \times \sin\alpha \Delta\alpha - \frac{n_1 Z_1 P_1}{2\pi n_2^2} \times \cos\alpha \Delta n_2 \quad (6-25)$$

因 $P_1 = \pi m_n$（m_n 为滚刀法向模数）

$$\frac{n_1}{n_2} = \frac{z}{Z_1} \quad (z \text{ 为被切齿轮齿数})$$

代入式（6-25）得

$$\Delta r_b = \frac{z}{2\pi}\left(\cos\alpha \Delta P_1 - \pi m_n \sin\alpha \Delta\alpha - \pi m_n \cos\alpha \times \frac{\Delta n_2}{n_2}\right) \tag{6-26}$$

式中，Δn_2 是主要由分度蜗轮副安装偏心引起的传动误差；ΔP_1 和 $\Delta\alpha$ 分别为滚刀齿距误差和齿形角误差。由于式中 $\frac{\Delta n_2}{n_2}$ 项数值很小，所以，引起齿轮基圆半径产生误差的主要原因是刀具的制造和安装误差。

从渐开线形成原理可知：基节是一个齿距角 $\nu = 2\pi/z$ 内所对应的那一部分基圆弧长。当基圆半径有误差时，基节偏差就是在该齿距角内基圆弧长的误差，即

$$\Delta f_{pb} = \int_0^b \Delta r_b \mathrm{d}\varphi = \int_0^{\frac{2\pi}{z}} \Delta r_b \mathrm{d}\varphi = \frac{2\pi}{z}\Delta r_b \tag{6-27}$$

从渐开线形成原理可知：渐开线齿形与基圆大小密切相关，基圆半径越小，则渐开线齿形越弯曲。当基圆半径发生变化时，则必然产生齿形误差。若被切齿轮的重叠系数为 ε，滚切一个齿时齿坯转角为 $2\pi\varepsilon/z$，齿形误差与基圆半径误差的关系为

$$\Delta f_f = \int_0^{\frac{2\pi\varepsilon}{z}} \Delta r_b \mathrm{d}\varphi = \frac{2\pi}{z}\Delta r_b \varepsilon \tag{6-28}$$

由以上分析可知，当滚刀齿距和选形角存在误差时，会使切齿过程中齿轮基圆半径发生变化，造成基节偏差和齿形误差。

此外，当机床传动链有周期误差时，如分度蜗杆的轴向误差，会使分度蜗轮转速产生短周期变化，引起被切齿轮齿面上产生波纹，造成齿形误差，如图 6-59 所示。

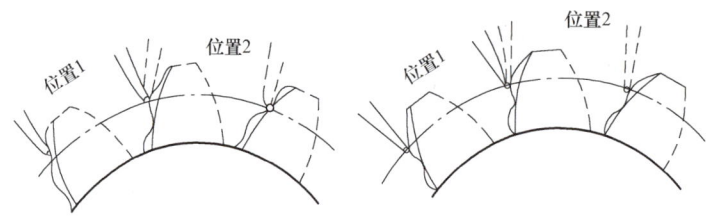

图 6-59 机床周期误差对齿形和周节的影响

(2) 齿轮传动运动平稳性强制检测指标 评定齿轮传动运动平稳性的强制性检测指标是单个齿距偏差（f_{pt}）和齿廓总偏差（F_α）。

1) 单个齿距偏差（f_{pt}）是指在端平面上接近齿高中部的一个与齿轮轴线同心的圆上，实际齿距与理论齿距的代数差。如图 6-60 所示，图中 f_{pt} 为第 1 个齿距的齿距偏差。

当齿轮存在齿距偏差时，会造成一对齿啮合结束而另一对齿进入啮合时，主动齿与被动齿发生冲撞，影响齿轮传动的平稳性。

2) 齿廓总偏差（F_α）。在计值范围内，包容实际齿廓迹线的两条设计齿廓迹线间的距离，如图 6-61a 所示。齿廓总偏差 F_α 主要影响齿轮平稳性。

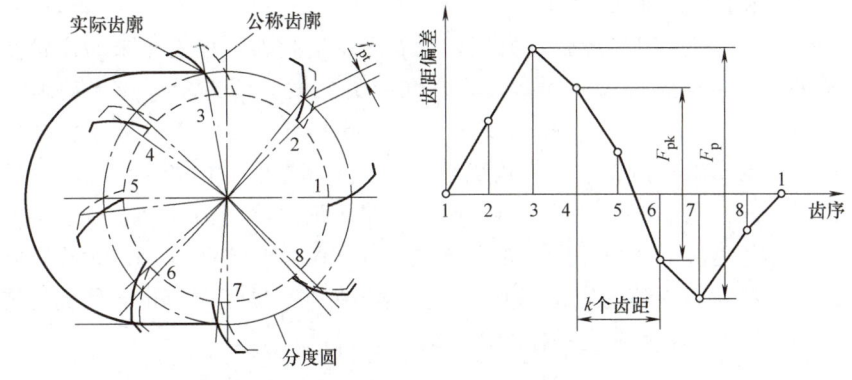

图 6-60 单个齿距偏差

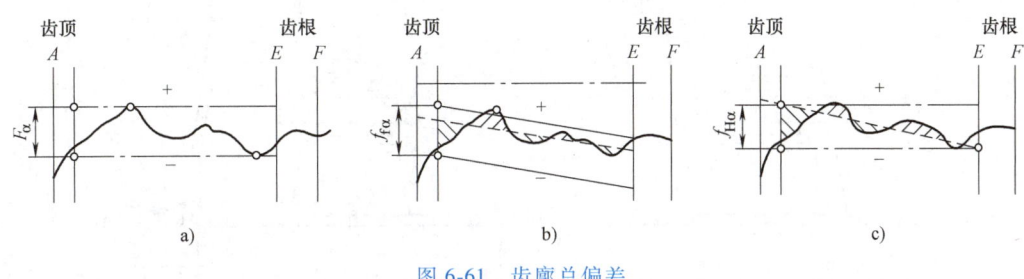

图 6-61 齿廓总偏差

3)齿轮传动运动平稳性非强制检测指标。

① 一齿切向综合偏差（f_i'），在一个齿距角内，过偏差曲线的最高最低点作与横坐标平行的两条直线，此平行线间的距离即为f_i'。f_i'（取所有齿的最大值）是检验齿轮平稳性的项目，但不是必检项目。

② 一齿径向综合偏差（f_i''）。f_i''是被测齿轮与测量齿轮啮合一整圈（径向综合检验）时，对应一个齿距角（360°/z）的径向综合偏差值，如图 6-62 所示。被测齿轮所有轮齿的f_i''的最大值不应超过规定的允许值。f_i''反映齿轮工作平稳性，但不是必检项目。

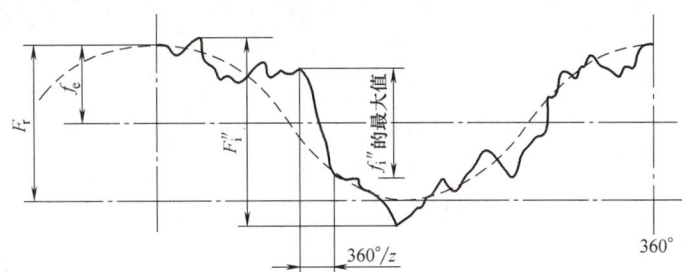

图 6-62 径向综合偏差曲线图

3. 影响承载均匀性的误差及其公差

（1）误差来源 齿轮工作时齿面应该接触良好。齿形误差和基节偏差会使齿高方向接触不良，主要影响传动的平稳性；齿向误差则使齿长方向接触不良，成为影响齿面承载均匀性的主要因素。

齿向误差是指齿面与分度圆柱面的交线（即齿向线）的形状和方向误差，主要是由机床刀架导轨的倾斜和齿坯端面跳动所造成。

如图 6-63a 所示，机床刀架导轨在齿坯切平面内发生倾斜，加工出来的齿轮左、右齿面会产生大小相等、方向相同的齿向误差。当它和无齿向误差的齿轮组成传动副时，仅在其左、右齿面对角部位接触，如图 6-64a 所示。如图 6-63b 所示，机床刀架导轨在齿坯径向平面内发生倾斜，加工出来的齿轮左、右齿面会产生大小相等、方向相反的齿向误差，其左右齿面均为单边接触，如图 6-64b 所示。当齿坯存在端面跳动时（图 6-65a），也会使被切齿轮产生齿向误差，但各齿接触部位是游动的，如图 6-64c 所示。如图 6-65b 所示的齿坯虽无端面跳动，但由于机床安装心轴的定位端面对其轴线存在垂直度误差，也会使被切齿轮产生齿向误差，其情形与图 6-63a 所示是一样的。

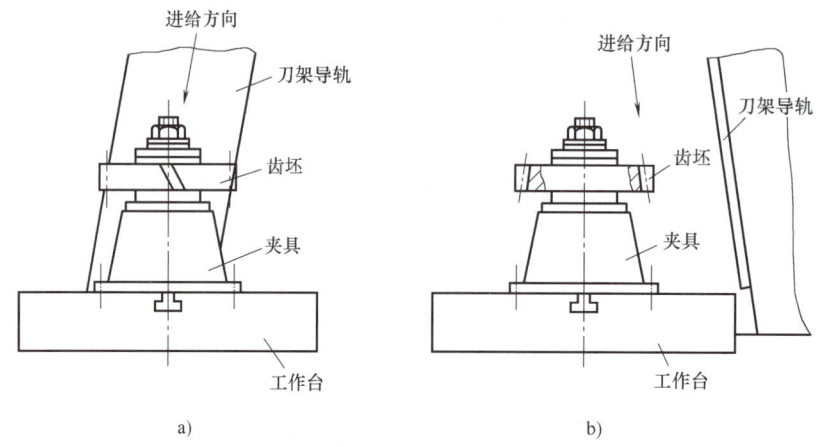

图 6-63 机床刀架导轨倾斜对切齿的影响

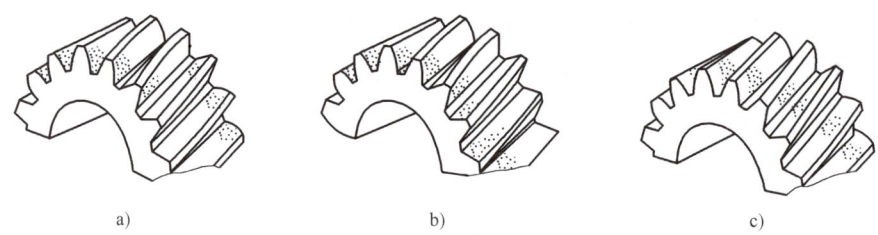

图 6-64 齿向误差对接触均匀性的影响

（2）齿轮载荷分布均匀性的强制性检测指标 评定齿轮载荷分布均匀性的强制性检测指标，在齿宽方向是螺旋线总偏差，在齿高方向是其传动平稳性。

1）螺旋线总偏差。在端面基圆切线方向上测得的实际螺旋线偏离设计螺旋线的量。

螺旋线总偏差（F_β）在计值范围内，包容实际螺旋线迹线的两条设计螺旋线迹线间的距离，如图 6-66 所示。

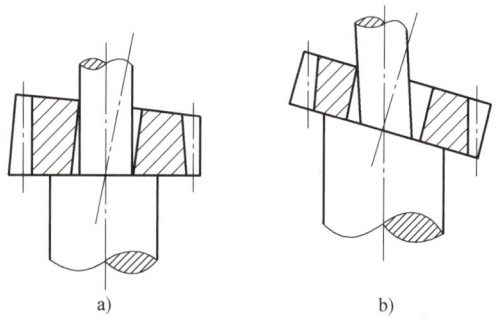

图 6-65 齿坯端面跳动或安装误差对切齿的影响

在螺旋线检查仪上测量非修形螺旋线的斜齿轮偏差，原理是将被测齿轮的实际螺旋线与标准的理论螺旋线逐点进行比较并将所得的差值绘成偏差曲线图，如图 6-66 所示。没有螺旋线偏差的螺旋线展开后应该是一条直线（设计螺旋线迹线），即图 6-66 所示的线 1。如果无 F_β 偏差，仪器的记录笔应该走出一条与 1 重合的直线，而当存在 F_β 偏差时，则走出一条曲线 2（实际螺旋线迹线）。齿轮从基准面 Ⅰ 到非基准面 Ⅱ 的轴向距离为齿

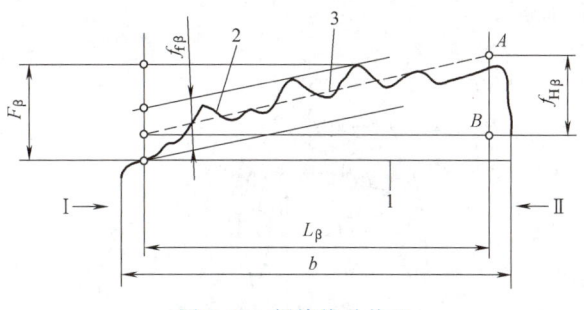

图 6-66　螺旋线总偏差

宽 b。齿宽 b 两端各减去 5% 的齿宽或减去一个模数长度后得到的两者中最小值是螺旋线计值范围 L_β，过实际螺旋线迹线最高点和最低点作与设计螺旋线平行的两条直线的距离即为 F_β。该项偏差主要影响齿面接触精度。

2）螺旋线形状偏差（$f_{f\beta}$）。在计值范围内，包容实际螺旋线迹线的两条与平均螺旋线迹线完全相同的曲线间的距离（图 6-66）即为 $f_{f\beta}$。平均螺旋线迹线是在计值范围内，按最小二乘法确定的（图 6-66）中的线 3，该偏差不是必检项目。

3）螺旋线倾斜偏差（$f_{H\beta}$）。在计值范围的两端与平均螺旋线迹线相交的设计螺旋线迹线间的距离（图 6-66 中 A、B）。该偏差不是必检项目。

注意上述 F_β、$f_{f\beta}$、$f_{H\beta}$ 的取值方法适用于非修形螺旋线，当齿轮设计成修形螺旋线时，设计螺旋线迹线不再是直线，此时 F_β、$f_{f\beta}$、$f_{H\beta}$ 的取值方法见 GB/T 10095.1—2008。

对直齿圆柱齿轮，螺旋角 $\beta=0$，此时 F_β 称为齿向偏差。

螺旋线偏差用于评定轴向重合度 $\varepsilon_\beta>1.25$ 的宽斜齿轮及人字齿轮，它适用于评定传递功率大、速度高的高精度宽斜齿轮。

斜齿轮的螺旋线总偏差是在导程仪或螺旋角测量仪上测量检验的，检验中由检测设备直接画出螺旋线图，如图 6-66 所示。按定义可从偏差曲线上求出 F_β 值，然后再与给定的公差值进行比较。有时为进行工艺分析或应用户要求可从曲线上进一步分析出 $f_{f\beta}$ 或 $f_{H\beta}$ 的值。

（3）评定齿轮副传动侧隙的指标　齿轮副侧隙的大小与齿轮齿厚减薄量有着密切的关系。齿轮齿厚减薄量可以用齿厚偏差或公法线长度偏差来评定。

1）齿厚偏差（E_{sn}）。齿厚偏差是指在分度圆柱面上齿厚的实际值与公称值之差。如图 6-67a 所示。齿厚测量可使用齿厚游标卡尺，如图 6-67b 所示，也可用精度更高些的光学测齿仪测量。

用齿厚卡尺测齿厚时，首先将齿厚卡尺的高度游标卡尺调至相应于分度圆弦齿高 $\bar{h}_a$ 位置，然后用宽度游标卡尺测出分度圆弦齿厚 $\bar{S}$ 值，将其与理论值比较即可得到齿厚偏差 E_{sn}。

对于非变位直齿轮 $\bar{h}_a$ 与 $\bar{S}$ 按式（6-29）、式（6-30）计算

$$\bar{h}_a = m + \frac{zm}{2}\left[1 - \cos\left(\frac{90°}{z}\right)\right] \tag{6-29}$$

$$\bar{S} = zm\sin\frac{90°}{z} \tag{6-30}$$

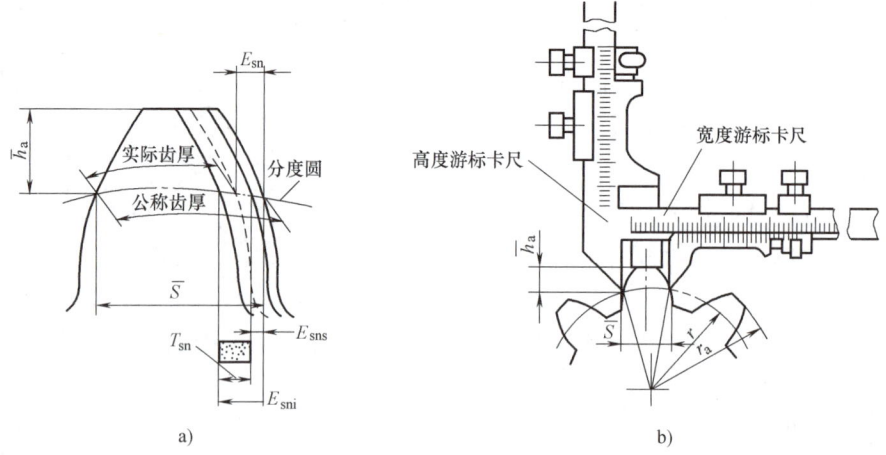

图 6-67 齿厚测量

对于变位直齿轮，$\bar{h}_a$ 与 $\bar{S}$ 按式（6-31）、式（6-32）计算

$$\bar{h}_{a变} = m\left[1 + \frac{z}{2}\left(1 - \cos\frac{90° + 41.7°x}{z}\right)\right] \tag{6-31}$$

$$\bar{S}_{变} = mz\sin\left(\frac{90° + 41.7°x}{z}\right) \tag{6-32}$$

式中，x 为变位系数。

对于斜齿轮，应测量其法向齿厚，其计算公式与直齿轮相同，只是应以法向参数即 m_n、α_n、x_n 和当量齿数 $z_当$ 代入相应公式计算。

2）公法线长度偏差（E_{bn}）。公法线长度偏差是指公法线长度的实际值与公称值之差。

公法线长度 W_n 是在基圆柱切平面上跨 n 个齿（对外齿轮）或 n 个齿槽（对内齿轮）在接触到一个齿的右齿面和另一个齿的左齿面的两个平行平面之间测得的距离。公法线长度的公称值由下式给出：

$$W_n = m\cos\alpha\left[\pi(n - 0.5) + z\mathrm{inv}\alpha\right] + 2xm\sin\alpha \tag{6-33}$$

对标准齿轮：

$$W_n = m\left[1.476(2n - 1) + 0.014 \times z\right] \tag{6-34}$$

式中，x 为径向变位系数；$\mathrm{inv}\alpha$ 为角 α 的渐开线函数；n 为测量时的跨齿数；m 为模数；z 为齿数。

3）齿侧间隙。如前面中所述，为保证齿轮润滑、补偿齿轮的制造误差、安装误差以及热变形等造成的误差，必须在非工作面留有侧隙。单个齿轮没有侧隙，它只有齿厚，相互啮合的轮齿的侧隙是由一对齿轮运行时的中心距以及每个齿轮的实际齿厚所控制。国家标准规定采用"基准中心距制"，即在中心距一定的情况下，用控制轮齿齿厚的方法获得必要的侧隙。

① 齿侧间隙的表示法。齿侧间隙通常有两种表示法：法向侧隙 j_{bn} 和圆周侧隙 j_{wt}。法向侧隙 j_{bn} 是当两个齿轮的工作齿面相互接触时，其非工作面之间的最短距离，如图 6-68 所示。测量 j_{bn} 需在基圆切线方向，也就是在啮合线方向上测量，一般可以通过压铅丝方法测量，即齿轮啮合过程中在齿间放入一块铅丝，啮合后取出压扁了的铅丝测量其厚度。也可以

用塞尺直接测量 j_{bn}。圆周侧隙 j_{wt} 是当固定两啮合齿轮中的一个，另一个齿轮所能转过的节圆弧长的最大值。理论上 j_{bn} 与 j_{wt} 存在以下关系式

$$j_{bn} = j_{wt} \cos\alpha_{wt} \times \cos\beta_{wt} \quad (6-35)$$

式中，α_{wt} 为端面工作压力角，β_{wt} 为基圆螺旋角。

② 最小侧隙（j_{bnmin}）的确定。在设计齿轮传动时，必须保证有足够的最小侧隙 j_{bnmin} 以保证齿轮机构正常工作。对于用黑色金属材料的齿轮和黑色金属材料的箱体，工作时齿轮节圆线速度小于 15m/s，其箱体、轴和轴承都采用常规公差的齿轮传动，j_{bnmin} 可按下式计算：

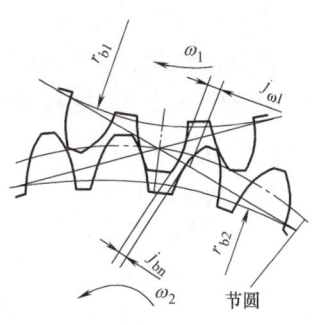

图 6-68　传动侧隙

$$j_{bnmin} = \frac{2}{3}(0.06 + 0.0005a + 0.03m_n) \quad (6-36)$$

按上式计算可以得出表 6-28 所示的推荐数据。

表 6-28　对于中、大模数齿轮最小侧隙 j_{bnmin} 的推荐数（摘自 GB/Z 18620.2—2008）

（单位：mm）

模数 m_n	中心距 a					
	50	100	200	400	800	1600
1.5	0.09	0.11	—	—	—	—
2	0.10	0.12	0.15	—	—	—
3	0.12	0.14	0.17	0.24	—	—
5	—	0.18	0.21	0.28	—	—
8	—	0.24	0.27	0.34	0.47	—
12	—	—	0.35	0.42	0.55	—
18	—	—	—	0.54	0.67	0.94

③ 齿侧间隙的获得和检验项目。齿轮轮齿的配合是采用基中心距制，在此前提下，齿侧间隙必须通过减薄齿厚来获得，其检测可采用控制齿厚或公法线长度等方法来保证侧隙。

6.5.3　渐开线圆柱齿轮精度标准及其应用

GB/T 10095—2008 适用于平行轴线传动的渐开线圆柱齿轮及其齿轮副。

1. 精度等级及其应用

（1）齿轮的精度等级　国家标准对齿轮及齿轮副规定了 12 个精度等级，用阿拉伯数字 1、2、…、12 表示。其中 1 级精度最高，其余各级依次降低，12 级精度最低。齿轮副中两个齿轮的精度等级一般取成相同，也允许取成不同。若齿轮副中两个齿轮的精度等级不同时，则按其中精度较低者确定齿轮副的精度等级。

在 12 个精度等级中，目前 1、2 级精度的加工工艺水平和测量手段尚难达到，一般不用。3~12 级大致可分为三档：

高精度等级：3、4、5 级；

中等精度等级：6、7、8 级；

低精度等级；9、10、11、12 级。

其中 5 级为基础计算级，其他各级的公差按优先数系由此向两边排列确定。5 级精度是设计中常用的等级。它是滚齿、插齿或剃齿等一般常用的加工方法在正常条件下所能达到的等级，可用一般计量器具进行测量。

F_β、$f_{f\beta}$、$f_{H\beta}$、F_P、$\pm f_{pt}$、F_α、F_i''、f_i'' 等各项偏差的允许数值或公差值可查阅 GB/T 10095.1—2008 中的相关规定。

（2）齿轮精度等级的选用　精度等级的选择应考虑齿轮的圆周速度、传递功率、工作持续时间、润滑条件、运动精度和传动平稳性（噪声及振动）的要求、以及寿命等因素。选择精度等级有两种方法。

1）计算法。根据整个传动链的运动误差计算所允许的转角误差（推算出 $\Delta F_{ic}'$ 或 $\Delta F_i'$），确定运动准确性公差组的等级要求；根据机械动力学力、机械振动学计算考虑振动、噪声，确定运动平稳性公差组的等级；根据强度和寿命的计算，确定承载均匀性公差组的等级。

2）类比法。按现有已证实可靠的同类产品或机构的齿轮，对比自己设计齿轮的使用要求、工作状况和生产条件，加以修正后选择相近的精度等级。类比法是目前较常用的方法。

各公差组对传动性能的影响有主次之分，但齿轮是个几何形体较复杂、几何参数较多的部件，各项误差不能截然分开，其影响也因种种因素而转化。例如，齿轮的噪声、振动并非全是受平稳性公差组的影响，有时运动准确性、承载均匀性公差组的项目也会产生不同程度的影响。具体选择参考表 6-29、表 6-30 来确定。

表 6-29　各类机械设备的齿轮精度等级

应用范围	精度等级	应用范围	精度等级
测量齿轮	3~5	拖拉机	6~10
汽轮机、减速器	3~6	一般用途的减速器	6~9
金属切削机床	3~8	轧钢设备小齿轮	6~10
内燃机与电气机车	6~7	矿用绞车	8~10
轻型汽车	5~8	起重机机构	7~10
重型汽车	6~9	农业机械	8~11
航空发动机	4~7		

表 6-30　齿轮精度等级的适用范围

精度等级	圆周速度 $v/(\mathrm{m \cdot s^{-1}})$		工作条件与适用范围
	直齿	斜齿	
4	$20 < v \leq 35$	$40 < v \leq 70$	1. 超精密分度机构或在最平稳、无噪声的极高速下工作的传动齿轮。 2. 高速透平传动齿轮。 3. 检测 7 级齿轮的测量齿轮
5	$16 < v \leq 20$	$30 < v \leq 40$	1. 精密分度机构或在极平稳、无噪声的高速下工作的传动齿轮。 2. 精密机构用齿轮。 3. 透平齿轮。 4. 检测 8 级和 9 级齿轮的测量齿轮

(续)

精度等级	圆周速度 $v/(\text{m}\cdot\text{s}^{-1})$		工作条件与适用范围
	直齿	斜齿	
6	$10<v\leqslant 16$	$15<v\leqslant 30$	1. 最高效率,且在无噪声的高速下平稳工作的齿轮传动。 2. 特别重要的航空、汽车齿轮。 3. 读数装置用的特别精密的传动齿轮
7	$6<v\leqslant 10$	$10<v\leqslant 15$	1. 增速和减速用齿轮传动。 2. 金属切削机床进给机构用齿轮。 3. 高速减速器齿轮。 4. 航空、汽车用齿轮。 5. 读数装置用齿轮
8	$4<v\leqslant 6$	$4<v\leqslant 10$	1. 一般机械制造用齿轮。 2. 分度链之外的机床传动齿轮。 3. 航空、汽车用的不重要齿轮。 4. 起重机构用齿轮、农业机械中的重要齿轮。 5. 通用减速器齿轮
9	$v\leqslant 4$	$v\leqslant 4$	不提出精度要求的粗糙工作齿轮

齿轮的三个公差组一般应取相同的精度等级。但是,考虑到使用要求的着重点不同、工艺条件的限制或为了有较好的经济效益,也允许各公差组选取不同的精度等级。但在同一公差组内,各项公差或极限偏差应规定相同的精度等级。

(3) 检验组的确定 一般根据以下几方面内容来选择确定检验项目。

1)齿轮的生产批量。

2)齿轮的精度等级,齿轮的切齿工艺。

3)齿轮的尺寸结构和大小。

4)已有的齿轮的检测设备情况。

综合以上情况,从表 6-31 选取。

表 6-31 齿轮的检验组

检验组	检验项目	精度等级	测量仪器	备注
1	F_p、F_α、F_β、F_r、E_{sn} 或 E_{bn}	3~9	齿距仪、齿形仪、齿向仪、摆差测定仪、齿厚卡尺或公法线千分尺	单件小批量
2	F_p、F_{pk}、F_α、F_β、F_r、E_{sn} 或 E_{bn}	3~9	齿距仪、齿形仪、齿向仪、摆差测定仪、齿厚卡尺或公法线千分尺	单件小批量
3	F_i''、f_i''、E_{sn} 或 E_{bn}	6~9	双面啮合测量仪、齿厚卡尺或公法线千分尺	大批量
4	f_r、F_r、E_{sn} 或 E_{bn}	10~12	齿距仪、摆差测定仪、齿厚卡尺或公法线千分尺	大批量
5	F_i'、f_i'、F_β、E_{sn} 或 E_{bn}	3~6	单啮仪、齿向仪、齿厚卡尺或公法线千分尺	大批量

2. 图样上齿轮精度等级的标注

当齿轮所有精度指标的公差同为某一精度等级时,标注方法为:7 GB/T 10095.1—

2008，该标注含义为：齿轮各项偏差项目均为 7 级精度，且符合 GB/T 10095.1—2008 要求。当齿轮所有精度指标的公差为不同精度等级时，标注方法为：$7F_p6$（$F_\alpha F_\beta$）GB/T 10095.1—2008，该标注含义为：齿轮各项偏差项目均应符合 GB/T 10095.1—2008 要求，F_p 为 7 级精度，F_α、F_β 均为 6 级精度。

3. 齿轮坯公差

切齿前齿轮坯基准表面的精度对齿轮的加工精度和安装精度的影响很大。用控制齿轮轮坯精度来保证和提高齿轮的加工精度是一项有效的措施。

有关齿轮轮齿精度（齿廓偏差、相邻齿距偏差等）的参数，只有明确其特定的旋转轴线时才有意义。当测量时齿轮围绕其旋转的轴线如有改变，则这些参数测量值也将改变。因此在齿轮的图样上必须把规定轮齿公差的基准轴线明确表示出来，事实上整个齿轮的几何形状均以其为基准。表 6-32、表 6-33、表 6-34 是标准推荐的基准面的公差要求。孔轴的几何公差按包容要求确定。

表 6-32　基准面与安装面的几何公差（摘自 GB/Z 18620.3—2008）

确定轴线的基准面	图　例	公差项目及公差值
用两个"短的"圆柱或圆锥形基准面上设定的两个圆的圆心来确定轴线上的两点		圆度公差 t 取 $0.04(L/b)F_\beta$ 或 $0.1F_p$ 的较小值（L 为该齿轮较大的轴承跨距；b 为齿轮宽度）
用一个"长的"圆柱或圆锥形基准面来同时确定轴线的位置和方向。孔的轴线可以用与之相配的正确地装配的工作芯轴的轴线来代表		圆柱度公差 t 取 $0.04(L/b)F_\beta$ 或 $0.1F_p$ 的较小值
轴线位置用一个"短的"圆柱形基准面上一个圆的圆心来确定，其方向则用垂直于此轴线的一个基准端面来确定		端面的平面度公差 t_1 按 $0.06(D_d/b)F_\beta$ 选取，圆柱面圆度公差 t_2 按 $0.06F_p$ 选取

表 6-33　齿坯径向和端面圆跳动公差　　　　　　　　　　　　　　　（单位：μm）

分度圆直径 d/mm	齿轮精度等级			
	3、4	5、6	7、8	9~12
≤125	7	11	18	28
125~400	9	14	22	36
400~800	12	20	32	50
800~1600	18	28	45	71

表 6-34　齿坯尺寸公差　　　　　　　　　　　　　　　　　（单位：μm）

齿轮精度等级	5	6	7	8	9	10	11	12
孔	尺寸公差	IT5	IT6	IT7		IT8		IT9	
轴	尺寸公差	IT5		IT6		IT7		IT8	
顶圆直径偏差	$\pm 0.05 m_n$							

4. 齿轮齿面和基准面的表面粗糙度要求

齿轮齿面的表面粗糙度影响齿轮的传动精度、表面承载能力和弯曲强度，必须加以控制。表 6-35 是标准推荐的齿轮齿面的表面粗糙度允许值。

表 6-35　齿轮齿面的表面粗糙度允许值（摘自 GB/Z 18620.4—2008）　（单位：μm）

齿轮精度等级	Ra		Rz	
	$m_n < 6$	$6 \leq m_n \leq 25$	$m_n < 6$	$6 \leq m_n \leq 25$
5	0.5	0.63	3.2	4.0
6	0.8	1.00	5.0	6.3
7	1.25	1.60	8.0	10
8	2.0	2.5	12.5	16
9	3.2	4.0	20	25
10	5.0	6.3	32	40

5. 齿轮副中心距极限偏差和轴线平行度公差要求

圆柱齿轮减速器的箱体上有两对轴承孔，这两对轴承孔分别用来支承与两个相互啮合齿轮各自连成一体的两根线。轴线中心距偏差和轴线平行度误差对齿轮传动的使用要求都有影响。前者影响侧隙的大小，后者影响齿轮载荷分布的均匀性。

（1）中心距允许偏差（$\pm f_a$）　在齿轮只是单向承载运转而不经常反转的情况下，中心距允许偏差主要考虑重合度的影响。对传递运动的齿轮，其侧隙需控制，此时中心距允许偏差应较小；当轮齿上的负载常常反转时要考虑：①轴、箱体和轴承的不同心；②安装误差；③轴承误差；④温度变化的影响。一般 5、6 级精度齿轮 f_a = IT7/2，7、8 级精度齿轮 f_a = IT9/2（推荐值）。

（2）轴线平行度偏差（$f_{\varepsilon\delta}$、$f_{\varepsilon\beta}$）　测量齿轮副两轴之间的平行度误差时，应根据两对轴承的跨距 L，选取跨距较大的那条轴线作为基准轴线；如果两对轴承的跨距相同，则可取其中任何一条轴线作为基准轴线。轴线平行度偏差影响螺旋线啮合偏差，也就是影响齿轮的接触精度，如图 6-69 所示。

$f_{\varepsilon\delta}$ 为轴线平面内的平行度偏差，是在两轴线的公共平面上测量的。$f_{\varepsilon\beta}$ 为轴线垂直平面内的平行度偏差，是在两轴线公共平面的垂直平面上测量的。

$f_{\varepsilon\beta}$ 和 $f_{\varepsilon\delta}$ 的最大推荐值为

$$f_{\varepsilon\beta} = 0.5(L/b)F_{\alpha}$$
$$f_{\varepsilon\delta} = 2f_{\varepsilon\beta}$$

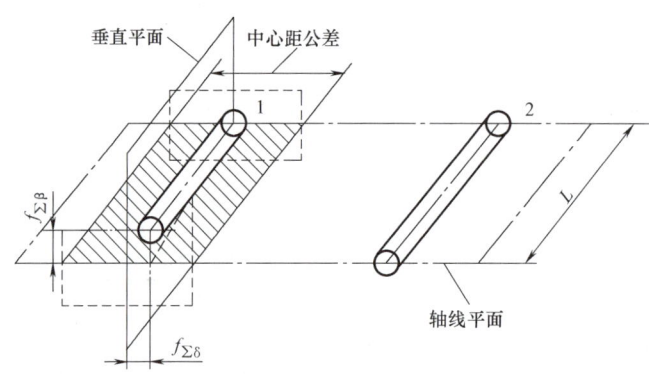

图 6-69　轴线平行度偏差

习　　题

一、轴承部分

1. 判断题（正确的打√，错误的打×）

(1) 滚动轴承内圈与轴的配合，采用基孔制。　　　　　　　　　　　　　　　　　　　（　）

(2) 滚动轴承内圈与轴的配合，采用间隙配合。　　　　　　　　　　　　　　　　　　（　）

(3) 滚动轴承配合，在图样上只需标注轴颈和外壳孔的公差带代号。　　　　　　　　　（　）

(4) 滚动轴承国家标准将内圈内径的公差带规定在零线的下方。　　　　　　　　　　　（　）

2. 选择题

(1) 下列配合零件应选用基轴制的有＿＿＿＿。

A. 滚动轴承外圈与外壳孔。

B. 同一轴与多孔相配合，且有不同的配合性质。

C. 滚动轴承内圈与轴。

D. 轴为冷拉圆钢，不需再加工。

(2) 滚动轴承外圈与基本偏差为 H 的外壳孔形成＿＿＿＿配合。

A. 间隙　　　　　　B. 过盈　　　　　　C. 过渡

(3) 滚动轴承内圈与基本偏差为 h 的轴颈形成＿＿＿＿配合。

A. 间隙　　　　　　B. 过盈　　　　　　C. 过渡

(4) 承受局部载荷的套圈应选＿＿＿＿配合。

A. 较松的过渡配合　　B. 较紧的间隙配合　　C. 过盈配合　　D. 较紧的过渡配合

3. 简答与计算

(1) 滚动轴承的精度有哪几个等级？哪个等级应用最广泛？

（2）滚动轴承与轴、外壳孔配合，采用何种基准制？

（3）选择轴承与轴、外壳孔配合时主要考虑哪些因素？

（4）滚动轴承内圈与轴颈的配合同国家标准中基孔制同名配合相比，在配合性质上有何变化？为什么？

（5）滚动轴承配合标准有何特点？

二、螺纹部分

1. 普通螺纹有哪些几何参数对螺纹连接互换性产生何种影响？
2. 普通螺纹的公差带位置有哪些？选用时与具体参数有何关系？
3. 螺纹标注及含义填空：

含义	标注	参考标准代号
	M20	
	Ml6×Ph3 P1.5 (two starts) -6g-L-LH	
	M20-6G/6g	
	Tr40×14(P7)-7H/7e	
	T20×4-6	
	M12×1-LH	
一般用途的内螺纹中径公差带为9H，外螺纹中径公差带为9c，公称直径为20mm，导程为8mm，单线梯形螺纹长旋合长度的配合		
公称直径为20mm，螺距为2mm，导程为4mm，中径公差带和大径公差带为6g的粗牙普通外螺纹与中径公差带和小径公差带为6H的粗牙右旋普通螺纹的中旋合长度配合		
公称直径为55mm，螺距为14mm，6级精度等级的左旋丝杠		

4. 查表求 M20-6G/6g 普通内、外螺纹的基本尺寸、极限偏差和极限尺寸，及保证互换性的条件。

5. 有一组 M20-7G/7g6g 普通螺纹副，加工后实测得：外螺纹大径 d_a = 19.959mm，d_{2a} = 18.334mm，牙侧角误差分别为 $\Delta\alpha_1 = -1°1'$，$\Delta\alpha_2 = 30'$，左、右两侧距积累误差分别为 $\Delta P_{\Sigma左} = -20\mu m$，$\Delta P_{\Sigma右} = 20\mu m$。内螺纹 D_{1a} = 17.554，D_{2m} = 18.658mm；牙侧角误差分别为 $\Delta\alpha_1 = 30'$，$\Delta\alpha_2 = -40'$，左、右两侧距积累误差分别为 $\Delta P_{\Sigma左} = -10\mu m$，$\Delta P_{\Sigma右} = 20\mu m$。

问该组螺纹是否合格？它们的连接强度、可旋合性如何？

三、键、花键部分

1. 平键连接为什么只对键（键槽）宽规定较严的公差？
2. 平键连接的配合采用何种基准制？花键连接采用何种基准制？
3. 矩形花键的主要参数有哪些？定心方式有哪几种？哪种方式是常用的？为什么？
4. 有一齿轮与轴的连接用平键传递转矩。平键尺寸 B = 10mm，L = 28mm。齿轮与轴的配合为 ϕ35H7/h6，平键采用一般连接。试求出键槽尺寸偏差。
5. 某机床变速箱中有 6 级精度齿轮的花键孔与花键轴连接，花键规格 6×26×30×6，花键孔长 30mm，花键轴长 75mm，齿轮花键孔经常需要相对花键轴做轴向移动，要求定心精度较高，试确定：齿轮花键孔和花键轴的公差带代号，计算小径、大径、键（键槽）宽的极限尺寸。并分别写出在装配图上和零件图上的标记。

四、齿轮部分

1. 简述评定渐开线圆柱齿轮精度时的应检指标的名称、符号和定义。评定齿轮传递运动准确性和传动平稳性的精度时,除了应检指标以外,还可以采用哪些指标?简述它们的名称、符号和定义。

2. 为什么要规定齿坯公差?齿坯公差要求检验哪些精度项目?

3. 齿轮传动有哪些使用要求?

4. 齿轮加工误差产生的原因有哪些?

5. 齿轮副精度评定指标有哪些?

功勋科学家:钱学森

第7章　几何量的测量

在机械制造中,测量技术是实现互换性的重要保证之一。测量技术是一门具有自身专业体系、涵盖多种学科、理论性和实践性都非常强的前沿科学。测量技术包含测量和检验,本章重点介绍机械零件几何量的测量和检验。即包括长度、角度、几何形状、相互位置、表面粗糙度等方面的测量和检验。

本章所引用和参考的相关国家标准和国家规程有:

GB/T 19765—2005《产品几何量技术规范(GPS)　产品几何量技术规范和检验的标准参考温度》。

GB/T 6093—2001《几何量技术规范(GPS)　长度标准　量块》。

JJG 146—2011《量块》。

GB/T 3177—2009《产品几何技术规范(GPS)　光滑工件尺寸的检验》。

GB/T 1957—2006《光滑极限量规　技术要求》。

GB/T 8069—1998《功能量规》。

GB/T 34634—2017《产品几何技术规范(GPS)　光滑工件尺寸(500mm~10000mm)测量　计量器具选择》。

GB/T 1958—2017《产品几何技术规范(GPS)　几何公差　检测与验证》。

7.1　测量技术的基本条件

7.1.1　概述

测量是将被测几何量值与测量单位或标准量,在量值上进行比较,从而求出二者比值的实验过程。测量的结果为被测量的具体数值。若被测几何量为 L,所用的计量单位为 u,确定的比值为 q,则基本的测量公式为

$$L = qu \tag{7-1}$$

例如用游标卡尺来测量一轴径,就是将被测量对象(轴的直径)用特定测量方法(游标卡尺)与长度单位(mm)相比较。若其量值为 30.52mm,那么 mm 就是计量单位,数字 30.52 就是以 mm 为计量单位时该轴径的数值。

而检验就是确定产品是否满足设计要求的过程,即判断产品合格性的过程。检验只能得到被检验对象合格与否的结论,不能得到其具体的量值。但检验效率高、成本低,故在大批量生产中得到广泛应用。

一个完整的测量过程应包括四个要素：被测对象、计量单位、测量方法和测量精度。

1) 被测对象。在几何量测量中，被测对象是指长度、角度、表面粗糙度、形状和位置误差以及螺纹、齿轮的各个几何参数等。

2) 计量单位。用以度量同类量值的标准量。我国法定计量单位中，长度单位以米（m）为基本计量单位，机械制造中常用的单位有毫米（mm）、微米（μm）和纳米（nm）；平面角的角度单位是弧度（rad）、微弧度（μrad）及度（°）、分（′）、秒（″）。

3) 测量方法。是根据一定的测量原理，在实施测量过程中对测量原理的运用及其实际操作。广义上即指测量所采用的测量原理、计量器具和测量条件的总和。

4) 测量精度。是指测量结果与真值相一致的程度。与测量精度相反的是测量误差。任何测量过程都不可避免地会出现测量误差。测量误差大，测量精度就低；反之，测量误差小，测量精度就高。

测量技术的基本任务是根据测量对象的特点和质量要求，拟定测量方法，选用计量器具，把被测量和标准量进行比较，分析测量过程的误差，从而出具有一定测量精度的测量结果。至于如何提高测量效率、降低测量成本、避免发生误收、误废零件的问题，也是测量工作的重要内容。

7.1.2 测量的基本条件

为了得到可信的测量结果，测量必须符合一系列基本条件。测量会受到许多影响量的影响，这些影响量会影响测量装置和测量对象。

对于长度测量量，在 GPS 测量中常见的影响量是温度、测力和测量方向等。影响量是用诸如℃、N 和角度等与长度单位不同的其他物理单位来表示的，并且可以通过物理定律和公式换算到长度。

1) 温度。按 GB/T 19765—2005 规定，测量的标准温度为 20℃。由于诸如温度高低，以及时间和空间的温度梯度等来自于温度的影响，会引起测量设备、测量装置以及被测对象的长度变化和弯曲变形。温度的变化对长度的影响由线膨胀方程给出。

$$\Delta L = \Delta T \times \alpha \times L \tag{7-2}$$

式中，ΔT 是温度差，α 是材料的线膨胀系数，L 是所考虑的有效长度。

2) 测力。GPS 测量的标准条件是测力等于零。由于测力不等于零而对长度测量误差和不确定度的影响是由弹性引起的，在某些情况下也可能由测量设备、测量装置和测量对象的塑性形变所致。特别应该研究测力对测量设备和测量对象之间接触部位的几何形状的影响。测力的影响可以由经验公式或物理方程来定量确定（Hertz 公式等）。此影响与力的大小、方向、几何形状以及诸如 E（杨氏模量）和 ν（泊松比）等材料常数有关。

3) 测量方向。测量方向应该由测量对象的几何特征量的定义来确定。相对于定义规定的测量方向的偏差对测量结果的影响，可以由基本三角方程来进行计算。有时还会受到其他影响量的方向性效应的影响。

对于几何参数误差的检测条件也在检测与验证规范中规定。实际操作中，所有偏离规定条件并可能影响测量结果的因素均应在测量不确定度评估时考虑。几何误差检测与验证的缺省检测条件为：标准温度 20℃，标准测量力为 0N。

如果测量环境的洁净度、湿度、被测件的重力等因素影响测量结果，应在测量不确定度评估时考虑。几何误差检测与验证时,除非另有规定,表面粗糙度、划痕、擦伤、塌边等外观缺陷的影响应排除在外。

在测量时,按测量中测量因素是否变化可分为分类等精度测量与不等精度测量两种。

等精度测量是指在测量过程中,测量条件不改变的情况下,对同一被测值进行连续多次的测量。例如,由同一个人,用同一台仪器,在同样的环境中,用同样方法,多次测量同一个量,即认为其测量精度相等。在一般情况下,为了简化测量结果的处理,大都采用等精度测量。实际上,绝对的等精度测量是做不到的。

不等精度测量是指在测量过程中,测量的全部条件可能完全改变或部分改变时的测量。由于不等精度测量的数据处理比较麻烦,因此一般用于重要的科研实验中的高精度测量。

7.2 长度尺寸的测量

7.2.1 长度基准

我国法定计量单位与国际单位制是一致的,基本长度单位是米(m)。机械制造中常用的单位是毫米(mm);测量技术中常用的单位是微米(μm)。

$1m = 1000mm$;$1mm = 1000\mu m$。

1983年第十七届国际计量大会通过米的定义为"一米是光在真空中 1/299 792 458 秒时间间隔内的行程长度"。为了保证长度测量的精度,还需要建立准确的量值传递系统。随着激光稳频技术的发展,用激光波长作为长度基准具有很好的稳定性和复现性。1985年我国用自己研制的碘吸收稳定的 $0.633\mu m$ 氦氖激光辐射作为波长标准来复现"米"的定义。使用波长作为长度基准,虽然可以达到足够的精确度,但显然这个长度基准不便在生产中直接用于对零件进行测量。因此,为保证零件在国内、国际上具有互换性,即保证量值的统一,就需要有一个统一的量值传递系统,将基准的量值一级一级地传递到生产中使用的各种计量器具上,再用其测量工件尺寸,从而保证量值的准确一致。

7.2.2 尺寸传递

我国长度量值传递系统分为两个并行的传递系统向下传递,如图 7-1 所示,即端面量具(量块亦称块规)系统和刻线量具(线纹尺)系统。其中尤以量块传递系统应用最广。

角度也是机械制造中一个重要的几何量。角度基准与长度基准有着本质的区别。角度的自然基准是客观存在的,不需要建立,因为一个整圆所对应的圆心角是定值($2\pi rad$ 或 $360°$)。因此,将整圆任意等分得到的角度的实际大小,可以通过各角度相互比较,利用圆周角的封闭性求出,实现对角度基准的复现。但在计量部门,为了检定和测量需要,仍采用如图 7-2 所示的多面棱体(棱形块)作为角度量值的基准。机械制造中的角度传递系统如图 7-3 所示。

7.2.3 量块的基本知识

量块是保证长度量值统一的、常用的一种平面平行端面量具。可用来检定和校准量仪或量具,相对测量时用来调整量仪或量具的零位,也可直接用作精密测量或精密机床的调整。

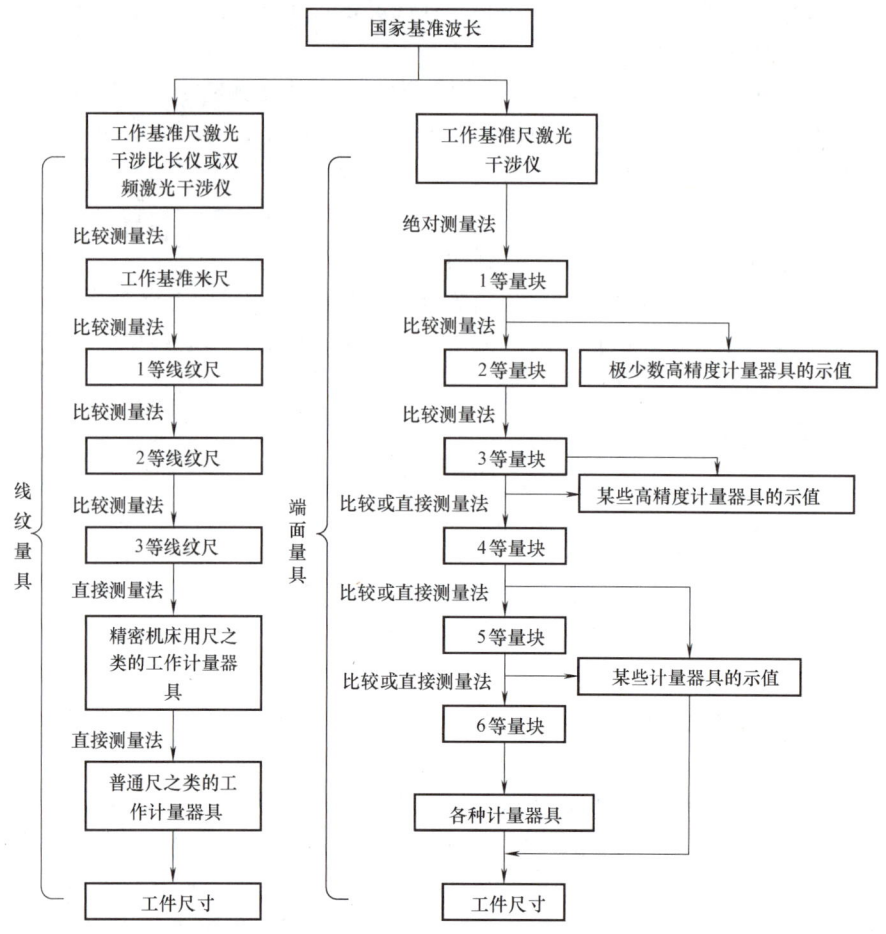

图 7-1 长度量值传递系统

量块通常用铬锰钢等特殊合金钢或线膨胀系数小、性质稳定、耐磨以及不易变形的其他材料制成。绝大多数量块制成直角平行六面体（长方体、正方体），少数为圆柱体。量块有两个相互平行的测量面，测量面的粗糙度和平面度要求都很高。两测量面之间的距离为量块的工作尺寸。由于量块测量面的平面度和平行度误差对工作尺寸有影响，故量块的工作尺寸规定按中心长度来定义。中心长度为量块上一个测量面的中心到另一个测量面相研合的平晶平面的垂直距离，如图 7-4 所示。

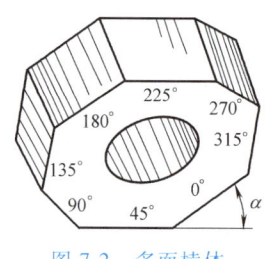

图 7-2 多面棱体

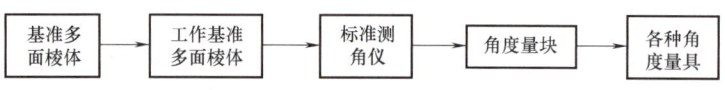

图 7-3 角度传递系统

按 GB/T 6093—2001 的规定，量块按制造精度分为 5 级，即 0、1、2、3 和 K 级，其中 0 级精度最高，3 级最低，K 级为校准级。"级"主要根据量块长度极限偏差、测量面的平面度、粗糙度及量块的研合性等指标来划分。

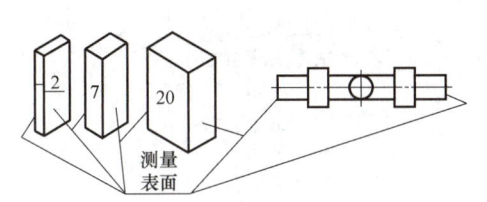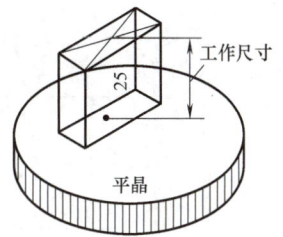

图 7-4 量块外形

制造高精度的量块的工艺要求高，成本也高，而且即使制造成高精度量块，在使用一段时间后，也会因磨损而引起尺寸减小，使其原有的精度级别降低。因此，需要定期检定出全套量块的实际尺寸，再按检定的实际尺寸来使用量块，这样可以提高量块的准确度。按照 JJG 146—2011 的规定，量块按其检定精度分为五等，即 1、2、3、4、5 等，其中 1 等精度最高，5 等精度最低，"等"主要依据量块中心长度测量的极限偏差和测量面的平面度允许偏差来划分。

量块按"级"使用时，以标称长度为工作长度，包含制造误差。而按"等"使用量块时，不包含制造误差。但测量误差，就同一量块而言，检定时的测量误差要比制造误差小得多。所以，量块按"等"使用时其精度比按"级"使用要高，且能在保持量块原有使用精度的基础上延长其使用寿命。

依据国家标准规定，我国成套生产的量块共有 17 种套别，每套的块数分别为 91 块、83 块、46 块、38 块、12 块、10 块、8 块等。表 7-1 所列是 83 块一套的量块尺寸。

表 7-1 83 块量块尺寸

尺寸系列/mm	间隔/mm	块数	尺寸系列/mm	间隔/mm	块数
0.5	—	1	1.5~1.9	0.1	5
1	—	1	2.0~9.5	0.5	16
1.005	—	1	10~100	10	10
1.01~1.49	0.01	49			

量块具有可粘合的特点，是因为量块工作表面极为光洁、平面度误差很小，当测量面上留有极薄的一层油膜（约 $0.02\mu m$）时，在推力作用下，因分子之间的吸力而粘合在一起。在一定范围内，可根据需要将不同工作尺寸的量块组合在一起，如图 7-5 所示。

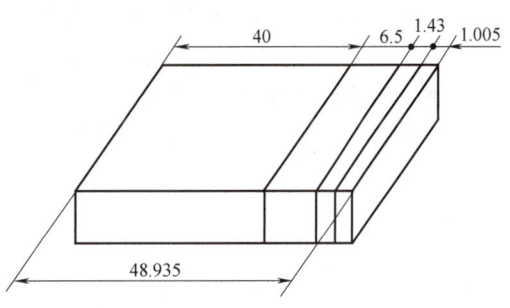

图 7-5 量块的组合

组合量块成所需尺寸时，为减少量块的组合误差，应尽量减少量块的组合块数，一般不超过 4 块。为此，组合量块应从所需组合尺寸的最后一位数开始选择适当尺寸的量块，每选一块至少应减去所需尺寸的一位尾数，其余以此类推。

例 7-1：采用 83 块一套的量块，组成 48.935mm 的尺寸。

解：

```
    48.935   …… 需组合的尺寸
-)   1.005   …… 第一块量块的尺寸
    47.93
-)   1.43    …… 第二块量块的尺寸
    46.5
-)   6.5     …… 第三块量块的尺寸
    40       …… 第四块量块的尺寸
```

7.3 测量器具和测量方法

测量器具是测量仪器和测量工具及其他用于测量目的的技术装备的总称。通常把以固定形式复现一给定量的一个或多个已知值的一种测量器具称为量具，如游标卡尺、直角尺、量块、角度块规等。把具有变换和放大系统的测量器具称为量仪，如机械比较仪、测长仪、投影仪、工具显微镜等。

7.3.1 测量器具

测量器具按测量原理、结构特点、用途等可分为4种。

1. 标准量具

按基准复制出的代表一个固定尺寸的量具。它可作为实物标准，用以校对、调整其他测量器具或作精密测量用。如量块、基准米尺、线纹尺、角度块规等。

2. 通用测量器具

它具有刻度，可用来测量某一范围内的任一值，并能获得具体数值。通用测量器具按其结构、测量原理可分为以下几种：

1）机械式量仪。是指用机械方法来实现被测量的变换和放大。如指示表、杠杆比较仪等。这种量仪结构简单，性能稳定，使用方便。

2）光学式量仪。是指用光学原理来实现被测量的变换和放大。如测长仪、光学分度头、工具显微镜等。这种量仪性能稳定，精度高。

3）气动式量仪。是指以压缩气体为介质，通过气动系统流量或压力的变化，来实现几何量测量的仪器。如水柱式气动量仪、浮标式气动量仪等。这种量仪结构简单，测量精度和效率高，使用方便，但示值范围小。

4）电动式量仪。是指通过对电量的测量来实现几何量测量的仪器。如电感测微仪、电动轮廓仪等。电动量仪一般都具有放大、滤波等电路。这种量仪精度高，易于实现测量、数据处理的自动化。

3. 专用测量器具

它是无刻度的专用量具，不能测量零件的具体数值，只能用来检验零件是否合格。如极限量规、丝杆检查仪等。

4. 测量装置

为确定被测零件几何量所必需的测量器具和辅助设备的总称。其特点是可以对同一零件上的多个几何量进行测量，可实现测量的自动化或半自动化。如带计算机的三坐标测量仪、几何误差测量仪等。

7.3.2 测量器具的主要度量指标

度量指标是用来说明测量器具的性能和功用的。它是选择和使用测量器具、研究和判断测量方法正确性的依据。测量器具的基本度量指标如图 7-6 所示。

1）刻线间距 c。测量器具标尺或刻度盘上两相邻刻线中心线间的距离（或圆周弧长）。为了便于读数及估计一个刻线间距内的小数部分，刻线间距不宜太小，一般将刻线间距做成 0.75~2.5mm 的等距离刻线。

2）分度值 i。亦称刻度值，测量器具的标尺上每一刻线间距所代表的量值。常用分度值有 0.05mm、0.02mm、0.01mm、0.001mm 等。有一些测量器具（如数字式量仪）没有刻度尺，就不称分度值而称分辨率。分辨率是指计量器具指示装置所能显示的最末一位数所代表的量值。如数显千分尺的分辨率为 1μm。

3）示值范围。由测量器具所显示或指示的最低值到最高值的范围。如图 7-6 所示，机械式比较仪的示值范围为 -0.1~+0.1mm（或±0.1mm）。

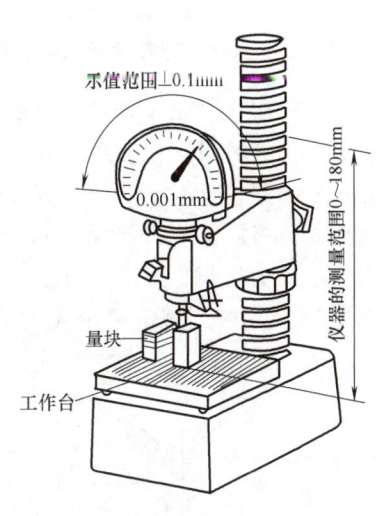

图 7-6 测量器具的基本度量指标

4）测量范围。在允许不确定度内，测量器具所能测量的被测量值的最大值到最小值的范围。如图 7-6 所示，机械式比较仪的测量范围为 0~180mm。

5）灵敏度 s。测量器具反映被测几何量微小变化的能力。对一般长度量仪，灵敏度又称放大比 K（放大倍数），它等于刻线间距 c 与分度值 i 之比，即 $S=K=c/i$。当 c 一定时，放大比 K 越大，分度值 i 越小，可以获得更精确的读数。

6）测量力。是指在接触式测量过程中，测量器具的测头与被测零件之间的接触力。测量力过大会引起零件弹性变形，测量力太小则会影响接触的可靠性。因此，多数测量仪都有限制测量力的稳定机构。

7）示值误差。是指测量器具上的示值与被测量的真值的代数差。是由器具的调整误差引起的，示值误差越小，则测量器具的精度就越高。

8）修正值。是指为了消除和减少系统误差，用代数法加到测量结果上的数值。其大小与示值误差的绝对值相等，而符号相反。

9）重复精度。是指在相同的测量条件下，对同一被测参数进行多次重复测量时，各测量结果之间的一致性。

10）不确定度。是指测量器具在规定条件下测量时，由于测量误差的存在，被测量值不能肯定的程度，直接反映测量结果的可信度。

7.4 光滑极限量规设计

在机械制造中，检验光滑工件尺寸时，一般使用通用测量器具，直接测取工件实际尺寸确切的数值，以判定其是否合格。但是，在大批量生产中，为提高检测效率，则常常使用光滑极限量规来检验。为此国家发布了 GB/T 3177—2009《产品几何技术规范（GPS）光滑工件尺寸的检验》、GB/T 1957—2006《光滑极限量规 技术要求》、GB/T 8069—1998《功能量规》、GB/T 34634—2017 等国家标准，规定了光滑工件的检验方法和计量器具等。

7.4.1 光滑极限量规的基本概念

光滑极限量规是一种没有刻度而用以检验孔、轴实际尺寸和几何误差综合结果的专用计量器具。用这种量规检验工件时，是成对使用的，且只能判断工件合格与否，不能获得工件实际尺寸的数值。对于采用包容要求Ⓔ的孔、轴，它们的实际尺寸和形状误差的综合结果应该使用光滑极限量规来检验。如图 7-7 所示，光滑极限量规一般分为孔用量规和轴用量规。孔用量规称为塞规，如图 7-7a 所示，塞规的测量面为外圆柱面。轴用量规称为卡规或环规，如图 7-7b 所示，卡规的测量面为两平行平面，环规的测量面为内圆柱面，图 7-7a、b 中左边的叫通规或通端；右边的叫止规或止端。

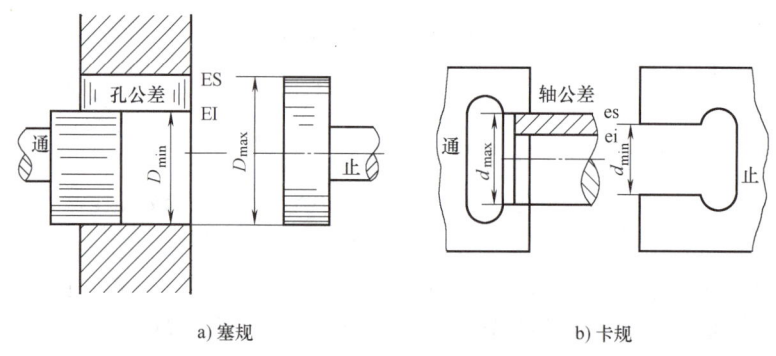

a) 塞规　　　　　　　　b) 卡规

图 7-7　光滑极限量规

通规按被测孔或轴的最大实体尺寸制造，若它通过被测孔或轴，就说明被测孔或轴的作用尺寸没有超出其最大实体尺寸，则孔或轴为合格品；反之为不合格品。止规按被测孔或轴的最小实体尺寸制造，若它不能通过被测孔或轴，就说明被测孔或轴的实际尺寸没有超出其最小实体尺寸，则孔或轴为合格品；反之为不合格品。

量规按用途可分为以下三类：

1) 工作量规。工作量规是指在零件制造过程中操作者所使用的量规。其通规代号为"T"，止规代号为"Z"。对于合格工件，通规应通过，止规应不通过。

2) 验收量规。验收量规是指检验部门或用户代表验收产品时使用的量规。一般不另行制造，而采用与操作者所用相同类型且已磨损较多但未超过磨损极限的通规。这样，由操作者自检合格的产品，检验部门验收时也一定合格。

3) 校对量规。校对量规是用来检验工作量规或验收量规的量规。孔用量规（塞规）可以很方便地使用指示式计量器具测量，故不需要校对量规。只有轴用量规（环规）才使用校对量规（塞规），卡规使用量块作为校对量规。

校对量规分类见表 7-2。

表 7-2　校对量规分类

量规形状	检验对象	量规名称	量规代号		功能	判断合格的标志
塞规	轴用工作量规	通规	校通—通	TT	防止通规制造时尺寸过小	通过
		止规	校止—通	ZT	防止止规制造时尺寸过小	通过
		通规	校通—损	TS	防止通规使用中磨损过大	不通过

目前，对轴用卡规的校对，当产品批量不是很大时，许多工厂采用量块来代替校对量规，这对量规的制造、使用和保管都较有利。

7.4.2　泰勒原则及光滑极限量规公差带

使用光滑极限量规时，应遵守泰勒原则（极限尺寸判断原则）的规定，因为被检验的孔和轴的合格性是根据泰勒原则来判别的。

符合泰勒原则（极限尺寸判断原则）的量规应该是：通规的测量面应是与孔或轴形状相对应的完整表面（通常称为全形量规），其尺寸等于工件的最大实体尺寸，且长度等于配合长度。止规的测量面应是点状的，两测量面之间的尺寸等于工件的最小实体尺寸。

显而易见，作用尺寸由最大实体尺寸控制，而实际尺寸由最小实体尺寸控制，光滑极限量规的设计应遵循这一原则。

用光滑极限量规检验孔或轴时，如果通规能够在被测孔（轴）的全长范围内自由通过，且止规不能通过，则表示被测孔（轴）合格。如果通规不能通过，或者止规能够通过，则表示被测孔（轴）不合格。由于零件总是存在形状误差的，当量规测量面的型式不符合极限尺寸判断原则时，就有可能将不合格的零件误判为合格的。如图 7-8 所示，孔的实际轮廓已超出尺寸公差带，用量规检验应判定该孔不合格。该孔用全形通规检验，不能通过，用两点式止规检验，虽然沿横向不能通过，但沿竖直方向却能通过；于是，该孔被判断为废品。反之，若用两点状通规检验，则可能沿竖直方向通过，用全形止规检验，则不能通过。

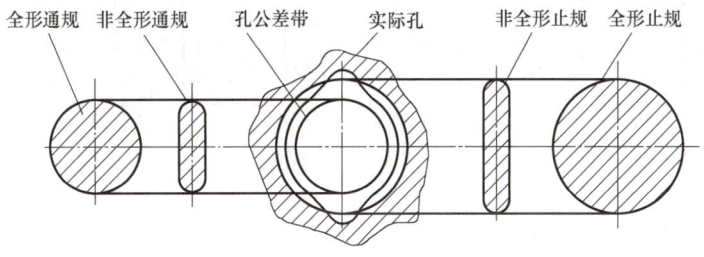

图 7-8　量规截面形状对检验结果的影响

这样一来，由于量规的测量面形状不符合泰勒原则，结果导致把该孔误判为合格。为避免这种情况产生，GB/T 1957—2006 规定：只有在保证被检验工件的形状误差（尤其是轴线的直线度、圆柱面的圆度误差）不致影响配合性质的条件下，才能使用偏离极限尺寸判断原则的量规结构型式。

在量规的实际应用中，由于量规制造和使用方面的原因，要求量规形状完全符合极限尺寸判断原则（泰勒原则）是有一定困难的。因此国家标准规定，在被检验工件的形状误差不影响配合性质的条件下，允许使用偏离泰勒原则的量规。例如，在符合上述前提条件下，为了量规的标准化，允许通规长度小于被检工件配合长度；为了减小量规质量和便于使用，检验大孔时，通规可用非全形塞规或球端杆规代替全形塞规；由于环规不便于检验曲轴，允许采用卡规。对于止规，也不一定用两点接触式检验工件。为了减少磨损，一般常用小平面或球面代替点接触；检验小孔时，其止规常用便于制造的全形塞规；对于刚性差的工件，因受力后易变形，故常用全形塞规。

使用偏离泰勒原则的量规检验孔或轴的过程中，必须做到操作正确，尽量避免由于检验操作不当而造成的误判。例如，使用非全形通规检验孔或轴时，应在被测孔或轴的全长范围内的若干部位上分别围绕圆周的几个位置进行检验。

虽然量规是一种精密的检验工具，量规的制造精度比被检验工件的精度要求更高，但在制造时也不可避免地会产生误差，不可能将量规的工作尺寸正好加工到某一规定值，因此，GB/T 34634—2017 规定了验收极限的方式，GB/T 1957—2006 规定了量规工作部分的定形尺寸公差带和各项公差。

验收极限是判断所检验工件尺寸合格与否的尺寸界限。验收极限可以按照内缩方式和不内缩方式确定。在内缩方式中，验收极限是从规定的最大实体尺寸（MMS）和最小实体尺寸（LMS）分别按工件公差带向内移动一个安全裕度（A）来确定。如图 7-9 所示为双边内缩的验收极限方式。验收极限也可以仅从规定的最大实体尺寸（MMS）向尺寸公差带内移动一个安全裕度（A）来确定，即单边内缩的验收极限方式。

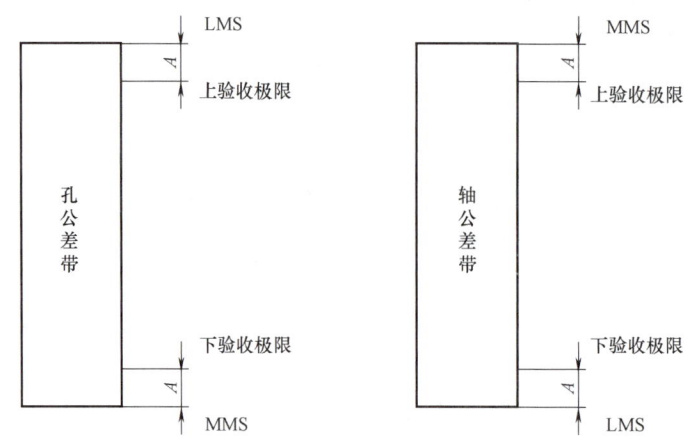

图 7-9　验收极限示意图

孔尺寸的验收极限：

$$上验收极限 = 最小实体尺寸(LMS) - 安全裕度(A)$$

$$下验收极限 = 最大实体尺寸(MMS) + 安全裕度(A)$$

轴尺寸的验收极限：

$$上验收极限 = 最大实体尺寸(MMS) - 安全裕度(A)$$

$$下验收极限 = 最小实体尺寸(LMS) + 安全裕度(A)$$

在不内缩方式中，验收极限等于规定的最大实体尺寸（MMS）和最小实体尺寸（LMS），即 A 值等于零。

由于通规在使用过程中经常通过工件，因而会逐渐磨损。为了使通规具有一定的使用寿命,降低加工难度,应当留出适当的磨损储备量,因此对通规应规定磨损极限,即将通规公差带从最大实体尺寸向工件公差带内缩一个距离。止规通常不通过工件,磨损极少,所以不需要留磨损储备量,故将止规公差带放在工件公差带内紧靠最小实体尺寸处。校对量规也不需要留磨损储备量。

GB/T 1957—2006 规定量规定形尺寸的公差带不得超越工件的公差带,这样有利于防止误收,保证产品质量与互换性。但有时会把一些合格的工件检验成不合格,实质上缩小了工件公差范围,提高了工件的制造精度。工作量规的公差带分布如图 7-10 所示。

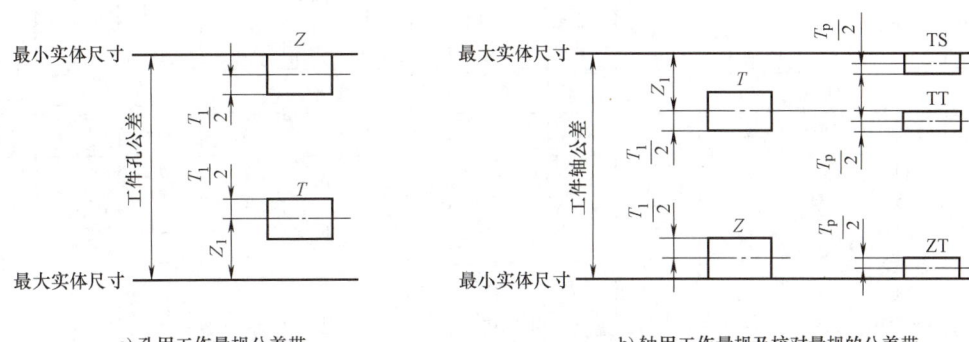

图 7-10 工作量规和校对量规的公差带

图 7-10 中 T_1 为量规制造公差,Z_1 为位置要素(即通规制造公差带中心到工件最大实体尺寸之间的距离),T_1、Z_1 的大小取决于工件公差的大小。通规的磨损极限尺寸等于工件的最大实体尺寸。校对量规公差 $T_p = T_1/2$。由公差带图可知:

孔用量规:通端上偏差 $= EI + Z_1 + T_1/2$ 下偏差 $= EI + Z_1 - T_1/2$
     止端上偏差 $= ES$ 下偏差 $= ES - T_1$
              磨损极限 $= EI$

轴用量规:通端上偏差 $= es - Z_1 + T_1/2$ 下偏差 $= es - Z_1 - T_1/2$
              磨损极限 $= es$
     止端上偏差 $= ei + T_1$ 下偏差 $= ei$

校对量规:校通-损上偏差 $= es$ 上偏差 $= es - T_1/2$
     校通-通上偏差 $= es - Z_1$ 上偏差 $= es - Z_1 - T_1/2$
     校止-通上偏差 $= ei + T_1/2$ 上偏差 $= ei$

GB/T 1957—2006 对基本尺寸至 500mm、标准公差等级为 IT6~IT16 的孔和轴规定了通规和止规工作部分定形尺寸的公差,及通规定形尺寸公差中心到工件最大实体尺寸之间的距离,它们的数值见表 7-3。

量规工作部分的形状误差应控制在定形尺寸公差带的范围内,即采用包容要求。其几何公差为定形尺寸公差的 50%。考虑到制造和测量的困难,当量规定形尺寸公差小于或等于 0.002mm 时,其几何公差取为 0.001mm。

根据被测孔、轴的标准公差等级的高低和量规测量面定形尺寸的大小,量规测量面的表面粗糙度 Ra 的上限值为 $0.05 \sim 0.8 \mu m$,见表 7-4。

表 7-3　量规制造公差 T 及位置要素 Z 值（摘自 GB/T 1957—2006）　（单位：μm）

工件基本尺寸/mm	IT6			IT7			IT8			IT9		
	IT6	T_1	Z_1	IT7	T_1	Z_1	IT8	T_1	Z_1	IT9	T_1	Z_1
≤3	6	1.0	1.0	10	1.2	1.6	14	1.6	2.0	25	2.0	3
3~6	8	1.2	1.4	12	1.4	2	18	2	2.6	30	2.4	4
6~10	9	1.4	1.6	15	1.8	2.4	22	2.4	3.2	36	2.8	5
10~18	11	1.6	2	18	2	2.8	27	2.8	4	43	3.4	6
18~30	13	2	2.4	21	2.4	3.4	33	3.4	5	52	4	7
30~50	16	2.4	2.8	25	3	4	39	4	6	62	5	8
50~80	19	2.8	3.4	30	3.6	4.6	46	4.6	7	74	6	9
80~120	22	3.2	3.8	35	4.2	5.4	54	5.4	8	87	7	10
120~180	25	3.8	4.4	40	4.8	6	63	6	9	100	8	12
工件基本尺寸/mm	IT10			IT11			IT12			—		
	IT10	T_1	Z_1	IT11	T_1	Z_1	IT12	T_1	Z_1	—	—	—
≤3	40	2.4	4	60	3	6	100	4	9			
3~6	48	3	5	75	4	8	120	5	11			
6~10	58	3.6	6	90	5	9	150	6	13	—	—	—
10~18	70	4	8	110	6	11	180	7	15	—	—	—
18~30	84	5	9	130	7	13	210	8	18	—	—	—
30~50	100	6	11	160	8	16	250	10	22	—	—	—
50~80	120	7	13	190	9	19	300	12	26	—	—	—
80~120	140	8	15	220	10	22	350	14	30			
120~180	160	9	18	250	12	25	400	16	35			

表 7-4　量规测量面的表面粗糙度 Ra 值（摘自 GB/T 1957—2006）

工作量规	工作量规的基本尺寸/mm		
	≤120	120~315	315~500
	工作量规测量面的表面粗糙度 Ra 值/μm		
IT6 级孔用工作塞规	0.05	0.10	0.20
IT7 级~IT9 级孔用工作塞规	0.10	0.20	0.40
IT10 级~IT12 级孔用工作塞规	0.20	0.40	0.80
IT13 级~IT16 级孔用工作塞规	0.40	0.80	
IT6 级~IT9 级轴用工作环规	0.10	0.20	0.40
IT10 级~IT12 级轴用工作环规	0.20	0.40	0.80
IT13 级~IT16 级轴用工作环规	0.40	0.80	

只有轴用环规才使用校对量规（塞规）。校对塞规有下列三种，它们的定形尺寸公差带如图 7-10b 所示。轴用卡规通常使用量块测量。

1. 制造新的通规时所使用的校对塞规

它称为“校通—通”塞规，代号为 TT。新的通规内圆柱测量面应能在其全长范围内被 TT 校对塞规整个长度贯通，这样就能保证被测轴有足够的尺寸加工公差。

2. 检验使用中的通规是否磨损到极限时所用的校对塞规

它称为“校通—损”塞规，代号为 TS。尚未完全磨损的通规内圆柱测量面应不能被 TS

校对塞规贯通，并且应在该测量面的两端进行检验。如果通规被 TS 校对塞规贯通，则表示通规已磨损到极限，应予报废。

3. 制造新的止规时所使用的校对量规

它称为"校止—通"塞规，代号为 ZT。新的止规内圆柱测量面应能在其全长范围内被 ZT 校对塞规整个长度贯通，这样就能保证被测轴的实际尺寸不小于其下极限尺寸。

校对量规的定形尺寸公差 T_p 为工作量规的定形尺寸公差 T_i 的一半，其几何误差应控制在其定形尺寸公差带的范围内，即采用包容要求。其测量面的表面粗糙度 Ra 值比工作量规小。

光滑极限量规工作尺寸的计算通常按以下步骤进行。

1) 根据被测孔或轴的公差带代号，从 GB/T 1800—2009 中查得孔或轴的上、下极限偏差，并计算出最大和最小实体尺寸，它们分别是通规和止规以及校对量规工作部分的定形尺寸。

2) 从 GB/T 1957—2006 中查出量规的制造公差 T_1 和位置要素 Z_1 值。按工作量规制造公差 T_1，确定工作量规的形状公差和校对量规的制造公差。

3) 画出量规公差带图，计算量规的工作尺寸和上、下极限偏差。

例 7-2：设计检验配合代号为 $\phi30H8/f7$ 的孔、轴所用的各种量规的工作尺寸。

解：（1）由 GB/T 1800.2—2009 查得孔、轴的上、下极限偏差为：

$\phi30H8$ 孔：ES = +0.033mm；EI = 0mm

$\phi30f7$ 轴：es = −0.020mm；ei = −0.041mm

（2）由 GB/T 157—2006 查得工作量规的制造公差 T_1 和位置要素 Z_1，并确定量规的形状公差和校对量规制造公差。

塞规制造公差：$T_1 = 0.0034$mm；塞规位置要素：$Z_1 = 0.005$mm。

塞规形状公差：$T_1/2 = 0.0017$mm。

卡规制造公差：$T_1 = 0.0024$mm；卡规位置要素：$Z_1 = 0.0034$mm。

卡规形状公差：$T_1/2 = 0.0012$mm。

校对量规制造公差 $T_p = 0.0012$mm。

（3）量规工作尺寸的计算见表 7-5，量规公差带图见图 7-11 所示，量规工作尺寸的标注如图 7-12 所示。

表 7-5 各种量规工作极限偏差的计算

工件	量规名称	量规公差 /μm	位置要素 /μm	量规定形尺寸 /μm	量规的极限尺寸/mm 最大	量规的极限尺寸/mm 最小	量规的工作尺寸 /mm
孔 $\phi30^{+0.033}_{0}$	孔用通规 T	3.4	5	$\phi30.000$	$\phi23.0067$	$\phi30.0033$	$\phi30.0067^{0}_{-0.0034}$
	孔用止规 Z	3.4	—	$\phi30.033$	$\phi30.0330$	$\phi30.0296$	$\phi30.0330^{0}_{-0.0034}$
轴 $\phi30^{-0.020}_{-0.041}$	轴用通规 T	2.4	3.4	$\phi29.980$	$\phi29.9778$	$\phi29.9754$	$\phi29.9754^{+0.0024}_{0}$
	轴用止规 Z	2.4	—	$\phi29.959$	$\phi29.9614$	$\phi29.9590$	$\phi29.9590^{+0.0024}_{0}$
	校通-通 TT	1.2	—	$\phi29.980$	$\phi29.9766$	$\phi29.9754$	$\phi29.9766^{0}_{-0.0012}$
	校止-通 ZT	1.2	—	$\phi29.959$	$\phi29.9602$	$\phi29.9590$	$\phi29.9602^{0}_{-0.0012}$
	校通-损 TS	1.2	—	$\phi29.980$	$\phi29.9800$	$\phi29.9788$	$\phi29.9800^{0}_{-0.0012}$

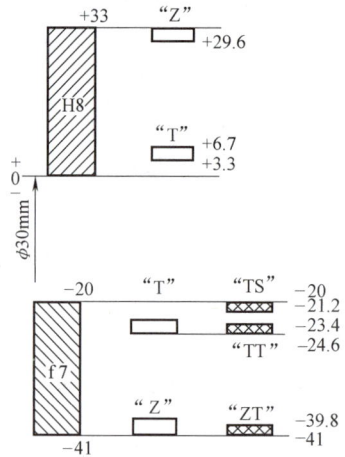

图 7-11 量规公差带图

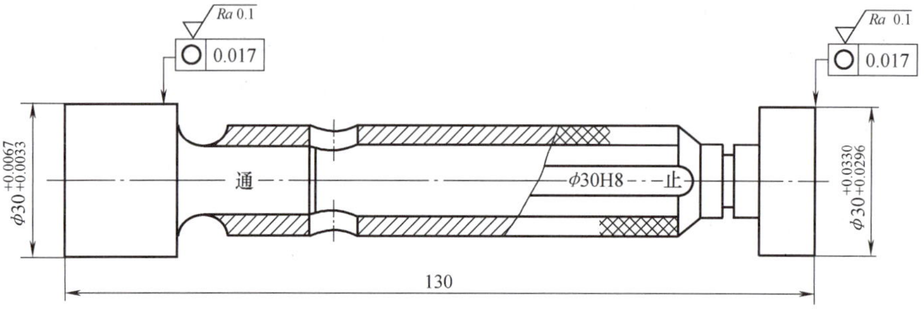

a) 孔用塞规

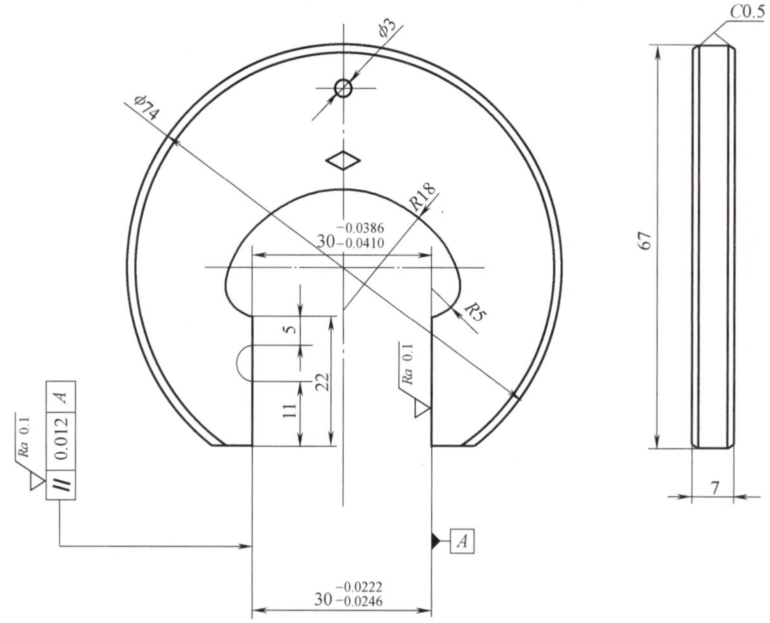

b) 轴用卡规

图 7-12 量规工作尺寸的标注

4. 量规形式的选择

检验圆柱形工件的光滑极限量规形式很多，合理地选择及使用，对正确判断测量结果影响很大。量规形式的选择可参照国家标准推荐，见表 7-6。国家标准推荐的量规结构形式及其应用的尺寸范围如图 7-13 所示。测孔时，一般可用如图 7-14a 所示的量规形式；测轴时，可用如图 7-14b 所示的量规形式。

表 7-6 量规形式适用的尺寸范围（摘自 GB/T 1957—2006）

用途	推荐顺序	量规的工作尺寸/mm			
		~18	>18~100	>100~315	>315~500
孔用通规	1	全形塞规		非全形塞规	球端杆规
	2	—	非全形塞规或片形塞规	片形塞规	—
孔用止规	1	全形塞规	全形塞规或片形塞规		球端杆规
	2	—	非全形塞规		—
轴用通规	1	环规		卡规	
	2	卡规		—	
轴用止规	1	卡规			
	2	环规		—	

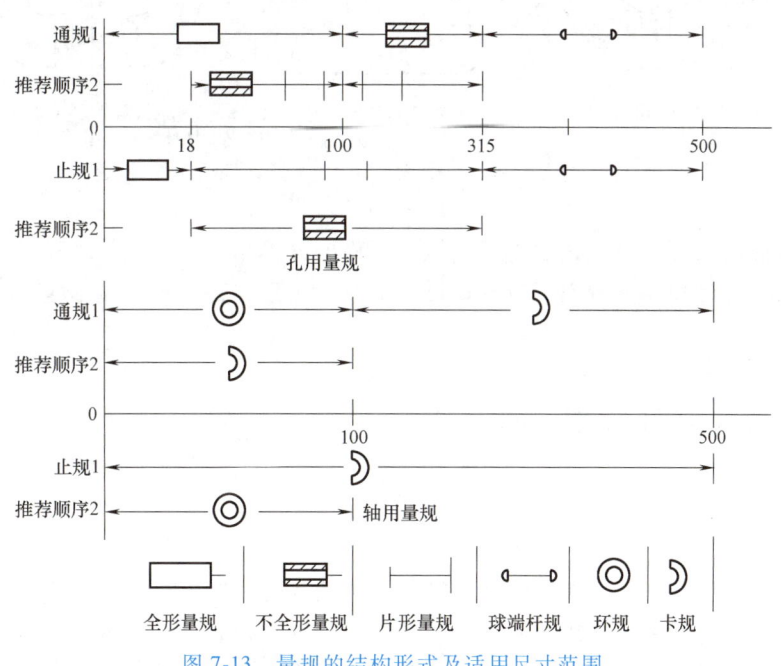

图 7-13 量规的结构形式及适用尺寸范围

5. 量规的技术要求

量规测量面的材料与硬度对量规的使用寿命有一定影响。量规可用合金工具钢（如 CrMn，CrMnW，CrMoV）、碳素工具钢（如 T10A，T12A）、渗碳钢（如 15 钢、20 钢）及其他耐磨材料（如硬质合金）等制造。测量面的硬度应为 58~65HRC、并应经过稳定性处理。

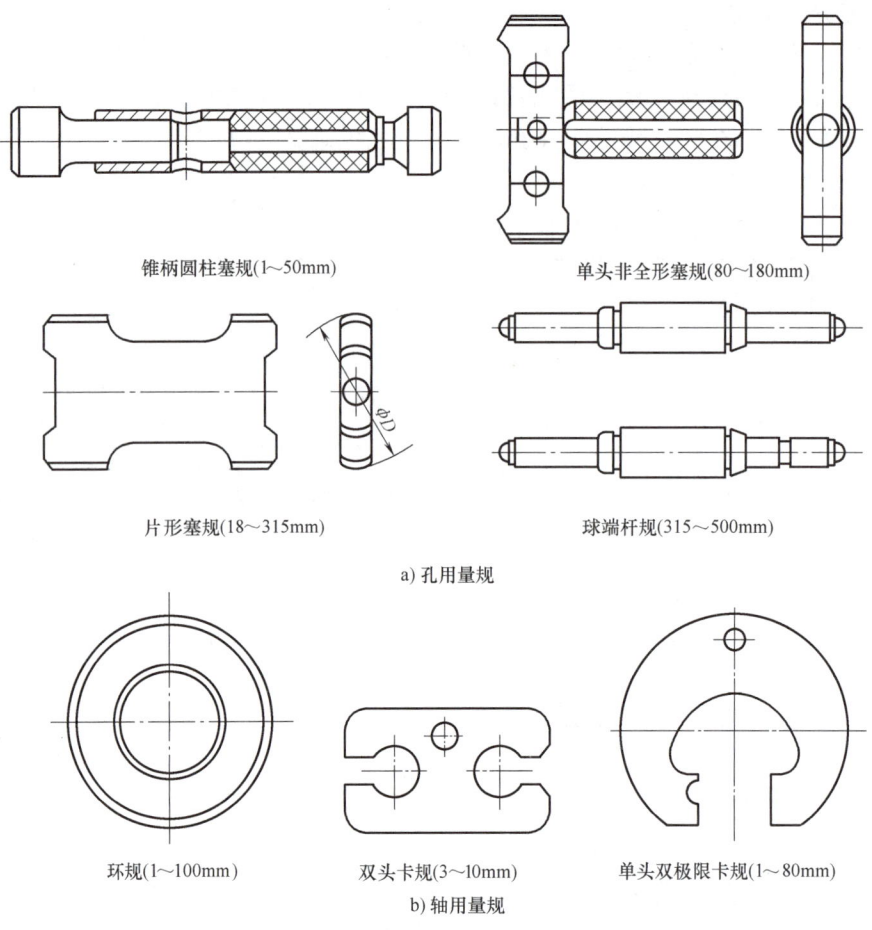

图 7-14 量规的结构形式

量规测量面的表面粗糙度,取决于被检验工件的公称尺寸、公差等级和粗糙度以及量规的制造工艺水平。量规的测量面不应有锈迹、毛刺、黑斑、划痕等明显影响外观和使用质量的缺陷。

7.5 基准的建立和体现

7.5.1 基准的建立

GB/T 1958—2017 规定,由基准要素建立基准时,基准由在实体外对基准要素或其提取组成要素进行拟合得到的拟合组成要素的方位要素建立。拟合方法有最小外接法、最大内切法、实体外约束的最小区域法和实体外约束的最小二乘法。

1) 单一基准由一个基准要素建立,该基准要素从一个单一表面或一个尺寸要素中获得。包括:①基准点;②基准直线;③基准轴线;④基准平面;⑤基准曲面;⑥由两平行平面建立的基准中心平面。

2) 公共基准由两个或两个以上同时考虑的基准要素建立。包括:①公共基准轴线;

②公共基准平面；③公共基准中心平面。

3) 基准体系：①基准体系由两个或三个单一基准或公共基准按一定顺序排列建立，该顺序由几何规范所定义。②用于建立基准体系的各拟合要素间的方向约束按几何规范所定义的顺序确定：第一基准对第二基准和第三基准有方向约束，第二基准对第三基准有方向约束。

7.5.2 基准的体现

基准可采用模拟法和拟合法体现，示例见表 7-7。

表 7-7 模拟法和拟合法体现基准的示例

基准示例	基准的体现（模拟法和拟合法）	
	模拟法（采用模拟基准要素：非理想要素）	拟合法（采用拟合基准要素：理想要素）
基准点 球的球心 $S\phi 26$　A　$S\phi 26$　B	基准点 A　基准点 B 采用高精度的球分别与基准要素 A、B 接触，由球心体现基准	基准=最大内切球心 A 或 B 拟合组成要素=最大内切球 对基准要素的提取组成要素（圆球表面）进行分离、提取、拟合等操作，得到拟合组成要素的方位要素［拟合导出要素（球心）］，并以此体现基准点 A 或 B
基准轴线 一个孔的轴线 A	模拟基准轴线　心轴 可胀式或与孔成无间隙配合的圆柱形心轴的轴线	拟合组成要素=最大内切圆柱 基准=最大内切圆柱的轴线 对基准要素的提取组成要素（内圆柱面）进行分离、提取和拟合等操作，得到拟合组成要素的方位要素（拟合导出要素），并以此体现基准轴线 A

(续)

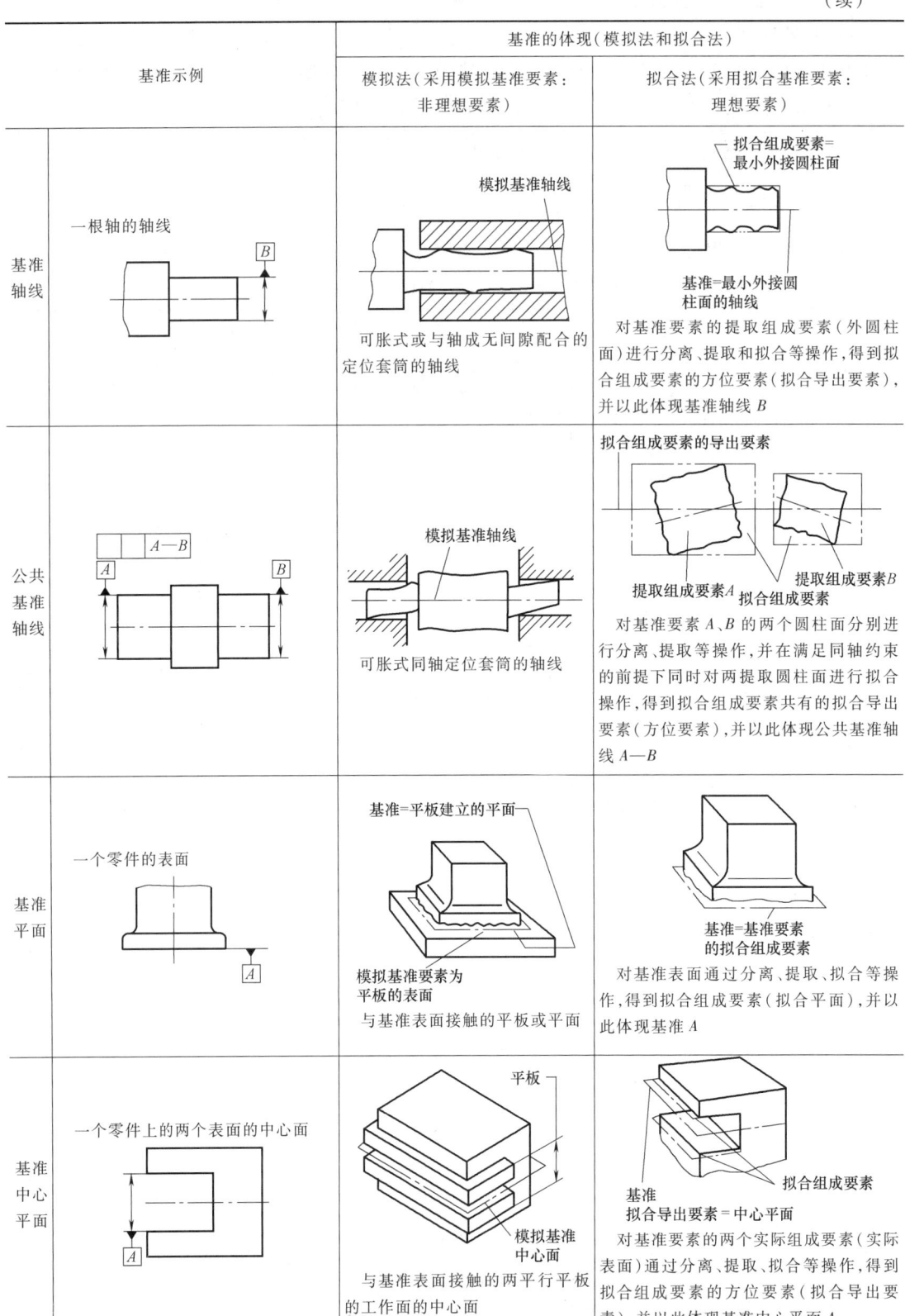

1. 拟合法

采用拟合法体现基准、是按一定的拟合方法对分离、提取（或滤波）得到的基准要素进行拟合及其他相关要素操作所获得的拟合组成要素或拟合导出要素来体现基准的方法。采用该方法得到的基准要素具有理想的尺寸、形状、方向和位置。

2. 模拟法

1）采用模拟法体现基准，是采用具有足够精确形状的实际表面（模拟基准要素）来体现基准平面、基准轴线、基准点等。

2）模拟基准要素与基准要素接触时，应形成稳定接触且尽可能保持二者之间的最大距离为最小。

3）模拟基准要素是非理想要素，是对基准要素的近似替代，由此会产生测量不确定度。

4）当基准要素本身具有足够的形状精度时，可直接作为基准，如图 7-15 所示。

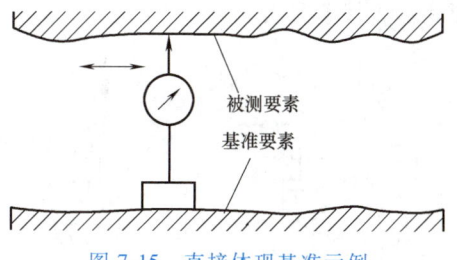

图 7-15　直接体现基准示例

7.6　几何误差的测量

7.6.1　几何参数误差的测量一般规定

1）几何误差是指被测提取要素对其拟合要素的变动量。一般涉及的几何误差共有 14 项，提取要素是指按 GB/T 18780.1—2002 定义的提取组成要素和提取导出要素的统称。提取组成要素是在实际要素上提取数量足够多的点形成的。

2）测量几何误差时，表面粗糙度、划痕、擦伤以及塌边等其他外观缺陷，应排除在外。测量截面的布置、测量点的数目及其布置方法，应根据被测要素的结构特征、功能要求和加工工艺等因素决定。

3）测量几何误差时的标准条件：
① 标准温度为 20℃；② 标准测量力为零。必要时应结合偏离标准条件对测量结果影响的测量不确定度进行评估。

4）测量不确定度是确定检测方案的重要依据之一，选择检测方案时应按 GB/T 18779.2—2004 的规定进行测量不确定度评估。

5）测量不确定度允许占给定公差值的 10%~33%。

7.6.2　几何参数误差的测量方法

1. 直线度误差的常用测量方法

（1）节距法或跨距法　主要用来测量精度要求较高而被测直线尺寸又较长的研磨或刮研表面，如各种长导轨面。可用自准直仪或水平仪进行测量，如图 7-16 和图 7-17 所示。将反射镜放在被测件的两端，调整自准直仪使其光轴与两端点连线平行。

1）将反射镜放在被测表面上直线的两端，调整自准直仪使光轴与两端点连线平行。

2）被测要素的测量与评估：

① 分离：确定被测要素的测量方向及其测量界限。
② 提取：反射镜按节距 l 沿与基准平行的被测直线方向移动，同时记录垂直方向上的示值，获得提取线。
③ 拟合：采用最小区域法对提取线进行拟合，得到拟合直线。
④ 评估：误差值为提取线上的最高峰点、最低谷点到拟合直线之间的距离值之和。按上述方法测量多条直线，取其中最大的误差值作为该被测件的直线度误差值。
⑤ 最后进行符合性比较，将得到的误差值与图样上给出的公差值进行比较、判定被测要素的直线度是否合格。

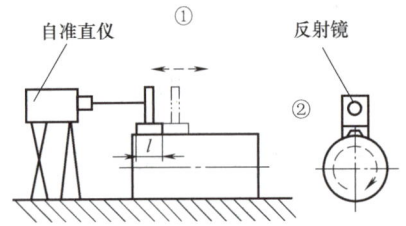

图 7-16　用自准直仪测量外圆柱素线的直线度误差

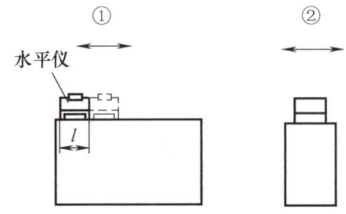

图 7-17　用水平仪测量导轨面的直线度误差

（2）间隙法　用平尺（或样本直尺）模拟理想直线，将样本直尺（或平尺）与被测要素素线直接接触，使样本直尺（或平尺）和被测要素之间的最大间隙为最小，此时的最大间隙即为该条被测素线的直线度误差。误差的大小应根据光隙测定。当光隙较小时，用样板尺（或平尺）与量块组合的标准光隙值比较来估读；当光隙较大时，则可用厚薄规（塞尺）测量。如图 7-18 所示。

（3）功能量规检验法　功能量规的直径等于被测零件的最大实体实效尺寸，功能量规必须通过被测零件。如图 7-19 所示。采用整体型功能量规：

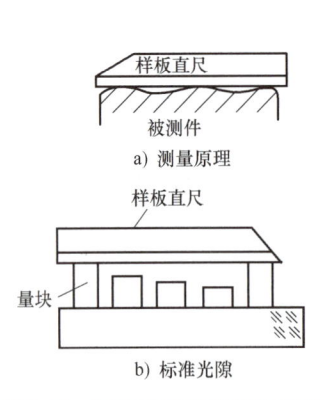

图 7-18　间隙法测量直线度误差

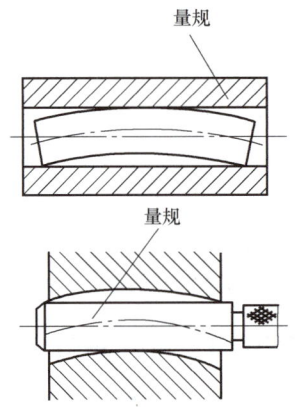

图 7-19　功能量规检验直线度误差

1）局部实际尺寸的检验：采用普通计量器具（如千分尺等）测量被测要素实际轮廓的局部实际尺寸，其任一局部实际尺寸均不得超越其最大实体尺寸和最小实体尺寸。

2）体外作用尺寸的检验：功能量规的检验部位与被测要素的实际轮廓相结合，如果被测件能通过功能量规，说明被测要素实际轮廓的体外作用尺寸合格。

3) 符合性比较 局部实际尺寸和体外作用尺寸全部合格时，才可判定被测要素合格。

（4）打表法 打表法是用平板，固定和可调支承或顶尖架，带指示计的测量架，将被测素线的两端点调整到与平板等高，或将被测零件安装在平行于平板的两顶尖之间。测出在给定截面上被测素线的全长范围内，被测直线相对模拟理想直线的精密导轨或平板的偏差量，同时记录示值。根据记录的读数用计算法（或图解法）按最小条件（也可按两端点连线法）计算直线度误差，如图 7-20 所示。

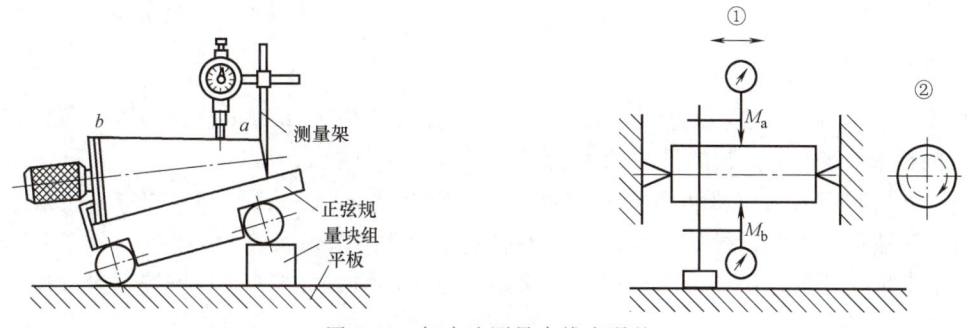

图 7-20　打表法测量直线度误差

（5）直线度误差最小区域判别法实例 拟合要素理想直线相对于被测提取要素位置按最小条件来确定，直线度误差采用最小区域判别法。

凡符合下列条件之一者，则表示被测提取要素已为最小包容区域所包容。直线度误差为最小包容区域的宽度 f 或直径 ϕf。

在给定平面内，由两平行直线包容提取要素时，成高低相间三点接触，具有下列两种形式之一，即：高-低-高，或低-高-低，如图 7-21 所示。

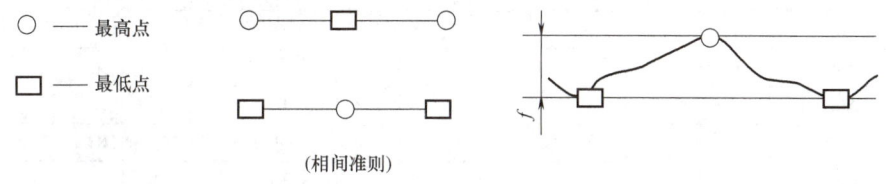

图 7-21　在给定平面内相间准则

在给定方向上，由两平行平面包容提取线时，沿主方向（长度方向）上成高、低相间三点接触，具有下列两种形式之一（如图 7-22 所示），可按投影进行判别。

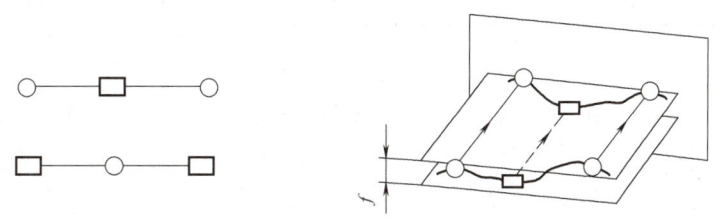

图 7-22　在给定方向上相间准则

在任意方向上，由圆柱面包容提取线时，可以是三点形式（三点在同一轴截面上）、四点形式或五点形式中的一种。当三点在同一轴截面上时，1、3 两点沿轴线方向的投影重合在一起,即 1 与 3 两点在同一条素线上,如图 7-23 所示。

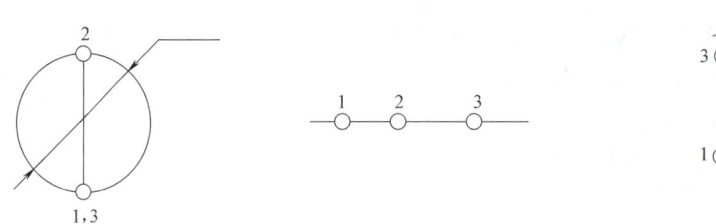

图 7-23　在任意方向上相间准则

例 7-3： 用节距法或跨距法测直线度误差。采用分度值为 0.02mm/m 的水平仪,跨距为 250mm 的桥板,测量 2m 长的导轨的直线度误差。

解： 测量时把被测导轨调整到大致水平,每隔 250mm 测一个读数（格）。按最小包容区域法和两端点连线法计算该导轨的直线度误差。计算结果列入表 7-8 中。

表中水平仪读数是桥板后端点相对于前端点的高度差数（格）。各点按测量顺序的累加值是各读数点相对于起始点的高度差。计算时取起始点为坐标原点（0 点）。

最小包容区域法：测点 2、8 是两个高点,各点绕 2 点旋转 q_i,旋转后使 2、8 点等值,故列方程 $+2.25 = -6q+4.8$,解得 $q = 0.425$。

两端点连线法：各点绕 0 点旋转 q_i,旋转后使 0、8 点等值,故列方程 $0 = -8q+4.8$,解得 $q = 0.6$。

表 7-8　用两种方法评定直线度误差计算结果

测点序号 i	分段长度 /mm	水平仪读数 a_i/格	测点的高度值 Y_i/格	最小包容区域法 坐标变换量 q_i/格	最小包容区域法 各点误差值 Y_i+q_i/格	两端点连线法 坐标变换量 /格	两端点连线法 各点误差值 /格
0	0	0	0	+0.85	+0.85	0	0
1	250	+1	+1.0	+0.425	+1.425	-0.6	+0.4
2	500	+1.25	+2.25	0	(+2.25)	-1.2	(+1.05)
3	750	0	+2.25	-0.425	+1.825	-1.8	+0.45
4	1000	-0.25	+2.0	-0.85	+1.15	-2.4	-0.4
5	1250	-0.2	+1.8	-1.275	+0.525	-3.0	-1.2
6	1500	+1	+2.8	-1.7	+1.1	-3.6	-0.8
7	1750	+0.5	+3.3	-2.125	+1.175	-4.2	-0.9
8	2000	+1.5	+4.8	-2.55	(+2.25)	-4.8	0

每一格相应的微米数值为：$0.02/1000 \times 250\text{mm} = 0.005\text{mm} = 5\mu\text{m}$。

按最小包容区域法,测点 2、8 是两个最高点,测点 5 为最低点,符合高-低-高形式,直线度误差为：$f_{最小} = (2.25-0.525)$ 格 $= 1.725$ 格 $= 8.625\mu\text{m}$。

按两端点连线法,测点 2 是最高点,测点 5 为最低点。

直线度误差为：$f_{端点} = [1.05-(-1.2)]$ 格 $= 2.25$ 格 $= 11.625\mu\text{m}$。

故按最小条件原则的最小包容区域法,所评定的直线度误差为最小,且是唯一的。

2. 平面度误差的常用测量方法

平面度误差的常用测量方法是在直线度测量的基础上,首先测量在平面内不同方向的直线度误差,再用计算法计算平面度误差。

(1) 打表法　用平板、固定和可调支承、带指示计的测量架,将被测零件支承在平板上,调整被测表面最远三点,使其与平板等高。按一定的布点测量被测表面,同时记录示值。一般可用指示计最大与最小示值的差值近似地作为平面度误差。亦可根据记录的示值用计算法(或图解法)按最小条件计算平面度误差,如图7-24所示。

(2) 干涉法　用测量平晶贴在被测表面上,观察干涉条纹。被测表面的平面度误差为封闭的干涉条纹数乘以光波波长的一半;对不封闭的干涉条纹,为条纹的弯曲度与相邻两条纹间距之比再乘以光波波长的一半。此方法适用于测量高精度的小平面,如图7-25所示。

(3) 节距法或跨距法　主要用来测量精度要求较高而较大的经研磨或刮研平面。可用坐标测量机或水平仪进行测量。

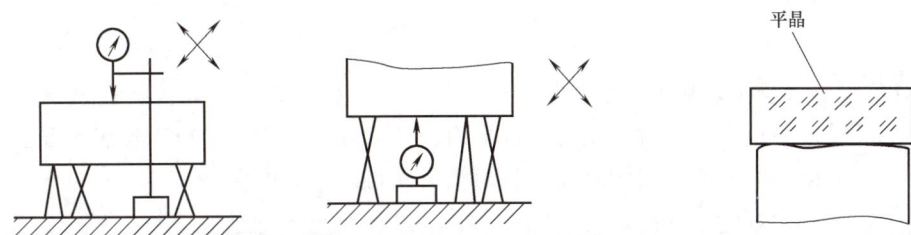

图7-24　打表法测量平面度误差　　　　图7-25　干涉法测量平面度误差

采用水平仪测平面度:将被测表面调水平。用水平仪按一定的测量布点方向逐点移动测量装置,同时记录测量点的示值,并换算成线值。根据各线值用计算法(或图解法)按最小条件(也可按对角线法)计算平面度误差。如图7-26所示。

采用坐标测量机测平面度:将被测件稳定放置在坐标测量机的工作台上。被测要素测量与评估方法:①分离:确定被测表面及测量界限;②提取:采用散点布点方式对被测表面进行提取,记录各提取点测量数据值,得到提取表面;③拟合:采用最小区域法对提取表面进行拟合,得到拟合平面;④评估:误差值为提取表面上的最高峰点、最低谷点到拟合平面的距离值之和;⑤符合性比较:将得到的误差值与图样上给出的公差值进行比较,判定被测表面的平面度是否合格,如图7-27所示。

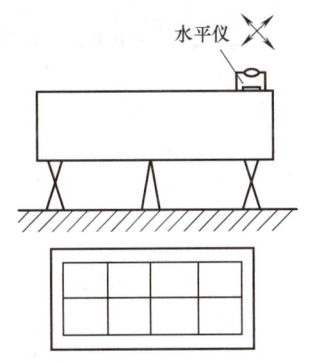 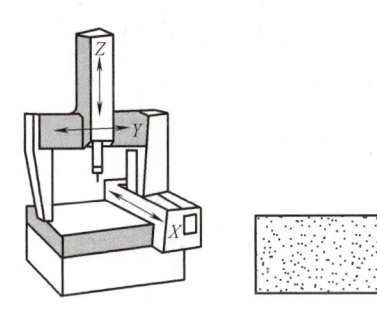

图7-26　用水平仪按节距法测量平面度误差　　　图7-27　采用坐标测量机测量平面度误差

(4) 平面度误差最小区域判别法实例　拟合要素理想平面相对于被测提取要素位置按最小条件来确定,需根据实际表面的具体形状来确定,不可能在测量前预先确定。

由两平行平面包容提取表面时,至少有三点或四点与之接触,有下列形式之一,则表示被测提取要素已为最小包容区域所包容。平面度误差为最小包容区域的宽度 f。

1)三点法(三角形准则)。三个高点与一个低点(或相反),如图 7-28 所示。拟合要素理想平面是通过被测提取要素上相距最远的三点建立的,平行于理想平面且包容实际表面距离最小的两平面之间的距离,即为三点法测得的平面度误差。

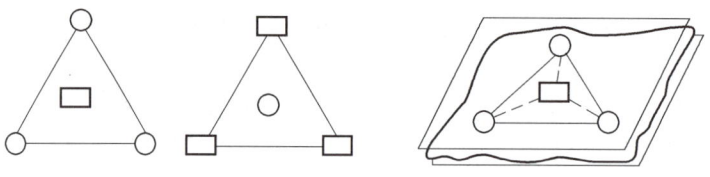

图 7-28 平面度误差评定三角形准则

2)对角线法(交叉准则)。两个高点与两个低点,如图 7-29 所示。通过被测提取要素表面上的一条对角线作另一条对角线的平行平面,即为理想平面。平行于理想平面且包容实际表面距离为最小的两平面之间的距离为对角线法测得的平面度误差。

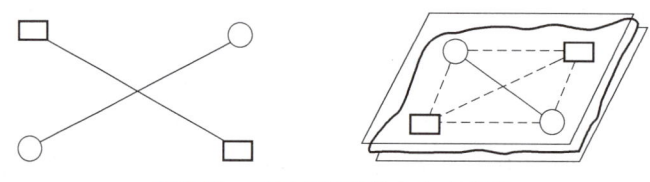

图 7-29 平面度误差评定交叉准则

3)直线法(直线准则)。两个高点与一个低点(或相反),如图 7-30 所示。

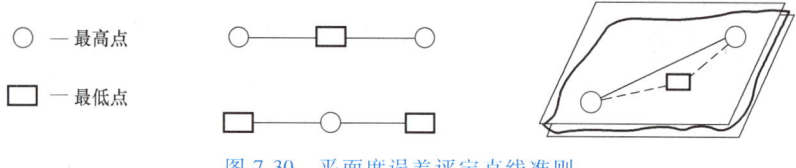

图 7-30 平面度误差评定直线准则

例 7-4:设用水平仪按网络布线方式测得 9 个点的读数(已转换为 μm),如图 7-31a 所示。按各种评定方法确定其平面度误差。

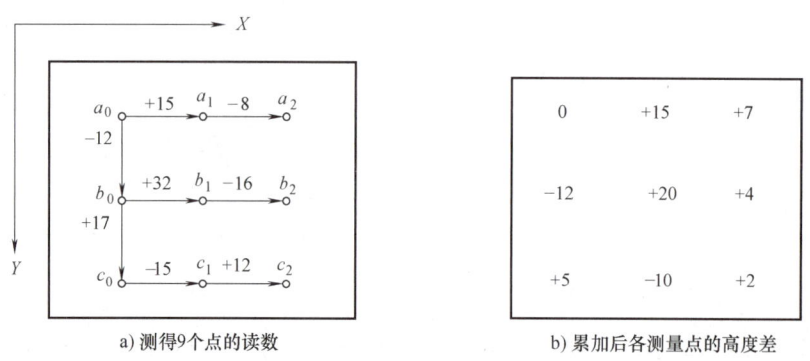

a)测得9个点的读数　　b)累加后各测量点的高度差

图 7-31 水平仪按网络布线方式测得 9 个点的读数和累加值

解：按 X、Y 方向将各测点按测量顺序累加，得各测点相对于起始点的高度差（坐标值）。计算时取起始点为坐标原点（0 点），如图 7-31b 所示。

具体计算前需要对坐标值进行坐标旋转变换。坐标旋转变换的实质是使某两点或某三点，在以 X 坐标和 Y 坐标为轴旋转后等高（等值），以此列出方程组。解方程组求出各轴的单位旋转量。把各测点的高度值分别加上各测点的综合旋转量，得旋转变换后各测点的高度值。

对于 3×3 网络布线方式的 9 个测点的坐标旋转变换计算公式，如图 7-32 所示。

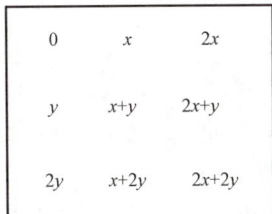 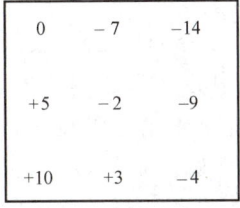 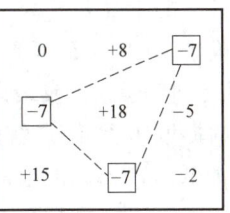

图 7-32　三角形准则评定平面度误差

（1）三点法（三角形准则）。选 b_0、c_1、a_2 三点形成的平面为评定基准，列出等高点方程组：

$$-12+y=-10+x+2y=+7+2x$$

解得单位旋转量：$x=-7$；$y=+5$。

各测量点的综合旋转量，如图 7-33a 所示。把各测点的高度值分别加上各测点的综合旋转量，得旋转变换后各测点的高度值，如图 7-33b 所示。符合三低一高的三角形准则。

则平面度误差：$f_{最小}=+18\mu m-(-7)\mu m=25\mu m$

（2）对角线法（交叉准则）。选 a_0、c_2 和 c_0、a_2 对角线的端点，列出等值方程组。

$$0+0=2x+2y+2$$
$$2y+5=2x+7$$

解得单位旋转量：$x=-1$；$y=0$。

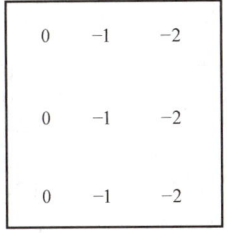 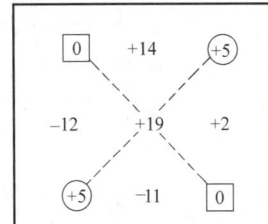

a) 各测量点的综合旋转量　　　　b) 各测量点的高度值

图 7-33　对角线法评定平面度误差

各测点的综合旋转量，如图 7-33a 所示。把各测点的高度值分别加上各测点的综合旋转量，得旋转变换后各测点的高度值，如图 7-33b 所示。

则平面度误差：$f_{对角}=+19\mu m-(-12)\mu m=31\mu m$

可见按对角线法测得结果比三角形准则（三个最低点和一个最高点）大，三角形准则较为接近最小条件。而对角线法计算较为方便，应用较广泛。

3. 圆度误差的常用测量方法

按照几何误差检测原则，测量圆度误差的方法主要有：与理想圆比较、测量坐标值和测量特征参数值等方法。

（1）投影法　用投影仪（或其他类似量仪），将被测要素轮廓的投影与理论的极限同心圆比较，最小条件计算圆度误差。适用于测量具有刃口形边缘的小型零件，如图7-34所示。

（2）圆度仪测量法　用圆度仪（或类似量仪），将被测零件放置在量仪上，同时调整被测零件的轴线，使它与量仪的回（旋）转轴线同轴。记录被测零件在回转一周过程中测量截面上各点的半径差。

由极坐标图（或计算机）按最小条件，也可按最小二乘圆中心，或最小外接圆中心（只适用于外表面），或最大内接圆中心（只适用于内表面）计算该截面的圆度误差。①采用一定的提取方案沿被测件横截面圆周进行测量，得到提取截面圆。②采用嵌套指数为50UPR的低通高斯滤波器对提取截面圆进行滤波，获得滤波截面圆轮廓。③采用最小区域法对滤波后的提取截面圆进行拟合，获得提取截面圆的拟合导出要素（圆心）。④评估：被测截面圆的圆度误差值为提取截面圆上的点到拟合导出要素（圆心）之间的最大、最小距离值之差。

按上述方法测量多个截面，取其中最大的误差值作为该零件的圆度误差，如图7-35所示。

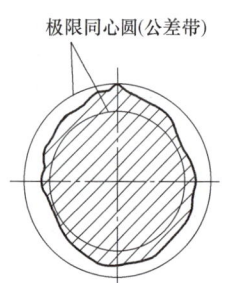

图7-34　投影法测量圆度误差

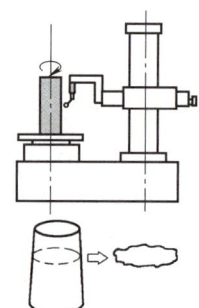

图7-35　圆度仪法测量圆度误差

（3）测量坐标值法　将被测件放置在坐标测量机工作台上。①分离：确定被测要素及其测量界限。②提取：在被测横截面上采用一定的提取方案进行测量，得到提取截面圆。③拟合：根据图样规范要求，采用最小外接法对提取截面圆进行拟合，获得提取截面圆的拟合导出要素（圆心）。④评估：被测截面的圆度误差值为提取截面圆上的点到拟合导出要素（圆心）之间的最大、最小距离值之差。

重复上述操作，沿轴线方向测量多个横截面，得到各个截面的误差值，取其中的最大值为圆度误差值。最后将得到的圆度误差值与图样上给出的公差值进行比较，判定被测件的圆度是否合格。可用于测量内外表面，如图7-36所示。

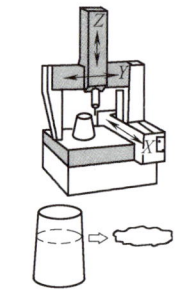

图7-36　坐标值法测量圆度误差

（4）测量特征参数值法　测量特征参数值法有两点法和三点法，属于圆度误差的近似测量方法。

1) 两点法。用平板、带指示计的测量架、支承或千分尺，将被测零件轴线调整至垂直于测量截面，同时固定轴向位置。在被测零件回转一周的过程中，千分尺读数的最大差值的一半作为单个截面的圆度误差。测量若干个截面，取其中最大的误差值作为该零件的圆度误差。测量时可转动被测零件，也可转动量具。如图 7-37a 所示。

2) 三点法。用平板、带指示计的测量架、V 形块、固定和可调支承，将被测零件放在 V 形块上，使其轴线垂直于测量截面，同时固定轴向位置。在被测零件回转一周的过程中，指示计示值的最大差值与反映系数 K 之商，作为单个截面的圆度误差。测量若干个截面，取其中最大的误差值作为该零件的圆度误差。

此方法测量结果的可靠性取决于截面形状误差和 V 形块夹角的综合影响。常以夹角 α = 90°和 120°或 72°和 108°两组 V 形块分别测量。使用时可以转动被测零件，也可转动量具，如图 7-37b 所示。

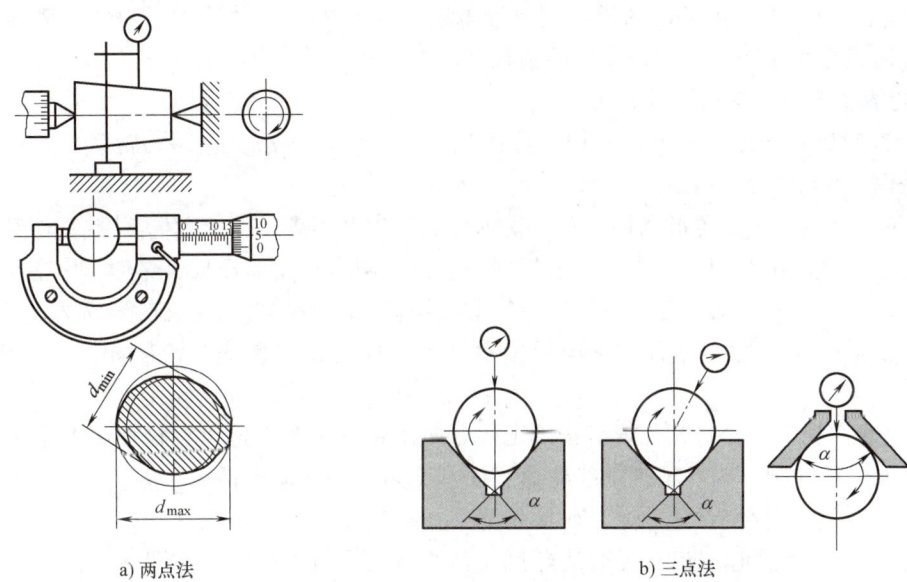

a) 两点法　　　　　　　　　　b) 三点法

图 7-37　测量特征参数值法测量

4. 圆柱度误差的常用测量方法

圆柱度误差的常用测量也常使用圆度仪（或其他类似仪器）或三坐标测量仪等。

（1）打表法　用平板、V 形块、带指示计的测量架，将被测零件放在平板上的 V 形块内（V 形块的长度应大于被测零件的长度）。在被测零件回转一周的过程中，测量一个横截面上的最大与最小示值。依此方法，连续测量若干个横截面，然后取各截面内所测得的所有示值中最大与最小示值的差值的一半，作为该零件的圆柱度误差。为测量准确，通常应使用夹角 α = 90°和 α = 120°的两个 V 形块分别测量。如图 7-38a 所示。

（2）圆度仪测量法　将被测零件的轴线调整到与量仪的轴线同轴。记录被测零件回转一周的过程中测量截面上各点的半径差。在测头没有径向偏移的情况下，可按上述方法测量若干个横截面（测头也可沿螺旋线移动）。计算后按最小条件确定圆柱度误差。也可用极坐标图近似地求出圆柱度误差，如图 7-38b 所示。

（3）测量坐标值法　用三坐标测量仪，把被测零件放置在测量装置上，并将其轴线调

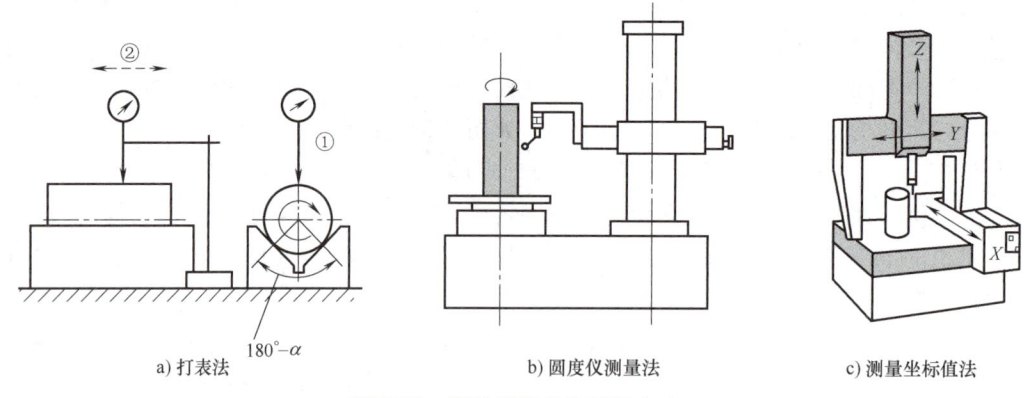

图 7-38　圆柱度误差的测量方法

整到与 Z 轴平行。在被测表面的横截面上测取若干个点的坐标值。按需要测量若干个横截面，计算后根据最小条件确定该零件的圆柱度误差，如图 7-38c 所示。

5. 轮廓度误差的常用测量方法

（1）线轮廓度误差的测量　常用仿形测量法、轮廓样板法、直线式轮廓仪测量法和坐标测量法。

1）仿形测量法。用仿形测量装置、指示计、固定和可调支承，将被测零件相对于仿形系统和轮廓样板的位置调正，再将指示计调零。仿形测头在轮廓样板上移动，由指示计上读取示值，取其数值的两倍作为该零件的线轮廓度误差。必要时将测得值换算成垂直于理想轮廓方向（法向）上的数值后评定误差。指示计测头应与仿形测头的形状相同，如图 7-39a 所示。

2）轮廓样板法。是将轮廓样板按规定的方向放置在被测零件上，根据光隙法估读间隙的大小，取最大间隙作为该零件的线轮廓度误差，如图 7-39b 所示。

3）直线式轮廓仪测量法。采用轮廓仪测头在被测轮廓线上横向移动时，记录下各测点的 X 坐标值和 Z 坐标值，获得提取线轮廓。然后采用最小区域法对提取线轮廓进行拟合，得到提取线轮廓的拟合线轮廓的位置，如图 7-39c 所示。

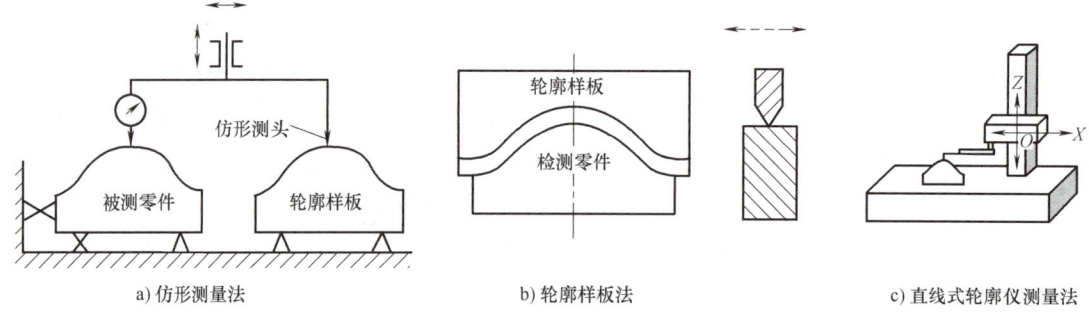

图 7-39　线轮廓度误差的测量方法

4）坐标测量法。是用三坐标测量仪（或其他类似坐标测量装置），测量被测轮廓上各点的坐标，记录其示值并绘出实际轮廓图形。用等距的线轮廓区域包容实际轮廓，取包容宽度作为该零件的线轮廓度误差。也可用计算法计算线轮廓度误差。

（2）面轮廓度误差的测量　常用仿形测量法和坐标测量法。

1）仿形测量法与线轮廓度误差的测量相似，所用的测量装置相同，只是仿形测头在面轮廓样板上移动，如图7-40a所示。

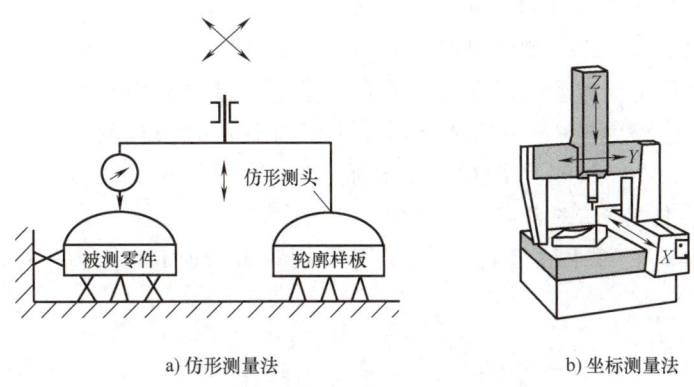

a) 仿形测量法　　　　　　　　b) 坐标测量法

图7-40　面轮廓度误差的测量方法

2）坐标测量法是用三坐标测量仪（或其他类似坐标测量装置）及固定和可调支承，将被测零件放在工作台上正确定位。测出若干个点的坐标值，并将测得的坐标值与理论轮廓的坐标值进行比较，取其中差值最大的绝对值的两倍作为该零件的面轮廓度误差，如图7-40b所示。

6. 平行度误差的常用测量方法

（1）面对面平行度误差测量　用平板、带指示计的测量架，将被测零件放置在平板上。带指示计的测量架在基准要素（或在拟合基准要素）表面上移动（以基准要素作为测量基准面），在整个被测表面上，按一定的提取方案（如随机布点法或矩形栅格方案）获得提取表面，进行测量。采用（外）贴切法对被测要素的提取表面进行拟合，获得提取表面的（贴切）拟合平面。在与基准平行的约束下，采用最小区域法对提取表面的（贴切）拟合平面进行拟合，获得具有方位特征的拟合平行平面（即定向最小区域）。包容提取表面的（贴切）拟合平面的两定向平行平面之间的距离为该零件的平行度误差。图7-41a所示为测量外平行表面，图7-41b所示为测量内平行表面。

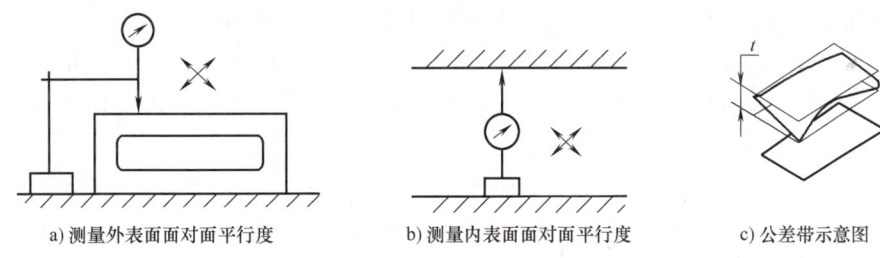

a) 测量外表面面对面平行度　　b) 测量内表面面对面平行度　　c) 公差带示意图

图7-41　测量面对面平行度误差

另一种测量方法是采用坐标测量仪法。将被测件稳定地放置在坐标测量仪工作台上（图7-42）。确定基准要素及其测量界限。按一定的提取方案（如平行线方案）对基准要素进行提取，得到基准要素的提取表面。采用平行线布点方案对被测表面进行测量，获得提取线。在与基准平行的约束下，采用最小区域法对提取线进行拟合，获得具有方位特征的拟合平行线（即定向最小区域）。包容提取线的两定向平行线之间的距离即平行度误差值。

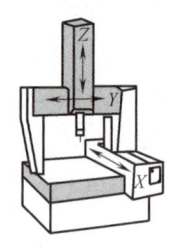

图 7-42　坐标测量仪

（2）线对面平行度误差测量　用平板、带指示计的测量架，将被测零件直接放置在平板上，被测轴线由心轴模拟。其中 L_1 为被测轴线的长度。将被测件稳定地放置在平板上，且尽可能保持基准表面与平板表面之间的最大距离为最小，安装心轴，且尽可能使心轴与被测孔之间的最大间隙为最小，被测孔的轴线由心轴模拟。采用平板（模拟基准要素）体现基准 A，如图 7-43b 所示。

在测量距离为 L_2 的两个位置上测得的示值分别为 M_1 和 M_2。可得平行度误差为

$$f = \frac{L_1}{2L_2} |M_1 - M_2| \tag{7-3}$$

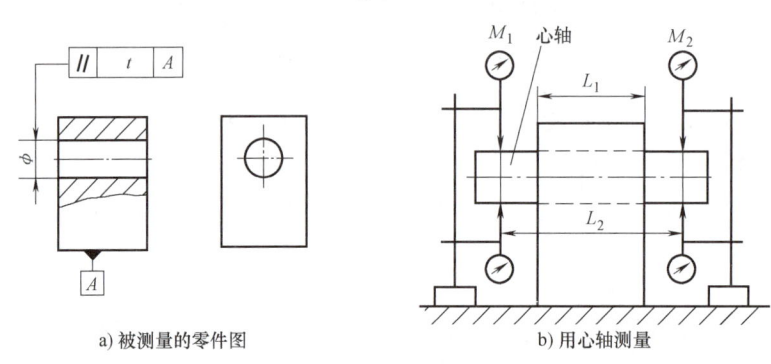

a) 被测量的零件图　　　　b) 用心轴测量

图 7-43　测量线对面平行度误差

（3）线对线平行度误差测量　基准轴线和被测轴线均由心轴模拟。将被测零件放在等高支承上，在测量距离为 L_2 的两个位置上测得的示值差分别为 M_1 和 M_2。测量时应尽可能使心轴与基准孔、心轴与被测孔之间的最大间隙为最小。

其中 L_1 为被测轴线的长度。在靠近被测件两端面的两个截面（距离为 L_2）或多个截面上，按截面圆周法提取方案对模拟被测要素（心轴）进行提取操作，得到被测要素的各提取截面圆。采用最小二乘法对被测要素的各提取截面圆分别进行拟合，得到各提取截面圆的圆心。将各提取截面圆的圆心进行组合，得到被测要素的提取导出要素（中心线）。在与基准 A 平行的约束下，采用最小区域法对提取导出要素（中心线）进行拟合，获得具有方位特征的拟合圆柱面（即定向最小区域）。包容提取导出要素（中心线）的定向拟合圆柱面的直径即为平行度误差值。

当被测零件在一个方向上给定公差要求时，只在一个方向上分别测量。当被测零件在互相垂直的两个方向上给定公差要求时，则可按上述方法在两个方向上分别测量。当被测零件在任意方向上给定公差要求时，在 0°和 180°范围内按上述方法测量若干个不同角度位置，取各测量位置所对应的 f 值中的最大值，作为该零件的平行度误差，如图 7-44 所示。

（4）采用功能量规检验线对线平行度误差　将被测零件套在量规的固定销上，然后插入塞规。塞规应能自由通过被测孔。固定销的直径等于基准孔的最大实体尺寸，塞规的直径等于被测孔的最大实体实效尺寸，如图 7-45 所示。

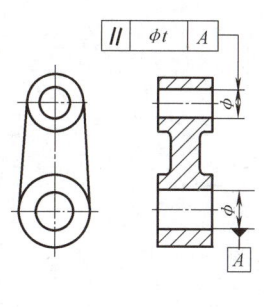 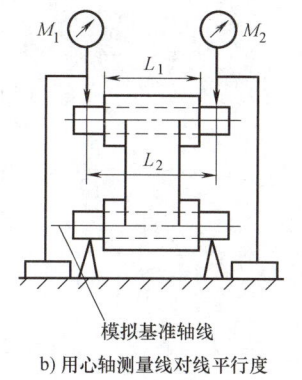 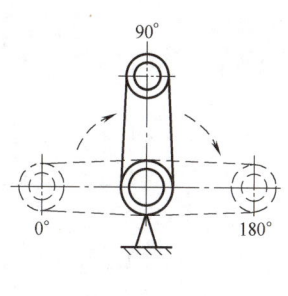

a) 被测量的零件图　　　　b) 用心轴测量线对线平行度　　　　c) 测量时零件的位置

图 7-44　测量线对线平行度误差

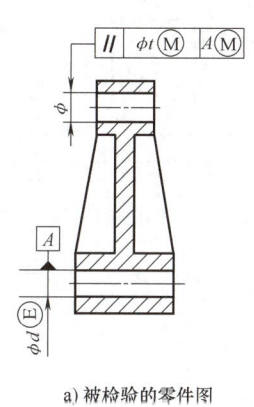 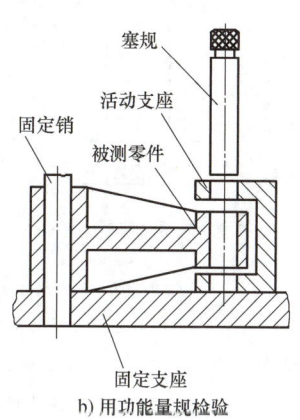

a) 被检验的零件图　　　　b) 用功能量规检验

图 7-45　采用功能量规检验线对线平行度误差

7. 垂直度误差的常用测量方法

（1）打表法测量垂直度误差　可用于面对面、面对线、线对线、线对面的垂直度误差测量。使用平板、直角座、固定和可调支承、带指示计的测量架等。

1）面对面垂直度误差测量。将被测零件的基准表面固定在直角座上，调整靠近基准的被测表面的指示计示值为最小值，选择一定的提取方案（如米字形提取方案），对被测表面进行测量，获得提取表面。在与基准 A 垂直的约束下，采用最小区域法对提取表面进行拟合，获得具有方位特征的拟合平行平面（即定向最小区域）。取指示计在整个被测表面各点测得的最大与最小示值之差作为该零件的垂直度误差，包容提取表面的两定向平行平面间的距离，即垂直度误差，如图 7-46 所示。

2）面对线垂直度误差测量。将基准轴线调整到与平板垂直。然后测量整个被测表面，并记录示值，取最大示值差值作为该零件的垂直度误差，如图 7-47 所示。

3）线对线垂直度误差测量。基准轴线和被测轴线均由心轴模拟。安装心轴且尽可能使心轴与被测孔、心轴与基准孔之间的最大间隙为最小。将被测件放置在等高支承上，并调整模拟基准要素（心轴）与测量平板垂直。在轴向相距为 L_2 的两个平行于基准轴线 A 的正截面上测量，分别记录测位 1 和测位 2 上的指示计示值 M_1 和 M_2，如图 7-48 所示。

235

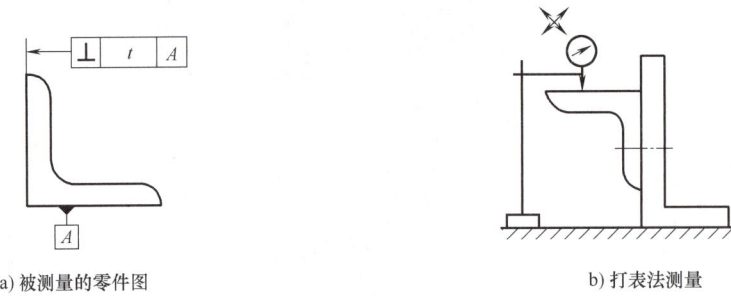

图 7-46 打表法测量面对面垂直度误差

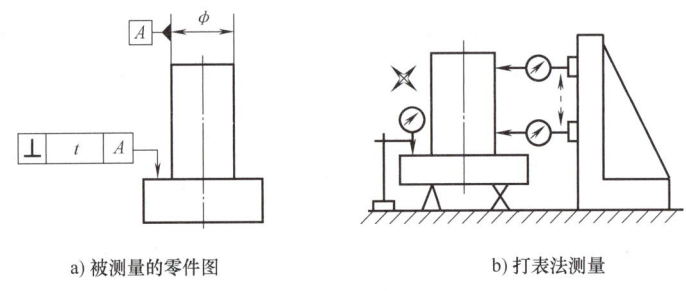

图 7-47 打表法测量面对线垂直度误差

垂直度误差：

$$f = \frac{L_1}{2L_2} |M_1 - M_2| \qquad (7\text{-}4)$$

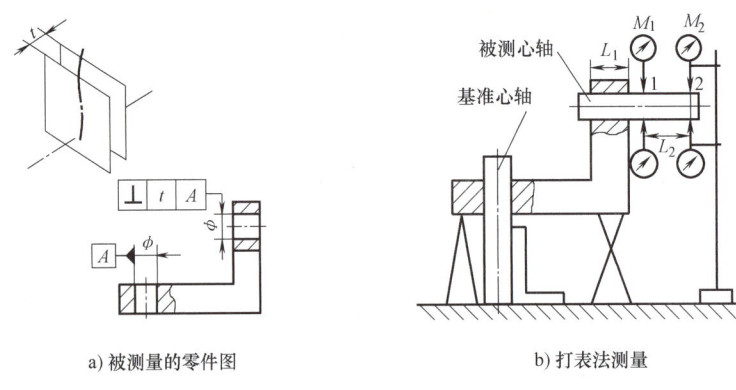

图 7-48 打表法测量线对线垂直度误差

4）线对面垂直度误差测量。将被测件放置在转台上，对被测件进行调心和调平，使被测件的基准要素与转台平面之间的最大距离为最小，同时被测轴线与转台回转轴线对中。选择一定的提取方案对被测中心线的组成要素进行测量，即测量若干个截面轮廓，获得提取圆柱面。对提取圆柱面采用最小外接法进行拟合，得到提取圆柱面的拟合导出要素（轴线）。在与基准 A 垂直的约束下，采用最小区域法对拟合导出要素（轴线）进行拟合，获得具有方位特征的拟合圆柱面（即定向最小区域）。包容提取导出要素的定向拟合圆柱面的直径，即为被测要素（任意方向）的垂直度误差，如图7-49所示。

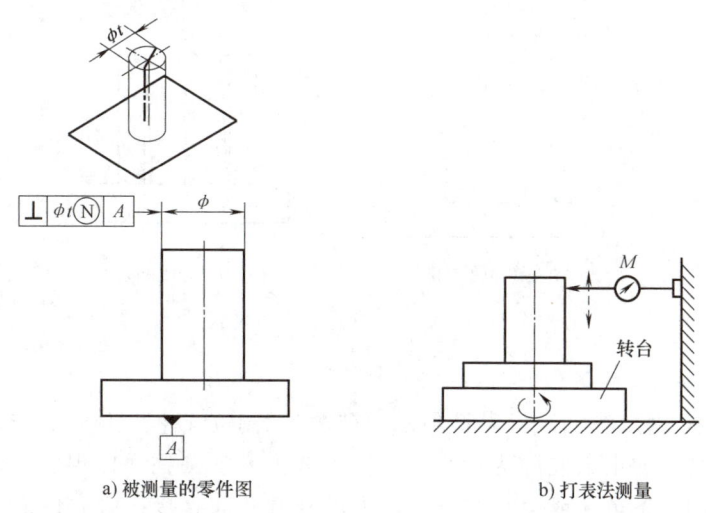

a) 被测量的零件图　　　　b) 打表法测量

图7-49　打表法测量线对面垂直度误差

（2）坐标测量仪测量垂直度误差　将被测件稳定放置在坐标测量仪的工作台上。按一定的提取方案对基准要素进行提取，得到基准要素的提取表面。选择一定的提取方案对被测中心线的组成要素进行测量，获得提取圆柱面。采用最小二乘法对提取圆柱面进行拟合，获得拟合圆柱面的轴线。垂直于拟合圆柱面的轴线，通过构建和分离操作，获得一系列提取截面圆。采用最小二乘法分别对一系列提取截面圆进行拟合，得到一系列截面圆圆心。将各提取截面圆的圆心进行组合，得到被测件的提取导出要素（中心线）。在与基准A垂直的约束下，采用最小区域法对提取导出要素进行拟合，获得具有方位特征的定向拟合圆柱面（即定向最小区域）。包容提取导出要素的定向拟合圆柱面的直径，即垂直度误差值，如图7-50所示。

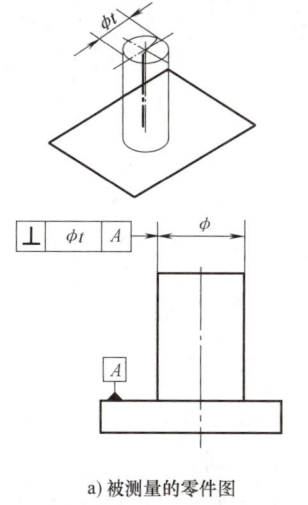
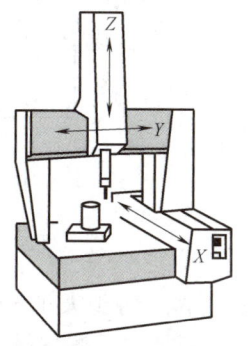

a) 被测量的零件图　　　　b) 坐标测量仪

图7-50　坐标测量仪测量垂直度误差

(3) 功能量规检验垂直度误差　将量规套在被测表面上，量规的端面与基准表面接触应不透光。量规孔的直径等于被测要素的最大实体实效尺寸，如图7-51所示。

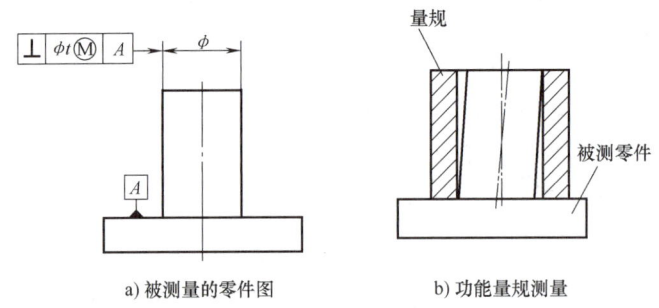

a) 被测量的零件图　　　b) 功能量规测量

图 7-51　功能量规检验垂直度误差

8. 倾斜度误差的常用测量方法

（1）定角样板-塞尺法　如图7-52所示，被测要素由心轴模拟体现，安装心轴且尽可能使心轴与被测孔之间的最大间隙为最小。基准轴线由其外圆柱面体现。在被测件的轴剖面内，将定角样板的一条边（或面）与体现基准的外圆柱面直接接触并使二者之间的最大缝隙为最小。用塞尺测量定角样板的另一条边（或面）与心轴（被测模拟要素）之间的最大缝隙值，该值即为倾斜度误差值。

该方法中被测要素由心轴模拟体现，无需对被测要素进行提取操作，直接将模拟被测要素（心轴）与定角样板接触进行比较测量，采用的是实物拟合操作，定角样板是理想要素的实际模拟物。也可不评估出误差值大小，直接进行符合性比较，用厚度等于倾斜度公差值的塞尺测量心轴和定角样板之间的最大缝隙，如果塞尺塞不进去，说明倾斜度合格，如果塞尺能塞进去，说明倾斜度不合格。该方法属于倾斜度误差近似的测量方法之一，适用于低精度被测零件的倾斜度误差测量。

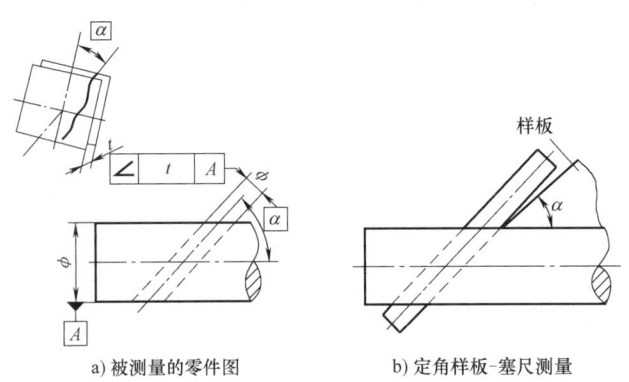

a) 被测量的零件图　　　b) 定角样板-塞尺测量

图 7-52　定角样板-塞尺法测量倾斜度误差

（2）定角座法　对于大批量生产的零件，可用定角座（可用正弦尺或精密转台代替）对倾斜度误差进行测量，测量原理与正弦规测量方法基本相同。

1）面对面倾斜度误差测量。采用平板、定角座、固定支承、带指示计的测量架，将被测零件放置在定角座上，且尽可能保持基准表面与定角座之间的最大距离为最小。选择一定的提取方案（如米字形提取方案），对被测表面进行测量，获得提取表面。在与基准倾斜角为 α 的约束下，采用最小区域法对提取表面进行拟合，获得具有方位特征的定向拟合平行平面（即定向最小区域）。包容提取要素的两定向平行平面之间的距离，即被测要素的倾斜度误差值。取指示计的最大与最小示值之差作为该零件的倾斜度误差，如图 7-53 所示。

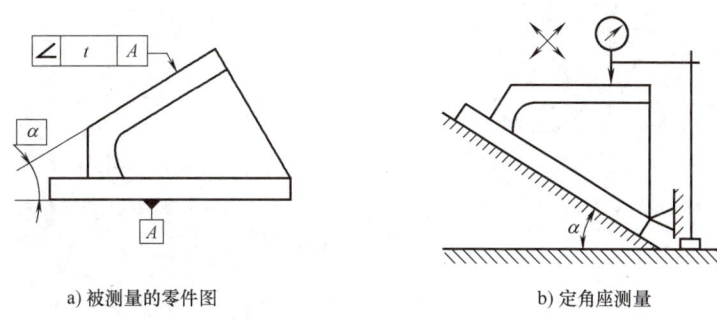

a) 被测量的零件图　　　　　　　　b) 定角座测量

图 7-53　定角座法测量面对面倾斜度误差

2) 线对面倾斜度误差测量。采用平板、直角座、定角垫块、固定支承、心轴、带指示计的测量架等测量。被测轴线由心轴模拟，通过对模拟被测要素心轴的提取、拟合及组合等操作，获得被测要素的提取导出要素（中心线）。该方法是一种简便实用的检测方法，但由于该方法不是直接对被测要素的组成要素进行提取，且提取部位与被测要素不重合，由此会产生相应的测量不确定度。在模拟被测要素（心轴）上，提取截面之间的距离与被测要素的长度不等时，其倾斜度误差值的评估可按比例折算，如图 7-54 所示。

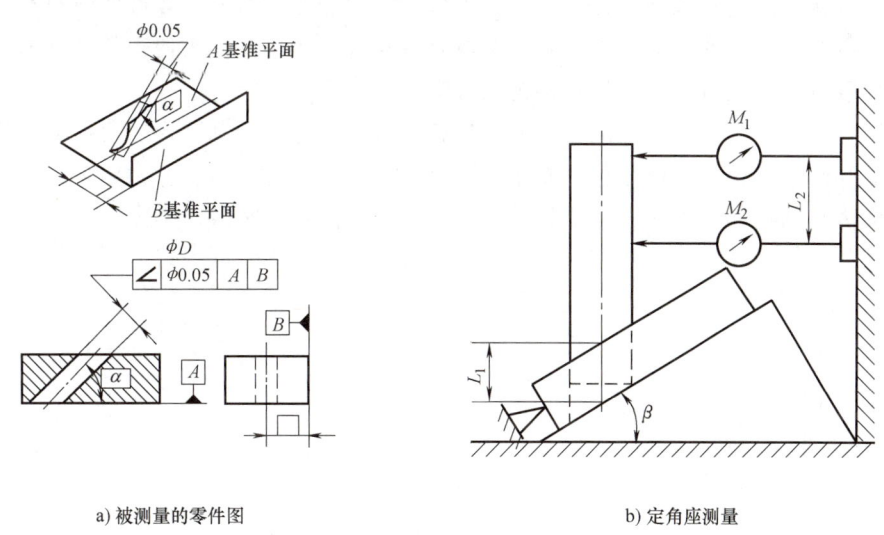

a) 被测量的零件图　　　　　　　　b) 定角座测量

图 7-54　定角座法测量线对面倾斜度误差

3) 线对线倾斜度误差测量。采用心轴、定角锥体、支承、带指示计的测量架等装置测量。被测轴线由心轴模拟。在测量距离为 L_2 的两个位置上，测得示值分别为 M_1 和 M_2，即可计算得到倾斜度误差，如图 7-55 所示。

4) 面对线倾斜度误差测量。采用坐标测量仪进行测量，将被测件放置在坐标测量仪工作台上。按一定的提取方案对被测内圆柱面进行提取，得到提取内圆柱面。采用最大内切法

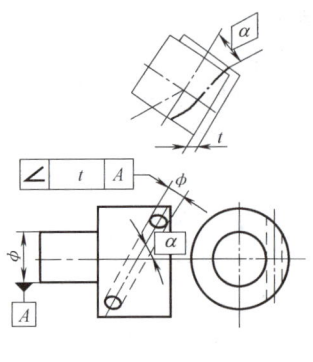
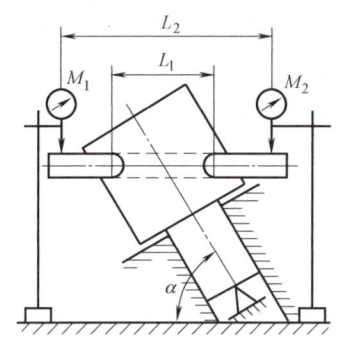

a) 被测量的零件图　　　　　　　　　　　b) 测量线对线倾斜度误差

图 7-55　定角锥体测量线对线倾斜度误差

对提取内圆柱面在实体外进行拟合，得到其导出拟合轴线。在基准及理论正确尺寸的约束下，采用最小区域法对提取表面进行拟合，获取具有方位特征的定向拟合平行平面（即定向最小区域）。包容提取表面的两定向平行平面之间的距离，即被测要素的倾斜度误差值。如图 7-56 所示。

9. 同轴度误差的常用测量方法

1）圆柱度仪测量同轴度误差。采用圆柱度仪（或其他类似仪器）测量，首先调整被测零件，使其基准轴线与仪器主轴的回转轴线同轴。然后采用周向等间距提取方案，垂直于回转轴线，对被测要素的组成要素进行测量，获得一系列提取截面圆。再采用最小二乘法分别对一系列提取截面圆进行拟合，得到一系列提取截面圆圆心。对各提取截面圆的圆心进行组合操作，获得被测要素的提取导出要素。对被测要素进行操作时，为便于数据处理，一般采用等间距提取方案，也可采用不等间距提取方案。

在被测零件的基准要素和被测要素上测量若干截面并记录轮廓图形。根据图形按定义求出该零件的同轴度误差。按照零件的功能要求也可对轴类零件用最小外接圆柱面（对孔类零件用最大内接圆柱面）的轴线求出同轴度误差，如图 7-57b 所示。

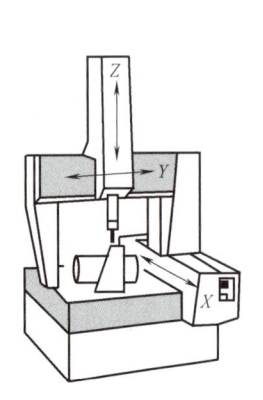
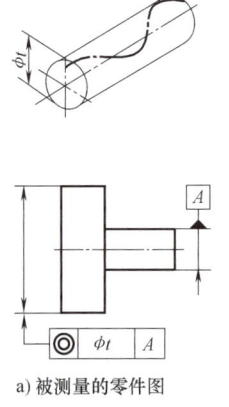
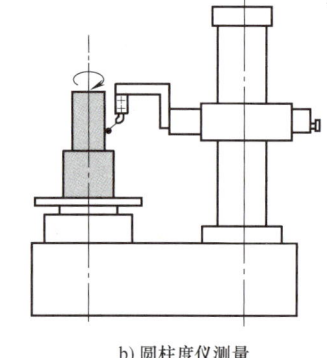

　　　　　　　　　　　　　　　　　　　　　　a) 被测量的零件图　　　　　　b) 圆柱度仪测量

图 7-56　坐标测量仪面对线倾斜度误差测量　　　　图 7-57　圆柱度仪测量同轴度误差

2）坐标测量仪测量同轴度误差。采用三坐标测量仪，将被测零件放置在工作台上，调整被测零件使其基准轴线平行于 Z 轴。采用最小二乘法对提取圆柱面进行拟合获得拟合圆柱面的轴线。垂直于拟合圆柱面的轴线，通过构建和分离操作获得一系列提取截面圆。采用最小二乘法分别对一系列提取截面圆进行拟合，得到一系列截面圆圆心。将各提取截面圆的圆心进行组合，获得被测要素的提取导出要素（轴线）。在与基准 $A—B$ 同轴的约束下，采用最小区域法对被测要素的提取导出要素（轴线）进行拟合，获得具有方位特征的拟合圆柱（即定位最小区域）。具有方位特征的拟合圆柱的直径，即为同轴度误差值，如图 7-58b 所示。

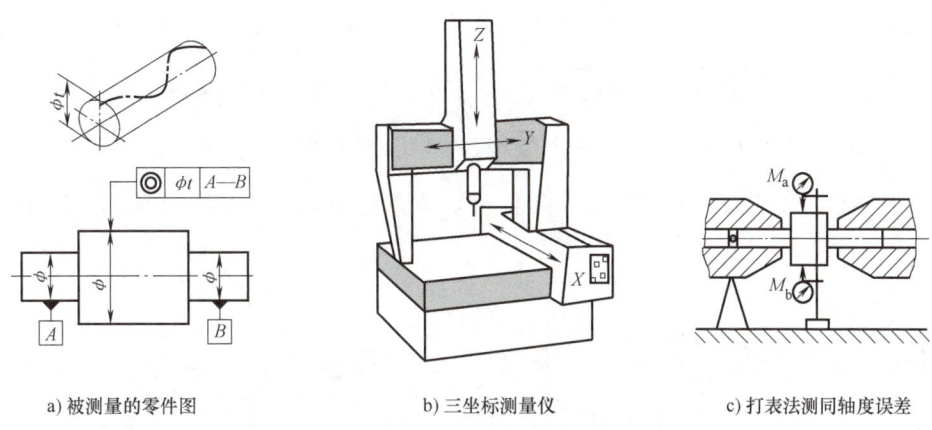

图 7-58 采用通用计量器具测量同轴度误差

3）打表法测量同轴度误差。采用一对同轴导向套筒模拟公共基准轴线 $A—B$。将两指示计分别在铅垂轴截面内相对于基准轴线对称调零。测头垂直于回转轴线，采用周向等间距提取方案对被测要素的组成要素进行测量，记录各测量点 M_a、M_b 值，如图 7-58c 所示。以各圆截面上对应测量点的差值 $|M_a-M_b|$ 的最大值作为该圆截面的同轴度误差。按上述方法，在若干个截面上测量，取各截面测得的示值差值绝对值的最大值作为该被测件的同轴度误差。

4）采用整体型功能量规测量同轴度误差。用功能量规的定位部位体现基准。采用普通计量器具（如千分尺等）测量被测要素实际轮廓的局部实际尺寸，其任一局部实际尺寸均不得超越其最大实体尺寸和最小实体尺寸。功能量规的检验部位与被测要素的实际轮廓相接触，如果被测件能通过功能量规，说明被测要素实际轮廓的体外作用尺寸合格。局部实际尺寸和体外作用尺寸全部合格时，才可判定被测要素合格，如图 7-59 所示。

5）采用圆柱度仪或类似仪器测量同轴度误差。如采用数字化计量方式测量同轴度误差，如图 7-60 所示。将被测件安装在工作台上，并进行调心和调平，采用一定的提取方案，对基准要素 A 进行测量，得到基准要素 A 的提取组成要素。在实体外对 A 的提取组成要素采用最大内切法进行拟合，得到拟合圆柱面的拟合导出要素（轴线），并以此轴线体现基准 A。采用一定的提取方案，对被测要素进行提取，得到提取圆柱面。在与基准 A 同轴的约束下，采用最大内切圆柱法对提取圆柱面进行拟合，得到被测圆柱面的拟合圆柱和轴线。拟合圆柱的直径即为被测圆柱面的体内作用直径。同时，由提取圆柱面上的点到拟合圆柱轴线的距离可计算求得局部实际直径。将体内作用直径与最小实体实效尺寸进行比较，局部实际直径与最大实体尺寸进行比较，判定被测件直径是否合格。被测件合格的条件为：体内作用直

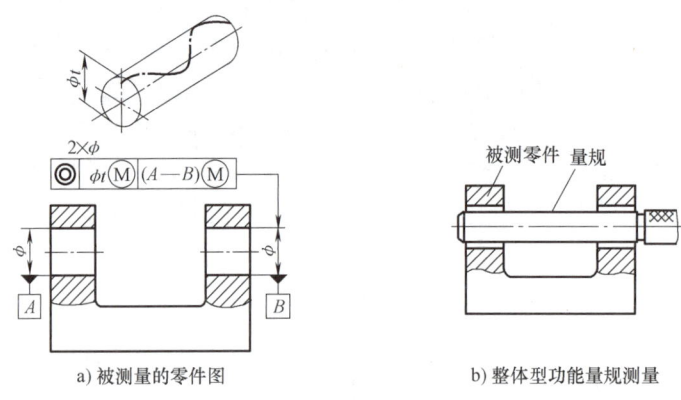

图 7-59　整体型功能量规测量同轴度误差

径不得大于最小实体实效尺寸。局部实际直径不得超越其最大实体尺寸和最小实体尺寸。

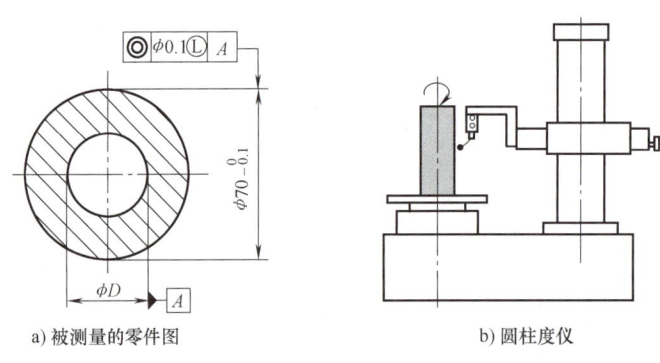

a) 被测量的零件图　　　　　　b) 圆柱度仪

图 7-60　圆柱度仪测量同轴度误差

10. 对称度误差的常用测量方法

1) 打表差值法测量对称度误差。采用平板、带指示计的测量架。将被测零件稳定地放置在平板上。选择一定的提取方案，对被测要素的组成要素（①和②）进行测量，得到两个提取表面（提取组成要素）。将提取表面（提取组成要素）的各对应点连线中点进行分离、组合操作，得到被测要素的提取导出要素（中心面）。在基准 A 的约束下采用最小区域法对被测要素的提取导出要素（中心面）进行拟合，获得具有方位特征的两定位拟合平行平面（即定位最小区域）。包容提取导出要素（中心面）的两定位平行平面之间的距离，即为对称度误差值。该方法适用于测量形状误差较小的零件。

先测量被测表面与平板之间的距离，将被测件翻转后，测量另一被测表面与平板之间的距离。取测量截面内对应两侧点的最大差值作为对称度误差，如图 7-61 所示。

2) 定位块法测量对称度误差。将被测件稳定地放置在两块平行的平板之间，且尽可能保持它们之间的最大距离为最小。将定位块放置于被测槽中，且尽可能保持定位块与槽的上下表面之间的最大距离为最小。采用两块平行的平板（模拟基准要素）体现基准 A。选择平行线提取方案，在模拟被测要素（定位块）上下两测量面的对应点处进行测量，得到上下两测量面多个对应测量点值。以上下两测量面对应测量点差值的最大值作为被测要素的对称

第7章 几何量的测量

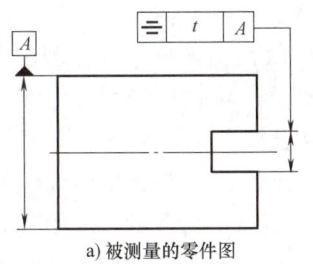
a) 被测量的零件图

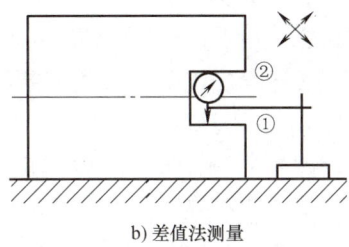
b) 差值法测量

图 7-61　差值法测量对称度误差

度误差值，如图 7-62 所示。

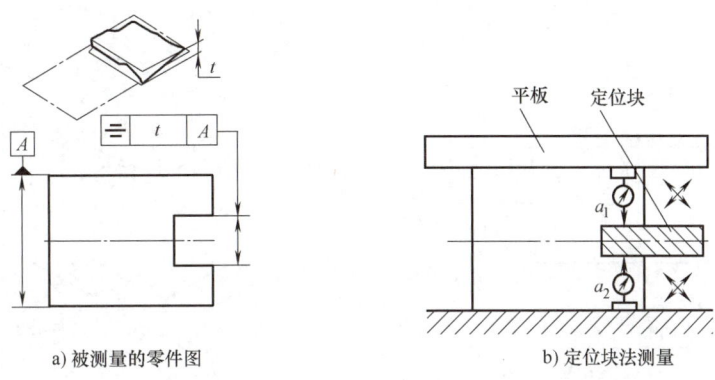

a) 被测量的零件图　　　　　　　b) 定位块法测量

图 7-62　定位块法测量对称度误差

3）坐标测量仪测量对称度误差。将被测件放置在坐标测量仪工作台上。选择一定的提取方案，分别对被测的组成要素（两平行表面）进行测量，得到两个提取表面。对两个提取表面同时采用最小二乘法进行拟合得到两个提取表面的拟合导出要素（提取导出中心面）。以基准 A 为对称中心面的约束下，采用最小区域法对提取导出中心面进行拟合，获得具有方位特征的两定位拟合平行平面（即定位最小区域）。两定位平行平面之间的距离，即被测要素的对称度误差值，如图 7-63 所示。

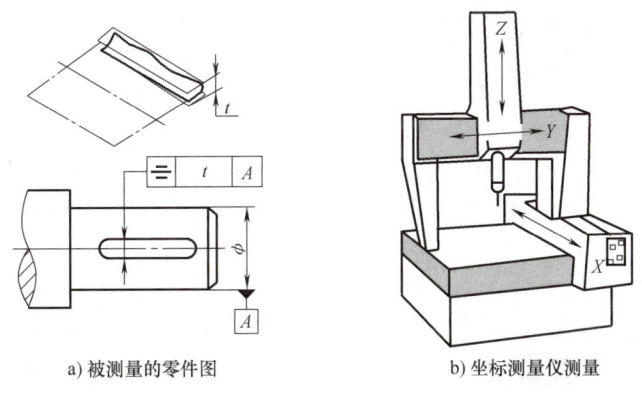

a) 被测量的零件图　　　　　　　b) 坐标测量仪测量

图 7-63　坐标测量仪测量对称度误差

4）功能量规检验对称度误差。量规两个定位块的宽度为基准槽的最大实体尺寸，量规销的直径为孔的最大实体实效尺寸。采用组合型功能量规，被测件与功能量规的检验部位和定位部位相结合。用功能量规的定位部位体现基准。定位块是用来检验和体现公共基准 A—B 的合格性，其宽度的公称尺寸为基准的最大实体实效尺寸（本例中最大实体实效尺寸等于最大实体尺寸）。如果基准要素 A—B 可以自由地通过两定位块，说明基准要素合格。圆柱销用来检验被测要素的合格性，如果在基准定位约束的前提下，被测表面能自由通过圆柱销，说明被测要素的对称度误差合格，被测要素的体外作用尺寸也合格。采用普通计量器具（如千分尺等）测量被测要素的局部实际尺寸，其任一局部实际尺寸均不得超越其最大实体尺寸和最小实体尺寸，如图 7-64 所示。

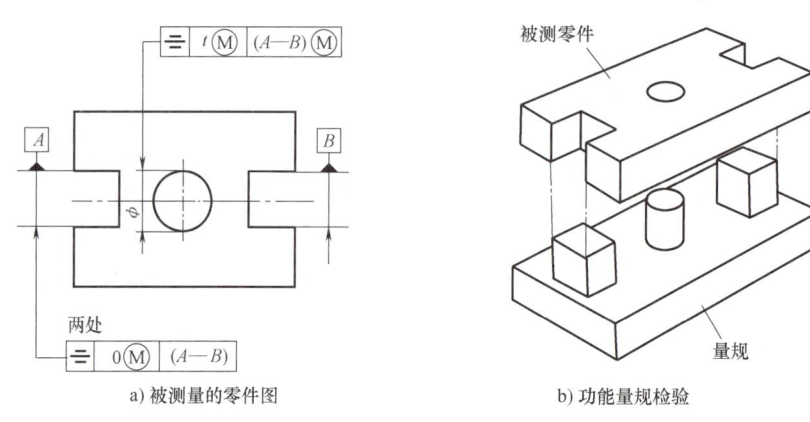

图 7-64　功能量规检验对称度误差

11. 位置度误差的常用测量方法

1）测量球心位置度误差。如图 7-65 所示，采用测量钢球、回转定心夹头、平板、带指示计的测量架等装置。被测件由回转定心夹头定位，选择适当直径的钢球，放置在被测零件的球面内，以钢球球心模拟被测球面的中心。在被测零件回转一周的过程中，径向指示计最大示值差的一半为相对基准轴线 A 的径向误差 f_x，垂直方向指示计直接读取相对于基准 B 的轴向误差 f_y。该指示计应先按标准零件调零。

被测点位置度误差：$f = 2\sqrt{f_x^2 + f_y^2}$。

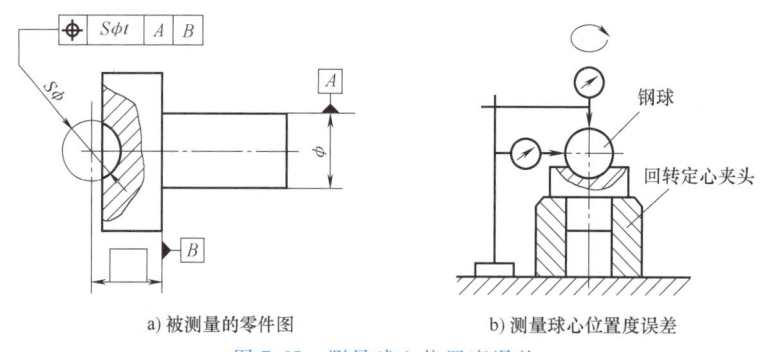

图 7-65　测量球心位置度误差

2）采用坐标测量仪测量位置度误差。将被测件放置在坐标测量仪工作台上。针对基准要素，按米字形提取方案分别对基准要素 A、B、C 进行提取，得到基准要素 A、B、C 的提取表面。采用最小区域法对提取表面 A 在实体外进行拟合，得到其拟合平面并以此平面体现基准 A。在保证与基准要素 A 的拟合平面垂直的约束下，采用最小区域法在实体外对基准要素 B 的提取表面进行拟合，得到其拟合平面并以此拟合平面体现基准 B。在保证与基准要素 A 的拟合平面垂直且与基准要素 B 的拟合平面垂直的约束下，采用最小区域法在实体外对基准要素 C 的提取表面进行拟合，得到其拟合平面，并以此拟合平面体现基准 C。

针对被测要素，采用等间距布点策略沿被测圆柱横截面圆周进行测量，在轴线方向等间距测量多个横截面，得到多个提取截面圆。采用最小二乘法分别对每个提取截面圆进行拟合，得到各提取截面圆的圆心。将各提取截面圆的圆心进行组合，得到被测件的提取导出要素（中心线）。在基准 A、B、C 的约束下，以理论正确尺寸确定的理想轴线的位置为轴线，采用最小区域法对提取导出要素进行拟合，得到包容提取导出要素（中心线）的圆柱。误差值为包容提取导出要素（中心线）圆柱的直径值，如图 7-66 所示。

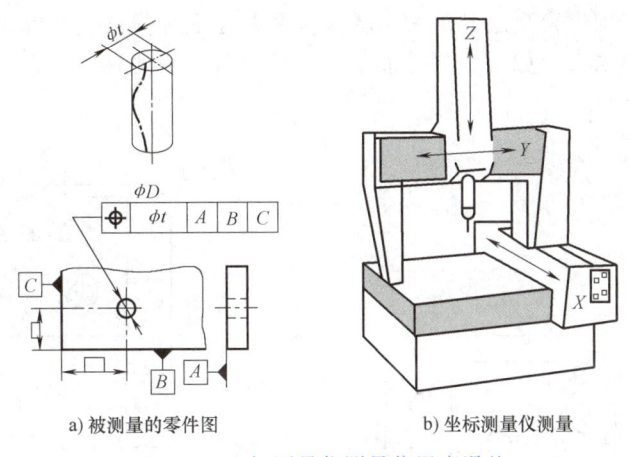

a) 被测量的零件图　　　　b) 坐标测量仪测量

图 7-66　坐标测量仪测量位置度误差

3) 测量孔组位置度误差。采用各种坐标测量装置和心轴。按基准调整被测件，使其与测量装置的坐标方向一致。将心轴放置在孔中，在靠近被测零件的板面处，测量 x_1、x_2 和 y_1、y_2，按下式分别计算出坐标尺寸 x、y。

X 方向坐标尺寸：$x=(x_1+x_2)/2$。

Y 方向坐标尺寸：$y=(y_1+y_2)/2$。

将 x、y 分别与相应的理论正确尺寸比较，得到误差 f_x 和 f_y，位置度误差为

$$f=2\sqrt{f_x^2+f_y^2} \tag{7-5}$$

按上述方法逐孔测量和计算。若位置度公差带为给定任意方向，则直接取 $2f_x$，$2f_y$ 分别作为该零件的位置度误差。测量时应尽可能使心轴与被测孔之间的最大间隙为最小，以心轴的轴线模拟体现被测孔的中心线，如图 7-67 所示。

若孔的形状误差对测量结果的影响可以忽略时，则可直接在实际孔壁上测量。

4) 功能量规检验位置度误差。采用整体型或组合型功能量规，被测轮廓与量规的检验部位相结合，同时保证量规的定位部位与被测件的基准表面稳定接触。用功能量规的定位部位体现基准。采用普通计量器具（如千分尺等）测量被测要素实际轮廓的局部实际尺寸，

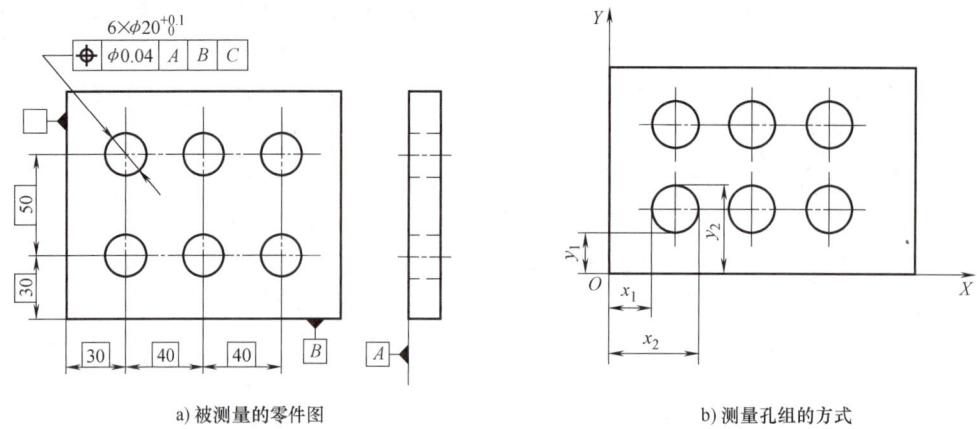

a) 被测量的零件图　　　　　b) 测量孔组的方式

图 7-67　测量孔组位置度误差

其任一局部实际尺寸均不得超越其最大实体尺寸和最小实体尺寸。功能量规的检验部位与被测要素的实际轮廓相结合。如果被测件能通过功能量规，说明被测要素实际轮廓的体外作用尺寸合格，如图 7-68 所示。

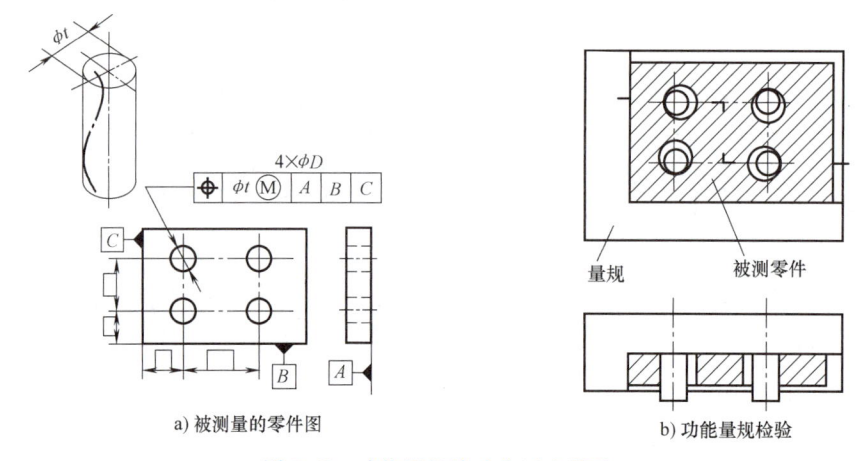

a) 被测量的零件图　　　　　b) 功能量规检验

图 7-68　功能量规检验位置度误差

5）测量圆周孔位置度误差。如图 7-69 所示，采用插入型功能量规。被测轮廓与量规的检验部位相结合，同时保证量规的定位部位与被测件的基准表面稳定接触。用功能量规的定位部位体现基准。量规上定位销是用来检验基准 B 的通规，其公称尺寸为基准 B 的最大实体尺寸，量规上的定位块是用来检验基准 C 的通规，其公称尺寸为槽宽的最大实体尺寸，在保证与量规定位部位 A 稳定接触的约束下，将被测件的基准孔 B 和基准对称中心面 C 分别与量规的定位销和定位块相结合。若量规能自由通过被测件，则被测件的基准要素合格。

然后在基准的定位约束下，用塞规检验被测要素的位置度误差，如果塞规能自由通过被测孔，说明被测孔实际轮廓的位置度误差合格，其体外作用尺寸也合格。采用普通计量器具（如千分尺等）测量被测表面的局部实际尺寸，其任一局部实际尺寸均不得超越其最大实体尺寸和最小实体尺寸。

12. 跳动量的测量方法。

跳动量的测量有圆跳动量的测量和全跳动量的测量。圆跳动量的测量是被测件绕着基准

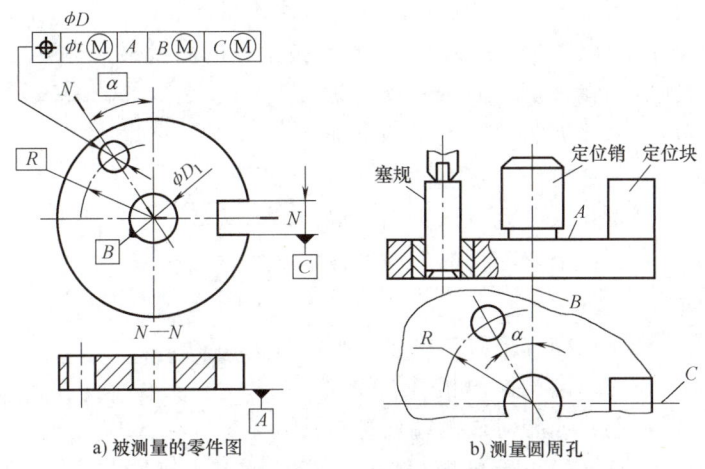

图 7-69　测量圆周孔位置度误差

轴线回转超过一周时，指示计测头与被测面作无轴向位移的法向接触，指示计上示值最大差值即为该测量截面内的圆跳动量。

1）径向圆跳动量的测量。采用一对同轴圆柱导向套筒和带指示计的测量架。将被测零件支承在两个同轴圆柱导向套筒内，并在轴向定位。在被测零件回转一周过程中指示计示值最大差值，即为单个测量平面上的径向圆跳动量。按上述方法在若干个截面上进行测量。取各截面上测得的跳动量中的最大值作为该零件的径向圆跳动误差，如图 7-70b 所示。

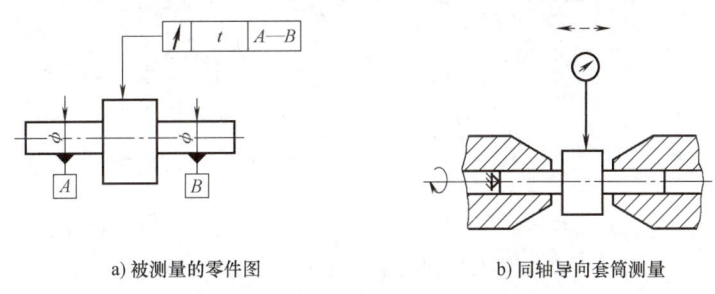

图 7-70　测量径向圆跳动量误差

2）轴向圆跳动量的测量。采用导向套筒和带指示计的测量架。将被测零件固定在导向套筒内，并在轴向上固定。采用导向套（模拟基准要素）体现基准 A。在被测零件回转一周的过程中，指示计示值最大差值即为单个测量圆柱面上的轴向圆跳动量。按上述方法，在不同半径位置处的测量圆柱面上进行测量。取在各测量圆柱面上测得的跳动量中的最大值作为该零件的轴向圆跳动量，如图 7-71 所示。

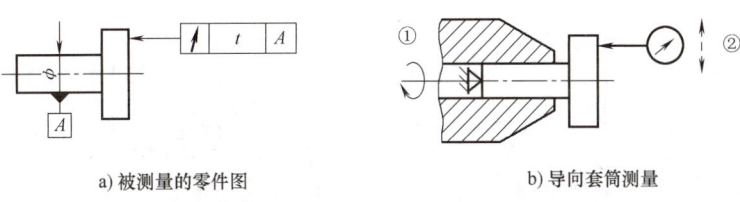

图 7-71　测量轴向圆跳动量误差

对于轴套类零件,则可采用导向心轴及带指示计的测量架。

3) 斜向圆跳动量的测量。采用导向套筒和带指示计的测量架。将被测零件固定在导向套筒内,且在轴向固定。在被测件回转一周的过程中,指示计示值最大差值即为单个测量圆锥面上的斜向圆跳动量。按上述方法,在不同半径位置处的测量圆锥面上测量,取各测量圆锥面上测得的跳动量中的最大值,作为该零件的斜向圆跳动量,如图 7-72 所示。

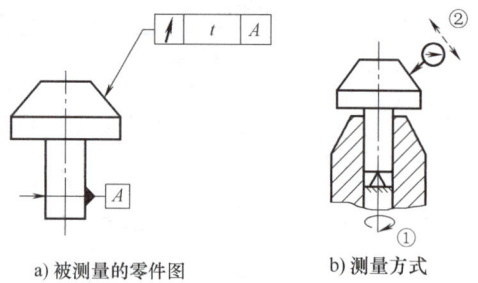

a) 被测量的零件图　　b) 测量方式

图 7-72　测量斜向圆跳动

全跳动量的测量是在被测件绕着基准轴线回转的同时,指示计测头在轴向截面内相对被测圆柱面进行缓慢地轴向移动,或相对被测端面进行缓慢地径向移动,移动长度略小于被测面全长,指示计上示值最大差值(最大变动量)即为全跳动量。

4) 径向全跳动量的测量。采用同轴导向套筒、平板、支承、带指示计的测量架。将被测零件固定在两同轴导向套筒内,且在轴向上固定。调整该对套筒,使其与平板平行。在被测件连续回转过程中,同时让指示计沿基准轴线的方向做直线运动。在整个测量过程中指示计示值最大差值即为该零件的径向全跳动量,如图 7-73 所示。

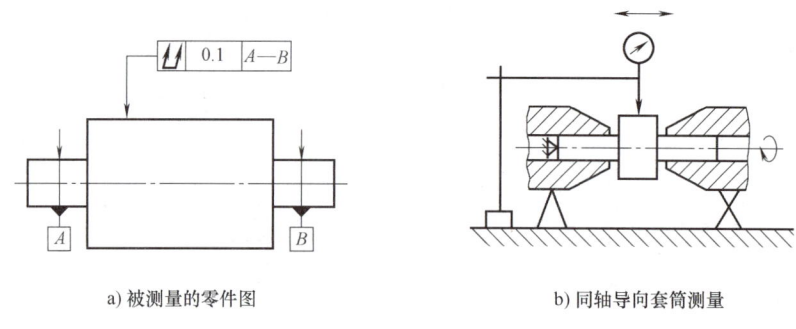

a) 被测量的零件图　　b) 同轴导向套筒测量

图 7-73　同轴导向套筒测量径向全跳动量

5) 轴向全跳动量的测量。采用导向套筒、平板、支承、带指示计的测量架。将被测零件支承在导向套筒内,并在轴向上固定。导向套筒的轴线应与平板垂直。在被测零件连续回转的过程中,指示计沿其径向作直线移动。在整个测量过程中的指示计示值最大差值即为该零件的端面全跳动,如图 7-74 所示。

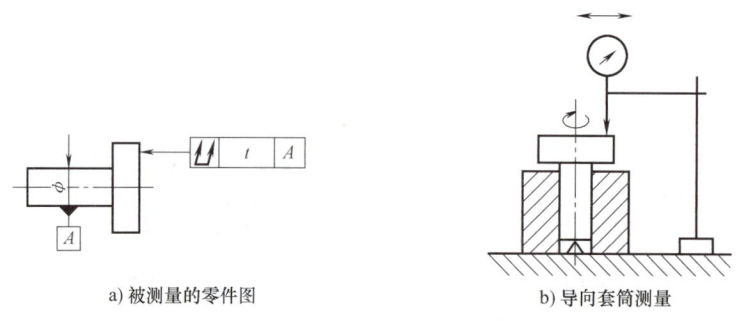

a) 被测量的零件图　　b) 导向套筒测量

图 7-74　导向套筒测量轴向全跳动量

7.7 表面粗糙度的检测

检测粗糙度轮廓参数时,应垂直于加工纹理方向测量,以便得到最大测量值。若零件表面没有一定的加工纹理方向,如用电火花、研磨方法加工的零件,则应在几个不同的方向上测量,取最大值作为测量结果。检测粗糙度轮廓参数的仪器和形式有许多,常用的检测粗糙度轮廓参数的方法有比较法、光切法、干涉法和针描法。

(1) 比较法 是指将被测零件表面与已知评定参数的粗糙度轮廓标准样板(如图 7-75 所示)相比较,通过视觉、触感或其他方法进行比较后,估计出被测表面粗糙度的一种测量方法。在用比较样块对被测件表面进行比较时,所选用的比较样块和被测件的加工方法必须相同。同时比较样块的材料、形状、表面色泽等应尽可能与被测件一致。判断的准则是根据被测件加工痕迹的深浅来决定表面粗糙度是否符合要求。当被测件表面的加工痕迹深浅程度不超过比较样块工作面加工痕迹深度时,则被测件表面粗糙度一般不大于比较样块的标称值。该方法简单易行,但测量精度低,多用于车间,评定表面粗糙度值较大的零件。比较样块的 Ra 数值参见 JJF 1099—2018。

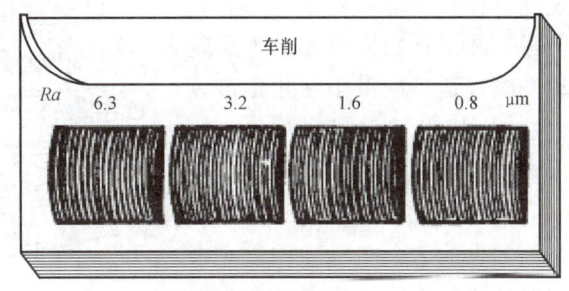

a) 直接加工的比较样块示例

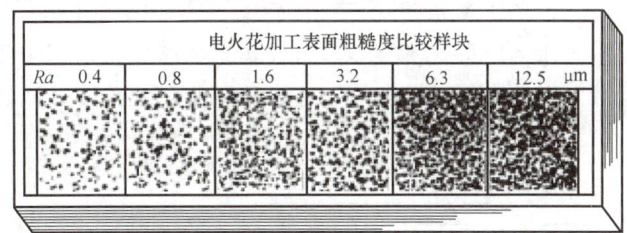

b) 复制的比较样块示例

图 7-75 粗糙度比较样块

(2) 光切法 是指利用"光切原理"来测量粗糙度轮廓的一种测量方法。常用仪器是光切显微镜(亦称双管显微镜),如图 7-76 所示。用双管显微镜测量粗糙度轮廓属于非接触测量方法。该方法常用于测量 Rz 值在 $0.8\sim80\mu m$ 之间,且用车、铣、刨等加工方法所加工的金属零件的外表面。

(3) 干涉法 是指利用光波干涉原理和显微系统来测量粗糙度轮廓的一种测量方法。主要用来测量表面粗糙度 Rz 值,常用的仪器是干涉显微镜,如图 7-77 所示。可以测到较小的参数值,该方法主要用于测量 Rz 值为 $0.03\sim1\mu m$ 的粗糙度轮廓要求较高的精密加工零件的外表面。

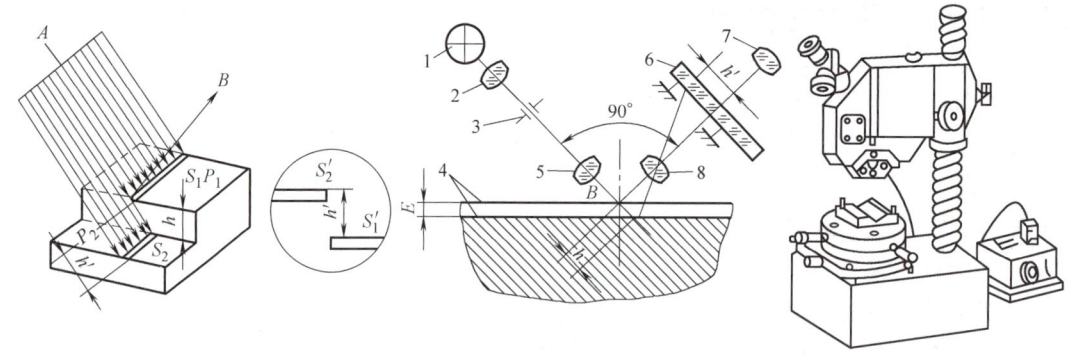

图 7-76 双管显微镜测量原理和仪器外观

（4）针描法 针描法又称轮廓法，是一种接触式测量表面粗糙度轮廓的方法。最常用的仪器是电动轮廓仪和袖珍式粗糙度测量仪。它是利用传感器带动触针沿被测零件轮廓表面滑行，由于被测零件轮廓表面上有微小的峰谷，使触针在滑行的同时还沿表面轮廓的垂直方向上下运动。触针运动的微小变化由传感器转换成电信号，经过滤波、放大和计算处理后，便可在轮廓仪上直接显示出 Ra 值的大小，如图 7-78～图 7-81 所示。该方法适用于 Ra 值为 $0.025\sim6.3\mu m$ 的平面、轴、孔及圆弧面零件的表面粗糙度测量。根据传感器的不同原理，触针式表面粗糙度仪可分为电感式、压电式、光电式、激光式和光栅式等。传感器还可分为有导头式传感器和无导头式传感器。有导头式传感器仅适用于测量表面粗糙度，而无导头式传感器除可用于测量表面粗糙度外，还可用于测量波纹度、原始轮廓参数和表面几何形状。

图 7-77 干涉显微镜外观

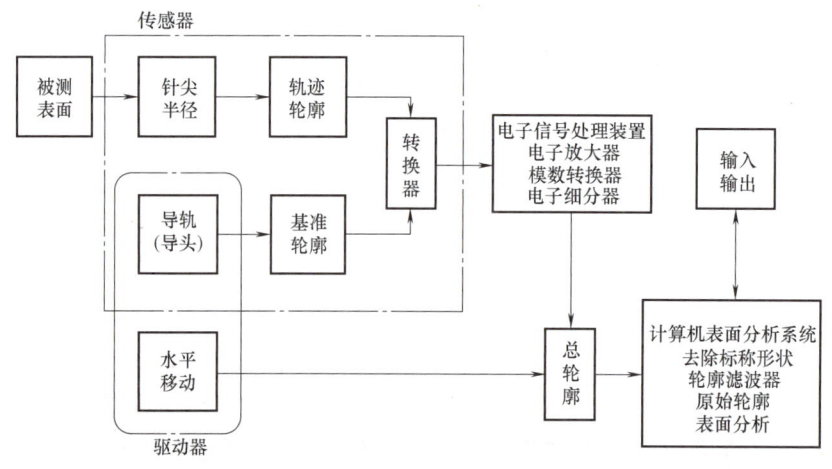

图 7-78 触针式表面粗糙度仪的典型框图

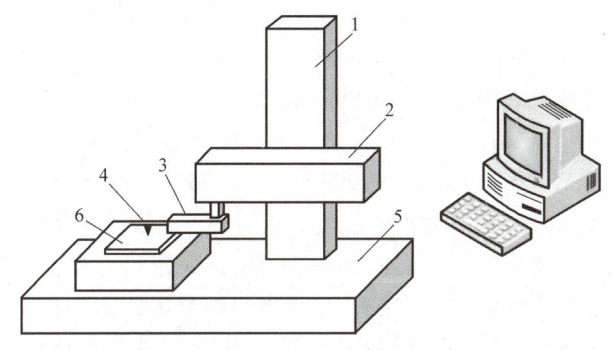

图 7-79 台式触针式表面粗糙度仪结构示意图

1—立柱 2—驱动器 3—传感器 4—触针 5—底座 6—被测工件

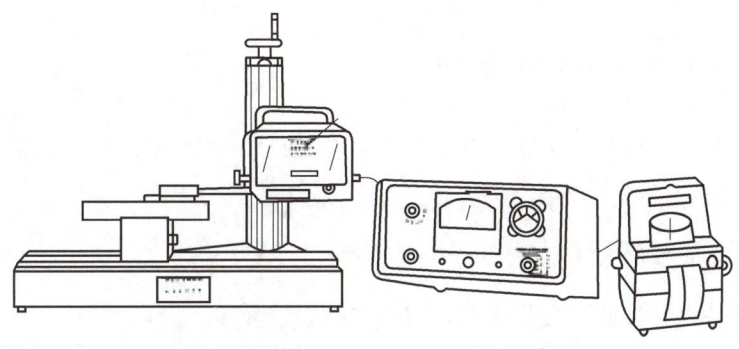

图 7-80 电动轮廓仪

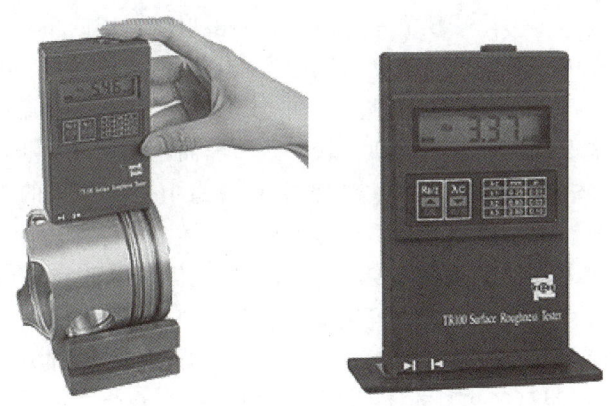

图 7-81 袖珍式表面粗糙度测量仪

7.8 测量误差及数据处理

7.8.1 测量误差的定义

测量误差是指被测量的测得值 x 与其真值 x_0 的差值。即

$$\Delta = x - x_0$$

式中，Δ 为测量误差；x 为测得值（测量结果）；x_0 为被测量的真值。

由于 x 可能大于、小于或等于 x_0，所以测量误差可为正值、负值或等于零。这种测量误差通常称为绝对误差。例如，用千分尺测量一轴的直径，测得结果为 20.004mm，若该轴直径用更高精度量仪检测后，知其直径为 19.998mm，则千分尺的测量误差为

$$\Delta = 20.004\text{mm} - 19.998\text{mm} = +0.006\text{mm} = +6\mu\text{m}$$

绝对误差反映测得值偏离真值大小的程度，误差越小，测量精度越高。反之，测量精度越低。这一结论只适用于被测尺寸相同或相近的情况。对于尺寸相差悬殊的情况，就不能直接按绝对误差大小来比较其测量精度高低，而应当用相对误差 ε 来比较。

相对误差 ε 是指绝对误差 Δ 与被测量的真值 x_0 之比。常用百分数表示，即

$$\varepsilon = \Delta/x_0 \approx \Delta/x \times 100\%$$

例如，有两个测得值 $x_1 = 20$mm，$x_2 = 100$mm，$\Delta_1 = 0.01$mm，$\Delta_2 = 0.02$mm，二者相对误差为

$\varepsilon_1 = \Delta_1/x_1 = 0.01\text{mm}/20\text{mm} \times 100\% = 0.05\%$

$\varepsilon_2 = \Delta_2/x_2 = 0.02\text{mm}/100\text{mm} \times 100\% = 0.02\%$

计算结果 $\varepsilon_1 > \varepsilon_2$，说明后者测量精度比前者高。在几何量测量中，通常说的测量误差，一般是指绝对误差。

7.8.2 测量误差与测量精度

按测量误差特点和性质可分为系统误差、随机误差和粗大误差三类。

1）系统误差。是指在一定测量条件下，多次测量同一量值时，误差的绝对值和符号保持不变，或在条件改变时，按某一确定规律变化的测量误差。前者称为定值系统误差，后者称为变值系统误差。例如，用比较仪测量零件时，调整仪器所用的量块的误差就会引起定值系统误差；在测量过程中，温度均匀变化引起的误差是变值系统误差。从理论上讲，当测量条件一定时，系统误差可以用计算或实验对比的方法确定，用修正值从测量结果中予以消除。但在实际上，系统误差由于变化规律比较复杂，因而不容易完全被消除。

2）随机误差。是指在相同条件下，多次测量同一量值时，误差的绝对值和符号以不可预知的方式变化的误差。例如，测量仪器中传动机构的间隙、测量力的不稳定、温度波动等引起的误差都是随机误差。就某一次具体测量而言，随机误差的绝对值和符号无法预先知道。但对于连续多次重复测量来说，随机误差符合一定的概率统计规律，因此，可以用概率理论和数理统计的方法来对其进行处理，减小随机误差对测量结果的影响。

3）粗大误差。是指明显超出规定条件下预计的测量误差。这种误差有主观和客观两方面的原因，主观原因如测量人员疏忽造成的读数误差，客观原因如外界突然振动引起的测量误差。粗大误差会明显歪曲测量结果，应按一定规则予以剔除。

4）测量精度。在测量中，系统误差小，称为正确度高；随机误差小，称为精密度高；系统误差和随机误差都小，称为精确度高，通常简称精度。正确度高的，精密度不一定高；精密度高的，正确度不一定高；精确度高的，则正确度和精密度都高。以打靶为例，如图7-82 所示，最小圆圈表示靶心，黑点表示弹孔。图 7-82a 所示随机误差小，即精密度高，正确度低。图 7-82b 所示系统误差小，即精密度低，正确度高。图 7-82c 所示随机误差和系统误差都小，即精确度高。图 7-82d 所示随机误差和系统误差均较大，即精密度和正确度均

较低。

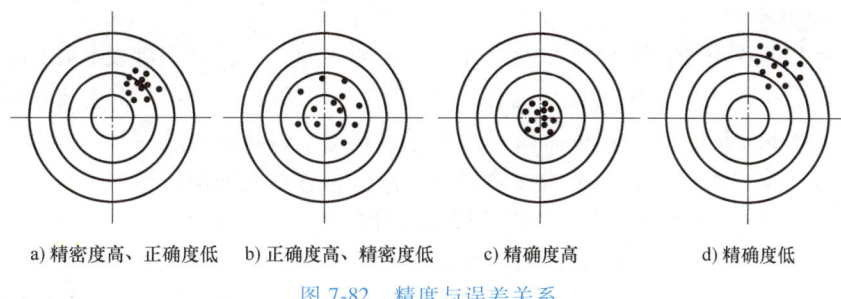

a) 精密度高、正确度低   b) 正确度高、精密度低   c) 精确度高   d) 精确度低

图 7-82　精度与误差关系

7.8.3　测量误差的来源

在实际测量中，产生测量误差的因素很多，但主要是由基准件误差、测量器具误差、方法误差和环境误差造成的。

1. 基准件误差

任何基准件都不可避免地存在误差，用它做基准时，其误差会带入测得值中。例如，在立式光学比较仪上用 2 级量块做基准，测得 $\phi 20 \mathrm{mm}$ 的塞规，由于尺寸为 20mm 的 2 级量块的制造误差为 $\pm 0.6 \mu \mathrm{m}$，因而，在测得值中就有可能带入 $0.6 \mu \mathrm{m}$ 的测量误差。在测量时，要合理地选择基准件的精度，通常基准件的误差应不超过总测量误差的三分之一至五分之一。

2. 测量器具误差

是指测量器具本身的误差，它是由测量器具的设计、制造和装配调整不准确而产生的误差。例如，测量仪器中测量头的直线位移与指针的角度位移不成比例，或器具设计时不符合阿贝原则等造成的原理误差（在设计测量器具或测量零件时应将被测长度和基准长度安置在同一条直线上的原则称为阿贝原则）。当用游标卡尺测量轴的直径时，如图 7-83 所示，由于刻线尺上的基准长度与被测直径不在同一条直线上，即不符合阿贝原则，因此产生测量误差。

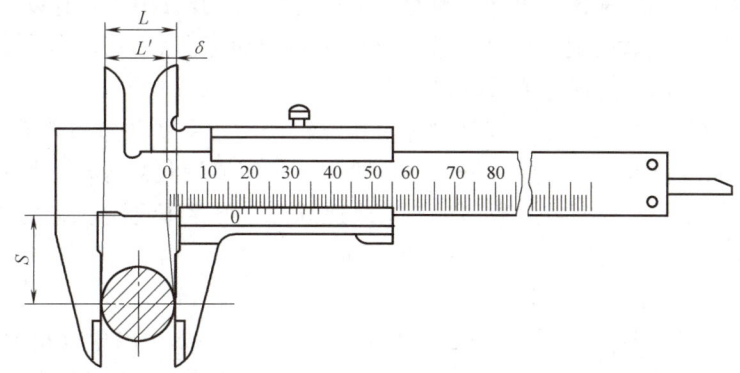

图 7-83　不符合阿贝原则的测量

3. 测量方法误差

是指测量方法和定位方式不完善所引起的误差。例如，工件安装、定位不合理，测量方法选择不当，计算公式不准确等造成的测量误差。同一参数可以用不同的方法测量，由于测

量方法误差不同,测量结果也不同。其测量方法误差约为测量器具不确定度的三分之一。

4. 测量环境误差

是指测量时的环境条件不符合标准条件所引起的误差。如温度、湿度、振动、气压、净化程度等因素,在这些因素中,温度是主要的。测量长度时,规定的环境条件标准温度为20℃,但在实际测量时,由于各种原因,被测零件和测量器具的温度对标准温度均会产生或大或小的偏差,而被测零件和测量器具的材料不同时,它们的线膨胀系数是不同的,这会产生一定的测量误差 δ,其大小可按下式进行计算,即

$$\delta = x[\alpha_2(t_2-20℃)-\alpha_1(t_1-20℃)]$$

式中,x 为被测尺寸;α_1、α_2 分别是被测零件、基准件的线膨胀系数;t_1、t_2 分别是被测件、基准件的温度(℃)。

5. 人员误差

是指由于测量人员的主观因素所引起的误差。如测量人员对测量器具使用不正确,量值读数错误等引起的误差。

总之,产生误差的因素很多,有些误差是不可避免的,有些是可以避免的。只要测量者在测量时找出产生误差的因素,并采取相对应的措施,就能保证测量精度。

7.8.4 测量误差的数据处理

为了提高测量精度就必须减少测量误差,而要减少测量误差,就必须了解和掌握测量误差的性质及其规律。

1. 系统误差的发现及其消除方法

在相同条件下多次测量同一量值时,误差值保持恒定,或者当条件改变时,其值按某一确定的规律变化的误差,统称为系统误差。前者称为定值系统误差,后者称为变值系统误差。例如,在光学比较仪上用相对测量法测量轴的直径时,按量块的标称尺寸调整光学比较仪的零位,由量块的制造误差所引起的测量误差就是定值系统误差。而机械指示表指针的回转中心与刻度盘上各条刻线中心的偏心所产生的示值误差则是变值系统误差。

发现和消除系统误差对解决测量准确度是非常重要的,其方法主要有以下两种。

(1) 实验对比法 就是通过改变产生系统误差的测量条件,进行不同测量条件的测量来发现系统误差,适用于发现定值系统误差。

(2) 残差观察法 根据测量的先后顺序将所测得值的残余误差,列表或作图进行观察。适用于发现变值系统误差。若残差大体上正负相间,无明显变化规律时,则可认为无残差,即不存在变值系统误差。若残差有规律地递增或递减时,则存在线性系统误差;若残差有规律地由负(或正)变正(或负)时,则存在周期性系统误差。

常用消除系统误差的方法有以下三种:

(1) 误差根除法 从产生误差的根源上消除。如测量人员对测量过程中可能产生系统误差的各个环节加以分析,并在测量前就将系统误差从根源上加以消除。如仪器使用前对零位时,量块按"等"使用可消除量块的制造和磨损误差。

(2) 误差修正法 预先检定出测量器具的系统误差,将其数值反向作为修正值,用代数法加到实际测得值上,得到的测量结果即可消除系统误差(适用定值系统误差)。

(3) 误差抵消法 对于变值系统误差,可进行两头测量,使两次测量读数量出现的系

统误差大小相等、方向相反,再取两次测量结果的平均值作为最终测量结果。如测量螺纹的螺距时,分别测出左、右牙面螺距,然后进行平均,则可抵消螺纹测量时安装不正确引起的系统误差。

2. 随机误差的特征及其处理

在相同的测量条件下,对同一被测量连续多次测量时,其绝对值大小和符号均以不可预知的方式变化着的误差,称为随机误差。对于随机误差,虽然不可能被修正或消除,但可以用概率论与数理统计的方法,估计出随机误差的大小和规律,并设法减小它的影响。

(1) 随机误差的分布规律及特性　随机误差就其整体来说是有其内在规律的。例如,用一把测量范围是 0~25mm、分辨率为 0.001mm 的数显千分尺,对一个直径为 $\phi 20$mm 的光滑圆柱销的某一部位进行 200 次重复测量。从测得的 200 个不同的读数中,找出最大测得值和最小测得值,用最大值减去最小值得到测得值的分散范围为 19.990~20.012mm,以每隔 0.002mm 为一组分成 11 组,统计出每一组出现的次数 n_i,计算每一组频率,详见表 7-9。

表 7-9　随机误差的分布

测量组号	测量范围/mm	测量中值 x_i/mm	出现次数 n_i	出现频率 n_i/N
1	19.990~19.992	19.991	2	0.01
2	19.992~19.994	19.993	4	0.02
3	19.994~19.996	19.995	10	0.05
4	19.996~19.998	19.997	24	0.12
5	19.998~20.000	19.999	37	0.185
6	20.000~20.002	20.001	45	0.225
7	20.002~20.004	20.003	39	0.195
8	20.004~20.006	20.005	23	0.115
9	20.006~20.008	20.007	12	0.06
10	20.008~20.010	20.009	3	0.015
11	20.010~20.012	20.011	1	0.005
	$\Delta x = 0.002$	$\bar{x} = \frac{1}{N}\sum_{i=1}^{N} x_i$	$N = 200$	$\sum_{i=1}^{N} n_i/N$

以表 7-9 中的测得值 x_i 为横坐标,频率 n_i/N 为纵坐标,以每组的区间与相应的频率为边长画出直方图,即频率直方图,如图 7-84a 所示。连接每个小方图的顶线中点,得到一折线,称为测得值的实际分布曲线。

如果将测量次数 N 无限加大 ($N \to \infty$),分组间隔无限减小 ($\Delta x \to 0$),且用误差 δ 来代替尺寸 x,则得图 7-84b 所示光滑曲线,即随机误差的理论正态分布曲线。根据概率论原理,正态分布曲线方程为

$$y = \frac{1}{\sigma\sqrt{2\pi}} e^{-\frac{\delta^2}{2\sigma^2}} \tag{7-6}$$

式中,y 为概率密度;δ 为随机误差 ($\delta = x - x_0$);e 为自然对数的底 (e = 2.71828);σ 为标准偏差。

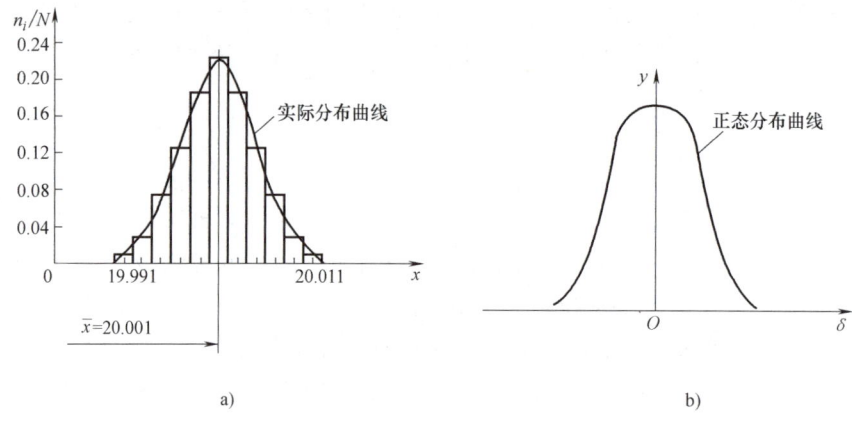

图 7-84 频率直方图与正态分布曲线

由图 7-84b 可以看出，随机误差具有以下四个基本特性。

1）单峰性。绝对值小的误差比绝对值大的误差出现的次数多，图形呈单峰。

2）对称性。绝对值相等的正、负误差出现的次数接近相等，图形近似对称分布，测得值的平均值为分布中心。

3）有界性。在一定测量条件下，随机误差的绝对值不会超过一定界限（即 $\delta \leqslant \pm 3\sigma$）。

4）抵偿性。同一条件下，对同一被测值的测量次数无限增加时，随机误差的算术平均值趋近于零。

（2）随机误差的评定指标　评定随机误差时，通常以正态分布曲线的两个参数，即算术平均值 $\bar{x}$ 和标准偏差 σ 作为评定指标。

1）算术平均值 $\bar{x}$。表 7-9 所列的一系列测得值，由于随机误差的存在，其测得值均不相同，此时应以算术平均值作为最后的测量结果，即

$$\bar{x} = \frac{1}{N}\sum_{i=1}^{N} x_i \tag{7-7}$$

由正态分布的抵偿性可知，当测量次数 N 增加时，算术平均值 $\bar{x}$ 越趋近于真值，因此，用算术平均值作为最后测量结果比用其他任一测得值作为测量结果更可靠，更合理。

2）标准偏差 σ。由式（7-6）可知，正态分布与随机误差 δ 和标准偏差 σ 有关，当 $\delta = 0$ 时，正态分布的概率密度最大，即 $y_{\max} = \dfrac{1}{\sigma\sqrt{2\pi}}$，概率密度最大值随标准偏差大小的不同而不同。如图 7-85 所示，当 $\sigma_1 < \sigma_2 < \sigma_3$ 则 $y_{\max 1} > y_{\max 2} > y_{\max 3}$。且 σ 越小，正态分布的曲线越陡，说明随机误差分布越集中，测量的精密度越高；反之，σ 越大，说明随机误差分布越分散，测量的精密度越低。

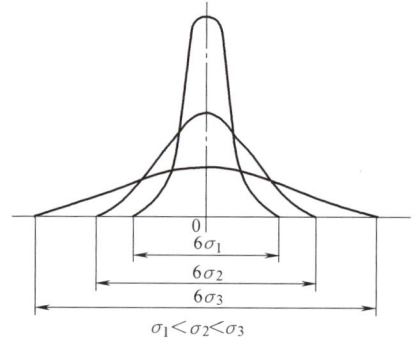

图 7-85 标准偏差 σ 与随机误差 δ 的关系

由此可见，标准偏差表示正态分布曲线的形状和分散程度，能反映测量精度的高低。因此，标准偏差 σ 可作为评定含有随机误差时测量精度的指标。标准偏差 σ 等于各随机误差 δ 平方和的算术平均值的平方根，即

$$\sigma = \sqrt{\frac{\delta_1^2 + \delta_2^2 + \cdots + \delta_N^2}{N}} = \sqrt{\frac{\sum_{i=1}^{N} \delta_i^2}{N}} \tag{7-8}$$

式中，N 为测量次数。

由于随机误差具有有界性，所以它的大小不会超过一定的范围。理论上，随机误差的分布范围应在正、负无穷大之间，但在生产实践中这是不切实际的。一般随机误差主要分布在 $\delta = \pm 3\sigma$ 的范围之内，即 δ 落在 $\pm 3\sigma$ 范围之内的概率为 99.73%，超出 3σ 之外的概率仅为 $1 - 0.9973 = 0.0027 = 0.27\%$，属于小概率事件，即随机误差分布在 $\pm 3\sigma$ 之外的可能性非常小，几乎不会出现。因此可以把 $\delta = \pm 3\sigma$ 随机误差的极限，用 $\delta_{\lim} = \pm 3\sigma$ 表示。显然 $\delta_{\lim}$ 也是测量列中任一测量值的测量极限误差，所以极限误差是

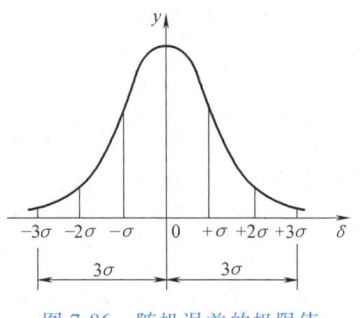

图 7-86　随机误差的极限值

单次测量标准偏差的 ± 3 倍，也可称为概率为 99.73% 的随机不确定度。如图 7-86 所示的随机误差绝对值不会超出的限度。

在一组等精度的测量值中，大小为 X 的测量值落入指定区间 (X_a, X_b) 内的概率称为置信概率，而该指定区间 (X_a, X_b) 称为置信区间。显然置信区间取得宽，置信概率就大，反之置信概率就小。当置信区间宽为 $\pm \sigma$ 时，测量值落入区间 $(X_0 \pm \sigma)$ 内的概率为 68.3%，也就是说，进行 100 次测量，大约有 68 次的值是落在 $\pm \sigma$ 的范围内。当置信区间宽为 $\pm 2\sigma$ 时，对应概率为 95.4%；当置信区间宽为 $\pm 3\sigma$ 时，对应概率为 99.7%。

因此可认为绝对值大于 3σ 的误差几乎不可能出现，所以通常又把 3σ 的误差称为单次测量极限误差，用 $\delta_{\lim}$ 表示，即 $\delta_{\lim} = +3\sigma$。

3）随机误差的处理步骤。按式（7-8）计算 σ 时，要求已知真值，且测量次数 N 要无限大，各测得值中不包含系统误差和粗大误差。但实际上真值 x_0 是未知量，所以随机误差（真值）δ 无法知道，而且测量次数也是有限的。为了在有限的测量次数中确定测量结果，并求出标准偏差，在假设测量列中没有系统误差和粗大误差的前提下，可按以下步骤对随机误差进行处理。

① 计算测量列中各个测得值的算术平均值。当测量列中的测得值为 x_1、x_2、$\cdots$、x_N 时，则算术平均值可按前述的式（7-7）计算。

② 计算残余误差。残余误差是指测得值与算术平均值之差，一个测量列就对应着一个残余误差列，即 $v_i = x_i - \bar{x}$。

式中，v_i 为残余误差；x_i 为第 i 个测得值；$\bar{x}$ 为测得值的算术平均值。

残余误差具有两个基本特性：①残余误差的代数和等于零，即 $\sum v_i = 0$；②残余误差的平方和为最小，即 $\sum v_i^2$ 为最小。③计算单次测得值的标准偏差 σ。在实际应用中，常用贝塞尔公式计算标准偏差，贝塞尔公式为

$$\sigma = \sqrt{\frac{\sum_{i=1}^{N} v_i^2}{N - 1}} \tag{7-9}$$

4) 计算。测量列算术平均值的标准偏差 $\sigma_{\bar{x}}$。在一定的测量条件下，对同一被测值进行多组测量（每组都测 N 次），则对应每组 N 次测量都有一个算术平均值，各组的算术平均值都不相同，不过它们的分散程度要比单次测量值的分散程度小得多。描述它们的分散程度同样可以用标准偏差作为评定指标。根据误差理论，测量列算术平均值的标准偏差 $\sigma_{\bar{x}}$ 与计算单次测得值的标准偏差 σ 存在以下关系。

$$\sigma_{\bar{x}} = \frac{\sigma}{\sqrt{N}} \tag{7-10}$$

显然，多次测量结果的精度要比单次测量的精度高，也就是说，测量次数越多，测量精密度就越高。但测量次数也不是越多越好，因为由式（7-9）可知，当 σ 一定时，测量次数大于 10 次以后，$\sigma_{\bar{x}}$ 减小已很缓慢，所以测量次数不必太多，一般取测量次数在 10~15 次为宜。

5) 计算测量列算术平均值的测量极限误差 $\delta_{\lim \bar{x}}$。

$$\delta_{\lim \bar{x}} = \pm 3\sigma_{\bar{x}} \tag{7-11}$$

6) 写出多次（组）测量所得算术平均值的测量结果的表达式。

$$x_e = \bar{x} \pm 3\sigma_{\bar{x}} \tag{7-12}$$

并说明这时的置信概率。

3. 粗大误差的处理

它是指超出在一定测量条件下预计的测量误差。粗大误差的数值（绝对值）相当大，在测量中应尽量去避免。粗大误差是由某些不正常的原因造成的。例如，测量者的粗心大意所造成的读数错误或记录错误，被测零件或测量器具的突然振动等。由于粗大误差会明显歪曲测量结果，因此要从测量数据中将粗大误差剔除。

判断是否存在粗大误差时，以随机误差的分布范围为依据，凡超出规定范围的误差，就可视为粗大误差。例如，对于服从正态分布的等精度多次测量结果，测得值的残余误差绝对值超出 $\pm 3\sigma$ 的概率仅为 0.27%，即在连续 370 次测量中只有一次测量的残余误差超出 $\pm 3\sigma$，而实际上连续测量的次数绝不会超过 370 次，测量列中就不应该有超出 $\pm 3\sigma$ 的残余误差。因此，当测量列中出现绝对值大于 3σ 的残余误差时，即

$$|v_i| > 3\sigma \tag{7-13}$$

则认为该残余误差对应的测量值含有粗大误差，应予以剔除。实际测量时常用 3σ 准则（也称拉依达准则）来判断粗大误差。但 3σ 准则只适用重复测量次数较多的情况，当测量次数较少时，如测量次数小于 10 次时，则不能用 3σ 准则。

例 7-5： 对一圆柱销的直径进行十次等精度测量，按测量顺序将各测得值依次列于表 7-10 中，试求测量结果。

解：（1）判断有无系统误差 假设测量器具已经检定、测量环境适宜，可认为测量列中不存在系统定值误差。

（2）求测量列的算术平均值 $\bar{x}$

$$\bar{x} = \frac{\sum_{i=1}^{N} x_i}{N} = \frac{\sum_{i=1}^{N} x_i}{10} = 30.048$$

(3) 计算残余误差 v_i　经式 $v_i = x_i - \bar{x}$ 计算后，计算结果列于表 7-10 中。按残余误差观察法，表中的残余误差符号大体上正负相间，无周期性变化，则可认为测量列中不存在变值系统误差。

表 7-10　等精度直接测量的数据处理表

序号	测量值 x_i/mm	残余误差 v_i/mm	残余误差的平方 v_i^2/mm
1	30.049	+0.001	0.000001
2	30.047	-0.001	0.000001
3	30.048	0	0
4	30.046	-0.002	0.000004
5	30.050	+0.002	0.000004
6	30.051	+0.003	0.000009
7	30.043	-0.005	0.000025
8	30.052	+0.004	0.000016
9	30.045	-0.003	0.000009
10	30.049	+0.001	0.000001
$\bar{x} = \dfrac{\sum x_i}{n} = 30.048$		$\sum_{i=1}^{n} v_i = 0$	$\sum_{i=1}^{n} v_i^2 = 0.00007$

(4) 计算测量列单次测量值的标准偏差 σ

$$\sigma = \sqrt{\frac{\sum_{i=1}^{N} v_i^2}{N-1}} = \sqrt{\frac{0.00007}{10-1}}\,\text{mm} = 0.0028\,\text{mm}$$

(5) 判断粗大误差　用拉依达准则进行判定。测量列中每个数据的残余误差 v_i 应在 3σ 标准偏差以内，否则视为粗大误差予以剔除。即 $3\sigma = 3 \times 0.0028\,\text{mm} = 0.0084\,\text{mm}$，而表 7-10 的测量列中 v_i 最大绝对值 $|v_i| = 0.005\,\text{mm} < 0.0084\,\text{mm}$。因此，测量列中不存在粗大误差。

(6) 计算测量列算术平均值的标准偏差 $\sigma_{\bar{x}}$

$$\sigma_{\bar{x}} = \frac{\sigma}{\sqrt{N}} = \frac{0.0028}{\sqrt{10}}\,\text{mm} = 0.00088\,\text{mm}$$

(7) 计算测量列算术平均值的测量极限偏差

$$\delta_{\lim \bar{x}} = \pm 3\sigma_{\bar{x}} = \pm 3 \times 0.00088\,\text{mm} = \pm 0.00264\,\text{mm}$$

(8) 确定测量结果

$$x = \bar{x} \pm \delta_{\lim} = (30.048 \pm 0.00264)\,\text{mm}$$

即圆柱销的直径为 30.048mm，且这时的置信概率为 99.73%。

习　题

1. 测量的实质是什么？一个完整的测量过程包括哪几个要素？

2. 量块的作用是什么？其结构上有何特点？
3. 量块分等、分级的依据各是什么？在实际测量中，按"级"和按"等"使用量块有何区别？
4. 说明分度间距与分度值，示值范围与测量范围，示值误差与修正值有何区别？
5. 测量误差按其性质可分为哪几类？测量误差的主要来源有哪些？
6. 试从 83 块一套的量块中，组合下列尺寸：48.98mm，10.56mm，65.365mm。
7. 某仪器在示值为 20mm 处的校正值为 −0.002mm，用其测工件时，若读数正好为 20mm，问工件的实际尺寸为多少？
8. 用两种方法分别测两个尺寸，它们的真值 L_1 = 30mm，L_2 = 80mm，若测得值分别为 30.004mm 和 80.006mm，试问哪种方法测量精度高。
9. 试述光滑极限量规的作用和分类。
10. 量规的通规和止规按工件的哪个实体尺寸制造？各控制工件的什么尺寸？
11. 用量规检测工件时，为什么总是成对使用？被检验工件合格的标志是什么？
12. 量规公差带如何分布？为什么要如此分布？
13. 量规的通规除制造公差外，为什么要规定允许的最小磨损量与磨损极限？
14. 量规的尺寸公差带与工件的尺寸公差带有何关系？
15. 计算 ϕ40G7/h6 孔用和轴用工作量规的工作尺寸，并画出量规公差带图。
16. 已知被检验轴的直径为 ϕ20f7，工作量规的制造公差 T_1 = +2.4μm，位置要素 Z_1 = +3.4μm，已加工好的工作量规通端为 ϕ19.9781mm，止端为 ϕ19.9610mm。要求：
（1）计算工作量规和校对量规的工作尺寸，并画出量规公差带图。
（2）判断已加工好的工作量规尺寸是否合格。
17. 对某零件等精度测量 10 次，得到测量值如下：
15.043　15.039　15.043　15.042　15.039
15.040　15.039　15.040　15.042　15.043
若测量不存在变值系统误差，试写出最终的测量结果，并判断有无粗大误差。

功勋科学家：
屠守锷

第8章　装配精度设计分析方法

在设计机器及其零件时，除了需要进行运动分析以及强度、刚度计算之外，还需要进行几何精度的分析和计算，合理地确定机械零件的尺寸公差、几何公差，在满足产品设计预订技术要求的前提下，能使零件、机器获得经济的加工和顺利的装配。为此，需要对设计图样上各要素之间、零件之间有相互尺寸、位置关系要求，且能对构成首尾衔接、形成封闭形式的尺寸组加以分析，研究它们之间的变化、计算各个尺寸的极限偏差及公差，以便选择能保证达到产品规定公差要求的设计方案与经济的工艺方法。

8.1　尺寸链的基本概念及计算方法

尺寸链计算是确定装配方法与保证装配精度的基本计算方法，也是保证零件的制造精度的基本方法，对降低制造成本具有重要的意义。本章重点讨论长度尺寸链中的直线尺寸链。

8.1.1　概述

1. 尺寸链的基本概念

（1）尺寸链　尺寸链是在机器装配或零件加工过程中，由相互连接的尺寸形成的封闭尺寸组（如图8-1所示）。

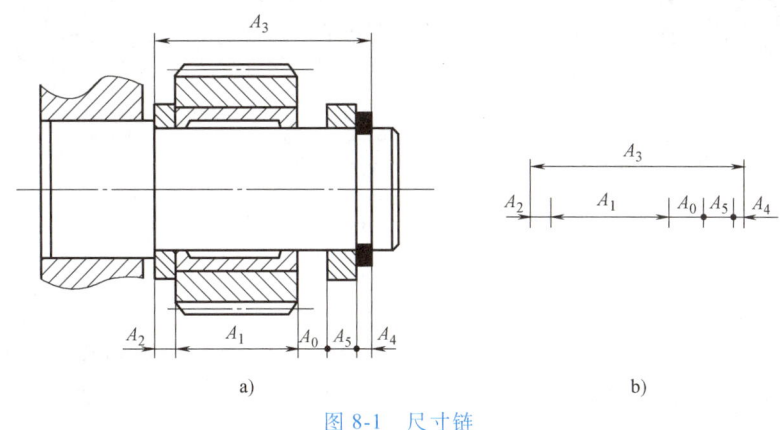

图8-1　尺寸链

尺寸链有两个基本特征。
1) 封闭性。全部尺寸依次连接构成封闭图形，这是尺寸链的外部形式。
2) 相关性。其中某一尺寸随其余所有独立尺寸的变动而变动，这是尺寸链的内在实质。

如图 8-1 所示为齿轮部件装配图,为保证齿轮灵活转动,要求安装后齿轮与挡圈间的轴向间隙为 A_0,则尺寸 A_1、A_2、A_3、A_4、A_5 和 A_0 就构成了一个封闭尺寸组,形成了一个尺寸链。

(2) 环 列入尺寸链中的每个尺寸称为环。图 8-1 中的 A_1、A_2、A_3、A_4、A_5 和 A_0 和图 8-2 中的 α_0、α_1 和 α_2 都称之为环。由此可知,环是构成尺寸链的基本要素,它可以是尺寸,也可以是角度。

(3) 封闭环与组成环 封闭环是尺寸链中在装配过程或加工过程最后形成的一环。封闭环用下角标 "0" 表示,如图 8-1 所示。

组成环是尺寸链中对封闭环有影响的全部环,即这些环中任一环的变动,必然引起封闭环的变动。组成环用下脚标阿拉伯数字表示各组成环的序号,如图 8-1 中的 A_1、A_2、A_3、A_4、A_5。

一个尺寸链中只能有一个封闭环,其余都为组成环。

(4) 增环与减环 根据组成环对封闭环影响的不同,组成环又分为增环和减环。

增环是尺寸链中因其大小的增减引起封闭环大小作同向变动的组成环,如图 8-1 中的 A_3。

减环是尺寸链中因其大小的增减引起封闭环大小作反向变动的组成环,如图 8-1 中的 A_1、A_2、A_4、A_5。

增环与减环同属于组成环,区别在于增环的增大(或减小)将引起封闭环的增大(或减小);而减环的增大(或减小)却引起封闭环的减小(或增大)。可见,增环与减环对封闭环的影响是决然相反的。因此,对增环、减环的判定很重要。

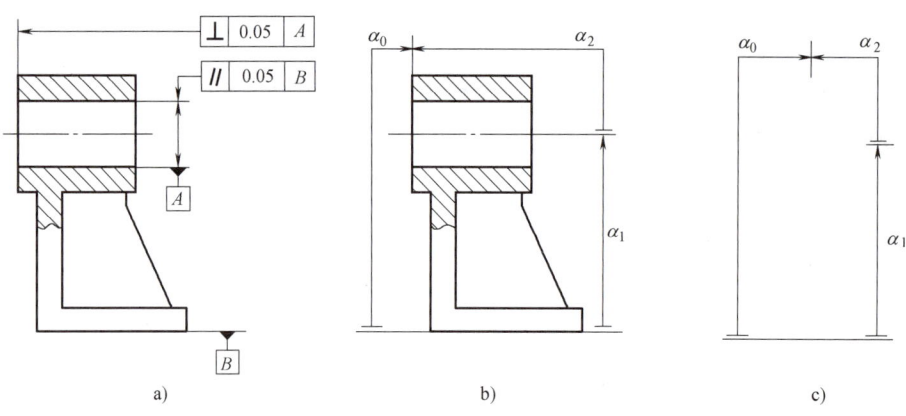

图 8-2 角度尺寸链

(5) 传递系数 ξ 表示各组成环对封闭环影响大小的系数。传递系数 ξ 是组成环在封闭环上引起的变动量对该组成环本身变动量之比。尺寸链中,封闭环与组成环的关系,表现为函数关系。封闭环是所有环的函数,即

$$A_0 = f(A_1, A_2, \cdots, A_m) \tag{8-1}$$

式中,A_0 为封闭环;A_1、A_2、$\cdots$、A_m 为组成环;m 为组成环的环数。

式 (8-1) 称为尺寸链方程式。对式 (8-1) 取全微分,得

$$dA_0 = \frac{\partial f}{\partial A_1}dA_1 + \frac{\partial f}{\partial A_2}dA_2 + \cdots + \frac{\partial f}{\partial A_m}dA_m \tag{8-2}$$

显然，$\frac{\partial f}{\partial A_1}$，$\frac{\partial f}{\partial A_2}$，…，$\frac{\partial f}{\partial A_m}$ 表示各组成环在封闭环上引起的变动量对各相应组成环本身变动量之比。若以 ξ_i 表示第 i 个组成环的传递系数，则有

$$\xi_i = \frac{\partial f}{\partial A_i} \tag{8-3}$$

式中，ξ_i 为第 i 个组成环的传递系数；A_i 为第 i 个组成环。

对于增环，ξ_i 为正值；对于减环，ξ_i 为负值。

2. 尺寸链的代号

根据 GB/T 5847—2004 的规定，长度尺寸链中全部长度环均用同一个大写拉丁字母 A（或 B、C、…）表示，在该拉丁字母的右下角标以阿拉伯数字 1、2、…，如 A_1、A_2、…表示各组成环的符号，封闭环用同一拉丁字母加下角标"0"表示，如 A_0。

角度尺寸链中全部角度环均用同一希腊字母 α（β、γ、…）表示，在该希腊字母的右下角同样标以阿拉伯数字 0、1、2、…，α_0 表示封闭环，α_1、α_2、…表示各组成环。

3. 尺寸链的分类

按 GB/T 5847—2004 规定，尺寸链主要有以下几种分类形式。

（1）长度尺寸链与角度尺寸链　按组成各环的几何性质，分为长度尺寸链和角度尺寸链。

1）长度尺寸链。链中各环均为长度尺寸，构成的尺寸链为长度尺寸链（如图 8-1 所示）。

2）角度尺寸链。链中各环为角度尺寸，构成的尺寸链为角度尺寸链（如图 8-2 所示）。

（2）装配尺寸链、零件尺寸链　根据生产中的应用情况，分为装配尺寸链、零件尺寸链。

1）装配尺寸链。各组成环为不同零部件的设计尺寸所构成的尺寸链称为装配尺寸链，如图 8-3a 所示。装配尺寸链中的封闭环，往往代表产品的技术性能或装配要求。

2）零件尺寸链。各组成环为同一零件上的设计尺寸所构成的尺寸链叫零件尺寸链，如图 8-3b 所示。

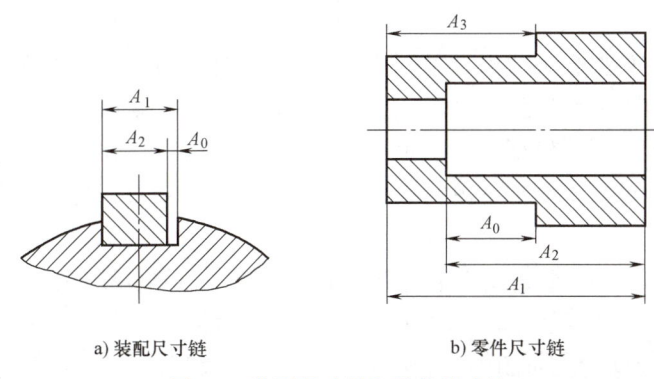

a) 装配尺寸链　　　　b) 零件尺寸链

图 8-3　装配尺寸链和零件尺寸链

（3）设计尺寸链与工艺尺寸链　按环的功能分为设计尺寸链和工艺尺寸链。

1)设计尺寸链。各组成环为设计尺寸的尺寸链,称为设计尺寸链。装配尺寸链与零件尺寸链均属于设计尺寸链。

2)工艺尺寸链。各组成环为同一零件(或装配成整体后再加工的组件)的各个工艺尺寸所构成的尺寸链,称为工艺尺寸链。

设计尺寸是指零件图上标注的尺寸;工艺尺寸是指工序尺寸、定位尺寸和基准尺寸。

(4)直线尺寸链、平面尺寸链与空间尺寸链　按各环所在的空间位置,分为直线尺寸链、平面尺寸链和空间尺寸链。

1)直线尺寸链。全部组成环都平行于封闭环的长度尺寸链叫直线尺寸链,如图8-1和图8-4所示。

2)平面尺寸链。全部组成环与封闭环都处在同一平面或几个相互平行平面内,但某些组成环不平行于封闭环的长度尺寸链称为平面尺寸链,如图8-5所示。

3)空间尺寸链。各组成环与封闭环处在互不平行的几个平面内的尺寸链称为空间尺寸链,如图8-6所示。

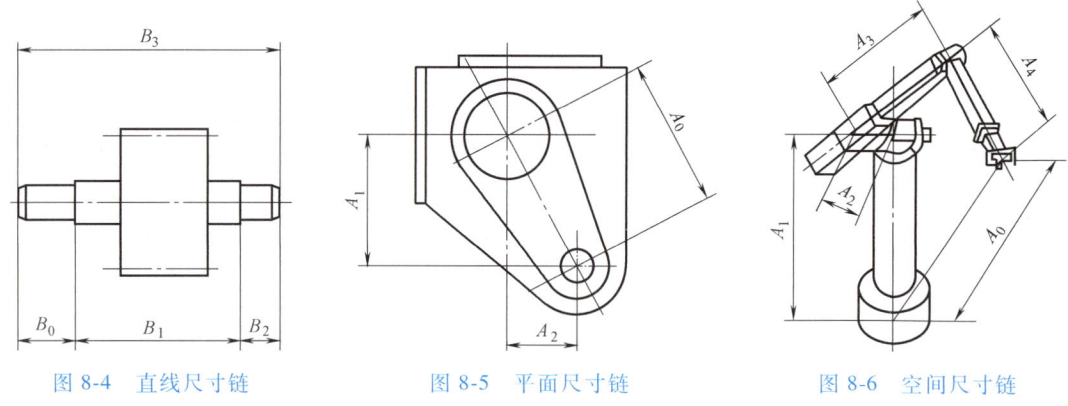

图8-4　直线尺寸链　　　　图8-5　平面尺寸链　　　　图8-6　空间尺寸链

8.1.2　尺寸链的建立与分析

建立尺寸链时一般需要三个步骤:确定封闭环,查明组成环和绘制尺寸链简图,下面分别进行详细的叙述。

1. 确定封闭环

建立尺寸链,首先要正确地确定封闭环。一个尺寸链只有一个封闭环。

1)装配尺寸链的封闭环是在装配之后形成的,往往是机器上有装配精度要求,如保证机器可靠工作的相对位置或保证零件相对运动的间隙等的尺寸。在建立尺寸链之前,必须查明在机器装配和验收的技术要求中规定的所有几何精度要求项目,这些项目往往就是某些尺寸链的封闭环。

2)零件尺寸链的封闭环应为公差等级要求最低的环,一般在零件图样上不需要标注,以免引起加工中的混乱。如图8-4中的 B_0 是不需要标注的。

3)工艺尺寸链的封闭环是在加工中自然形成的,一般为被加工零件要求达到的设计尺寸或工艺过程中需要的尺寸。加工顺序不同,封闭环也不同。所以工艺尺寸链的封闭环必须在加工顺序确定之后才能判断。

2. 查明组成环

组成环是对封闭环有直接影响的那些尺寸。一个尺寸链的组成环数应尽量少。

查找尺寸链的组成环时，先从封闭环的任意一端开始，找出封闭环相邻的第一个尺寸，然后再找与第一个尺寸相邻的第二个尺寸，这样一环接一环，直到与封闭环的另一端连接为止，从而形成封闭环的尺寸组。

一个尺寸链中最少要有两个组成环。在组成环中，可能只有增环没有减环，但不能只有减环没有增环。

在对封闭环有较高技术要求或几何误差较大的情况下，建立尺寸链时，还要考虑几何误差对封闭环的影响。

3. 画尺寸链、判断增减环

1) 画尺寸链图时，为清楚表达尺寸链的组成，通常不需要画出零件或部件的具体结构，也不必按照严格的比例，只需将链中各尺寸依次画出，形成封闭的图形即可，这样的图形称为尺寸链图，如图8-1b和图8-8b所示。

2) 判断增环、减环。对于简单的尺寸链，可根据增、减环的定义直接判断。对于环数较多、比较复杂的尺寸链，可以用"回路法"进行判断。

3) 回路法。画尺寸链时，从封闭环开始用带箭头的线段表示各环，箭头仅表示查找组成环的方向，如图8-7所示。其中，箭头方向与封闭环上箭头方向一致的环为减环，箭头方向与封闭环上箭头方向相反的环为增环。

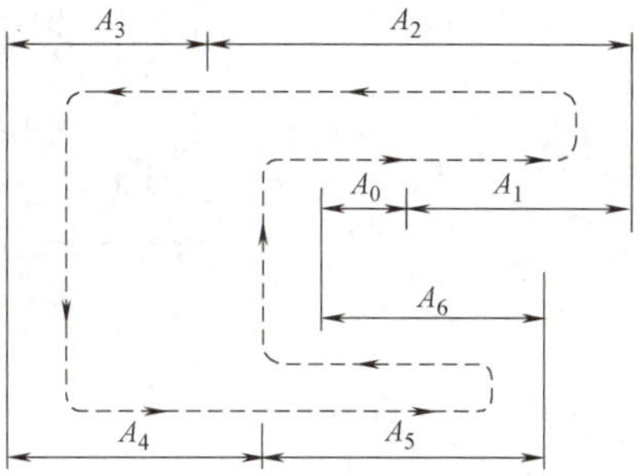

图 8-7 组成环——增、减环的判别

如图8-8a所示为蜗轮减速器的装配简图。蜗轮副公差为8级，模数$m = 2$mm，中心距$a = 63$mm。根据蜗杆传动公差标准，将装配技术要求标注在图上，尺寸链分析如下。

(1) 确定封闭环 此蜗轮减速器有如下设计要求：

1) 蜗杆与蜗轮中心距的极限偏差$f_a = \pm 0.065$mm。
2) 蜗轮中心平面对蜗杆轴线的极限偏差$f_g = \pm 0.052$mm。
3) 蜗轮轴线与蜗杆轴线的垂直度公差$f_y = \pm 0.017$mm。

以上三项设计要求即为三个封闭环，分别构成三个尺寸链。

(2) 查明全部组成环 现以蜗轮中心平面偏移的尺寸链g为例。该尺寸链的封闭环为$g_0 = f_g = +0.052$mm。与该封闭环直接有关的组成环为：

1) 蜗轮中心平面到右端面的尺寸g_1。
2) 隔套宽度g_2。
3) 滚动轴承宽度g_3。
4) 端盖上凸缘面至法兰面之间的距离g_4。
5) 垫片组厚度g_5。
6) 箱体上蜗杆孔轴线至右端面的距离g_6。
7) 与蜗杆轴颈相配合的轴承内径与外径的同轴度g_7。
8) 蜗杆齿圈轴线与轴颈轴线的同轴度g_8。

以上共 8 个组成环。

（3）绘制尺寸链图　从封闭环 g_0 的一侧（如右侧）开始，找出并连接与该侧相连的第一个组成环 g_1，再找出并连接与第一个组成环相连的第二个组成环 g_2，如此依次找出并连接最后一个组成环 g_8，使该组成环与封闭环的另一侧（如左侧）相连，以形成封闭形的尺寸链，如图 8-8b 所示。

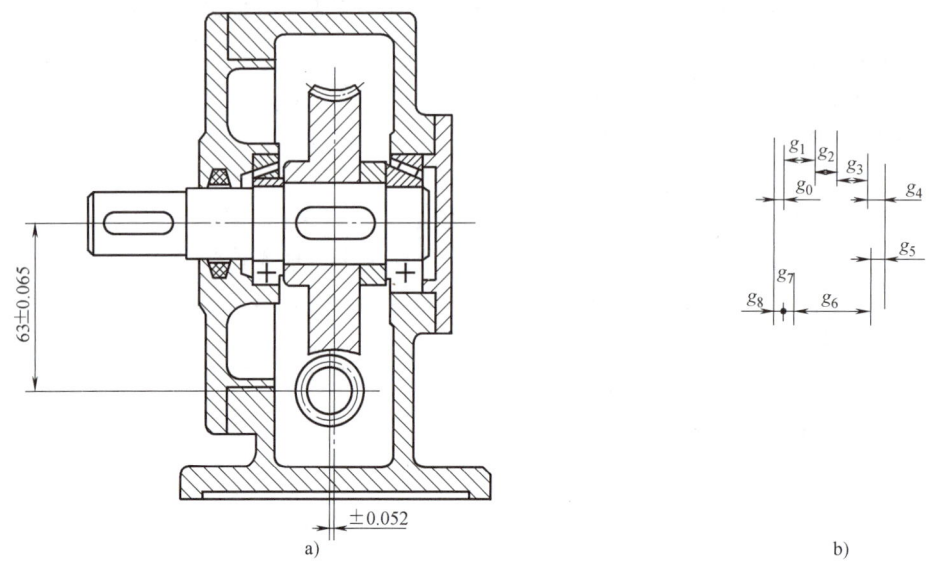

图 8-8　减速器及其尺寸链

8.1.3　尺寸链的计算

1. 尺寸链计算的类型

分析和计算尺寸链是为了正确合理地确定尺寸链中各环的尺寸公差和极限偏差。根据不同要求，尺寸链计算主要有以下三种类型。

（1）正计算　已知各组成环的公称尺寸和极限偏差，求封闭环的公称尺寸和极限偏差。它常用于验算设计的正确性，故又称校核计算。

（2）反计算　已知封闭环的公称尺寸、极限偏差及各组成环公称尺寸，求各组成环的极限偏差。它常用于设计机器或零件时，合理地确定各部件或零件上各有关尺寸的极限偏差，即根据设计的精度要求，进行公差分配。

（3）中间计算　已知封闭环和其他组成环的公称尺寸和极限偏差，只求某一组成环的公称尺寸和极限偏差。它常用于工艺设计，如基准的换算和工序尺寸的确定等。

2. 尺寸链的计算方法

（1）极值法（完全互换法）　从尺寸链各环的最大与最小尺寸出发进行尺寸链计算，不考虑各环实际尺寸的分布情况。按此方法计算出来的尺寸加工各组成环，装配时各组成环不需挑选或辅助加工，装配后即能满足封闭环的公差要求，实现完全互换。

（2）概率法（大数互换法）　按此方法计算、加工的绝大部分零件，装配时各组成环不需挑选或改变其大小或位置，装配后即能满足封闭环的公差要求。按概率法计算，在相同的封闭环公差条件下，可使各组成环公差扩大，从而获得良好的技术经济效益，也较科学、合理。当然此时封闭环超出技术要求的情况是存在的，其概率很小，但应有适当的工艺措施，以排除或恢复超出公差范围或极限偏差的个别零件。

（3）修配法　装配时去除补偿环的部分材料以改变其实际尺寸，使封闭环达到其公差或极限偏差要求。

（4）调整法　装配时用调整的方法改变补偿环的实际尺寸或位置，使封闭环达到其公差或极限偏差要求。

其中完全互换法是尺寸链计算中最常用的方法，下面重点介绍此方法。

3. 极值法解直线尺寸链

极值法，又称之为完全互换法，是从尺寸链各环的上、下极限尺寸出发进行尺寸链计算，不考虑各环实际尺寸的分布情况。按此法计算出来的尺寸加工各组成环，进行装配时各组成环不需挑选或辅助加工，装配后既能满足封闭环的公差要求，又可实现完全互换。

（1）基本公式　设尺寸链的组成环数为 m，其中 n 个增环，$m-n$ 个减环，A_0 为封闭环的公称尺寸，A_z 为增环的公称尺寸，A_j 为减环的公称尺寸，则对于直线尺寸链有如下公式。

1）封闭环的公称尺寸 A_0。

$$A_0 = \sum_{z=1}^{n} A_z - \sum_{j=n+1}^{m} A_j \tag{8-4}$$

即封闭环的公称尺寸等于所有增环的公称尺寸之和减去所有减环的公称尺寸之和。

2）封闭环的极限尺寸。极限尺寸的基本公式可由下列两种极限情况导出：

① 所有增环皆为上极限尺寸，而所有减环皆为下极限尺寸；

② 所有增环皆为下极限尺寸，而所有减环皆为上极限尺寸。

显然，在第一种情况下，将得到封闭环的上极限尺寸，而在第二种情况下，将得到封闭环的下极限尺寸，可表示为

$$A_{0\max} = \sum_{z=1}^{n} A_{z\max} - \sum_{j=n+1}^{m} A_{j\min} \tag{8-5}$$

$$A_{0\min} = \sum_{z=1}^{n} A_{z\min} - \sum_{j=n+1}^{m} A_{j\max} \tag{8-6}$$

即封闭环的上极限尺寸等于所有增环的上极限尺寸之和减去所有减环的下极限尺寸之和；封闭环的下极限尺寸等于所有增环的下极限尺寸之和减去所有减环的上极限尺寸之和。

3）封闭环极限偏差。将极限尺寸式（8-5）和式（8-6）分别减去公称尺寸式（8-4），得

$$ES_0 = \sum_{z=1}^{n} ES_z - \sum_{j=n+1}^{m} EI_j \tag{8-7}$$

$$EI_0 = \sum_{z=1}^{n} EI_z - \sum_{j=n+1}^{m} ES_j \tag{8-8}$$

即封闭环的上极限偏差等于所有增环的上极限偏差之和减去所有减环的下极限偏差之和；封闭环的下极限偏差等于所有增环的下极限偏差之和减去所有减环的上极限偏差之和。

4）封闭环的公差。将极限偏差式（8-7）减去式（8-8），得

$$T_0 = \sum_{z=1}^{n} T_z + \sum_{j=n+1}^{m} T_j = \sum_{i=1}^{m} T_i \tag{8-9}$$

即封闭环的公差等于所有组成环（增环和减环）的公差之和。

封闭环的公差比任何一组成环的公差都大。因此，在零件尺寸链中，一般选最不重要的环作为封闭环。为了减小封闭环的公差，应使组成环的数目尽可能减少，称为最短尺寸链原则。这一原则在设计时应遵守，即尺寸链应该以"短"为好。

（2）实例分析

1）校核计算（正计算）。根据已确定的各组成环的公称尺寸、公差及极限偏差，计算封闭环的公称尺寸、公差及极限偏差，称为校核计算。校核计算用于产品设计或制造过程中，校核所规定的零件公差及极限偏差能否保证产品的技术要求。

校核计算的步骤如下：根据加工或装配要求确定封闭环，画出尺寸链图，判断增减环，由各组成环的公称尺寸和极限偏差计算封闭环的公称尺寸和极限偏差。

例 8-1：如图 8-1 所示的齿轮部件，已知各组成环的公称尺寸和极限偏差为：$A_1 = 30_{-0.100}^{0}$ mm，$A_2 = A_5 = 5_{-0.050}^{0}$ mm，$A_3 = 43_{+0.100}^{+0.200}$ mm，$A_4 = 3_{-0.050}^{0}$ mm，试用极值法计算封闭环公称尺寸和极限偏差。若设计要求间隙为 $A_0 = 0.1 \sim 0.45$ mm，试验算能否满足该要求。

解：

（1）确定封闭环及其技术要求　由于间隙 A_0 是装配后自然形成的，所以确定以间隙 A_0 为封闭环。此间隙在 $0.1 \sim 0.45$ mm，即 $A_0 = 0.1 \sim 0.45$ mm。

（2）寻找全部组成环，画尺寸链图，并判断增、减环　依据查找组成环的方法，找出全部组成环 A_1、A_2、A_3、A_4 和 A_5，如图 8-1b 所示。依据回路法判断出 A_3 为增环，A_1、A_2、A_4 和 A_5 皆为减环。

（3）按式（8-4）计算（校核）封闭环的公称尺寸

$$A_0 = A_3 - (A_1 + A_2 + A_4 + A_5) = [43 - (30+5+3+5)] \text{mm} = 0 \text{mm}$$

封闭环的公称尺寸为 0mm，说明各组成环的公称尺寸满足封闭环的设计要求。

（4）按式（8-7）和式（8-8）计算（校核）封闭环的极限偏差

$$ES_0 = ES_3 - (EI_1 + EI_2 + EI_4 + EI_5) = [+0.2 - (-0.1 - 0.05 - 0.05 - 0.05)] \text{mm} = +0.45 \text{mm}$$

$$EI_0 = EI_3 - (ES_1 + ES_2 + ES_4 + ES_5) = [0.10 - (0+0+0+0)] \text{mm} = +0.10 \text{mm}$$

（5）按式（8-9）计算（校核）封闭环的公差

$$T_0 = T_1 + T_2 + T_3 + T_4 + T_5 = (0.10 + 0.05 + 0.10 + 0.05 + 0.05) \text{mm} = 0.45 \text{mm}$$

校核结果表明，封闭环的上、下限偏差及公差均满足规定要求。

2）设计计算（反计算）。根据封闭环规定的公差及极限偏差，决定各组成环的公差及极限偏差时，称为设计计算。设计计算用于设计过程中，按产品的设计要求或装配要求来分配各零件的公差及极限偏差。

在具体分配各组成环的公差时，可采用等公差法或等精度法。

当各组成环的公称尺寸相差不大时，可将封闭环的公差平均分配给各组成环。如果需要，可在此基础上进行必要的调整。这种方法叫"等公差法"。即组成环的平均公差为

$$T_i = \frac{T_0}{m} \tag{8-10}$$

实际工作中,各组成环的公称尺寸一般相差比较大,按等公差法分配,从加工工艺角度上讲不合理。为此,可采用等精度法。

所谓"等精度法",就是各组成环公差等级相同,即各环公差等级系数相等,设其值均为 α,即

$$\alpha_1 = \alpha_2 = \alpha_3 = \cdots = \alpha_m = \alpha \tag{8-11}$$

按国家标准规定,在 IT5~IT8 公差等级内,标准公差的计算公式为 $T = \alpha i$,其中 i 为标准公差因子,如第 3 章所述,在常用尺寸段内,$i = 0.45\sqrt[3]{D} + 0.001D$。为了本章应用方便,将部分公差等级系数 α 的值和标准公差因子 i 的数值列于表 8-1 和表 8-2 中。

表 8-1 公差等级系数 α 的值

公差等级	IT5	IT6	IT7	IT8	IT9	IT10	IT11	IT12	IT13	IT14	IT15	IT16	IT17	IT18
系数 α	7	10	16	25	40	64	100	160	250	400	640	1000	1600	2500

表 8-2 尺寸≤500mm,各尺寸段的公差因子 i 的数值

尺寸段/mm	≤3	>3~6	>6~10	>10~18	>18~30	>30~50	>50~80	>80~120	>120~180	>180~250	>250~315	>315~400	>400~500
i/μm	0.54	0.73	0.90	1.08	1.31	1.56	1.86	2.17	2.52	2.90	3.23	3.54	3.89

则由式(8-9)可得

$$T_0 = \alpha i_1 + \alpha i_2 + \alpha i_3 + \cdots + \alpha i_m = \alpha \sum_{i=1}^{m} i_i \tag{8-12}$$

$$\alpha = \frac{T_0}{\sum_{i=1}^{m} i_i} \tag{8-13}$$

计算出 α 后,按标准查出与之相近的公差等级系数,进而查表确定各组成环的公差。

各组成环的极限偏差确定方法是先留一个组成环作为调整环,其余各组成环的极限偏差按"入体原则"确定,即包容尺寸的基本偏差为 H,被包容尺寸的基本偏差为 h,一般长度为 js,进行反计算后还需要进行正计算,以校核设计的正确性。

例 8-2: 如图 8-1 所示的装配尺寸链中,设各组成环的基本尺寸为 $A_1 = 30$mm,$A_2 = 5$mm,$A_3 = 43$mm,$A_4 = 3_{-0.050}^{\;\;\;0}$mm,$A_5 = 5$mm,要求间隙为 0.10~0.35mm,即封闭环尺寸为 $A_0 = 0_{+0.10}^{+0.35}$mm。试以极值法计算各组成环的公差和极限偏差。

解:

(1) 画出装配尺寸链,如图 8-1b 所示。

(2) 查找封闭环、增环和减环 按题意,轴向间隙为 0.10~0.35mm,则封闭环 $A_0 = 0_{+0.10}^{+0.35}$mm,封闭环公差 $T_0 = 0.25$mm。本尺寸链共有 5 个组成环,其中 A_3 是增环,其传递系数 $\xi_3 = 1$,A_1、A_2、A_4、A_5 都是减环,相应的传递系数 $\xi_1 = \xi_2 = \xi_4 = \xi_5 = -1$。

封闭环的公称尺寸按式(8-4)计算

$$A_0 = A_3 - (A_1 + A_2 + A_4 + A_5) = [43 - (30 + 5 + 3 + 5)]\text{mm} = 0\text{mm}$$

由计算可知,各组成环公称尺寸的已定数值正确无误。

(3) 确定各组成环的公差和极限偏差

1) 用等公差法计算。由式（8-10）得

$$T_i = \frac{0.25-0.05}{4}\text{mm} = 0.05\text{mm}$$

根据各组成环公称尺寸大小和加工难易程度不同，若各组成环公差都取为 0.05mm，显然不合理。因此，应将它们的公差加以适当调整。例如，尺寸大的、加工困难的环，其公差应适当放大一点；相反，可缩小一点。但是调整后的各组成环公差之和不得大于封闭环公差。因此，令 $T_1 = T_3 = 0.06$mm，$T_2 = T_5 = 0.04$mm。

除调整尺寸 A_3 之外，其余各组成环按"入体原则"决定各组成环的极限偏差，即外尺寸按 h 确定，内尺寸按 H 确定，则有 $A_1 = 30_{-0.06}^{0}$mm，$A_2 = 5_{-0.04}^{0}$mm，$A_4 = 3_{-0.05}^{0}$mm，$A_5 = 5_{-0.04}^{0}$mm。

调整尺寸 A_3 由式（8-10）和式（8-11）确定，有

$ES_3 = ES_0 + (EI_1 + EI_2 + EI_4 + EI_5) = [+0.35 + (-0.06 - 0.04 - 0.05 - 0.04)]\text{mm} = +0.16\text{mm}$

$EI_3 = EI_0 + (ES_1 + ES_2 + ES_4 + ES_5) = [0.1 + (0+0+0+0)]\text{mm} = 0.1\text{mm}$

所以 $A_3 = 43_{+0.10}^{+0.16}$mm。

按式（8-9）校核，有

$$T_0 = \sum_{i=1}^{m} T_i = T_1 + T_2 + T_3 + T_4 + T_5 = (0.06 + 0.04 + 0.06 + 0.05 + 0.04)\text{mm} = 0.25\text{mm}$$

满足使用要求，计算正确。

2) 用等精度法计算。由式（8-13）得

$$\alpha = \frac{(0.25-0.05) \times 1000}{1.31 + 0.73 + 1.56 + 0.73} \approx 46$$

查表，各组成环的公差等级可定为 IT9，又查标准公差数值表可得各组成环公差分别为 $T_1 = 0.052$mm，$T_2 = T_5 = 0.030$mm，$T_3 = 0.062$mm，$T_4 = 0.05$mm

由于 $\sum T_i = (0.052 + 0.030 + 0.062 + 0.05 + 0.030)\text{mm} = 0.224\text{mm} < 0.25\text{mm} = T_0$，所以满足使用要求。

根据"入体原则"，各组成环的极限偏差可定为

$A_1 = 30_{-0.052}^{0}$mm，$A_2 = 5_{-0.030}^{0}$mm，$A_4 = 3_{-0.05}^{0}$mm，$A_5 = 5_{-0.030}^{0}$mm

调整尺寸 A_3 由式（8-10）和式（8-11）确定，有

$ES_3 = ES_0 + (EI_1 + EI_2 + EI_4 + EI_5) = [+0.35 + (-0.052 - 0.030 - 0.05 - 0.030)]\text{mm} = +0.188\text{mm}$

$EI_3 = EI_0 + (ES_1 + ES_2 + ES_4 + ES_5) = [0.1 + (0+0+0+0)]\text{mm} = 0.1\text{mm}$

所以 $A_3 = 43_{+0.10}^{+0.188}$mm，$T_0 = \sum_{i=1}^{m} T_i = T_1 + T_2 + T_3 + T_4 + T_5 = 0.25$mm 满足使用要求，计算正确。

(3) 评价与应用 事实上，各组成环实际尺寸获得极值的概率本来是很小的，而全部增环与全部减环同时获得相反极值的概率就更小了。所以，以全部增环和全部减环同时获得相反极值为前提的极值法解尺寸链，其优点是可以实现完全互换，易于装配，便于组织流水生产线。因此，极值法又叫完全互换法。

极值法解尺寸链所得组成环的公差较小,由式(8-9)可见,为保证封闭环公差要求,组成环的环数越多,其公差值越小,加工越困难。

因此,极值法通常用于组成环的环数较少($m=3\sim4$)或只要求粗略计算的尺寸链。

式(8-9)说明封闭环公差为各组成环公差之和,属尺寸链中公差最大者。因此,除装配尺寸链的封闭环取决于装配要求之外,零件尺寸链的封闭环应尽可能选公差最大的环充当。此外,设计时应使形成此封闭环的尺寸链的环数越少越好,这称为设计中的最短链原则。

4. 概率法解尺寸链

概率法解尺寸链的特点是考虑到各组成环实际尺寸的分布规律。组成环的实际尺寸可认为是一种随机变量,在其公差带内的分布情况可能有各种形式。例如,在大量生产且有稳定的工艺过程时,实际尺寸接近于正态分布,如图 8-9a 所示。在单件生产且按试切法加工零件时,实际尺寸呈偏态分布,分布中心偏最大实体尺寸这一边,如图 8-9b 所示。

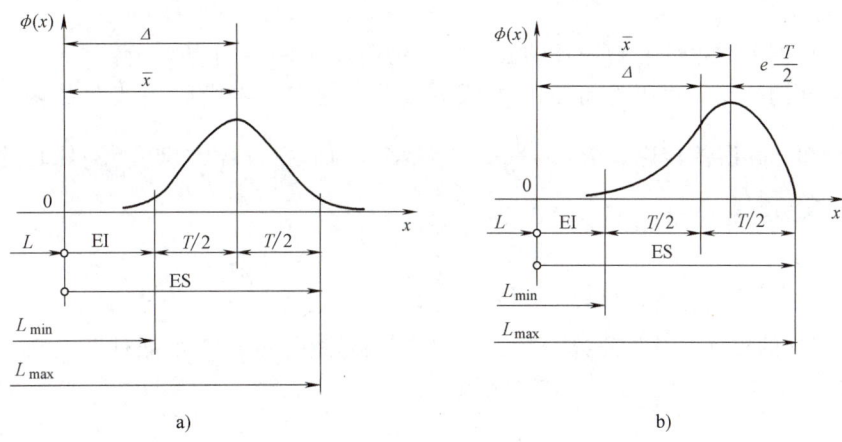

图 8-9 正态分布与偏态分布

为了便于计算,仍以正态分布为基础,引入一定的折合系数,将非正态分布转化为正态分布进行计算。

(1) 非正态内部系数

1) 相对不对称系数 e。相对不对称系数是分布曲线的平均偏差对中间偏差的偏移量与公差值的一半的比值(如图 8-9b),即

$$e = \frac{\overline{x} - \Delta}{T/2} \tag{8-14}$$

式中,$\overline{x}$ 为平均偏差。平均偏差是实际偏差的平均值,即

$$\overline{x} = \frac{1}{n}\sum_{i=1}^{n} x_i \tag{8-15}$$

对称分布时,$e=0$。各种分布曲线及其相应的 e 值见表 8-3。

2) 相对分布系数 k。相对分布系数是正态分布取置信水平等于 99.73% 时,其尺寸分布范围 6σ 与实际分布时尺寸分布范围 $t\sigma$ 的比值,即

$$k = \frac{6}{t} \tag{8-16}$$

式中，t 为实际分布的分布系数。

表 8-3　组成环的常用分布曲线及系数 e、k 的数值（摘自 GB/T 5874—2004）

分布特征	正态分布	三角分布	均匀分布	瑞利分布	偏态分布	
					外尺寸	内尺寸
分布曲线						
e	0	0	0	-0.28	0.26	-0.26
k	1	1.22	1.73	1.14	1.17	1.17

当实际分布为正态分布，取置信水平 $P = 99.73\%$ 时，相对分布系数 $k = 1$。各种分布曲线的 k 值见表 8-3。

（2）基本公式

1）封闭环的公称尺寸。封闭环的公称尺寸仍按式（8-4）计算。

2）封闭环的公差。由于封闭环 A_0 的误差是若干独立的组成环 A_i 变量的函数误差，由式（8-3）可知，其误差传递系数 $\xi_i = \dfrac{\partial f}{\partial A_i}$，按照多个独立变量合成规律，封闭环的标准偏差 σ_0 与各组成环的标准偏差 σ_i 的关系为

$$\sigma_0 = \sqrt{\sum_{i=1}^{m} \xi_i^2 \sigma_i^2} \tag{8-17}$$

当各组成环的实际尺寸按正态分布，并取置信概率为 99.73% 的条件下，则各组成环公差 $T_i = 6\sigma_i$，封闭环公差 $T_0 = 6\sigma_0$，代入式（8-17），得

$$T_0 = \sqrt{\sum_{i=1}^{m} \xi_i^2 T_i^2} \tag{8-18}$$

当各组成环为非正态分布的任意分布时，应引入一个说明分布特征的相对分布系数 k，即

$$T_0 = \sqrt{\sum_{i=1}^{m} \xi_i^2 k_i^2 T_i^2} \tag{8-19}$$

不同形式的分布，其相对分布系数 k 值也不同，见表 8-3。应用式（8-18）计算的封闭环公差，称为统计公差。

3）封闭环的中间偏差。各环的中间偏差等于其上极限偏差与下极限偏差的平均值；并且封闭环的中间偏差 Δ_0 还等于所有增环的中间偏差 Δ_z 之和减去所有减环的中间偏差 Δ_j 之和，即

$$\left.\begin{aligned} \Delta_i &= \frac{1}{2}(ES_i + EI_i) \\ \Delta_0 &= \frac{1}{2}(ES_0 + EI_0) \\ \Delta_0 &= \sum_{z=1}^{n} \Delta_z - \sum_{j=n+1}^{m} \Delta_j \end{aligned}\right\} \tag{8-20}$$

式（8-20）适合于各组成环为对称分布的情况，如正态分布、三角分布等。当各组成环

为偏态分布或其他不对称分布时,要引入不对称系数 e(对称分布时 $e=0$)。

4)封闭环的极值偏差。各环的上极限偏差等于其中间偏差加上该环公差的一半;各环的下极限偏差等于其中间偏差减去该环公差的一半,即

$$\left.\begin{array}{l}\mathrm{ES}_0 = \Delta_0 + \dfrac{T_0}{2}, \quad \mathrm{EI}_0 = \Delta_0 - \dfrac{T_0}{2} \\ \mathrm{ES}_i = \Delta_i + \dfrac{T_i}{2}, \quad \mathrm{EI}_i = \Delta_i - \dfrac{T_i}{2}\end{array}\right\} \tag{8-21}$$

式(8-21)同样适用于极值法。

(3)实例计算

例 8-3:如图 8-1a 所示的装配关系,轴是固定的,齿轮在轴上回转,要求保证齿轮与挡圈之间的轴向间隙为 $0.10 \sim 0.35$mm。已知:$A_1 = 30$mm、$A_2 = 5$mm、$A_3 = 43$mm、$A_4 = 3_{-0.05}^{\ 0}$mm(标准件)、$A_5 = 5$mm。组成环的分布皆服从正态分布,且分布中心与公差带中心重合,分布范围与公差范围相同。现采用概率法装配,试确定各组成环公差和极限偏差。

解:本题是公差的合理分配问题。

(1)画出装配尺寸链图并校验各环公称尺寸 按题意,轴向间隙为 $0.10 \sim 0.35$mm,则封闭环 $A_0 = 0_{+0.10}^{+0.35}$mm,封闭环公差 $T_0 = 0.25$mm,本尺寸链共有 5 个组成环,其中 A_3 为增环,其传递系数 $\xi_3 = +1$,A_1、A_2、A_4、A_5 为减环,相应传递系数 $\xi_1 = \xi_2 = \xi_4 = \xi_5 = -1$,装配尺寸链如图 8-1b 所示。

封闭环的公称尺寸按式(8-4)有

$$A_0 = A_3 - (A_1 + A_2 + A_4 + A_5) = [43 - (30 + 5 + 3 + 5)]\mathrm{mm} = 0\mathrm{mm}$$

由计算可知,各组成环基本尺寸的已定数值正确无误。

(2)确定各组成环的公差 由题意可知,组成环的分布皆服从正态分布,按式(8-17)计算各组成环的平均公差,有

$$T_{\mathrm{av}} = \frac{T_0}{\sqrt{\sum_{i=1}^{m} \xi_i^2}} = \frac{0.25}{\sqrt{4 \times (+1)^2 + (-1)^2}}\mathrm{mm} = \frac{0.25}{\sqrt{5}}\mathrm{mm} \approx 0.11\mathrm{mm}$$

然后调整各组成环公差,A_3 为一轴类零件,与其他组成环相比加工难度较大,先选择较难加工的 A_3 为调整环,再根据各组成环公称尺寸和零件加工难易程度,以平均公差为基础,相对从严选取各组成环公差:$T_1 = 0.14$mm,$T_2 = T_5 = 0.08$mm,其公差等级约为 IT11,因为 $A_4 = 3_{-0.05}^{\ 0}$mm,则 $T_4 = 0.05$mm。由式(8-17)可得

$$T_3 = \sqrt{T_0^2 - (T_1^2 + T_2^2 + T_4^2 + T_5^2)} = \sqrt{0.25^2 - (0.14^2 + 0.08^2 + 0.05^2 + 0.08^2)}\mathrm{mm} \approx 0.16\mathrm{mm}(数值应只舍不入)$$

(3)确定各组成环的极限偏差 A_1、A_2、A_5 皆为外尺寸,按入体原则确定其极限偏差,得 $A_1 = 30_{-0.14}^{\ 0}$mm,$A_2 = A_5 = 5_{-0.08}^{\ 0}$mm。

按式(8-20)求得:封闭环 A_0 和组成环 A_1、A_2、A_4、A_5 的中间偏差分别为 $\Delta_0 = +0.225$mm,$\Delta_1 = -0.07$mm,$\Delta_2 = \Delta_5 = -0.04$mm,$\Delta_4 = -0.025$mm。

由式(8-20)求得调整环 A_3 的中间偏差为

$$\Delta_3 = \Delta_0 + (\Delta_1 + \Delta_2 + \Delta_4 + \Delta_5) = [+0.225 + (-0.07 - 0.04 - 0.025 - 0.04)]\text{mm} = +0.05\text{mm}$$

按式（8-21）求得调整环的极限偏差为

$$\text{ES}_3 = \Delta_3 + \frac{T_3}{2} = \left(+0.05 + \frac{0.16}{2}\right)\text{mm} = +0.13\text{mm}$$

$$\text{EI}_3 = \Delta_3 - \frac{T_3}{2} = \left(+0.05 - \frac{0.16}{2}\right)\text{mm} = -0.03\text{mm}$$

故 A_3 的极限偏差为 $A_3 = 43^{+0.13}_{-0.03}\text{mm}$。

（4）评价与应用　通过对要求相同的同一尺寸链进行两种方法的对比性计算，说明概率法解尺寸链所得各组成环公差比极值法算得的结果要大，经济效益好。因此，概率法经常用于组成环环数较多而封闭环精度较高的尺寸链。

但是，概率法解尺寸链只能保证大量同批零件中绝大部分具有互换性，例如取置信水平 $P = 99.73\%$，则有 0.27% 的废品率。因此，概率法又叫大数互换法。

对达不到要求的产品，必须有明确的工艺措施（如修配方法）来保证质量。

5. 田口实验法

田口实验法是日本学者田口玄一提出的一种实验设计方法，其首先对所有对实验结果有影响的因素进行水平组合，然后通过寻找所有实验因素的最优组合对所求问题的质量系统进行优化，以达到满意结果。利用田口实验法进行公差分析时，实验中的所有因素（即各组成环的公差值）分别对应公差分析函数模型的各输入变量，用 n 个组成环进行组合实验 3^n（$N = 3^n$）次，并得到封闭环公差实验值 x_1、x_2、$\cdots$、x_n，然后分别计算出一阶、二阶、三阶以及四阶中心距。各阶中心距的定义为

$$m_{1x} = \frac{\sum_{i=1}^{N} x_i}{N} \tag{8-22}$$

$$m_{2x} = \frac{\sum_{i=1}^{N} (x_i - m_{1x})^2}{N} \tag{8-23}$$

$$m_{3x} = \frac{\sum_{i=1}^{N} (x_i - m_{1x})^3}{N} \tag{8-24}$$

$$m_{4x} = \frac{\sum_{i=1}^{N} (x_i - m_{4x})^4}{N} \tag{8-25}$$

求出各阶中心距以后，再根据封闭环尺寸的分布，就可以得出相应的公差。当封闭环尺寸服从正态分布时，封闭环公差为

$$T_x = \frac{1}{6}\sqrt{m_{2x}} \tag{8-26}$$

田口实验法不需要明确的函数解析式，对设计函数的类型没有要求，也无需对设计函数求偏导处理，通过简单的实验设计方法就可以得出封闭环尺寸的分布特征，所以具有很宽的

应用范围,但是由于实验设计组合数目 $N=3^n$ 限制,该实验方法多用于组成环数 $n<10$ 的场合。同时,田口实验法只能达到三阶精度,为了提高计算精度,另有学者提出了基于高斯乘积积分方法的改进型田口实验法。

6. 蒙特卡洛法

蒙特卡洛法又称为随机模拟法,是一种以数理统计理论为基础,通过对随机变量的模拟抽样实验来求得问题近似解的方法。应用蒙特卡洛法进行公差分析的主要思路是首先产生符合各组成环尺寸分布规律的随机数,然后根据公差设计函数计算得出封闭环尺寸的值,在经过大量重复抽样实验并得到足够多封闭环尺寸样本后,再根据样本数据的统计特征得出相应的封闭环尺寸和公差。因为随机数的生成和反复进行的抽样实验带来的巨大计算量,需要大容量和高运算速度的计算机为平台去实现,蒙特卡洛方法在近些年逐步得到推广应用。不同公差分析方法之间的比较见表 8-4。

表 8-4 极值法、概率法、田口实验法和蒙特卡洛法对比

分析方法	组成环数目	偏导数	计算量	封闭环公差
极值法	较少	要求	小	保证完全互换
概率法	较多	要求	适中	大数互换,需满足特定分布条件才符合实际
田口实验法	一般小于 10	不要求	较大	精度有限
蒙特卡洛法	不限	不要求	很大	需要大量的模拟抽样实验来保证精度

以上公差分析方法广泛应用于平面或直线尺寸链或公差分析领域。近几年,利用基于三维公差模型的分析手段对产品装配精度进行控制,在航空航天、汽车等领域得到了广泛应用。

8.2 计算机辅助装配精度分析

8.2.1 计算机辅助装配精度分析软件

随着技术的发展,产品设计和仿真的主要方向还是逐渐要面向三维数字化集成应用。传统环境下的尺寸链公差分析方法已不能满足 CAD/CAM 发展的需求,如何进行基于三维 CAD 模型公差分析研究和仿真系统的开发,是目前研究的方向。

近几年,计算机辅助三维公差分析技术发展迅速,商业化软件已广泛使用并与 CAD 系统很好的集成,可实现三维数字化分析和优化。对于缩短产品研发周期,保证装配精度有重要的作用。目前,比较成熟的计算机辅助三维公差分析软件主要包括如下几款。

1. CETOL 6σ 公差分析软件

1990 年,美国 Brigham Young 大学的计算机辅助公差设计协会提出了 Vector-Loop 公差分析模型和线性化方法。Sigmetrix 公司在此研究方法的基础上开发了基于三维 CAD 模型的 CETOL 6σ 公差分析模块,通过装配体中几何表面的运动学特征节点进行公差建模,并以矢量回路搜索的方法构建累积矩阵实现对误差累积的求解。目前,该模块已经与 Pro/E 三维 CAD 系统相集成,但其通过系统矩阵法只能利用极值法和概率法进行公差分析。

2. 3DCS 公差分析软件

3DCS 软件是 DCS 公司开发的功能强大的用于三维公差分析的工具,现阶段已集成于

UG 软件和 CATIA V5 模块中。它主要包括两个核心功能：①3DCS Analyzer（3DCS 高级分析器），其基于方程的分析方法，能够精确识别装配体内的变化数量和变化源。②3DCS Optimizer（3DCS 优化器），是一种优化公差的工具，能使得以最小成本保证质量或者以固定成本得到最佳质量。3DCS 公差分析流程包括实体建模、前处理、仿真分析和结果分析与优化。

3. Vis VSA 可视化容差分析软件

由美国 EDS 公司开发的 Vis VSA（Visualization Variation Simulation Analysis）软件，通过实体建模、前处理、公差分析和后处理四个过程，可处理装配公差累积分析与优化。采用蒙特卡洛仿真技术，以 DRF 为基准参考框架，对几何特征的属性特征进行赋值，规定尺寸、定位、定向和形状公差，经过大量的模拟后进行统计分析，通过图表的形式反映封闭环的偏差统计规律、工序能力指数和各组成环的影响因子。

8.2.2 计算机辅助装配精度分析案例

本节以 3DCS 公差分析软件为例，说明计算机辅助公差分析的流程。由于 3DCS Variation Analyst for NX 软件以插件（组件）的形式集成于 NX（UG）软件，所以在进行三维公差建模时可以将于 NX 软件内创建好的零件模型直接导入公差分析环境中。在建立三维公差模型阶段，零件之间的装配顺序应与实际装配顺序相同，这样能较真实的模拟实际装配过程。在装配模拟和创建零件的公差信息阶段，能够通过演示动画查看公差对零件造成的影响，这有利于及时发现错误。在仿真分析阶段，3DCS 软件会运用蒙特卡洛方法进行模拟分析，之后输出测量目标的尺寸分布规律图。公差仿真分析的流程如下。

1. 导入创建好的零件三维模型

先在 NX 软件中建立好所需零件的三维模型，之后将创建好的零件三维模型导进 3DCS 环境内，3DCS 软件能够自动识别零件的几何信息并建立与之相对应的模型树，这对后续公差建模信息的添加很有帮助。

2. 定义基准和零件的公差信息

将基准和零件的公差信息添加到各特征表面。向零件的各个特征表面添加公差信息时，可以通过查看偏置动画来检查是否正确定义了公差。

3. 建立零件的装配顺序

为了较真实的模拟实际装配过程，需要使零件的装配顺序与实际装配顺序一致。在 3DCS 使用 Moves 模拟组装过程。Moves 定义了零件的放置方式，Moves 的顺序定义了装配零件的顺序。在定义装配顺序阶段，可以使用零件之间的轴与孔的配合，面与面的配合等作为约束条件。

4. 建立目标尺寸的测量

目标尺寸一般通过两个特征间的距离或相对位置来表达，将目标特征（线、面或点）添加到测量单元中作为仿真的目标。

5. 模拟装配仿真分析

在仿真分析阶段，3DCS 软件将模拟分析三维装配公差模型内待测量目标的变化情况，通过预先设计好的装配顺序对零件进行装配，同时运用蒙特卡洛随机数生成器，给预先定义好的公差随机增添变化来进行仿真分析。

6. 输出模拟仿真结果

在 3DCS 软件中，模拟仿真的结果主要以图表形式输出。模拟仿真结果主要包含目标尺寸的分布直方图、模拟的工艺能力指数、影响因子分析报告和贡献度报告。

以下以某国产自动步枪闭锁机构的装配精度设计为例，说明装配精度分析方法。

1. 首先创建或导入闭锁机构的零件模型

包括枪管、节套、机匣、枪机、标尺座和弹形样柱（弹形量规模拟弹壳）如图 8-10 所示。

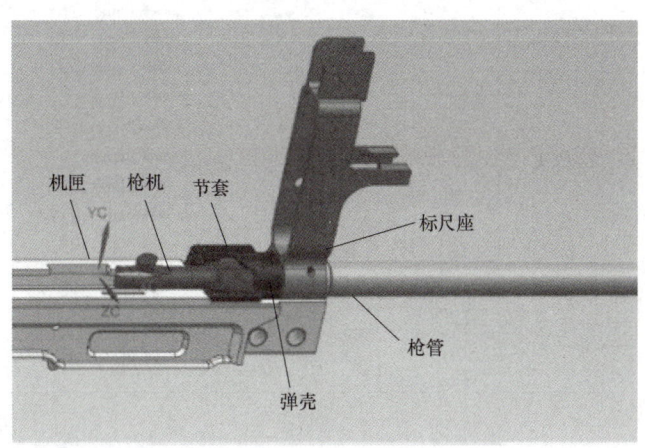

图 8-10 某国产自动步枪闭锁机构的零件模型

2. 定义特征、基准和公差信息

根据装配部件的结构特点，将各部件按照装配方向和顺序依次排列并保持中心线一致。整个闭锁机构中的公差以"轴-孔"配合与"面-面"配合在各个零部件之间传递。为了便于之后的装配约束的创建和几何公差的定义，我们需要对配合表面和关键基准面创建特征平面。根据基准统一原则，尽量保证设计基准与装配基准相互重合，进而提高分析计算的精度。

为了保证装配精度和机构动作的可靠性，对机匣导轨的平行度、枪机配合表面的平面度、枪管轴线的同轴度、弹膛或弹形样柱（弹壳）的形状误差和跳动误差的要求较高。依据设计要求，定义各零件特征的公差信息，包括尺寸公差和几何公差。

3. 建立三维装配顺序和模型树

根据武器的实际装配过程，选取机匣作为装配基础进行移动装配操作，装配顺序依次为标尺座、节套、枪机、弹壳和枪管。各个零部件的装配过程由彼此之间的配合关系所约束。装配仿真模拟按照定义的装配顺序和方向进行。其中装配顺序体现在总模型树的 Move 模块中，各零件的装配顺序与测量特征模型如图 8-11 所示。创建完善后的闭锁机构装配顺序与模型树见表 8-5。

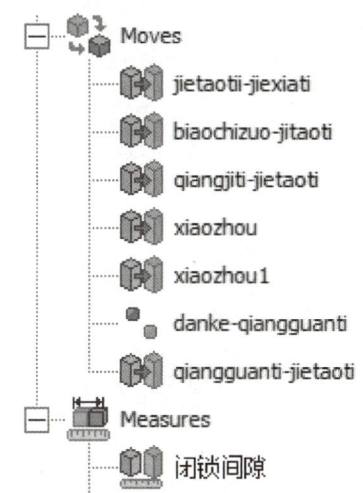

图 8-11 各零件的装配顺序与测量特征模型

表 8-5 闭锁机构装配顺序与模型树

操作步骤	操作内容	创建模型树	
1	导入闭锁机构零件模型	机匣、枪机、节套、标尺座、弹形样柱、枪管	
2	建立装配顺序定义公差信息	机匣	Tolerances Plane-左上 Plane-右上 Plane-中左 Plane-中右 Plane-A Plane-B Plane-C Plane-D Plane-内右 Plane-内左 Hole Hole-1 Plane-外左 Plane-外右
		枪机	Tolerances 枪机体-Plane-机头平面 枪机体-弹底平面 Plane-C Hole-A Plane-B
		节套	Tolerances 节套-Plane-尾配合面 Hole pin-mid Plane-A Plane-B Plane-下右 Plane-上左 Plane-上右
		标尺座	Tolerances Hole-2 Hole-1 Plane-下左 Plane-下右

(续)

操作步骤	操作内容		创建模型树
2	建立装配顺序定义公差信息	弹形样柱	Tolerances 弹壳-弹底平面 弹壳-外表平面 弹壳-前表平面
		枪管	Tolerances 枪管-Plane-尾端平面 Hole-外表平面 Plane-内表平面
3	创建测量目标	闭锁间隙	测量面(弹形样柱(弹壳)尾端面)—测量面(枪机弹底平面)

4. 定义测量目标

为了明确装配精度的评价标准,我们需要定义闭锁机构的关键控制尺寸即(弹底)闭锁间隙,并按照装配精度的要求来约束闭锁间隙尺寸的上限和下限。闭锁间隙常常为弹壳(或弹形样柱)尾端面至枪机弹底平面的轴向距离。由此将弹壳(或弹形样柱)尾端面至枪机弹底平面的距离作为主要测量目标,通过基于蒙特卡洛的装配模拟仿真,将各个零件的偏差进行累积分析,从而获得闭锁间隙的分布规律。闭锁间隙的示意图如图 8-12 所示。

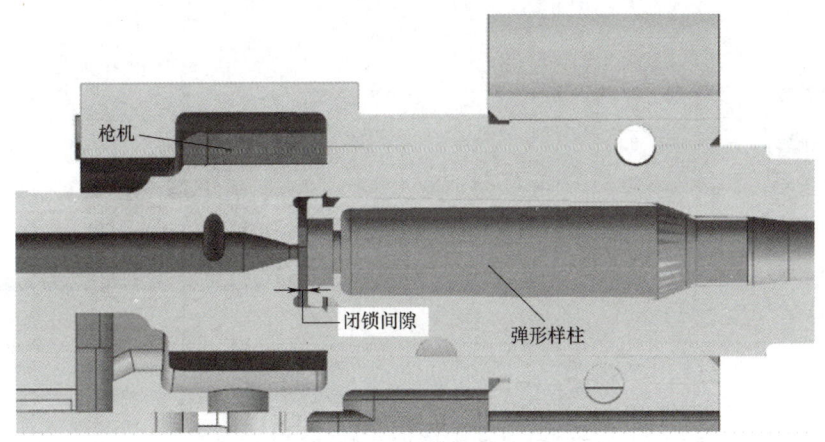

图 8-12　闭锁间隙的示意图

5. 设置模拟仿真分析参数

为了执行合理的模拟仿真分析,我们首先要设置模拟仿真参数,包括循环次数、蒙特卡洛仿真次数、仿真参数与结果显示方式等。蒙特卡洛仿真的次数增多,获得结果的精度也会有所提高。本例中选择运行 5000、10000 和 20000 次模拟分析,依据获得的统计分析结果,尺寸通常服从正态分布,通常假设公差位于 6σ 范围内的零件是合格零件,合格率为 99.73%。

6. 仿真模拟和结果分析

在仿真模拟结束后输出结果。分析结果中含有各个配合特征对闭锁间隙的影响因子分析报告和贡献度报告。由于尺寸误差和几何误差的存在,弹形样柱(弹壳)同弹膛的接触位置在轴向方向上具有不确定性,且它们各自形状误差或斜向圆跳动误差的存在都会影响模拟仿真分析获得的装配精度。具体的装配精度仿真分析结果如图 8-13~图 8-15 所示。

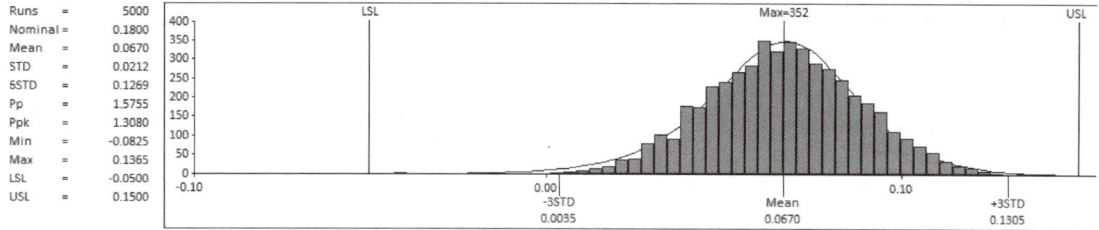

图 8-13　模拟 5000 次的分析结果

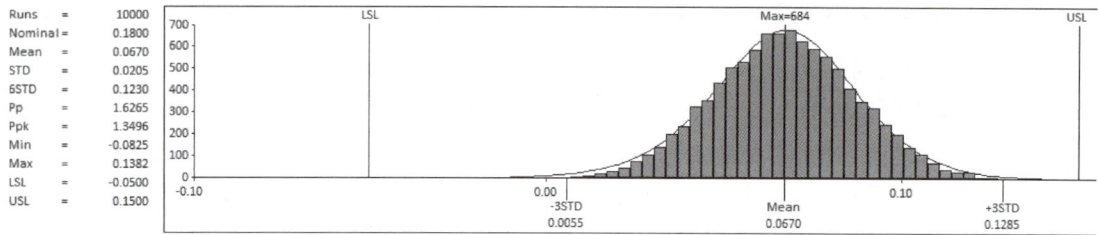

图 8-14　模拟 10000 次的分析结果

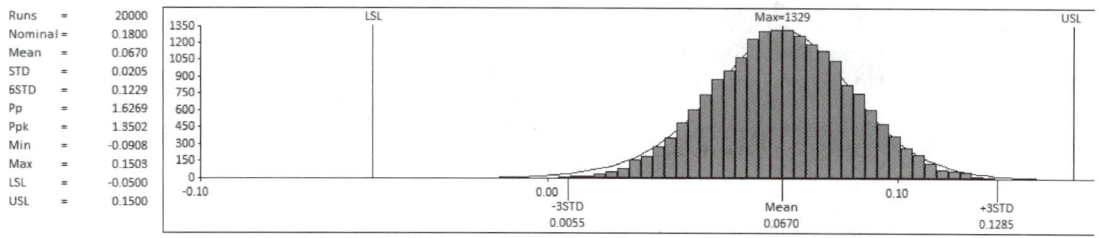

图 8-15　模拟 20000 次的分析结果

由闭锁间隙模拟仿真分析结果知，随着模拟次数的增加，闭锁间隙的尺寸分布规律越来越符合正态分布曲线的变化规律，这是与实际生产制造过程中的数据相符的。闭锁间隙在 6σ 的区间范围为 $0.0055~0.1285$ mm，结合闭锁间隙的装配精度要求为 $-0.05~0.15$ mm，能够发现闭锁间隙满足装配精度的要求。闭锁间隙的贡献度报告和影响因子分析报告如图 8-16、图 8-17 所示。

通过分析闭锁间隙贡献度报告，能够获得各装配零件配合特征对闭锁间隙变动的影响程度。其中，枪机机头平面与枪机弹底平面对闭锁间隙的贡献度最高为 43.99%，弹壳尾端平面与枪管尾端平面对闭锁间隙的贡献度为 4.30%，节套尾端配合面对闭锁间隙的贡献度为 2.75%。另外弹壳与枪管装配的相对位置误差和弹壳外表面与枪管内表面的同轴度误差也会影响闭锁间隙，但其对闭锁间隙的影响极小，可忽略不计。通过分析闭锁间隙的影响因子报告，我们发现各个尺寸影响因子的绝对值都不大于 1，这表示了各个零件的尺寸结构是稳定

```
Meas1 of 2: 闭锁间隙 - Measure True Distance Feature-Feature (CadSurf5,CadSurf4)
--
Index  Contributor              Feature           Part                Range      Contribution
1      枪机体-Plane-机头平面      CadSurf2          JITOU               M:0.080    43.99%
2      枪机体-弹底平面            CadSurf5          JITOU               M:0.080    43.99%
3      弹壳-弹底平面              CadSurf4          DANKE_SLDPRT        M:0.025    4.30%
4      枪管体-Plane-尾端平面      CadSurf7(Group)   QIANGGUAN_SLDPRT    M:0.025    4.30%
5      节套体-Plane-尾配合面      CadSurf8          01-18ZP-2_SLDPRT    M:0.020    2.75%
6      HP_danke-qiangguanti     CadSurf2          BiSuoJianXi_asm1    C:0.320    0.66%
7      Plane-内表平面            CadSurf3          QIANGGUAN_SLDPRT    M:0.010    0.01%
8      HP_danke-qiangguanti     CadSurf3          BiSuoJianXi_asm1    C:0.022    0.00%
```

图 8-16 闭锁间隙的贡献度报告

```
Meas1 of 2: 闭锁间隙 - Measure True Distance Feature-Feature (CadSurf5,CadSurf4)
--
Index  Contributor    Feature              Part               Range      G Factor    6-Sigma     Contribution
1      HP_danke-qia   CadSurf2             BiSuoJianXi_a      0.320000   0.180942    0.122827    50.958332%
2      枪机体-弹底     CadSurf5             JITOU              0.080000   1.000000    0.080000    21.617477%
3      枪机体-Plane   CadSurf2             JITOU              0.080000   -1.000000   0.080000    21.617477%
4      弹壳-弹底平    CadSurf4             DANKE_SLDPF        0.025000   -1.000000   0.025000    2.111082%
5      枪管体-Plane   CadSurf7(Grot        QIANGGUAN_S        0.025000   -1.000000   0.025000    2.111082%
6      节套体-Plane   CadSurf8             01-18ZP-2_SLD      0.020000   -1.000000   0.020000    1.351092%
7      HP_danke-qia   CadSurf3             BiSuoJianXi_a      0.021656   0.176831    0.008123    0.222897%
8      Plane-内表平   CadSurf3             QIANGGUAN_S        0.010000   0.176831    0.001768    0.010562%
Total                                                                                0.172063
```

图 8-17 闭锁间隙的影响因子分析报告

的。因此对闭锁间隙的装配精度设计符合要求。

8.3 公差分配及优化方法

8.3.1 概述

公差分配又称为公差综合，它是指将已知产品装配公差值依照一定的规则或准则分配到各个零件公差中的过程。传统的公差分配方法有两类：一类为采用公差标准与手册，与已有设计类比，并依靠设计者经验，由于主要凭借设计人员的经验进行，因此需要多次反复试算才能获得公差分配结果。另一类为采用经验法的公差分配法，包括等公差法、等精度法、比例缩放法、精度因子法等，这些方法结合比例因子和经验法确定装配累积公差，并与给定装配公差比较来进行公差分配，不需要反复试算就可以得到公差分配。传统公差方法没有考虑公差对制造成本的影响，虽然在某种程度上能够满足产品的装配和功能需求，保证产品质量，但其设计精确性主要取决于设计人员在产品设计和制造方面经验的丰富程度，具有一定的主观性，往往会致使分配的公差过紧，从而致使制造成本过高。

为了合理分配公差，寻找产品质量性能和制造成本的最佳平衡点，许多研究者把产品公差分配作为一个优化问题。通常以装配组成环的公差为优化设计变量，以制造成本、制造成本与质量损失之和等最小为目标，以公差累积条件、装配成功率等为约束建立公差优化模型，然后根据目标函数和约束条件的复杂程度选择适当的优化算法进行优化，其优化方案框图如图 8-18 所示。其中 $Y=F(X)$ 为装配响应函数，Y 为封闭环，包含 L 个组成环，其矢量形式为 $X=[x_1, x_2 \cdots, x_L]$。根据具体产品装配公差优化设计的实际情况，学者们从公差的目标函数、约束条件、优化算法等方面入手进行了深入的研究。根据设计目标侧重点不同，有以制造成本、制造成本与质量损失之和等最小为单目标进行优化,也有以制造成本、质量损失、装配响应时间方差等分别最小为多目标进行优化,同时必须满足各种边界条件约束(如装配功能约束、加工能力约束等)。良好的公差优化分配不仅能提高产品质量,降低加工制造成本还能有效提高产品的装配成功率。而在实际生产中,产品质量、产品制造成本和装配成功率这三者是互相影响的,如何调整装配公差的分配使得产品在满足产品质量和装配成功率要求的条件下,还能尽量降低产品的加工制造成本是公差优化的主要任务。

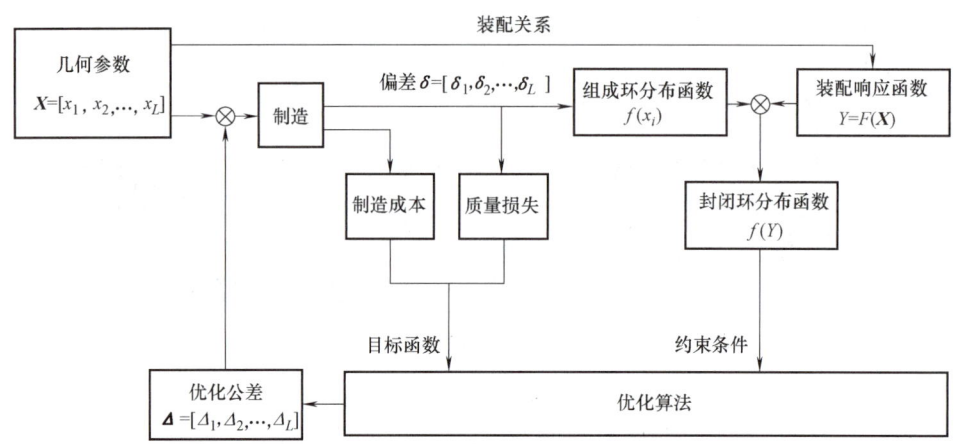

图 8-18　公差优化流程图

8.3.2　基于加工成本和质量损失的公差优化模型

1. 加工成本模型

加工成本是生产制造过程中一切成本的总和。一般来说,在设计时给零件较小的公差能保证设计功能要求和零件的可装配性,但因此也会导致成本的增加。由于零件的几何特征、结构尺寸的不同,影响因素很多,对于不同类型的加工成本与公差关系很难通过一个数学模型来精确描述。经过长期研究,研究者们已建立起不同类型的数学函数关系,见表 8-6。

表 8-6　公差与制造成本的数学模型

数学模型	数学表达式	数学模型	数学表达式
指数	$C(T) = a_0 e^{-a_1 T}$	指数和幂指数复合	$C(T) = a_0 e^{-a_1 T} + T^{-a_2}$
负平方	$C(T) = a_0 + a_0/T^2$	线性和指数复合	$C(T) = a_0 + a_1 T + a_2 T^{-a_3}$
幂指数	$C(T) = a_0 T^{-a_1}$	指数复合	$C(T) = a_0 e^{-a_1 T} + a_2 e^{-a_3/T}$
多项式	$C(T) = a_0 + a_1 T + a_2 T^2 + \cdots + a_n T^n$	指数和分式复合	$C(T) = a_0 e^{-a_1 T} + \dfrac{T a_1}{a_2 T + a_3}$

表 8-6 所列 8 种数学模型中,因变量均随自变量的增大而减小,且最终趋于常量,均呈下凹递减的趋势。其中,计算较复杂的是各种复合模型,精度最高的是多项式模型,最简便、适用的是指数模型。它们的共同点是:为了确定公差值与制造成本之间的确切关系,首先求出模型中的系数,进而得到公差与制造成本的模型表达式。通常先对实验数据进行曲线拟合,再用最小二乘法求出模型中的系数。模型越复杂精度越高,但拟合的难度越大。

2. 质量损失模型

质量损失模型描述了预设质量目标与实际质量之间的对应关系，为了对它进行定量描述，引入了质量损失函数的概念。函数首先假设产品的质量特征值偏离目标值就会造成损失，并将质量特征分为三种：望目特征、望小特征和望大特征，并确定相应的损失函数。

设产品的质量特征值为 y，目标值为 m。可以认为当 $y=m$ 时，造成的损失为零，即不造成损失；而当 $y \neq m$ 时，则造成损失，$|y-m|$ 越大，损失也越大。用 $L(y)$ 来表示与质量特征值 y 对应的损失。若 $L(y)$ 在 $y=m$ 处存在高阶导数，根据泰勒级数展开式有

$$L(y) = L(m) + \frac{L'(m)}{1!}(y-m) + \frac{L''(m)}{2!}(y-m)^2 + \cdots \tag{8-27}$$

根据式（8-27）假定，当 $y=m$ 时 $L(y)=0$；同时由于 $L(y)$ 在 $y=m$ 处有最小值，因此 $L'(m)=0$，由此泰勒级数展开式省略高阶项可得到三种损失函数。

1）望目特征质量损失函数。

$$L(y) = k(y-m)^2 \tag{8-28}$$

式中，k 为质量损失系数。当 $|y-m| \leq T$ 时，产品合格；当 $|y-m| > T$ 时，产品不合格。若产品不合格时的损失为 A，则在界限点上有 $A = kT^2$，故 $k = A/T^2$。

2）望小特征质量损失函数。

$$L(y) = ky^2 \tag{8-29}$$

式中，k 为质量损失系数，$k = A/T^2$，当 $0 < y \leq T$ 时，产品合格。

3）望大特征质量损失函数。

$$L(y) = k/y^2 \tag{8-30}$$

式中，k 为质量损失系数，$k = AT^2$，当 $y \geq T$ 时，产品合格。

在公差设计中，$(y-m)$ 代表公差带 T，则设计公差为 T_i 的尺寸造成的质量损失成本为

$$L(T_i) = \frac{A}{T^2}T_i^2 \tag{8-31}$$

因此产品总的质量损失成本为

$$C_1(T) = \sum_{i=1}^{n} L(T_i) \tag{8-32}$$

式中，n 为产品中的公差数目。

3. 优化目标函数

公差的变动通常会引起产品的加工成本和装配精度的波动，目前的公差设计根据装配功能采用最小成本法进行公差分配，而没有考虑公差变动对加工成本和质量损失产生的影响。为解决加工成本与质量损失之间的矛盾关系，可以通过贡献度分析获得各几何特征的影响因子，根据加工精度要求给各个加工成本分配权重系数，综合考虑贡献度的影响因子，并建立以加工成本函数和质量损失函数为目标的优化模型，在公差变动的影响下使零件的加工成本和质量损失达到最小。因此，优化的目标函数为

$$\min C = \sum_{i=1}^{n} \omega_i C_m(T_i) + \sum_{i=1}^{n} \omega_i C_1(T) \tag{8-33}$$

式中，ω_i 为加权系数；$C_m(T_i)$ 为加工成本函数；$C_1(T)$ 为质量损失函数。

（1）工序能力指数约束关系　工序能力指数是衡量产品的可制造性的指标之一，质量

损失函数是评价产品质量的指标。工序能力指数的大小与产品的加工工序有关，对于不同的加工特征和不同公差要求 C_p 的值也不同。C_p 取值的基本原则是：既要考虑充足的加工工艺能力，又要考虑加工经济性。故工序能力指数的约束范围为

$$C_{\text{pmin}} \leq C_{\text{pi}} = \frac{T_i}{6\sigma} \leq C_{\text{pmax}} \tag{8-34}$$

式中，C_{pmin} 是工序能力指数下限；C_{pmax} 是工序能力指数上限。

通常根据实际加工情况考虑装配精度要求，根据指数约束范围，当 $1 < C_p < 1.33$ 时，加工处于正常范围，当 $C_p > 1.67$ 时工序能力过剩。因此在公差优化时 C_p 一般取 $1 \sim 1.67$。

（2）公差累积约束关系 公差累积约束是装配工艺的技术要求，即对加工出的零件在装配后产生的公差累积进行约束，才能实现装配精度要求。由于不同零件在加工过程中都存在偏差，经过装配后偏差将会累积到装配间隙上，当公差累积超过设计公差要求时，就实现不了预期的装配精度。因此定义约束如下：

$$\sqrt{\sum_{i=1}^{n} \lambda_i T_i^2} \leq T_{0i} \tag{8-35}$$

式中，T_{0i} 为满足产品装配精度的公差累积；λ_i 为公差选择系数。

4. 公差优化模型求解

综上所述，可以建立公差优化模型为

$$\begin{cases} \min F(T) = \sum_{i=1}^{n} \omega_i C_m(T_i) + \sum_{i=1}^{n} \omega_i C_1(T) \\ C_m(T) = c_0 + c_1 T + c_2 e^{-c_3 T} \\ C_1(T) = \frac{A}{T^2} T_i^2 \\ s.t. \quad C_{\text{pmin}} \leq \frac{T_i}{6\sigma} \leq C_{\text{pmax}}, \quad i = 1, 2, 3, \cdots, n \\ \sqrt{\sum_{i=1}^{n} \lambda_i T_i^2} \leq T_{0i}, \quad i = 1, 2, 3, \cdots, n \\ T \leq T_i \end{cases} \tag{8-36}$$

多目标优化问题往往要求各分量的目标都达到最优，如能获得这样的结果，当然是比较理想的，但一般比较困难，尤其是各个分目标的优化互相矛盾时更加如此。多目标优化的求解方法甚多，可以通过加权法将加工成本和质量损失两个优化目标转化为单目标优化来求解。即将多目标函数组成综合目标函数，把一个要最小化的函数 $F(T)$ 规定为有关性质的联合，建立这样的综合目标函数，找到合理的权系数 ω_i，以反映各个单目标对分析结果的影响程度。通过贡献度分析计算，将各零件特征的影响因子作为权重系数，转化为单目标优化问题。

优化算法是公差优化设计的重要组成部分。优化的目的是在约束条件下，通过调整公差分配结果，使优化目标最小化。为了取得较优的公差分配结果，国内外学者在公差优化算法方面取得了大量的研究成果，总体可分为：解析法和迭代法。解析法主要包括拉格朗日法、线性规划法和非线性规划法，适用于有明确表达式的线性模型，这类算法运算较简便、计算

误差较大。当目标函数较为复杂时，无法直接求最优解，可用经过若干次迭代搜索的方法得到最优解，这就是迭代法。迭代法主要包括：坐标轮换、遗传算法、神经网络、粒子群、模拟退火和蚁群算法等。

习 题

1. 什么是封闭环，封闭环有何性质和特点？如何确定封闭环？
2. 什么是增环和减环，如何判定增环和减环？
3. 如图 8-19 所示为机床部件装配图，要求保证间隙 $N = 0.25$mm，若给定尺寸 $A_1 = 25^{+0.100}_{0}$mm，$A_2 = 25 \pm 0.100$mm，$A_3 = 0 \pm 0.005$mm，试校核这几项的偏差能否满足装配要求，如不满足则分析应采取的对策。

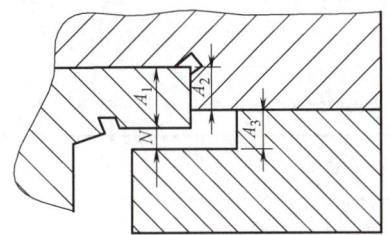

图 8-19 机床部件装配图

4. 如图 8-20 所示曲轴、连杆和衬套等零件装配图，装配后要求间隙为 $N = 0.1 \sim 0.2$mm，而图样设计时 $A_1 = 150^{+0.016}_{0}$mm，$A_2 = A_3 = 75^{-0.02}_{-0.06}$mm，试验算设计图样给定零件的极限尺寸是否合理？

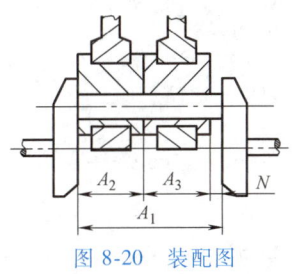

图 8-20 装配图

功勋科学家：
雷震海天

功勋科学家：
彭桓武

附　　录

附录 A

表 A-1　10～100mm 标准尺寸系列（摘自 GB/T 2822—2005）　　　（单位：mm）

R			R′		
R10	R20	R40	R′10	R′20	R′40
10.0	10.0		10	10	
		11.2			11
12.5	12.5	12.5	12	12	12
		13.2			13
	14.0	14.0		14	14
		15.0			15
16.0	16.0	16.0	16	16	16
		17.0			17
	18.0	18.0		18	18
		19.0			19
20.0	20.0	20.0	20	20	20
		21.2			21
	22.4	22.4		22	22
		23.6			24
25.0	25.0	25.0	25	25	25
		26.5			26
	28.0	28.0		28	28
		30.0			30
31.5	31.5	31.5	32	32	32
		33.5			34
	35.5	35.5		36	36
		37.5			38
40.0	40.0	40.0	40	40	40
		42.5			42
	45.0	45.0		45	45
		47.5			48
50.0	50.0	50.0	50	50	50
		53.0			53
	56.0	56.0		56	56
		60.0			60
63.0	63.0	63.0	63	63	63
		67.0			67

(续)

R			R′		
R10	R20	R40	R′10	R′20	R′40
		71.0			71
	71.0	75.0		71	75
80.0	80.0	80.0	80	80	80
		85.0			85
	90.0	90.0		90	90
		95.0			95
100.0	100.0	100.0	100	100	100

注：R′系列中的黑体字，为 R 系列相应各项优先数的化整值。

附录 B

表 B-1 常用公称尺寸至 3150mm 的标准公差数值（摘自 GB/T 1800.2—2020）

公称尺寸 /mm		标准公差等级																	
		IT1	IT2	IT3	IT4	IT5	IT6	IT7	IT8	IT9	IT10	IT11	IT12	IT13	IT14	IT15	IT16	IT17	IT18
大于	至	μm											mm						
—	3	0.8	1.2	2	3	4	6	10	14	25	40	60	0.1	0.14	0.25	0.4	0.6	1	1.4
3	6	1	1.5	2.5	4	5	8	12	18	30	48	75	0.12	0.18	0.3	0.48	0.75	1.2	1.8
6	10	1	1.5	2.5	4	6	9	15	22	36	58	90	0.15	0.22	0.36	0.58	0.9	1.5	2.2
10	18	1.2	2	3	5	8	11	18	27	43	70	110	0.18	0.27	0.43	0.7	1.1	1.8	2.7
18	30	1.5	2.5	4	6	9	13	21	33	52	84	130	0.21	0.33	0.52	0.84	1.3	2.1	3.3
30	50	1.5	2.5	4	7	11	16	25	39	62	100	160	0.25	0.39	0.62	1	1.6	2.5	3.9
50	80	2	3	5	8	13	19	30	46	74	120	190	0.3	0.46	0.74	1.2	1.9	3	4.6
80	120	2.5	4	6	10	15	22	35	54	87	140	220	0.35	0.54	0.87	1.4	2.2	3.5	5.4
120	180	3.5	5	8	12	18	25	40	63	100	160	250	0.4	0.63	1	1.6	2.5	4	6.3
180	250	4.5	7	10	14	20	29	46	72	115	185	290	0.46	0.72	1.15	1.85	2.9	4.6	7.2
250	315	6	8	12	16	23	32	52	81	130	210	320	0.52	0.81	1.3	2.1	3.2	5.2	8.1
315	400	7	9	13	18	25	36	57	89	140	230	360	0.57	0.89	1.4	2.3	3.6	5.7	8.9
400	500	8	10	15	20	27	40	53	97	155	250	400	0.63	0.97	1.55	2.5	4	6.3	9.7
500	630	9	11	16	22	32	44	70	110	175	280	440	0.7	1.1	1.75	2.8	4.4	7	11
630	800	10	13	18	25	36	50	80	125	200	320	500	0.8	1.25	2	3.2	5	8	12.5
800	1000	11	15	21	28	40	56	90	140	230	360	560	0.9	1.4	2.3	3.6	5.6	9	14
1000	1250	13	18	24	33	47	66	105	165	260	420	660	1.05	1.65	2.6	4.2	6.6	10.5	16.5
1250	1600	15	21	29	39	55	78	125	195	310	500	780	1.25	1.95	3.1	5	7.8	12.5	19.5
1600	2000	18	25	35	46	65	92	150	230	370	600	920	1.5	2.3	3.7	6	9.2	15	23
2000	2500	22	30	41	55	78	110	175	280	440	700	1100	1.75	2.8	4.4	7	11	17.5	28
2500	3150	26	36	50	68	96	135	210	330	540	860	1350	2.1	3.3	5.4	8.6	13.5	21	33

注：1. 公称尺寸大于 500mm 的 IT1~IT5 的标准公差数值为试行。

2. 公称尺寸小于或等于 1mm 时，无 IT14~IT18。

附录 C

表 C-1 公称尺寸 ≤500mm 轴的基本偏差数值（摘自 GB/T 1800.1—2020）

（单位：μm）

基本偏差		上极限偏差 es									下极限偏差 ei													
		所有的级									js②		j			k		m	n	p	r	s	t	u	v	x	y	z	za	zb	zc
公称尺寸/mm		a①	b①	c	cd	d	e	ef	f	fg	g	h		5,6	7	8	4~7	≤3, >7							所有的级							
大于	至												偏差等于 ±IT$_n$/2																			
—	3	−270	−140	−60	−34	−20	−14	−10	−6	−4	−2	0		−2	−4	−6	0	0	+2	+4	+6	+10	+14	—	+18	—	+20	—	+26	+32	+40	+60
3	6	−270	−140	−70	−46	−30	−20	−14	−10	−6	−4	0		−2	−4	—	+1	0	+4	+8	+12	+15	+19	—	+23	—	+28	—	+35	+42	+50	+80
6	10	−280	−150	−80	−56	−40	−25	−18	−13	−8	−5	0		−2	−5	—	+1	0	+6	+10	+15	+19	+23	—	+28	—	+34	—	+42	+52	+67	+97
10	14	−290	−150	−95	—	−50	−32	—	−16	—	−6	0		−3	−6	—	+1	0	+7	+12	+18	+23	+28	—	+33	—	+40	—	+50	+64	+90	+130
14	18	−290	−150	−95	—	−50	−32	—	−16	—	−6	0		−3	−6	—	+1	0	+7	+12	+18	+23	+28	—	+33	+39	+45	—	+60	+77	+108	+150
18	24	−300	−160	−110	—	−65	−40	—	−20	—	−7	0		−4	−8	—	+2	0	+8	+15	+22	+28	+35	—	+41	+47	+54	+63	+73	+90	+136	+188
24	30	−300	−160	−110	—	−65	−40	—	−20	—	−7	0		−4	−8	—	+2	0	+8	+15	+22	+28	+35	+41	+48	+55	+64	+75	+88	+118	+160	+218
30	40	−310	−170	−120	—	−80	−50	—	−25	—	−9	0		−5	−10	—	+2	0	+9	+17	+26	+34	+43	+48	+60	+68	+80	+94	+112	+148	+200	+274
40	50	−320	−180	−130	—	−80	−50	—	−25	—	−9	0		−5	−10	—	+2	0	+9	+17	+26	+34	+43	+54	+70	+81	+97	+114	+136	+180	+242	+325
50	65	−340	−190	−140	—	−100	−60	—	−30	—	−10	0		−7	−12	—	+2	0	+11	+20	+32	+41	+53	+66	+87	+102	+122	+144	+172	+226	+300	+405
65	80	−360	−200	−150	—	−100	−60	—	−30	—	−10	0		−7	−12	—	+2	0	+11	+20	+32	+43	+59	+75	+102	+120	+146	+174	+210	+274	+360	+480
80	100	−380	−220	−170	—	−120	−72	—	−36	—	−12	0		−9	−15	—	+3	0	+13	+23	+37	+51	+71	+91	+124	+146	+178	+214	+258	+335	+445	+585
100	120	−410	−240	−180	—	−120	−72	—	−36	—	−12	0		−9	−15	—	+3	0	+13	+23	+37	+54	+79	+104	+144	+172	+210	+254	+310	+400	+525	+690
120	140	−460	−260	−200	—	−145	−85	—	−43	—	−14	0		−11	−18	—	+3	0	+15	+27	+43	+63	+92	+122	+170	+202	+248	+300	+365	+470	+620	+800
140	160	−520	−280	−210	—	−145	−85	—	−43	—	−14	0		−11	−18	—	+3	0	+15	+27	+43	+65	+100	+134	+190	+228	+280	+340	+415	+535	+700	+900
160	180	−580	−310	−230	—	−145	−85	—	−43	—	−14	0		−11	−18	—	+3	0	+15	+27	+43	+68	+108	+146	+210	+252	+310	+380	+465	+600	+780	+1000
180	200	−660	−340	−240	—	−170	−100	—	−50	—	−15	0		−13	−21	—	+4	0	+17	+31	+50	+77	+122	+166	+236	+284	+350	+425	+520	+670	+880	+1150
200	225	−740	−380	−260	—	−170	−100	—	−50	—	−15	0		−13	−21	—	+4	0	+17	+31	+50	+80	+130	+180	+258	+310	+385	+470	+575	+740	+960	+1250
225	250	−820	−420	−280	—	−170	−100	—	−50	—	−15	0		−13	−21	—	+4	0	+17	+31	+50	+84	+140	+196	+284	+340	+425	+520	+640	+820	+1050	+1350
250	280	−920	−480	−300	—	−190	−110	—	−56	—	−17	0		−16	−26	—	+4	0	+20	+34	+56	+94	+158	+218	+315	+385	+475	+580	+710	+920	+1200	+1550
280	315	−1050	−540	−330	—	−190	−110	—	−56	—	−17	0		−16	−26	—	+4	0	+20	+34	+56	+98	+170	+240	+350	+425	+525	+650	+790	+1000	+1300	+1700
315	355	−1200	−600	−360	—	−210	−125	—	−62	—	−18	0		−18	−28	—	+4	0	+21	+37	+62	+108	+190	+268	+390	+475	+590	+730	+900	+1150	+1500	+1900
355	400	−1350	−680	−400	—	−210	−125	—	−62	—	−18	0		−18	−28	—	+4	0	+21	+37	+62	+114	+208	+294	+435	+530	+660	+820	+1000	+1300	+1650	+2100
400	450	−1500	−760	−440	—	−230	−135	—	−68	—	−20	0		−20	−32	—	+5	0	+23	+40	+68	+126	+232	+330	+490	+595	+740	+920	+1100	+1450	+1850	+2400
450	500	−1650	−840	−480	—	−230	−135	—	−68	—	−20	0		−20	−32	—	+5	0	+23	+40	+68	+132	+252	+360	+540	+660	+820	+1000	+1250	+1600	+2100	+2600

① 1mm 以下各级 a 和 b 均不采用。
② js 的数值中，对 IT7 至 IT11，若 IT$_n$ 的数值为奇数，则取偏差 =(IT$_n$−1)/2。

附录 D

表 D-1 公称尺寸 ≤500mm 孔的基本偏差数值（摘自 GB/T 1800.1—2020）

（单位：μm）

基本偏差	A[①]	B[①]	C	CD	D	E	EF	F	FG	G	H	JS	J			K		M		N		P到ZC	P	R	S	T	U	V	X	Y	Z	ZA	ZB	ZC	Δ[②]						
	下极限偏差 EI															上极限偏差 ES																									
	所有的级												6	7	8	≤8	>8	≤8	>8	≤8	>8	≤7	公 差 等 级 >7级												3	4	5	6	7	8
公称尺寸/mm 大于 至												偏差等于±IT/2																													
— 3	+270	+140	+60	+34	+20	+14	+10	+6	+4	+2	0		+2	+4	+6	0	0	−2	−2	−4	−4	在大于7级的相应数值上增加一个Δ值	−6	−10	−14	—	−18	—	−20	—	−26	−32	−40	−60	3	—	1.5	1	3	5
3 6	+270	+140	+70	+46	+30	+20	+14	+10	+6	+4	0		+5	+6	+10	−1+Δ	—	−4+Δ	−4	−8+Δ	0		−12	−15	−19	—	−23	—	−28	—	−35	−42	−50	−80	4	—	1.5	1.5	3	6
6 10	+280	+150	+80	+56	+40	+25	+18	+13	+8	+5	0		+5	+8	+12	−1+Δ	—	−6+Δ	−6	−10+Δ	0		−15	−19	−23	—	−28	—	−34	—	−42	−52	−67	−97	6	—	2	1.5	3	7
10 14	+290	+150	+95	—	+50	+32	—	+16	—	+6	0		+6	+10	+15	−1+Δ	—	−7+Δ	−7	−12+Δ	0		−18	−23	−28	—	−33	—	−40	—	−50	−64	−90	−130	7	—	3	2	3	7
14 18																											−39		−45	—	−60	−77	−108	−150						
18 24	+300	+160	+110	—	+65	+40	—	+20	—	+7	0		+8	+12	+20	−2+Δ	—	−8+Δ	−8	−15+Δ	0		−22	−28	−35	—	−41	−47	−54	−63	−73	−88	−136	−188	8	—	3	2	4	8
24 30																										−41	−48	−55	−64	−75	−88	−118	−160	−218						
30 40	+310	+170	+120	—	+80	+50	—	+25	—	+9	0		+10	+14	+24	−2+Δ	—	−9+Δ	−9	−17+Δ	0		−26	−34	−43	−48	−60	−68	−80	−94	−112	−148	−200	−274	9	—	3	3	5	9
40 50	+320	+180	+130	—																						−54	−70	−81	−97	−114	−136	−180	−242	−325						
50 65	+340	+190	+140	—	+100	+60	—	+30	—	+10	0		+13	+18	+28	−2+Δ	—	−11+Δ	−11	−20+Δ	0		−32	−41	−53	−66	−87	−102	−122	−144	−172	−226	−300	−405	11	—	4	3	5	11
65 80	+360	+200	+150	—																				−43	−59	−75	−102	−120	−146	−174	−210	−274	−360	−480						
80 100	+380	+220	+170	—	+120	+72	—	+36	—	+12	0		+16	+22	+34	−3+Δ	—	−13+Δ	−13	−23+Δ	0		−37	−51	−71	−91	−124	−146	−178	−214	−258	−335	−445	−585	13	—	4	3	5	13
100 120	+410	+240	+180	—																				−54	−79	−104	−144	−172	−210	−254	−310	−400	−525	−690						
120 140	+460	+260	+200	—	+145	+85	—	+43	—	+14	0		+18	+26	+41	−3+Δ	—	−15+Δ	−15	−27+Δ	0		−43	−63	−92	−122	−170	−202	−248	−300	−365	−470	−620	−800	15	—	4	4	6	15
140 160	+520	+280	+210	—																				−65	−100	−134	−190	−228	−280	−340	−415	−535	−700	−900						
160 180	+580	+310	+230	—																				−68	−108	−146	−210	−252	−310	−380	−465	−600	−780	−1000						
180 200	+660	+340	+240	—	+170	+100	—	+50	—	+15	0		+22	+30	+47	−4+Δ	—	−17+Δ	−17	−31+Δ	0		−50	−77	−122	−166	−236	−284	−350	−425	−520	−670	−880	−1150	17	—	4	4	6	17
200 225	+740	+380	+260	—																				−80	−130	−180	−258	−310	−385	−470	−575	−740	−960	−1250						
225 250	+820	+420	+280	—																				−84	−140	−196	−284	−340	−425	−520	−640	−820	−1050	−1350						
250 280	+920	+480	+300	—	+190	+110	—	+56	—	+17	0		+25	+36	+55	−4+Δ	—	−20+Δ	−20	−34+Δ	0		−56	−94	−158	−218	−315	−385	−475	−580	−710	−920	−1200	−1550	20	—	4	4	7	20
280 315	+1050	+540	+330	—																				−98	−170	−240	−350	−425	−525	−650	−790	−1000	−1300	−1700						
315 355	+1200	+600	+360	—	+210	+125	—	+62	—	+18	0		+29	+39	+60	−4+Δ	—	−21+Δ	−21	−37+Δ	0		−62	−108	−190	−268	−390	−475	−590	−730	−900	−1150	−1500	−1900	21	—	5	5	7	21
355 400	+1350	+680	+400	—																				−114	−208	−294	−435	−530	−660	−820	−1000	−1300	−1650	−2100						
400 450	+1500	+760	+440	—	+230	+135	—	+68	—	+20	0		+33	+43	+66	−5+Δ	—	−23+Δ	−23	−40+Δ	0		−68	−126	−232	−330	−490	−595	−740	−920	−1100	−1450	−1850	−2400	23	—	5	5	7	23
450 500	+1650	+840	+480	—																				−132	−252	−360	−540	−660	−820	−1000	−1250	−1600	−2100	−2600						

注：1. 例如大于 18~30mm 的 P7，Δ=8，因此 ES=−14。
① 1mm 以下，各级 A 和 B 级及大于 8 级的 N 均不采用。
② 标准公差 ≤IT8 级的 K、M、N 及标准公差 ≤IT7 级的 P~ZC 时，从表的右侧选取 Δ 值。

附录 E

表 E-1 典型形状公差的定义、标注和解释（摘自 GB/T 1182—2018）

特征	二维标注	三维标注	公差带	解释
直线度公差	0.1 ∥ A （应标注相交平面框格）	0.1 ∥ A	a—基准 A b—任意点距离 c—平行于基准 A 的相交平面	被测要素是组成要素（一根或一组直线）。上表面的提取（实际）线应在公差带为平行于（相交平面内与给定方向上、间距等于公差值 $t=0.1$mm 的两平行直线所限定的区域
	0.1	0.1		被测要素是组成要素（棱边）。圆柱表面的提取（实际）棱边应在公差带为间距等于公差值 $t=0.1$mm 的两平行直线所限定的区域
	$\phi 0.08$（应使用 ϕ）	$\phi 0.08$		被测要素是导出要素（轴线）。圆柱面的提取（实际）中心线应在公差带为直径等于公差值 $\phi t=\phi 0.08$mm 的圆柱面所限定的区域

公差类型	标注示例	公差带	说明
平面度公差 ⌭	⌭ 0.08		被测要素是组成要素或导出要素（中心平面）。提取（实际）表面应在公差带为间距等于公差值 $t = 0.08\text{mm}$ 的两平行平面所限定的区域
圆度公差 ○	⊥ D ○ 0.03 ○ 0.03 非圆柱和非圆球的回转体要素	a—任意相交平面	被测要素是组成要素，如包含被测球心的、与轴线垂直的横截面的圆周线。非圆柱面及非圆球表面回转体的横截面的圆周线。在圆锥面与圆锥面的圆周线。提取（实际）圆周线应在半径差等于 0.03mm 的任意横截面内与圆周线共面同心圆之间所限定的区域
○ 0.1 ⊥ C 非圆柱和非圆球的回转体要素	a—垂直于基准C的圆，在圆锥面表面上且垂直于被测要素表面	被测要素是组成要素，即按方向要素获得的非圆柱和非圆球回转体表面的圆周线。由被测要素共其同轴的圆锥垂直的、按方向要素所定义，位于给定圆锥截面（方向横截面）相交平面定义，位于给定横截面上的圆周线上一与被测要素上圆周线的公差带为在给定圆锥面上沿表面距离相交公差带的 0.1mm 的两个且垂直圆锥面上的圆所限定的区域
圆柱度公差 ⌭	⌭ 0.1		被测要素是组成要素（圆柱面）。提取（实际）圆柱表面应在公差带为半径差等于公差值 $t = 0.1\text{mm}$ 的两同轴圆柱面之间所限定的区域

附录 F

表 F-1 典型方向公差的定义、标注和解释（摘自 GB/T 1182—2018）

特征	二维标注	三维标注	公差带	解释
平行度	⫽ 0.1 A ⫽B（标注图）	⫽ 0.1 A ⫽B（三维图）	a—基准 A，b—基准 B	被测要素是相对于基准体系的中心线。提取（实际）中心线应位于公差带为平行于基准轴线 A 沿平行于辅助基准平面 B 方向（定向平面）给定的间距 $t=0.1$ mm 的两平行平面之间所给定的区域限定的区域
平行度	⫽ 0.1 A ⊥B（标注图）（推荐标注）	⫽ 0.1 A ⊥B（三维图）	a—基准 A，b—基准 B	被测要素是相对于基准体系的中心线。提取（实际）中心线应位于公差带为平行于辅助基准平面 B 方向（定向平面）给定的间距 $t=0.1$ mm 的两平行平面之间所给定的区域限定的区域
平行度	⫽ 0.2 A ⊥B / ⫽ 0.1 A ⫽B（标注图）（推荐标注）	⫽ 0.2 A ⊥B / ⫽ 0.1 A ⫽B（三维图）	a—基准 A，b—基准 B	被测要素是相对于基准体系的中心线。提取（实际）中心线应位于公差带为平行于基准轴线 A 的平行于辅助基准平面 B 方向（定向平面）所限定的区域，沿平行于辅助基准平面的间距 $t_1=0.1$ mm，沿垂直于辅助基准平面 B 方向（定向平面）给定公差带的间距 $t_2=0.2$ mm

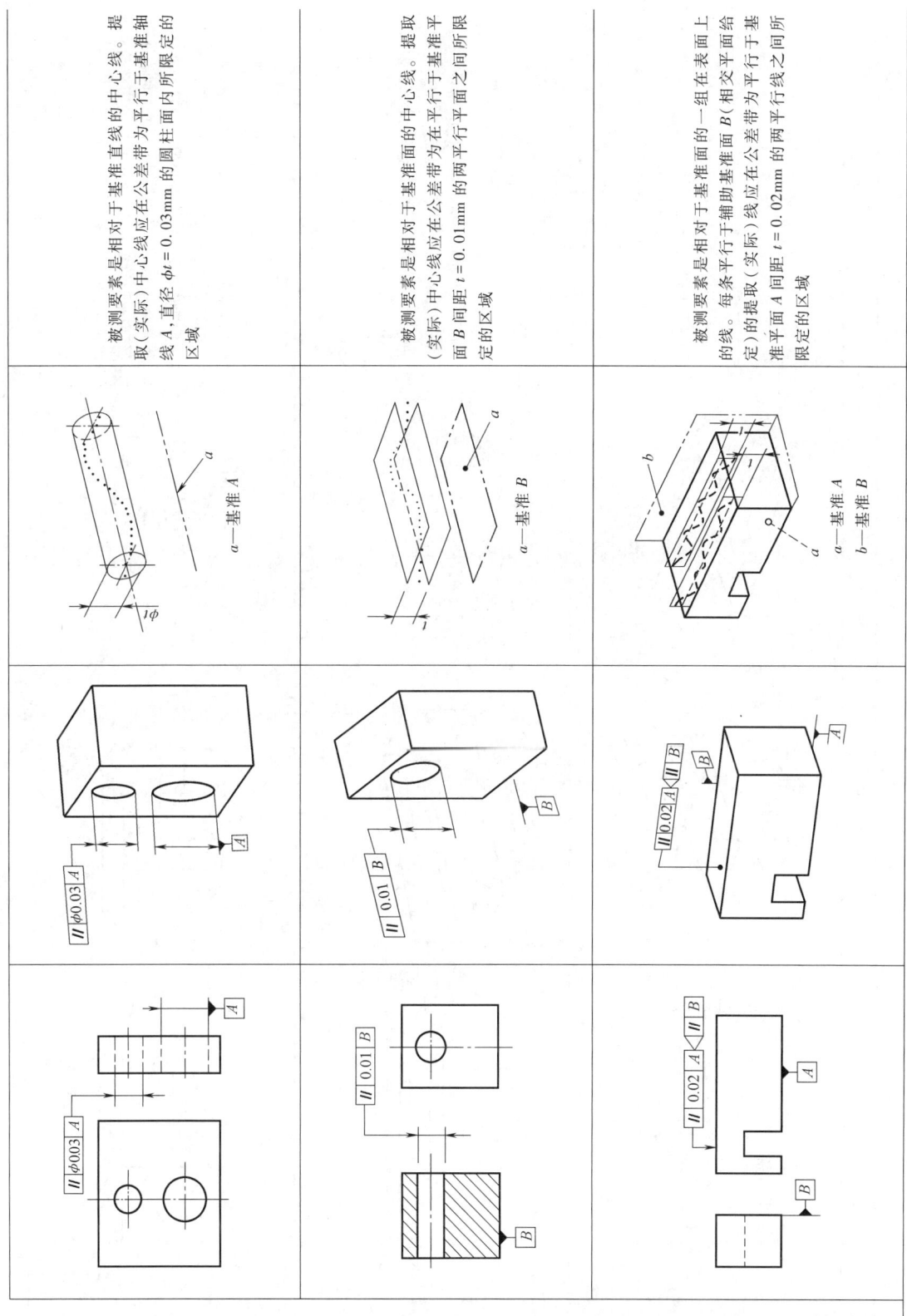

(续)

特征	二维标注	三维标注	公差带	解释
平行度公差 ∥				被测要素是相对于基准直线的平面。提取（实际）面应在公差带为平行于基准轴线 C 间距 $t=0.1\mathrm{mm}$ 的两平行平面之间所限定的区域
				被测要素是相对于基准面的平面。提取（实际）表面应在公差带为平行于基准平面 D 间距 $t=0.01\mathrm{mm}$ 的两平行平面之间所限定的区域
				被测要素是相对于基准体系的中心线。圆柱面的提取（实际）中心线应在公差带垂直于基准平面 A，沿平行于辅助基准平面 B 方向（定向平面给定）间距 $=0.1\mathrm{mm}$ 的两平行平面之间所限定的区域

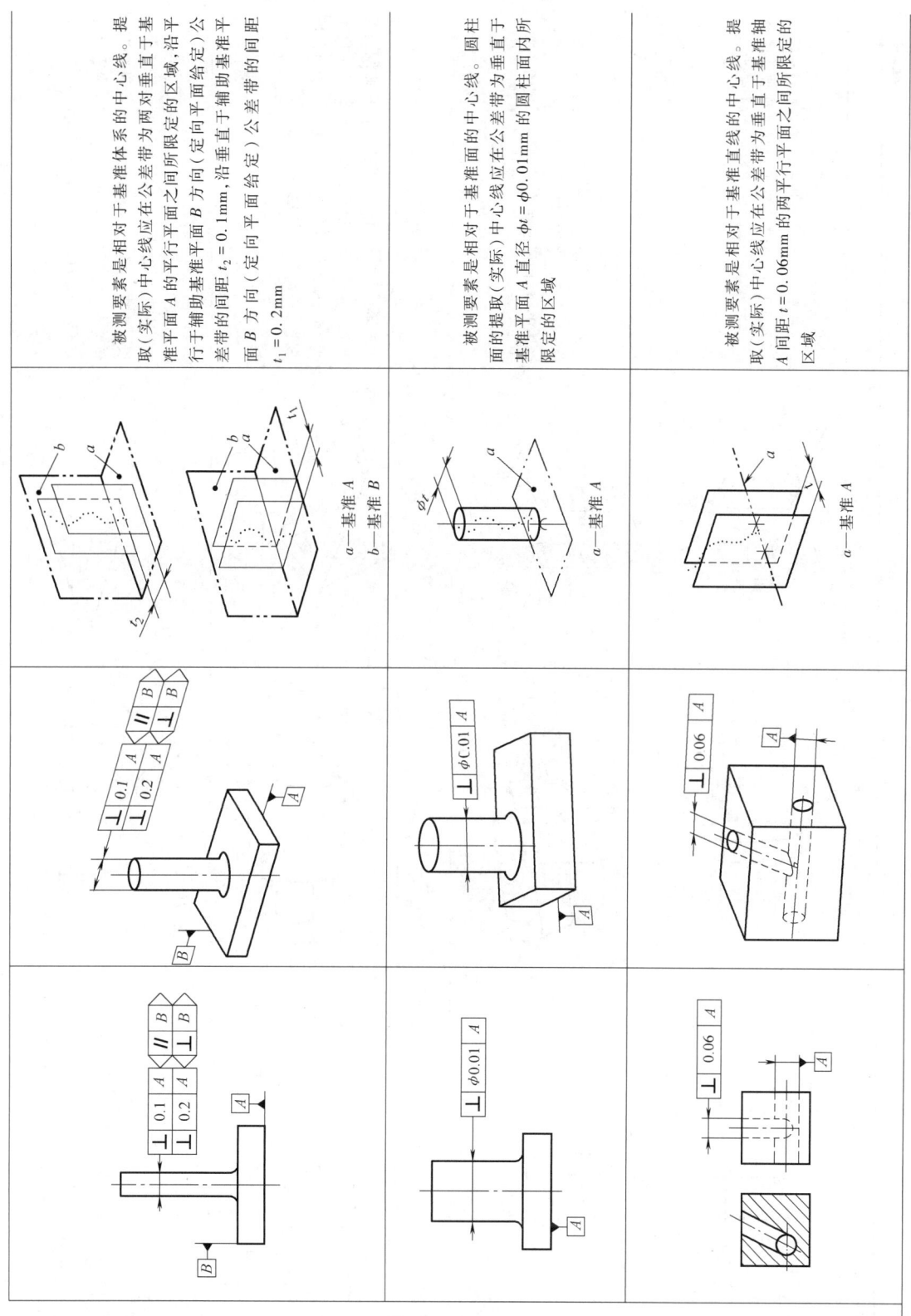

（续）

特征	二维标注	三维标注	公差带	解释
垂直度公差 ⊥				被测要素是相对于基准直线的平面。提取（实际）面应在公差带为垂直基准轴线 A 同距 $t = 0.08$ mm 的两平行平面之间所限定的区域
				被测要素是相对于基准面的平面。提取（实际）面应在公差带为垂直基准平面 A 同距 $t = 0.08$ mm 的两平行平面之间所限定的区域
	未定义绕基准轴线的公差带旋转要求，只规定了方向		a—公共基准 A—B	被测要素是相对于基准直线的中心线。提取（实际）中心线应在公差带为按 TED 角度 60°倾斜于公共基准 A—B 间距 $t = 0.08$ mm 的两平行平面之间所限定的区域
			a—公共基准 A—B	被测要素是相对于基准直线的中心线。提取（实际）中心线应在公差带为按 TED 角度 60°倾斜于公共基准 A—B 为轴线直径 $\phi t = \phi 0.08$ mm 的圆柱面内所限定的区域

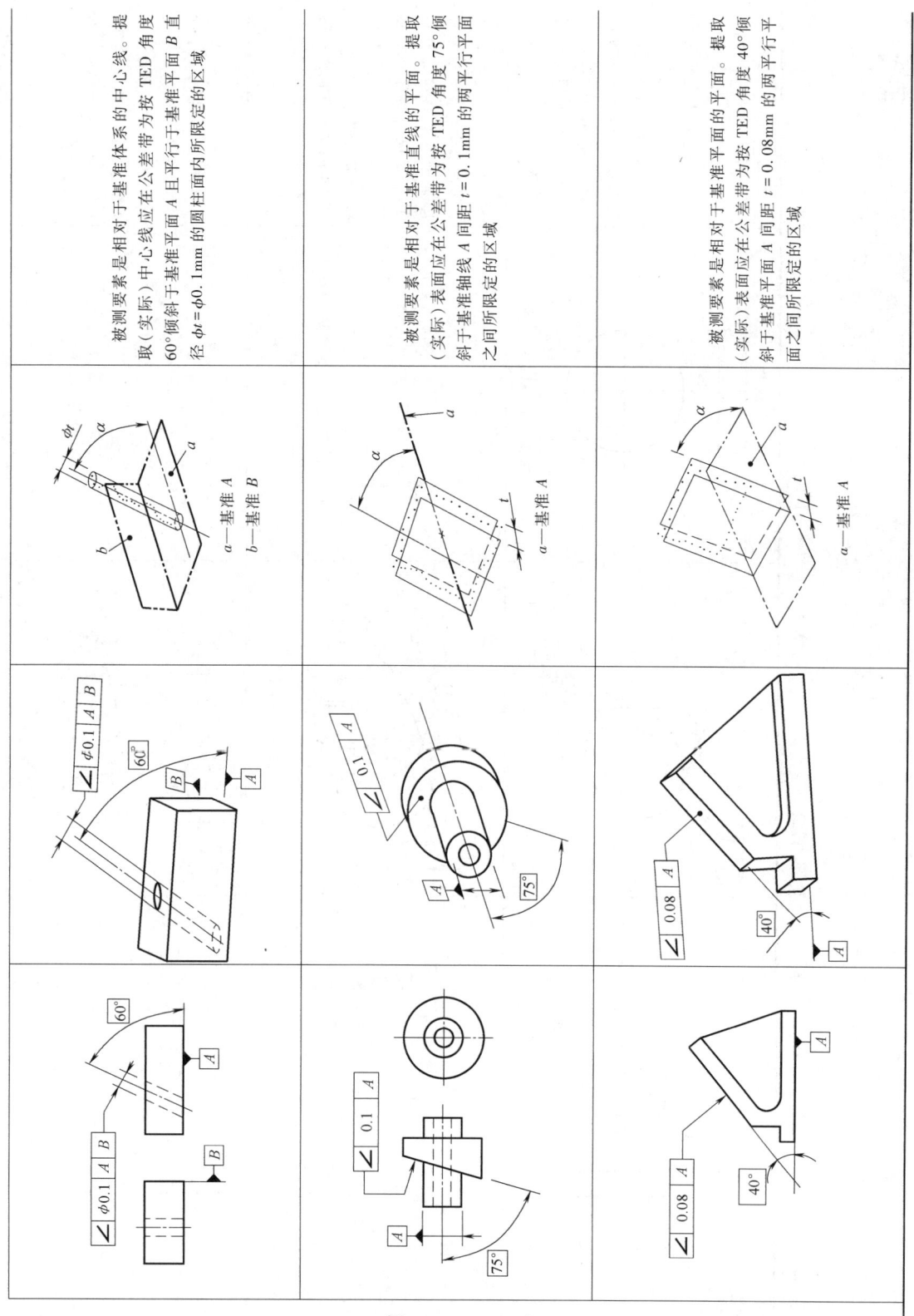

附录 G

表 G-1 典型位置公差的定义、标注和解释（摘自 GB/T 1182—2018）

特征	二维标注	三维标注	公差带	解释
同心度公差 ◎	⌀0.1 A，ACS	⌀0.1 A，ACS	⌀t，a—基准点 A，横截面外圆心	被测要素是导出要素（点）。在任意横截面内（实际），内圆的提取（实际）中心点应在公差带为以基准点 A（在同一横截面内）为圆心、直径 ⌀t = ⌀0.1mm 的圆周内所限定的区域
	⌀0.08 A−B	⌀0.08 ⒶA−B，用Ⓐ表示导出要素	a—公共基准 A−B，公共轴线	被测要素是导出要素（中心线）。提取（实际）中心线应在公差带为以公共基准线 A−B 为轴线、直径 ⌀t = ⌀0.08mm 的圆柱面内所限定的区域
同轴度公差 ◎	⌀0.1 A	⌀0.1 A	a—基准 A，轴线	被测要素是导出要素（中心线）。中心线应在公差带为以基准 A 为轴线、直径 ⌀t = ⌀0.1mm 的圆柱面内所限定的区域

298

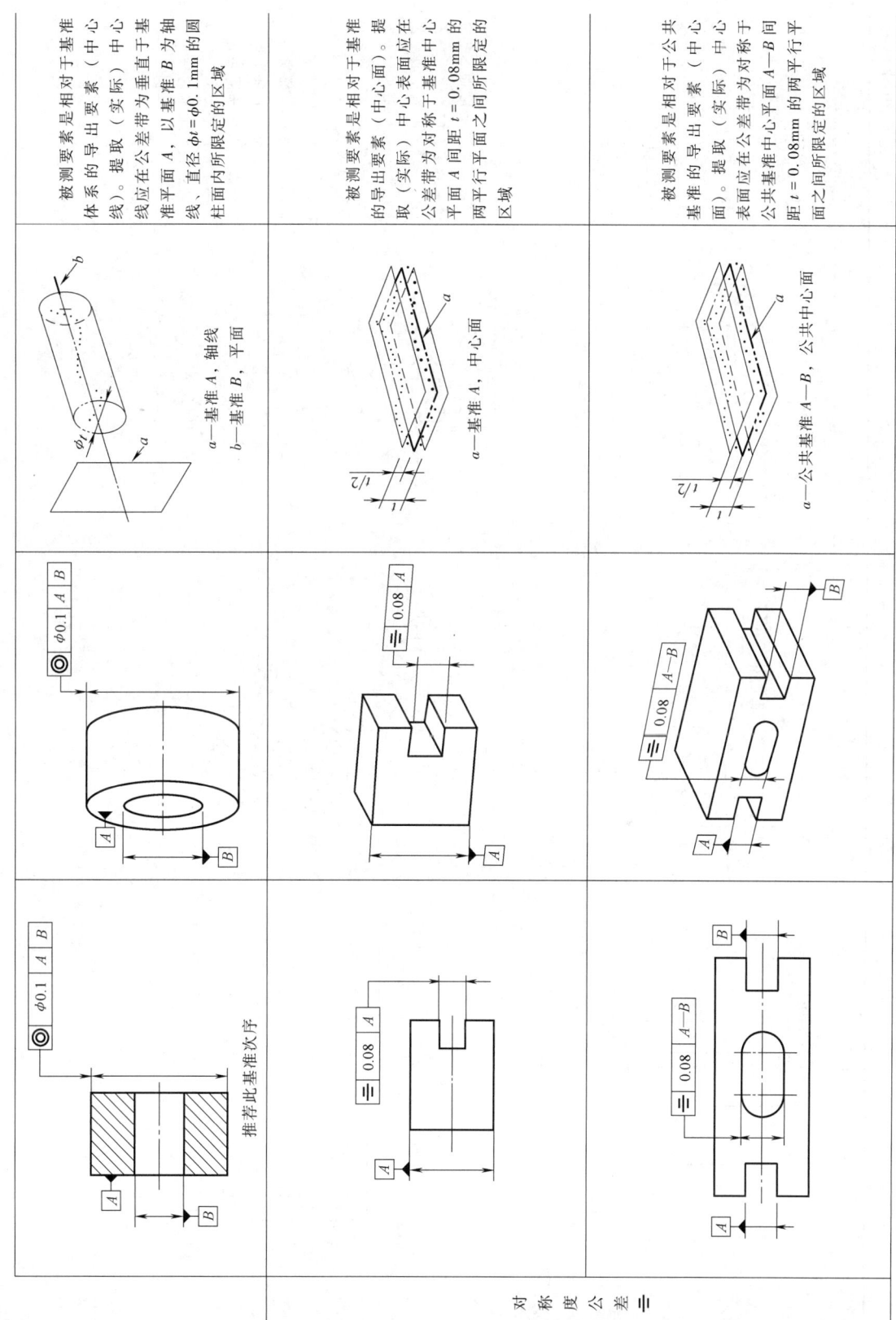

特征	二维标注	三维标注	公差带	解释
位置度公差	(图) $S\phi 0.3$ A B C	(图) $S\phi 0.3$ A B C	a—基准 A b—基准 B c—基准 C	被测要素是导出点（球心、顶尖）。提取（实际）球心应在公差带为以基准平面 A、基准平面 B、基准平面 C 的中心平面确定的 TED 确定的理论正确位置为球心、直径 $=S\phi 0.3\text{mm}$ 的圆球面所限定的区域
	$4\times\phi 12$　$\bigoplus$ 0.05 C A B　$\bigoplus$ 0.2 C A　$\parallel$ A　$\parallel$ B 推荐此基准次序，可省略两个定向平面框格，用基准体系 $C\|A\|B$ 代替	$4\times\phi 12$　$\bigoplus$ 0.05 C A B $\parallel$ B　$\bigoplus$ 0.2 C A $\parallel$ A	a—基准 A b—基准 B c—基准 C	被测要素是相对于基准体系给定方向的导出要素（中心线）。4 个孔的提取（实际）中心线在给定方向（定向平面给定）上各自在公差带为两对相互垂直、间距 $t_1 = 0.05\text{mm}$，$t_2 = 0.2\text{mm}$ 的平行平面所限定的区域，每对平行平面的方向由基准体系确定，且对称于由基准平面 C、A、B 及被测孔所确定的理论正确位置。基准平面 C、A、B 两两垂直

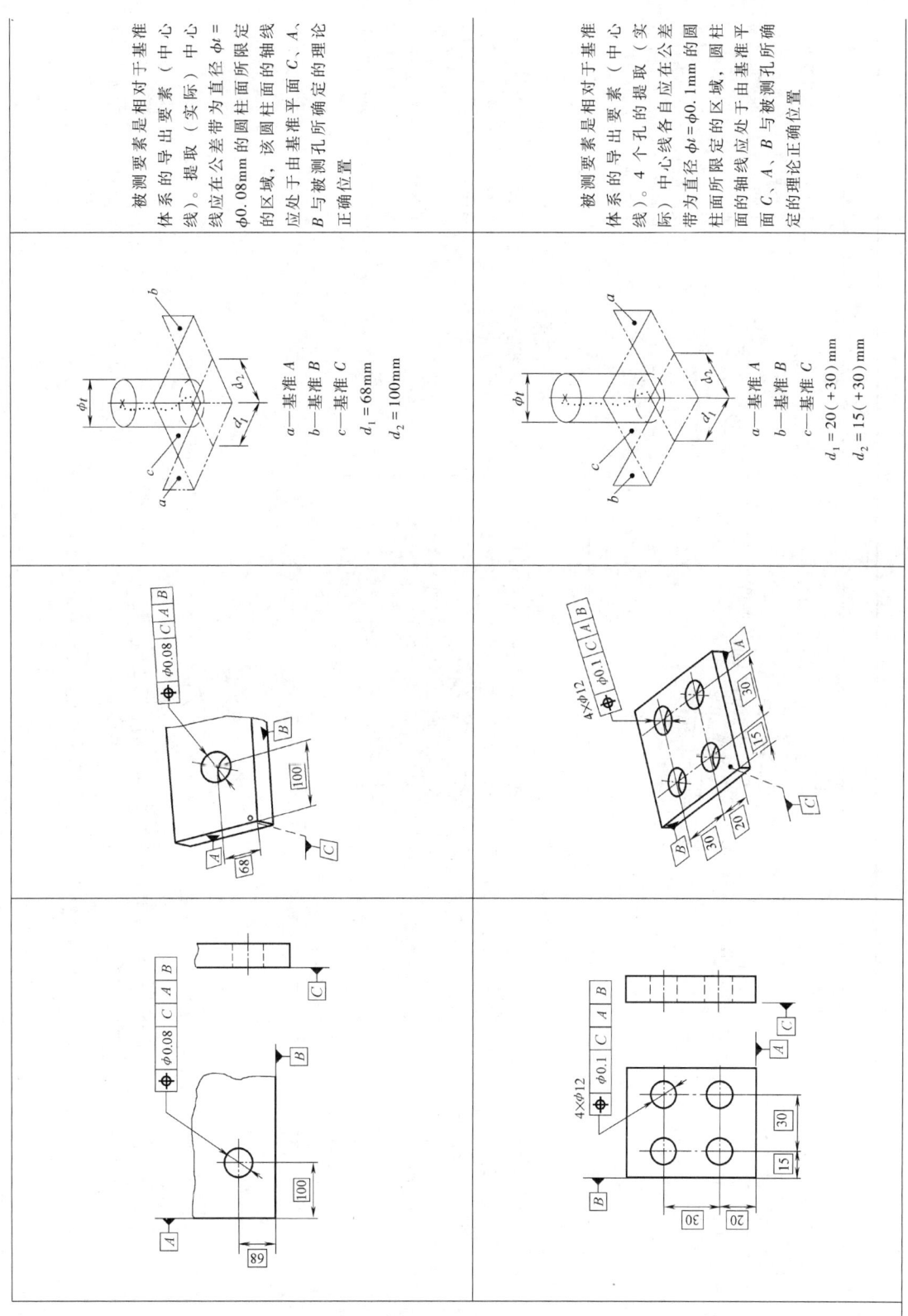

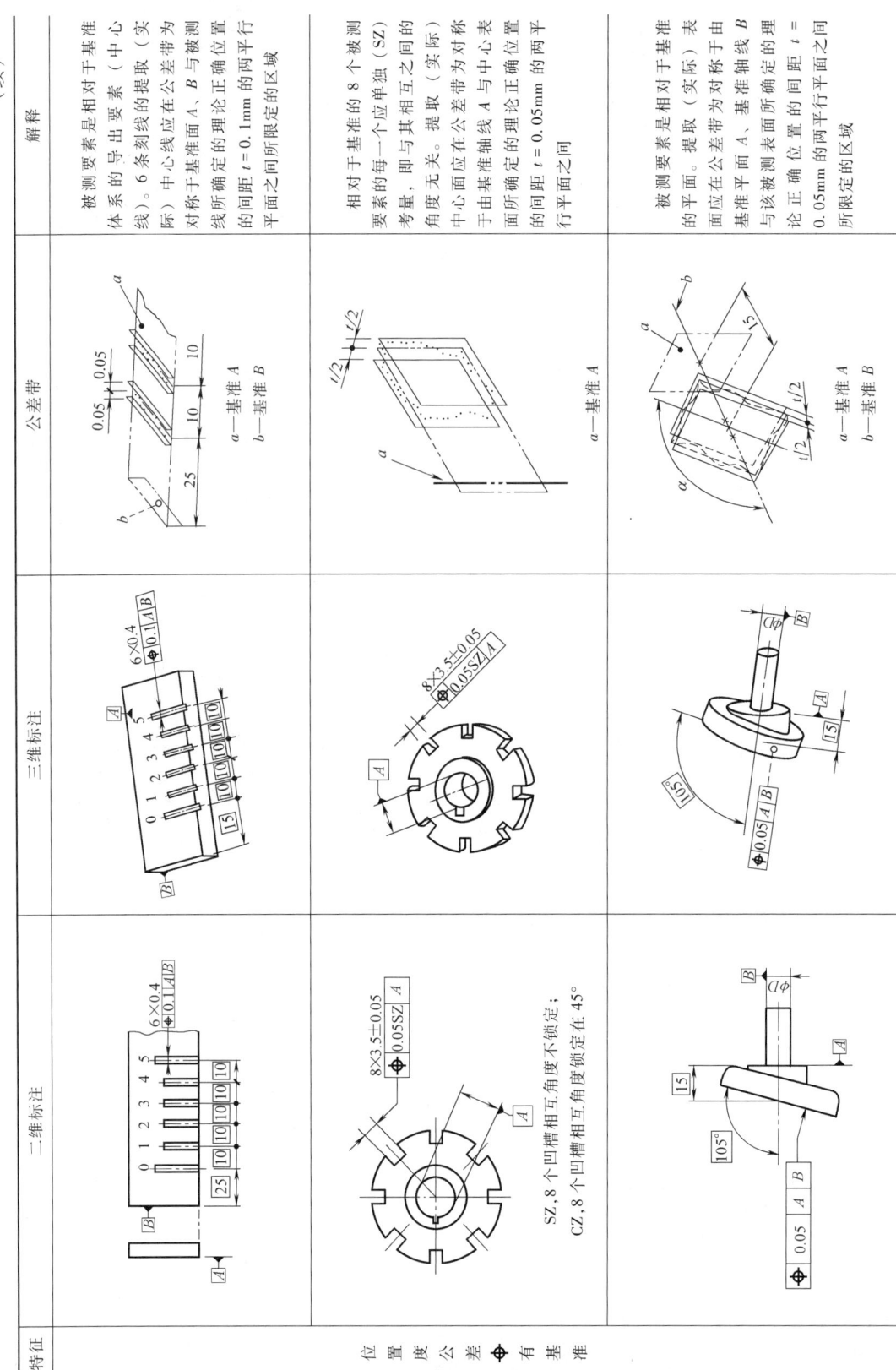

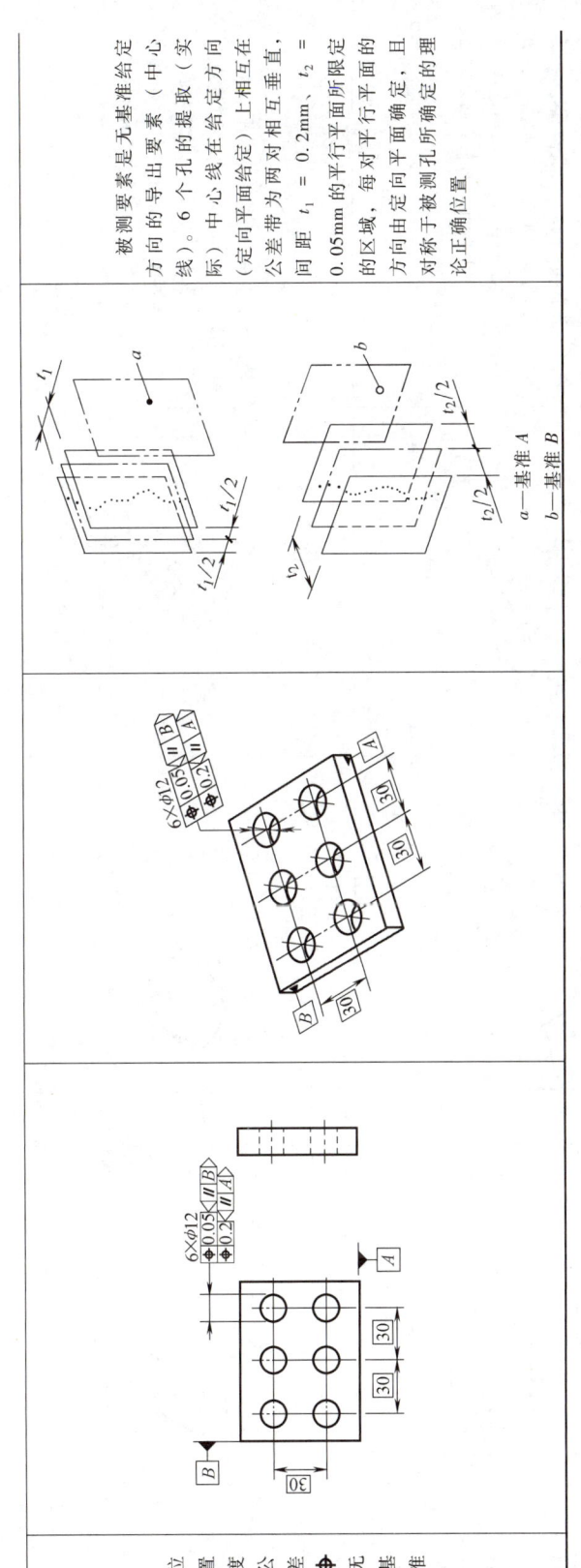

特征	二维标注	三维标注	公差带	解释
位置度公差 ⌖ 无基准				被测要素是无基准给定方向的导出要素（中心线）。6个孔的提取（实际）中心平面给定方向（定向平面给定）上相互垂直，公差带为两对平行平面所限定的区域，间距 $t_1 = 0.2$mm，$t_2 = 0.05$mm，每对平行平面所限定的区域由定向平面确定的理论正确位置

附录 H

表 H-1 典型跳动公差的定义、标注和解释（摘自 GB/T 1182—2018）

特征	二维标注	三维标注	公差带	解释
径向圆跳动公差 ↗			a—基准 A，轴线	被测要素是相对于基准的组成要素（任一横截面外周线）。提取（实际）线应在一横截面上，公差带为垂直基准轴线 A 的横截面上，圆心在基准轴线 A 上的半径差 $t = 0.1$mm 的两共圆心圆之间所限定的区域

303

(续)

特征	二维标注	三维标注	公差带	解释
径向圆跳动公差				被测要素是相对于基准体系的组成要素（任一横截面外周圆线）。提取（实际）线应在公差带为平行于基准平面 B、垂直于基准 A 轴线的横截面上、圆心在基准轴线 A 上的半径差 $t=0.1\text{mm}$ 的两共面同心圆之间所限定的区域
				被测要素是相对于公共基准的组成要素（任一横截面外周圆线）。提取（实际）线应在公差带为垂直于公共基准轴线 $A-B$ 的横截面上、圆心在公共基准轴线 $A-B$ 上的半径差 $t=0.1\text{mm}$ 的两共面同心圆之间所限定的区域
				被测要素是相对于基准的组成要素（任一横截面）。提取（实际）线应在公差带为垂直于基准轴线 A 的横截面上、圆心在基准轴线 A 上的半径差 $t=0.2\text{mm}$ 的两共面同心圆弧之间所限定的区域

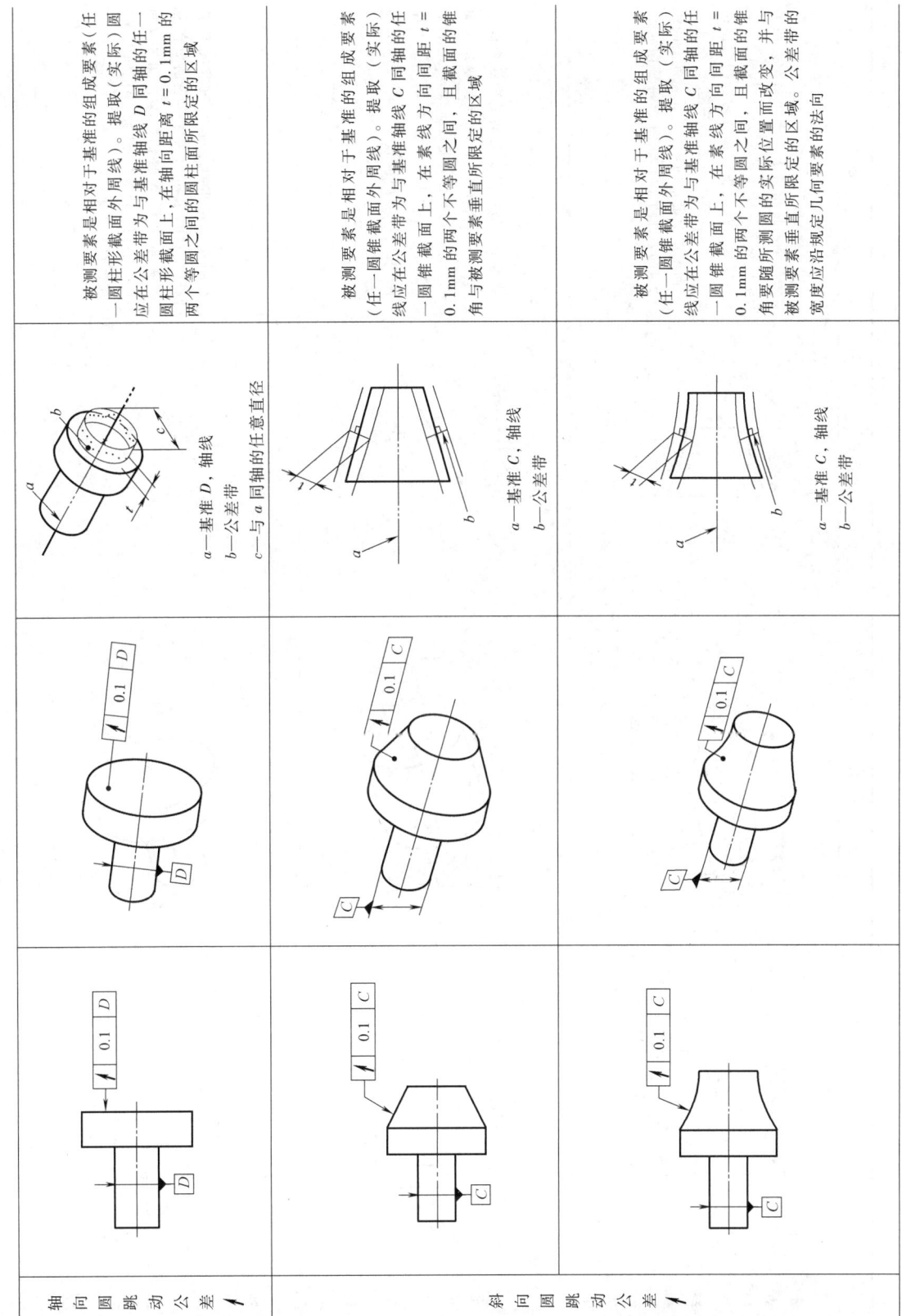

特征	二维标注	三维标注	公差带	解释
给定方向圆跳动公差 ↗			a—基准 C, 轴线 b—公差带	被测要素是相对于基准的给定方向上的组成要素（任一圆锥截面外周线）。提取（实际）线应在公差带为与基准轴线 C 同轴，且与之具有给定锥角 α（方向要素给定）的任一圆锥截面上所限定的 $t = 0.1\text{mm}$ 的两个不等圆之间所限定的区域
径向全跳动公差 ↗↗			a—公共基准 A—B	被测要素是相对于公共基准的组成要素（圆柱外表面）。提取（实际）表面应在公差带为公共基准轴线 A—B 同轴的，圆心在公共基准轴线 A—B 上的半径差 $t = 0.1\text{mm}$ 的两圆柱面之间所限定的区域
轴向全跳动公差 ↗↗			a—基准 D, 轴线 b—提取表面	被测要素是相对于基准的组成要素（圆柱端面）。提取（实际）表面应在公差带为垂直于基准轴线 D, 间距 0.1mm 的两平行平面之间所限定的区域 注：同垂直度公差

附录 I

表 I-1 典型轮廓度公差的定义、标注和解释（摘自 GB/T 1182—2018）

特征	二维标注	三维标注	公差带	解释
线轮廓度公差（与基准不相关的）	UF D→E ⌒ 0.04 ／／ A（UF 表示组合要素上的三个弧部分组成联合要素）	UF D→E ⌒ 0.04 ／／ A	a—基准平面 A；b—任意距离；c—平行于基准平面 A 的平面	公称被测要素是一个或一组一线要素。在任一平行于基准平面 A（实际）平面规定的截面内，提取（实际）轮廓线应在公差带由直径 $\phi t = \phi 0.04\text{mm}$，圆心位于理论正确几何形状（TED 给定）上的一系列圆的两等距包络线之间所限定的区域
线轮廓度公差（相对于基准体系的）	⌒ 0.04 A B ／／ A（虚线为看不见的部分）	⌒ 0.04 A B ／／ A	a—基准 A，背平面；b—基准 B，底平面；c—平行于基准平面 A 的平面	公称被测要素是一个或一组一线要素。在任一平行于基准平面 A（实际）平面规定的截面内，提取（实际）轮廓线应在公差带由直径 $\phi t = \phi 0.04\text{mm}$，圆心位于由基准平面 A 与 B 确定的理论正确几何形状（TED 给定）上的被测要素的一系列圆的两等距包络线之间所限定的区域

特征		二维标注	三维标注	公差带	解释
面轮廓度公差 ⌓	与基准不相关的	⌓ 0.02	⌓ 0.02	$S\phi t$	公称被测要素是面要素。提取（实际）轮廓面应在公差带由直径 $\phi t=\phi 0.02$mm，球心位于理论正确几何形状（TED给定）表面上的一系列圆球的两等距包络面之间所限定的区域
	相对于基准的	⌓ 0.1 A	⌓ 0.1 A	$S\phi t$ a—基准平面 A	公称被测要素是面要素。提取（实际）轮廓面应在公差带由直径 $\phi t=\phi 0.1$mm，球心位正于基准平面 A 确定的理论正确几何形状（TED给定）表面上的一系列圆球包络的两等距包络面之间所限定的区域

参 考 文 献

［1］王益祥，陈安明，王雅. 互换性与测量技术［M］. 北京：清华大学出版社，2012.
［2］吴昭同，杨将新. 计算机辅助公差优化设计［M］. 杭州：浙江大学出版社，1999.